L'ENFANT

DU MÊME AUTEUR

[...], 2008 ; Babel noir n° 61.

[...] Babel noir n° 85.

[...]009 ; Babel noir n° 92.

L'Oiseau de [...] s Sud, 2010 ; Babel noir n° 111.

L'Enfant allemand, Actes Sud, 2011.

Cyanure, Actes Sud, 2011 ; Babel noir n° 71.

Super-Charlie, Actes Sud Junior, 2012.

À table avec Camilla Läckberg, Actes Sud, 2012.

La Sirène, Actes Sud, 2012.

Le Gardien de phare, Actes Sud, 2013.

Super-Charlie et le voleur de doudou, Actes Sud Junior, 2013.

La Faiseuse d'anges, Actes Sud, 2014.

Titre original :
Tyskungen
Éditeur original :
Bokförlaget Forum, Stockholm
© Camilla Läckberg, 2007
Publié avec l'accord de Nordin Agency, Suède

© ACTES SUD, 2011
pour la traduction française
ISBN 978-2-330-03738-3

CAMILLA LÄCKBERG

L'ENFANT ALLEMAND

roman traduit du suédois
par Lena Grumbach

BABEL NOIR

à Wille et Meja

Seul le bourdonnement frénétique des mouches troublait le silence de la pièce. L'homme assis sur la chaise ne bougeait pas. Cela faisait un moment qu'il n'avait pas bougé. D'ailleurs, on ne pouvait plus guère le qualifier d'homme. Pas si l'on voulait parler d'un être vivant, qui respire et éprouve des sentiments. Cet homme-ci se trouvait réduit à l'état de nourriture. Un refuge pour les larves et les insectes.

Les mouches volaient en épaisses nuées autour du corps immobile. Se posaient. Leurs trompes aspiraient. Puis elles s'envolaient. Tournoyaient. Cherchaient un autre endroit où s'installer. Elles tâtaient le terrain. Se bousculaient. La plaie sur le crâne de l'homme les intéressait particulièrement. L'odeur métallique de sang avait disparu depuis longtemps, remplacée par une autre, plus douceâtre, légèrement putride.

Le sang avait coagulé. Au début, il avait coulé le long de la nuque, le long du dossier de la chaise, jusqu'au sol où il s'était finalement figé en une grosse flaque rouge, pleine de globules sanguins vivants. Désormais, elle avait changé de couleur. Le liquide visqueux qui coule normalement dans les veines d'un homme était devenu méconnaissable. Il n'était plus qu'une matière noire et collante.

Quelques mouches tentaient de sortir à l'air libre. Elles étaient rassasiées. Satisfaites. Les œufs étaient pondus. Leurs trompes avaient travaillé dur, avaient calmé la faim. Maintenant elles voulaient sortir. Elles se précipitaient sur le carreau. Essayaient en vain de franchir la barrière invisible, en produisant un petit crépitement quand leurs ailes heurtaient la vitre. Tôt ou tard elles abandonneraient. La faim se ferait de nouveau sentir et elles retrouveraient le chemin de cette chair morte qui un jour avait été un homme.

Tout au long de l'été, Erica avait gravité autour du sujet qui occupait continuellement ses pensées. Elle avait pesé le pour et le contre, avait failli se lancer plusieurs fois, sans jamais aller plus loin que le pied de l'escalier du grenier. Elle aurait pu prétexter que ces derniers mois avaient été très remplis. Le contrecoup du mariage, le chaos chez eux quand Anna et les enfants habitaient encore là. Mais ce n'était pas toute la vérité. Elle avait tout simplement peur. Peur de ce qu'elle pourrait trouver. Peur de commencer à fouiller et à exhumer des événements qu'elle aurait préféré ignorer.

Erica savait que, plusieurs fois, Patrik avait été sur le point de lui poser la question. De toute évidence, il se demandait pourquoi elle ne lisait pas les carnets qu'ils avaient trouvés au grenier. Mais il n'avait rien dit. De toute façon, elle n'aurait pas eu de réponse à lui fournir. Elle serait peut-être obligée de modifier sa perception de la réalité, c'était sans doute ce qui l'effrayait le plus. L'image qu'elle avait de sa mère et de son comportement vis-à-vis de ses filles n'était pas très positive. Mais c'était son image, elle la connaissait. C'était une vision qui avait résisté au temps, comme une vérité immuable sur laquelle elle pouvait s'appuyer. Elle serait peut-être confirmée. Renforcée même. Mais que se passerait-il si sa représentation se trouvait bouleversée ? s'il lui fallait affronter une toute nouvelle réalité ? Elle n'avait pas eu le courage de sauter le pas, pas jusqu'à aujourd'hui.

Erica posa un pied sur la première marche. Le salon retentit du rire joyeux de Maja qui se faisait chahuter par Patrik. Un bruit rassurant. Elle monta une nouvelle marche. Encore cinq, et elle serait arrivée.

La poussière vola quand elle ouvrit la trappe et entra dans le grenier. Ils avaient discuté la possibilité d'aménager les combles, pour Maja, quand elle serait grande et qu'elle voudrait un espace où se retirer. Mais pour l'instant ce n'était qu'un grenier avec un plancher de bois brut, un toit incliné et une charpente nue. Un fatras d'objets occupait une bonne moitié de l'espace. Des décorations de Noël, des vêtements devenus trop petits pour Maja, des cartons pleins à craquer de trucs trop laids pour avoir leur place dans la maison, mais trop chargés de souvenirs pour être jetés.

Le coffre se trouvait dans un coin au fond du grenier. Un modèle ancien en bois et tôle, le genre de malle bombée qu'on utilisait autrefois pour voyager. Elle s'en approcha et s'assit par terre. Passa sa main sur le bois. Après une profonde inspiration, elle souleva le couvercle. Une odeur de renfermé s'en échappa et elle fronça le nez.

L'émotion qu'elle avait ressentie lorsque Patrik et elle avaient trouvé le coffre et en avaient examiné le contenu était encore vive. Ce jour-là, elle avait sorti les affaires tout doucement, les unes après les autres. Des dessins qu'Anna et elle avaient faits. De petits objets qu'elles avaient fabriqués en travaux pratiques à l'école. Qu'Elsy avait gardés. Elsy, leur mère qui pourtant ne semblait jamais s'intéresser aux bibelots que ses filles mettaient tant d'application à réaliser.

De nouveau, Erica les sortit et les posa sur le plancher. Puis ses doigts rencontrèrent enfin le tissu qu'elle cherchait au fond du coffre. Elle le saisit avec précaution. La petite brassière avait été blanche autrefois mais, en la levant vers la lumière, elle vit que les années l'avaient jaunie. Les traces marron dont elle était constellée l'intriguaient particulièrement. Elle les avait tout d'abord prises pour des taches de rouille, avant de réaliser que ce devait être du sang. Le contraste entre la brassière de bébé et le sang séché lui serra le cœur. Comment cette brassière s'était-elle retrouvée ici? A qui avait-elle appartenu? Et pourquoi sa mère l'avait-elle gardée?

Erica posa doucement le petit vêtement à côté d'elle. Lorsqu'ils l'avaient trouvé, un objet était enveloppé à l'intérieur, mais il ne se trouvait plus dans la malle. C'est la seule chose qu'elle avait retirée. Une médaille nazie, protégée par le tissu souillé de la brassière. Elle avait été surprise par sa propre réaction. Les battements de son cœur s'étaient accélérés, sa bouche s'était asséchée et sur sa rétine s'étaient mises à défiler des séquences de films documentaires de la Seconde Guerre mondiale. Que faisait une médaille nazie ici à Fjällbacka? Dans sa maison? Parmi les affaires de sa mère? Tout ça était absurde. Elle avait voulu remettre la médaille dans le coffre et refermer le couvercle. Mais Patrik avait insisté pour qu'ils la montrent à un expert, histoire d'en savoir plus, et elle avait cédé, de mauvaise grâce. C'était comme si elle entendait des chuchotements en elle, des voix funestes et prémonitoires. Quelque chose lui avait dit qu'elle ferait mieux d'occulter l'insigne et de l'oublier. Mais la curiosité avait pris le dessus. Début juin, elle avait déposé la médaille chez un spécialiste de la Seconde

Guerre mondiale, et avec un peu de chance ils seraient bientôt renseignés sur son origine.

Mais de tout ce que contenait la malle, c'était autre chose qui avait interpellé Erica. Quatre carnets bleus dissimulés tout au fond. Elle avait reconnu l'écriture de sa mère sur la couverture, penchée à droite, avec des entrelacs, mais d'une main plus jeune et mieux assurée. Erica les sortit et laissa son index glisser sur le premier. Tous portaient l'inscription "Journal intime". Ces mots éveillèrent des sentiments contradictoires en elle. De la curiosité, de l'excitation, de l'empressement. Mais aussi de la crainte, de l'hésitation et un fort sentiment de violer une sphère privée. Avait-elle le droit de lire ces cahiers ? Avait-elle le droit de prendre part aux pensées et aux sentiments secrets de sa mère ? Par essence, un journal intime n'est pas destiné aux yeux d'autrui. Sa mère ne l'avait pas écrit pour qu'une autre personne en partage la teneur. Peut-être n'aurait-elle pas voulu que sa fille le lise. Mais Elsy était morte, et Erica ne pouvait pas lui demander la permission. Elle serait seule pour prendre sa décision et déterminer quelle attitude adopter.

— Erica ?

La voix de Patrik vint interrompre ses pensées.

— Oui ?

— Les invités sont là !

Erica regarda sa montre. Déjà trois heures ! C'était le premier anniversaire de Maja, et leurs amis les plus proches et la famille étaient conviés au goûter. Patrik avait dû croire qu'elle s'était endormie au grenier.

— J'arrive !

Elle épousseta ses vêtements, emporta les carnets et la brassière après un instant d'hésitation et descendit l'escalier raide du grenier. Elle entendait le brouhaha des invités en bas.

— Bonjour ! Soyez les bienvenus !

Patrik s'écarta pour laisser le passage à Johan et Elisabeth, un couple dont le fils avait le même âge que Maja et l'adorait de tout son être, même si son empressement se faisait parfois un peu brutal. Encore à l'instant, dès qu'il avait aperçu sa copine, William s'était rué sur elle comme un bulldozer et l'avait abordée avec la délicatesse d'un joueur de hockey sur glace. Fou de joie, il s'était retrouvé à califourchon sur Maja, qui hurlait. Les parents durent se précipiter pour le déloger.

— Eh, petit bonhomme, en voilà des façons ! On y va en douceur avec les filles !

Johan réprimanda son rejeton transi d'amour tout en l'empêchant de passer à une nouvelle offensive.

— J'ai l'impression qu'il a repris la même technique de drague que toi, rigola Elisabeth à l'adresse de son mari, qui se contenta de lui lancer un regard offusqué.

— Ce n'est rien, ma puce. Allez, debout !

Patrik aida sa fille à se relever et la cajola jusqu'à ce que ses pleurs se transforment en sanglots, puis il la poussa doucement en direction de William.

— Regarde ce qu'a apporté William. Des cadeaux !

Le mot magique produisit l'effet escompté. Sérieux comme un pape, William tendit cérémonieusement à Maja un paquet enrubanné de bolduc multicolore. Aucun des deux ne maîtrisait encore parfaitement l'art de la marche, et la difficulté de coordonner ses pieds en donnant le paquet à Maja fit perdre l'équilibre à William qui tomba sur les fesses. Mais quand il vit l'expression lumineuse de Maja, il oublia son humiliation.

— Hiiii, fit Maja, tout excitée, en commençant à tirer sur les rubans.

Au bout d'à peu près deux secondes, son visage montra les signes d'une profonde frustration et Patrik se précipita pour l'aider. Ensemble, ils réussirent à ouvrir le paquet et Maja en tira un éléphant gris tout doux, qui fut immédiatement adopté. Elle serra la peluche sur sa poitrine et l'entoura de ses bras en sautillant à pieds joints. Les tentatives de William pour câliner le doudou furent accueillies avec une mine boudeuse et un langage corporel tout à fait parlant. Le petit admirateur prit manifestement cela comme une invitation à redoubler d'efforts, et les parents flairèrent le conflit.

— Ce n'est pas l'heure du goûter ? lança Patrik.

Il prit Maja dans ses bras et gagna le salon. William et ses parents les suivirent, et lorsque le petit garçon se trouva devant le grand coffre à jouets, la paix fut rétablie. Temporairement, du moins.

— Salut tout le monde ! lança Erica en arrivant dans l'escalier.

— Qui veut du café ? demanda Patrik depuis la cuisine avant de recevoir trois "moi" en réponse.

— Alors Erica, ça se passe comment, la vie, maintenant que tu es mariée ? dit Johan.

— Bien, merci, à peu près comme avant. A part que Patrik s'entête tout le temps à m'appeler "ma p'tite femme". Tu n'aurais pas un tuyau pour qu'il arrête ? demanda Erica à Elisabeth avec un clin d'œil.

— Ben, je crois qu'il n'y a pas grand-chose à faire. Tu verras, ensuite "ma p'tite femme" va se transformer en "chef". Alors ne te plains pas. Au fait, où est Anna ?

— Elle est chez Dan. Ils se sont déjà mis en ménage, dit Erica d'un air entendu.

— Déjà ? Ils n'ont pas traîné, s'étonna Elisabeth en levant les sourcils. Les bons ragots avaient souvent cet effet-là.

Elles furent interrompues par la sonnerie de la porte et Erica bondit.

— C'est sûrement eux. Ou Kristina.

Le nom de sa belle-mère fut prononcé d'un ton glacial. Depuis le mariage, les relations entre les deux femmes étaient plus distantes que jamais, en grande partie à cause de la campagne de persuasion quasi obsessionnelle de Kristina. Elle voulait absolument convaincre Patrik qu'un homme ne peut pas se permettre d'interrompre sa carrière pour prendre quatre mois de congé paternité. Mais au grand dam de sa mère, Patrik n'avait pas cédé d'un pouce. Au contraire, il avait insisté pour s'occuper de Maja durant l'automne.

— Ohé ? Qui c'est qui veut un cadeau d'anniversaire ?

La voix d'Anna retentit dans l'entrée. Chaque fois qu'Erica entendait le ton gai de sa petite sœur, elle ne pouvait s'empêcher de frissonner. Sa joie de vivre, absente pendant tant d'années, était de retour. Elle paraissait forte, heureuse et amoureuse.

Au début, Anna avait eu peur qu'Erica prenne mal sa relation avec Dan. Sa sœur avait trouvé cela très drôle. Cela faisait une éternité, une vie entière même, que tout était fini entre Dan et elle, et si elle avait ressenti la moindre réticence, elle en aurait facilement fait abstraction, rien que pour le bonheur de voir Anna radieuse à nouveau.

— Où elle est, ma petite nana préférée ? claironna Dan.

Il chercha Maja des yeux. Il y avait entre eux une tendresse particulière, et Maja arriva immédiatement sur ses jambes instables avant de tendre les bras vers Dan.

— 'deau? demanda-t-elle, ayant parfaitement saisi le concept des anniversaires.

— Bien sûr qu'on t'a apporté un cadeau, ma puce, dit Dan, et Anna tendit un gros paquet rose avec des rubans argentés.

Maja s'extirpa des bras de Dan et chercha de nouveau à en atteindre le contenu. Cette fois, Erica l'aida et elles sortirent du paquet une grande poupée.

— Boupée !

Maja gargouilla de bonheur et serra ce nouveau cadeau dans ses bras. Puis elle se dirigea vers William pour lui montrer son trésor et, par précaution, elle répéta "boupée" en l'exhibant.

On sonna de nouveau à la porte, et dans la seconde Kristina fit son entrée. Erica commença tout de suite à grincer des dents. Sa belle-mère avait la très détestable habitude de n'appuyer sur la sonnette que pour la forme avant d'entrer sans se gêner.

On répéta l'opération paquets-cadeaux, mais cette fois le succès ne fut pas au rendez-vous. Déconcertée, Maja sortit des tee-shirts du paquet, vérifia encore une fois pour s'assurer qu'il n'y avait réellement pas de jouet, puis elle regarda sa grand-mère avec de grands yeux.

— La dernière fois, j'ai vu qu'elle avait un tee-shirt franchement trop petit, et comme il y avait des promos chez Lindex, trois pour le prix de deux, j'en ai profité. Ça lui servira toujours, sourit Kristina toute contente, nullement troublée par le visage déçu de Maja.

Erica maîtrisa son envie de lui dire combien elle trouvait idiot d'offrir des vêtements à un bébé d'un an. Mais ça ne s'arrêtait pas là. Non seulement Maja était déçue, mais Kristina avait aussi réussi à placer une de ses piques habituelles. Ils ne savaient apparemment pas habiller leur fille correctement.

— Le gâteau d'anniversaire est sur la table, cria Patrik.

Avec son sens infaillible du timing, il avait senti qu'il fallait faire diversion. Erica ravala son dépit et tout le monde se rendit dans le salon pour la cérémonie des bougies. Maja mobilisa toute sa concentration pour souffler l'unique bougie et envoya une pluie de postillons sur le gâteau. Patrik l'aida discrètement à éteindre la flamme, puis elle écouta solennellement la chanson et les vivats en son honneur. Au-dessus de la tête blonde de Maja, Erica croisa le regard de Patrik. Sa gorge se noua et elle vit que lui aussi était pris par l'émotion de l'instant. Un an. Leur bébé avait un an. Une petite nana qui trottait par ses propres moyens, qui frappait dans ses mains en entendant le générique de *Bolibompa* à la télé, qui mangeait toute seule, distribuait les bisous les plus mouillés de toute l'Europe du Nord et qui adorait le monde entier. Erica et Patrik se sourirent. A cet instant précis, leur bonheur était parfait.

Mellberg poussa un profond soupir. Ça lui arrivait souvent ces temps-ci. La gamelle qu'il avait ramassée au printemps dernier tirait encore son humeur vers le bas. Mais il n'était pas surpris. Il s'était permis de se relâcher, de vivre et d'éprouver des sentiments sans se poser de questions. On ne fait pas ce genre de choses impunément. Il aurait dû le savoir. En un sens, c'était bien fait pour sa pomme. Sa mésaventure lui servirait de rappel à l'ordre. Il avait retenu la leçon, et il n'était pas homme à faire deux fois la même erreur.

— Bertil ?

La voix d'Annika, à l'accueil, était impérieuse. D'un geste vif et coutumier, il remit en place les cheveux qui avaient glissé de son crâne d'œuf. Elles n'étaient pas nombreuses, les femmes dont il acceptait les injonctions, et Annika Jansson faisait partie de ce cercle restreint. Avec le temps, il en était malgré lui venu à la considérer avec respect, et elle était bien la seule. Le désastre avec la bonne femme qu'ils avaient eue au commissariat au printemps dernier était là pour le conforter dans son opinion.

Et voilà maintenant qu'on leur en fourguait une autre. Il soupira de nouveau. Un homme en uniforme de police, ça ne devrait pourtant pas être très difficile à trouver. Mais ils s'entêtaient à lui envoyer des nanas en remplacement d'Ernst Lundgren, et ce n'était vraiment pas marrant.

Un aboiement retentit à la réception et Mellberg fronça les sourcils. Est-ce qu'Annika avait amené un de ses chiens au boulot ? Elle savait pourtant ce qu'il pensait des clebs. Il faudrait qu'il lui dise deux mots à ce sujet.

Ce n'était pas un des labradors d'Annika, mais un cabot pelé de couleur et de race indéterminées, qui tirait sur la laisse tenue par une petite femme brune.

— Je l'ai trouvé juste là-dehors, dit elle avec un accent prononcé de Stockholm.

— Ah bon, et qu'est-ce qu'il fait ici alors ? répondit Mellberg d'un ton peu amène avant de pivoter sur ses talons et de repartir dans son bureau.

— Je te présente Paula Morales, dit Annika très rapidement et Bertil Mellberg se retourna de nouveau.

Ah oui ! La gonzesse qu'on leur envoyait avait effectivement un nom de consonance espagnole. Elle était fichtrement petite. Et menue. Mais le regard dont elle le gratifia était tout sauf complaisant. Elle lui tendit la main.

— Ravie de vous rencontrer. Le chien était en train d'errer tout seul dehors. A en juger par son état, je dirais qu'il n'a pas de maître. En tout cas pas quelqu'un qui s'en occupe convenablement.

Le ton était autoritaire et Mellberg se demanda où elle voulait en venir.

— Ben, eh bien dans ce cas vous n'avez qu'à le déposer quelque part.

— Il n'y a aucune structure par ici qui s'occupe des chiens perdus. Annika me l'a déjà dit.

— Ah bon ?

Annika secoua la tête.

— Bon, mais alors… vous n'avez qu'à le ramener chez vous, dit-il.

Il essaya de repousser le cabot qui se serrait contre sa jambe. Mais le chien l'ignora et s'assit tout bonnement sur son pied droit.

— Impossible. On a déjà une chienne à la maison. Elle n'aime pas la compagnie, répondit Paula calmement, toujours avec le même regard pénétrant.

— Alors toi, Annika, il peut peut-être… tenir compagnie à tes chiens ?

Mellberg semblait de plus en plus résigné. Pourquoi fallait-il que lui, le chef de cette maison, perde toujours son temps avec des broutilles pareilles ?

Annika secoua fermement la tête.

— Mes chiens sont habitués les uns aux autres, ils n'admettraient pas un intrus. Ça ne marcherait jamais.

— Vous n'avez qu'à le prendre, dit Paula en tendant la laisse à Mellberg.

Stupéfié par un tel aplomb, il se découvrit en train d'accepter la laisse, et le chien se colla encore davantage contre sa jambe, en gémissant d'aise qui plus est.

— Vous voyez, il vous aime bien.

— Mais je ne peux pas… Je n'ai pas…

Il bégaya, pour une fois incapable de trouver une réplique appropriée.

— Tu n'as pas d'animaux chez toi, et je te promets que je vais demander dans le quartier si quelqu'un l'a perdu. Sinon on essaiera de lui trouver un nouveau maître. En tout cas, on ne peut pas le relâcher dans la rue, il se fera écraser.

Malgré lui, Mellberg sentit qu'il se laissait attendrir par le ton implorant d'Annika. Il regarda le chien. Le chien le regarda. Son regard était humide et suppliant.

— C'est bon, c'est bon, je vais le prendre, ce chien de mes deux, si ça doit faire tant d'histoires. Mais seulement pour deux, trois jours. Et il n'entrera pas chez moi avant d'être propre, dit-il en brandissant un index menaçant vers Annika qui eut l'air franchement soulagée.

— Je vais le doucher tout de suite, ici, au poste. Pas de problèmes, s'empressa-t-elle de répondre avant d'ajouter : Merci mille fois, Bertil, vraiment.

Mellberg grogna.

— Je veux qu'il soit impeccable ! Sinon, il ne mettra pas un pied chez moi !

Il partit dans le couloir d'un pas hargneux et claqua la porte de son bureau derrière lui.

Annika et Paula sourirent. Le cabot geignait et remuait joyeusement la queue contre le sol.

— Passez une bonne journée, tous les deux.

Erica agita la main en direction de Maja, qui regardait *Les Télétubbies* assise par terre devant la télé et qui l'ignora totalement.

— Ne t'en fais pas, dit Patrik avant d'embrasser Erica. On saura se débrouiller sans toi, la puce et moi.

— A t'entendre, on dirait que je pars pour l'autre bout du monde, rit Erica. Je descendrai déjeuner tout à l'heure, tu sais.

— Mais bosser à la maison, tu crois que c'est une bonne idée ?

— On verra bien. Tu n'as qu'à faire comme si je n'étais pas là.

— Pas de problème. Dès que tu auras fermé la porte de ton bureau, tu n'existeras plus pour moi, dit Patrik avec un clin d'œil.

— Hum, ça reste à voir, répondit Erica avant de monter l'escalier. En tout cas, ça vaut un essai, ça m'arrange de ne pas avoir à louer un bureau ailleurs.

Elle entra dans son cabinet de travail et ferma la porte, avec des sentiments mitigés. Elle était restée à la maison avec Maja pendant un an et avait attendu ce jour avec impatience. Pouvoir passer le relais à Patrik. Avoir une occupation d'adulte à nouveau. Les terrains de jeu, les bacs à sable et les émissions pour enfants commençaient à lui sortir par les yeux. Le constat était là. S'appliquer à fabriquer de beaux pâtés de sable ne suffisait pas à stimuler son intelligence, et elle avait beau aimer sa fille à la folie, elle ne tarderait pas à s'arracher les cheveux si on la forçait à chanter *Imse vimse spindel**
encore une fois. A Patrik de prendre la relève désormais.

---

* *L'Araignée tête en l'air*, chanson du répertoire classique suédois pour enfants. *(Toutes les notes sont de la traductrice.)*

Erica s'installa cérémonieusement devant l'ordinateur, l'alluma et entendit avec satisfaction le susurrement familier. La date butoir pour rendre son nouveau livre de la série d'affaires criminelles authentiques était fixée au mois de février. Pendant l'été, elle avait eu le temps de faire quelques recherches, et elle se sentait prête. Elle ouvrit le fichier qu'elle avait appelé "Elias", du nom de la première victime de la meurtrière, et se prépara à pianoter sur son clavier. Un coup discret frappé à la porte la stoppa net.

— Désolé de te déranger. Dis-moi, où as-tu mis la combinaison de Maja ? dit Patrik en la regardant par en dessous.

— Elle est restée dans le sèche-linge.

D'un hochement de tête, Patrik la remercia et referma la porte.

Erica repositionna ses doigts au-dessus du clavier et respira à fond. Toc-toc sur la porte de nouveau.

— Désolé encore, après je te laisse tranquille, mais il faut que tu me dises – comment tu penses que je dois l'habiller aujourd'hui, Maja ? Il fait assez frais, mais d'un autre côté elle transpire facilement et c'est vite fait d'attraper un rhume…

Patrik sourit comme un crétin.

— Mets-lui un tee-shirt et un pantalon léger sous la combinaison, ça devrait suffire. Moi, je préfère le bonnet en coton, sinon elle a tout de suite trop chaud.

— Merci.

Erica s'apprêtait à écrire la première phrase lorsqu'elle entendit des hurlements au rez-de-chaussée. Ils allèrent *crescendo*, et au bout de deux minutes elle repoussa sa chaise avec un soupir et descendit.

— Je vais t'aider. Elle est pénible à habiller ces temps-ci, je le sais.

— Merci, je m'en suis rendu compte, dit Patrik.

Maja était furieuse et déterminée, et la sueur perlait au front de son père à force de se bagarrer avec elle, alors que lui était déjà habillé pour sortir.

Cinq minutes plus tard, leur fille affichait une mine renfrognée, mais au moins elle portait des vêtements adaptés. Erica posa une bise sur sa bouche et une sur la bouche de Patrik avant de les pousser dehors.

— N'hésitez pas à faire une longue, longue promenade. Maman a besoin de tranquillité pour travailler, dit-elle.

Patrik eut l'air gêné.

— Oui, excuse-moi de… Je suppose qu'il nous faudra quelques jours pour trouver le rythme, mais ensuite tu auras toute la tranquillité qu'il te faut, je te le promets.

— Pas de problème, dit Erica, puis elle ferma résolument la porte derrière eux.

Elle remplit un mug de café et remonta dans son bureau. Ce n'était pas trop tôt. Enfin elle allait pouvoir s'y mettre !

— Chuut… Parle moins fort, bordel !

— Quoi, ma mère a dit qu'ils sont partis en vacances tous les deux. Personne n'a ramassé le courrier de tout l'été, c'est elle qui vide leur boîte depuis le mois de juin. Alors c'est bon, on peut faire tout le boucan qu'on veut.

Mattias rit mais Adam avait toujours l'air sceptique. Cette vieille maison était glauque. Et les deux vieux aussi. Peu importe ce que pouvait dire Mattias. Pour sa part, il avait l'intention d'avancer sur la pointe des pieds.

— Comment on va entrer ? demanda-t-il.

Il détestait l'inquiétude qui perçait dans sa voix geignarde, mais c'était plus fort que lui. Il avait voulu être comme Mattias. Courageux, audacieux, parfois à la limite de la témérité. Pas étonnant que toutes les filles lui courent après.

— On verra bien. Il y a toujours un moyen, t'inquiète pas.

— C'est ta grande expérience des cambriolages qui te fait dire ça ? dit Adam en riant, tout en faisant attention de ne pas élever la voix.

— Ecoute, j'ai fait pas mal de trucs, tu ne t'imagines même pas, dit Mattias avec arrogance.

Tu parles, Charles, pensa Adam, mais il n'osa pas le contredire. Par moments, Mattias avait besoin de se faire passer pour plus dur qu'il n'était en réalité. Adam était bien trop avisé pour se lancer dans une discussion avec lui.

— Tu crois qu'on va trouver quoi ? dit Mattias, les yeux brillants, alors que lentement ils faisaient le tour de la maison à quatre pattes, à la recherche d'une fenêtre, ou d'une trappe, qui leur permettraient de s'y introduire.

— Je n'en sais rien.

Adam jetait sans arrêt des regards inquiets derrière lui. Décidément, cette entreprise lui plaisait de moins en moins.

— Tout un tas d'objets nazis, ce serait cool. Il a peut-être des uniformes aussi, le vieux, des trucs comme ça.

On ne pouvait se méprendre sur l'excitation dans la voix de Mattias. Depuis qu'ils avaient fait ce travail de groupe sur les SS à l'école, il était comme obsédé. Il lisait tout ce qu'il pouvait trouver sur la Seconde

Guerre mondiale et le nazisme, et ce voisin, que tout le monde savait être une sorte d'expert de l'Allemagne et des nazis, exerçait sur lui une attirance irrésistible.

— Il n'a peut-être rien de tout ça chez lui, hasarda Adam, sachant d'avance que ça ne servait à rien. Papa dit qu'il était prof d'histoire avant de prendre sa retraite, je parie qu'il n'a que des livres et des documents chez lui.

— On ne va pas tarder à le savoir. Il y a une fenêtre entrouverte, là.

Les yeux de Mattias affichèrent un éclat triomphant.

Affligé, Adam constata que Mattias avait raison. Au fond de lui, il avait espéré qu'ils ne réussiraient pas à entrer dans la maison.

— Il nous faut quelque chose pour l'ouvrir complètement.

Mattias chercha du regard autour de lui. Il vit le crochet de la fenêtre qui s'était détaché et était tombé par terre.

— Bon, voyons voir.

Avec une précision chirurgicale, Mattias réussit à glisser la tige de fer dans l'interstice de la fenêtre au-dessus de sa tête. Il exerça une pression. Rien ne bougea. Merde alors, ça devrait pourtant marcher ! La langue au coin de la bouche, il essaya encore. Il avait du mal à maintenir la tige au-dessus de sa tête tout en essayant de forcer, et sa respiration se fit saccadée. Il finit par engager le crochet d'un centimètre supplémentaire.

— Mais ils verront qu'il y a eu effraction ! protesta Adam d'un filet de voix, que Mattias ne parut pas entendre.

— Je vais l'avoir, cette putain de fenêtre !

Il poussa encore une fois de toutes ses forces et la fenêtre s'ouvrit.

— *Yes!* s'exclama Mattias en serrant le poing en un geste de victoire, puis il se tourna vers Adam, tout excité. Maintenant il faut que tu m'aides à monter.

— Mais il y a peut-être quelque chose pour grimper, un escabeau ou…

— Merde, fais-moi la courte échelle, ensuite je te tire.

Docilement, Adam s'appuya contre le mur et joignit ses mains pour former un marchepied. Il fit une vilaine grimace lorsque la chaussure de Mattias lui entama la paume mais il résista à la douleur et souleva son copain qui poussa en même temps sur ses pieds.

Mattias attrapa le rebord de la fenêtre et réussit à se hisser suffisamment pour y poser un pied, puis l'autre. Il fronça le nez. Qu'est-ce que ça pouvait schlinguer ! Il écarta le store et plissa les yeux pour mieux voir. On aurait dit une bibliothèque, mais tous les stores étaient baissés, si bien que la pièce était plongée dans la pénombre.

— Ça pue ici, c'est une véritable infection, dit-il en se pinçant le nez.

— Laisse tomber alors, suggéra Adam, et une lueur d'espoir s'alluma dans ses yeux.

— Tu rigoles ? On a réussi à ouvrir ! C'est maintenant que la fête commence ! Tiens, attrape ma main, dit-il en s'agrippant au montant, puis il tendit l'autre main à Adam.

— Tu vas y arriver ?

— Qu'est-ce que tu crois ? Allez, attrape ma main !

Mattias tira de toutes ses forces. Un instant, l'entreprise sembla vouée à l'échec, puis Adam put saisir le rebord de la fenêtre et s'y hisser. Mattias sauta dans la pièce pour lui laisser la place. Ça crépitait bizarrement sous ses pieds et il baissa les yeux. Quelque chose couvrait le sol, mais dans la pénombre il n'arrivait pas à distinguer quoi. Des feuilles mortes, sans doute.

— C'est quoi ce bordel ? dit Adam en sautant dans la pièce à son tour, sans parvenir lui non plus à identifier l'origine du crépitement. Oh putain, ce que ça pue ! dit-il ensuite, l'odeur nauséabonde lui soulevant manifestement le cœur.

— C'est ce que je disais, fit Mattias joyeusement. Son nez s'était accoutumé et l'odeur ne l'incommodait plus autant. Allez viens, on va voir ce qu'il a, le vieux. Remonte le store !

— Mais quelqu'un peut nous voir.

— Ici ? Il n'y a personne. Remonte le store, je te dis.

Adam s'exécuta. Le store remonta avec un sifflement et une lumière crue s'engouffra dans la pièce.

— Pas mal, dit Mattias en jetant un regard admiratif autour de lui.

Tous les murs étaient couverts de livres, du sol au plafond. Dans un coin, il y avait deux fauteuils en cuir autour d'une table basse. Au fond trônaient un bureau énorme et un fauteuil pivotant avec un dossier haut à l'ancienne. Il avait fait un demi-tour sur lui-même et leur tournait le dos. Adam avança d'un pas, mais le crépitement l'arrêta et il regarda par terre. Cette fois, tous deux virent sur quoi ils marchaient.

— Merde alors…

Le sol était couvert de mouches. Noires, immondes, mortes. Même sur le rebord de la fenêtre, elles formaient des monceaux. Instinctivement, Adam et Mattias s'essuyèrent les mains sur leurs pantalons.

— Putain, c'est dégueulasse, grimaça Mattias.

— D'où elles viennent, toutes ces mouches ?

Adam fixa le sol d'un air intrigué, puis son cerveau saturé d'épisodes des *Experts* fit une connexion désagréable. Mouches mortes. Odeur infecte. Il écarta la pensée, mais le fauteuil de bureau retourné attirait inexorablement son regard.

— Mattias?

— Quoi? répondit celui-ci d'une voix irritée, tout en essayant de trouver un endroit où poser le pied sans qu'il s'enfonce dans un amas de mouches.

Adam ne dit plus rien, il s'approcha lentement du fauteuil. Une partie de lui l'exhortait à faire demi-tour, à ressortir par où il était entré et à prendre ses jambes à son cou. Mais la curiosité était trop forte et ce fut comme si ses jambes le menaient d'elles-mêmes vers le fauteuil.

— Qu'est-ce qu'il y a? répéta Mattias mais il se tut en voyant les pas crispés et retenus d'Adam.

A une cinquantaine de centimètres du fauteuil, il tendit la main. Elle tremblait légèrement. Lentement, millimètre par millimètre, elle s'avançait vers le dossier. Le seul bruit qu'on entendait dans la pièce était le crépitement sous ses pieds. Le cuir était frais sous ses doigts. Il appuya un peu plus fort, poussa le dossier vers la gauche et fit un pas en arrière. Le fauteuil tourna sur lui-même et révéla progressivement son occupant. Derrière lui, Adam entendit Mattias qui se mettait à vomir.

Les yeux qui suivaient le moindre de ses mouvements étaient grands et humides. Le chien était comme collé à lui et son regard débordait d'adoration. Mellberg essayait de l'ignorer mais sans succès. Il finit par céder, ouvrit le tiroir du bas et en sortit une bouchée à la noix de coco qu'il lança par terre devant le chien. En deux secondes elle fut engloutie, et pendant un instant Mellberg eut l'impression que le chien souriait. Son imagination, sans doute. En tout cas, il était propre à présent. Annika avait fait du bon boulot. Pourtant, ce matin, Bertil avait été un peu dégoûté en découvrant qu'au cours de la nuit le chien s'était couché à côté de lui sur le lit. Le savon ne tuait pas forcément les puces et autres vermines. Qui sait si le poil n'était pas infesté de bestioles rampantes qui voudraient changer de crémerie et venir envahir son corps enrobé ? Mais une inspection minutieuse du pelage n'avait révélé aucune forme de vie, et Annika lui avait certifié qu'elle n'avait pas vu de puces en le lavant. Ce n'était pas une raison pour laisser le clebs dormir sur le lit. Il y avait quand même des limites.

— Bon, comment on va t'appeler, alors ?

Mellberg se sentit stupide tout à coup de s'adresser à un quadrupède. Mais il lui fallait un nom, bien entendu. Il réfléchit et regarda autour de lui pour trouver de l'inspiration. Fido, Pluto… Non, ce n'était pas terrible. Puis il gloussa. Il venait d'avoir une brillante idée. Pour être tout à fait honnête, depuis qu'il avait été obligé de le virer, Lundgren lui manquait, pas beaucoup, mais un peu. Alors pourquoi ne pas appeler le clebs Ernst ? C'était assez humoristique. Il gloussa encore.

— Ernst – qu'est-ce que tu en dis, mon bonhomme ? Ça le fait, non ?

Il ouvrit de nouveau le tiroir et en sortit une deuxième bouchée. Ernst aurait sa friandise, ça ne se discutait même pas. Et tant pis si le chien devenait obèse. Dans quelques jours, Annika aurait trouvé un foyer pour lui, alors quelle importance s'il mangeait une bouchée ou deux d'ici là ?

La sonnerie stridente du téléphone les fit sursauter tous les deux.

— Bertil Mellberg.

Tout d'abord, il n'entendit pas ce que disait la personne au bout du fil, tant la voix était hystérique et aiguë.

— Excusez-moi, il vous faut parler plus doucement. Comment ? Il écouta avec concentration et leva les sourcils lorsqu'il finit par comprendre : Un cadavre, vous dites ? Où ça ?

Il se redressa dans le fauteuil. Le cabot qui répondait désormais au nom d'Ernst se leva à son tour et dressa l'oreille. Mellberg nota une adresse sur son bloc-notes, termina la conversation en disant "Ne bougez surtout pas de là" puis il bondit du fauteuil. Ernst lui emboîta le pas.

— Toi, tu restes là !

Fait rare, la voix de Mellberg était autoritaire et à sa grande surprise il vit le chien s'arrêter net et attendre d'autres instructions.

— Couché ! testa-t-il tout en montrant le panier qu'Annika avait préparé dans un coin de la pièce.

La mort dans l'âme, Ernst obéit, alla se coucher, reposa la tête sur ses pattes et jeta un regard offusqué à son maître provisoire. Bertil Mellberg était comblé de voir que pour une fois quelqu'un lui obéissait. Fort de cette démonstration de fermeté, il se précipita dans le corridor en lançant à la cantonade :

— On vient de me signaler un cadavre !

Trois têtes se montrèrent par autant d'embrasures de porte, celle de Martin Molin, rousse, celle de Gösta Flygare, grisonnante, et celle de Paula Morales, aile de corbeau. Martin fut le premier à sortir de son bureau. Venue de la réception, Annika s'approcha également.

— Un cadavre ?

— C'est un ado qui vient de m'appeler. Apparemment ils ont fait une connerie, ils sont entrés par effraction dans une villa à Fjällbacka sur la route de Dingle. Et ils y ont trouvé un cadavre.

— C'est le propriétaire de la maison ? demanda Gösta.

— Je n'en sais rien. Mellberg haussa les épaules. J'ai dit aux gamins de rester sur place, on y va tout de suite. Martin, pars avec Paula dans une voiture, je prends Gösta avec moi dans l'autre.

— On ne devrait pas appeler Patrik ? suggéra Gösta.

— C'est qui, Patrik ? demanda Paula en laissant son regard aller de Gösta à Mellberg.

— Patrik Hedström, précisa Martin. Il travaille ici, mais à partir d'aujourd'hui il est en congé paternité.

— Pourquoi devrait-on appeler Hedström, nom d'une pipe ? dit Mellberg avec une moue offensée. Je suis là, moi, ajouta-t-il pompeusement en partant à toute blinde en direction du garage.

— Super… fit Martin tout bas, et Paula eut l'air déconcertée. Non, ce n'est rien, s'excusa-t-il sans pouvoir s'empêcher d'ajouter : Tu comprendras.

Paula semblait toujours perplexe, mais elle laissa tomber. La dynamique de son lieu de travail, elle finirait bien par la saisir.

Erica soupira. La maison était silencieuse à présent. Trop silencieuse. Pendant un an, ses oreilles s'étaient habituées à guetter le moindre gémissement, le moindre cri. Aujourd'hui, pas un bruit, on aurait dit un désert. Le curseur de la première ligne du fichier Word clignotait. En une demi-heure elle n'avait pas pondu le plus petit signe. C'était le calme plat dans son cerveau. Elle avait feuilleté ses notes et les articles qu'elle avait copiés durant l'été. Après lui avoir écrit plusieurs fois, elle avait enfin obtenu un rendez-vous avec le personnage principal de l'affaire, la meurtrière, mais dans trois semaines seulement. Pour le moment elle devrait donc se contenter des archives pour démarrer. Le problème, c'était que rien ne venait. Les mots ne voulaient pas se mettre en place, et le doute s'insinuait doucement. Ce doute qu'un auteur trimballait toujours. N'avait-elle plus de mots ? Avait-elle écrit sa dernière phrase, rempli sa quote-part ? N'y avait-il plus de livres en elle ? Sa raison lui souffla qu'elle ressentait presque toujours la même chose en commençant l'écriture d'un nouveau bouquin, mais à quoi bon ? C'était comme une angoisse, une étape par laquelle il fallait passer chaque fois. Un peu comme un accouchement. Mais aujourd'hui, c'était particulièrement lent. Distraitement, elle glissa un bonbon Dumle dans sa bouche en guise de consolation. Elle lorgna les cahiers bleus à côté de l'ordinateur. L'écriture fluide réclama son attention. Elle était tiraillée entre la peur d'approcher la parole de sa mère et la curiosité de ce qu'elle allait trouver. Hésitante, elle tendit la main et prit le premier. Elle le soupesa. Il était mince. Un peu comme les petits cahiers qu'on avait à l'école primaire. Erica passa ses doigts sur la couverture. Le nom était écrit à l'encre bleue, mais les années l'avaient considérablement décolorée. "Elsy Moström." Le nom de jeune fille de sa mère. Elle l'avait changé pour Falck lorsqu'elle avait épousé le père d'Erica. Lentement, elle ouvrit le journal intime. De fins traits bleus marquaient les lignes. En haut, une date. "Le 3 septembre 1943." Elle lut la première ligne :

Cette guerre, quand va-t-elle donc se terminer ?

FJÄLLBACKA 1943

"Cette guerre, quand va-t-elle donc se terminer?"
Elsy mordilla le stylo et réfléchit à la suite.

Comment résumer ses réflexions sur la guerre qui
ne se déroulait pas chez eux, tout en y étant présente
quand même? Elle n'était pas habituée à écrire un journal intime. Elle ignorait d'où lui était venue cette idée,
mais il y avait en elle un besoin de formuler par écrit
toutes les pensées qu'engendrait son existence ordinaire et pourtant remarquable. Elle se rappelait à peine
l'époque d'avant la guerre, elle n'avait que neuf ans
quand les hostilités avaient éclaté, alors que maintenant
elle allait sur ses quatorze ans. Les premières années,
ils n'en avaient pas spécialement ressenti les effets.
Ça se remarquait surtout dans la vigilance des adultes.
La ferveur qu'ils déployaient tout à coup à suivre les
informations, dans le journal et à la radio. Leur attitude crispée et inquiète mais en même temps bizarrement excitée quand ils tendaient l'oreille vers le poste
de radio dans le salon. Ce qui se passait dans le monde
était malgré tout palpitant – menaçant, certes, mais palpitant. Sinon, leur vie n'avait pas beaucoup changé.
Les bateaux sortaient et revenaient. Parfois la pêche
était bonne. Parfois mauvaise. Sur terre, les femmes
accomplissaient leurs tâches, les mêmes que celles de
leurs mères, et de leurs grands-mères avant elles. Des

enfants à mettre au monde, du linge à laver et des intérieurs à maintenir propres. Une rotation immuable et
sans fin, mais à présent la guerre menaçait d'ébranler
l'existence et la réalité qui étaient les leurs. C'est cette
tension-là qu'elle avait ressentie dans son enfance. Et
maintenant la guerre était pour ainsi dire à leur porte.

— Elsy ?

La voix de sa mère au rez-de-chaussée. Vivement,
elle referma son carnet et le rangea dans le tiroir de
son petit bureau devant la fenêtre. Elle avait passé de
nombreuses heures ici à faire ses devoirs, mais les
années d'écolière étaient désormais terminées pour
elle, et le bureau ne lui servait plus à grand-chose. Elle
se leva, lissa sa robe et descendit auprès de sa mère.

— Elsy, est-ce que tu peux m'aider et aller chercher de l'eau ?

Sa mère avait l'air usée. Ils avaient passé tout l'été
dans la petite pièce au sous-sol, la maison étant louée
aux estivants. Le ménage était compris dans le loyer
ainsi que la nourriture et le service, et les locataires de
cet été avaient été particulièrement difficiles. Un avocat de Göteborg avec sa femme et leurs trois enfants
turbulents. Hilma avait dû trimer du matin au soir,
elle avait lavé leur linge, préparé le pique-nique pour
leurs excursions en bateau et rangé la maison tout en
s'occupant de son propre foyer.

— Assieds-toi un instant, maman, dit Elsy doucement.

Elle posa une main hésitante sur l'épaule de sa
mère. Celle-ci sursauta à son contact. Il n'était pas
très courant qu'elles se touchent mais, après quelques
secondes d'indécision, elle mit sa main sur celle de
sa fille et, avec gratitude, elle se laissa tomber sur
une chaise.

— Ouf, il était vraiment temps qu'ils partent. Jamais je n'ai vu des gens aussi exigeants. "Hilma, pourriez-vous… Hilma, soyez gentille de… Dites, Hilma, serait-il possible de…"

Elle imita leurs voix snobinardes avant de plaquer une main sur sa bouche, effrayée de sa propre audace. Ça ne se faisait pas d'être aussi irrespectueux envers les gens du monde. Il était important de connaître sa place.

— Je comprends que tu sois fatiguée. Ils n'étaient pas faciles à contenter.

Elsy vida le reste de l'eau dans une casserole et la mit à chauffer sur le fourneau. Lorsqu'elle fut bouillante, elle y versa le succédané de café et plaça deux tasses sur la table.

— J'irai chercher de l'eau tout à l'heure, maman, d'abord on va boire un café.

— Tu es vraiment une gentille fille.

Hilma but une gorgée de l'abominable breuvage. Dans les grandes occasions, elle sortait les sous-tasses et coinçait un morceau de sucre entre ses dents pour siroter son café. Mais à présent le sucre était rationné, et de toute façon ce n'était pas pareil avec l'ersatz.

— Père a dit quand il rentrerait? demanda Elsy en baissant les yeux.

En ces temps de guerre, la question était lourde de sous-entendus. Cela ne faisait pas très longtemps que l'*Öckerö* avait sombré avec tout son équipage après s'être fait torpiller. Depuis, les adieux échangés avant chaque départ étaient empreints d'une intonation funeste. Mais le travail n'attendait pas. Personne n'avait le choix. La marchandise devait être livrée, et le poisson sorti de l'eau. C'étaient les conditions de leur existence, guerre ou pas guerre. Les bateaux de pêche devaient s'estimer heureux d'avoir reçu l'autorisation de poursuivre leurs échanges avec la Norvège. Ainsi les bateaux de Fjällbacka pouvaient continuer à pêcher et, même si les prises étaient moins importantes qu'auparavant, ils pouvaient compléter avec du fret vers ou depuis les ports norvégiens. En général, le père d'Elsy revenait de Norvège avec de la glace. S'il avait de la chance il pouvait aussi embarquer du fret à l'aller.

— J'aurais seulement voulu… Hilma se tut, avant de reprendre : J'aurais seulement voulu qu'il fasse plus attention…

— Qui ça ? Père ? dit Elsy tout en sachant très bien de qui sa mère parlait.

— Oui. Hilma fit une vilaine grimace en prenant une autre gorgée de la boisson. Il a embarqué le fils du docteur sur cette traversée et… Eh bien, ça finira par mal se terminer, c'est tout ce que je peux dire.

— Axel a beaucoup de courage, il fait ce qu'il peut. Et c'est normal que père ait envie d'aider aussi.

— Mais les risques… Les risques qu'il prend quand ce garçon et ses amis sont à bord… C'est plus fort que moi, j'ai l'impression qu'Axel pousse ton père et les autres à la catastrophe.

— Il faut qu'on fasse tout ce qu'on peut pour aider les Norvégiens, dit Elsy avec calme. Si on était à leur place, on aimerait bien qu'ils nous aident. Axel et ses camarades font beaucoup de bien.

— Bon, assez parlé de ça. Tu vas aller me le chercher, ce seau d'eau ? dit Hilma d'un ton revêche avant de se lever pour aller rincer sa tasse.

Elsy ne le prit pas mal. Elle savait que la mauvaise humeur de Hilma n'était au fond que de l'inquiétude.

Après un dernier regard sur le dos prématurément courbé de sa mère, elle prit le seau et sortit puiser de l'eau.

A sa grande surprise, Patrik prit du plaisir à se promener. Ces dernières années, il avait un peu négligé son corps mais, s'il pouvait faire une longue balade par jour durant son congé paternité, il arriverait peut-être à faire disparaître sa bedaine naissante. A la maison, Erica avait rationné les sucreries, si bien qu'il avait déjà réussi à se débarrasser d'un kilo ou deux.

Il dépassa la station-service OK/Q8 et continua à un rythme soutenu le long de la route en direction du sud. Son but était d'aller jusqu'au moulin et retour. Maja babillait gaiement dans sa poussette. Elle adorait les promenades et lançait des "salut" pleins de joie et de grands sourires à tous les passants. C'était un vrai petit rayon de soleil, mais elle pouvait aussi montrer un sacré tempérament quand elle était de cette humeur-là. Sûrement un trait qu'elle tenait d'Erica, pensa Patrik.

Il se sentait parfaitement heureux. La vie quotidienne roulait comme sur des rails. Erica et lui allaient enfin avoir la maison pour eux. Il aimait beaucoup Anna et ses enfants, mais vivre les uns sur les autres mois après mois avait fini par devenir assez éprouvant. Certes, il y avait le problème de sa mère. Ça le tracassait, il avait l'impression d'être toujours pris en tenailles entre Erica et Kristina. Il comprenait Erica. Sa mère allait et venait dans leur maison comme chez elle et leur donnait sans cesse son point de vue sur la meilleure façon de s'occuper de la maison et de Maja. Mais il aurait aimé qu'Erica suive son exemple et se contente de faire la sourde oreille. Il fallait se montrer un peu compréhensif. Kristina vivait seule et elle n'avait que Patrik et sa famille à qui dispenser son affection. Sa sœur Lotta vivait à Göteborg et, même si ce n'était pas le bout du monde, il était beaucoup plus simple de venir chez eux. Il fallait bien avouer qu'elle était aussi d'une grande aide. Erica et lui avaient pu sortir dîner plusieurs fois pendant que Kristina gardait Maja et… eh bien, il aurait simplement aimé qu'Erica voie un peu plus les avantages.

— Regarde, regarde ! dit Maja tout excitée en pointant son petit index lorsqu'ils passèrent devant le pré où broutaient les chevaux du centre équestre de Rimfaxe.

Patrik n'aimait pas spécialement les chevaux, mais il dut reconnaître que le fjording était une race superbe qui avait l'air totalement inoffensive. Ils s'arrêtèrent un moment pour les regarder, et Patrik nota mentalement d'apporter des pommes ou des carottes la prochaine fois. Lorsque Maja eut regardé les animaux à satiété, ils reprirent leur marche jusqu'au moulin où ils firent demi-tour pour retourner à Fjällbacka.

Le clocher de l'église se dessinait, toujours aussi majestueux, en haut de la côte, lorsque Patrik aperçut la voiture. Le gyrophare n'était pas allumé, la sirène non plus, si bien qu'elle ne semblait pas en route pour une urgence, mais il sentit malgré tout son pouls s'accélérer. Lorsqu'elle franchit la bosse, il vit la deuxième qui suivait de près, et il plissa le front. Deux voitures. Ça devait être assez important. Quand elle fut à une centaine de mètres, il fit signe à la première voiture de s'arrêter. Elle ralentit et Patrik s'approcha de Martin qui était au volant. Maja remuait frénétiquement les bras. Dans son univers, tout événement imprévu était le bienvenu.

— Salut Hedström, tu te promènes ? dit Martin.

— Euh oui, il faut garder la forme… Qu'est-ce qui se passe ?

La deuxième voiture de police s'arrêta à son tour, et Patrik fit un signe de la main à Bertil et Gösta.

— Bonjour, je suis Paula Morales.

Patrik remarqua enfin la femme en uniforme à côté de Martin. Il prit sa main tendue et se présenta avant que Martin ait eu le temps de répondre à sa question.

— On nous a signalé un cadavre dans le coin.

— Un crime ?

— On ne sait rien de plus. Martin écarta les mains. Deux jeunes ont trouvé un corps et ils nous ont appelés.

La deuxième voiture klaxonna et Maja sursauta dans sa poussette.

— Ecoute, dit Martin rapidement. Tu ne peux pas monter et venir avec nous ? Je ne me sens pas entièrement rassuré avec… tu sais qui, dit Martin avec un petit signe de la tête en direction de la voiture derrière.

— Ben, je vois pas comment… J'ai la petite avec moi… et sur le papier, je suis en congé.

— S'il te plaît, supplia Martin. Tu viens juste jeter un œil, et puis je vous raccompagne. On peut mettre la poussette dans le coffre.

— Mais il faut un siège-auto…

— Ah oui, c'est vrai, tu as raison. Vas-y à pied alors. Ce n'est pas loin, juste après le virage là-bas. Première à droite, deuxième maison à gauche. C'est écrit Frankel sur la boîte aux lettres.

Patrik hésita, mais un nouveau coup de klaxon le décida.

— D'accord, je viens, mais juste pour voir. Et tu te charges de Maja. Pas un mot à Erica, elle deviendrait folle de rage si elle apprenait que j'ai emmené Maja sur une affaire.

— Promis, dit Martin avec un clin d'œil avant d'enclencher la première. A tout de suite, alors.

— A tout de suite, dit Patrik, avec le sentiment qu'il allait très certainement le regretter.

Mais la curiosité prit le dessus, il tourna la poussette et commença à marcher à vive allure dans la direction que Martin lui avait indiquée.

— Je veux qu'on se débarrasse de tous ces meubles en pin ! dit Anna, les mains sur les hanches, et faisant de son mieux pour prendre un air terrifiant.

— Qu'est-ce qui ne va pas avec le pin ? demanda Dan en se grattant la tête.

— C'est laid ! Tu veux que je développe ? répliquat-elle mais elle ne put s'empêcher de rire. Ne fais pas cette tête, mon amour… Cela dit, je persiste, il n'y a rien de plus laid que les meubles en pin. C'est ton lit qui m'horripile le plus. Je ne veux plus dormir dans le lit où tu dormais avec Pernilla. Je peux vivre dans la même maison, mais dormir dans le même plumard… ça, non…

— Je comprends ton argument, rien à dire. Mais ça va nous coûter une fortune de changer tous les meubles.

Dan avait l'air soucieux. Depuis qu'Anna et lui étaient en couple, il avait décidé de garder la maison, mais ils avaient du mal à joindre les deux bouts.

— Moi, j'ai de l'argent. J'ai ma part de la maison de papa et maman qu'Erica m'a rachetée. Lucas n'a jamais réussi à mettre la main dessus. On n'a qu'à en prendre une partie. On peut y aller ensemble, ou alors tu me laisses choisir, si tu oses.

— Je serai ravi de ne pas avoir à prendre de décisions concernant des meubles. Tant que ce n'est pas trop décalé, tu peux acheter ce que tu veux. Maintenant viens par ici que je t'embrasse.

Il l'attira contre lui et l'étreignit longuement. Comme si souvent, la chaleur monta et Dan venait juste de dégrafer le soutien-gorge d'Anna quand la porte d'entrée s'ouvrit à la volée. Depuis le vestibule, la vue sur la cuisine était entièrement dégagée, et on ne pouvait se méprendre sur ce qui s'y déroulait.

— Ah mais c'est dégueu, vous êtes en train de vous peloter ! Dans la cuisine !

Belinda passa en trombe et monta dans sa chambre, rouge de fureur. Arrivée en haut de l'escalier, elle s'arrêta et lança :

— Je retourne chez maman dès que je peux, vous m'entendez ! Chez elle, au moins, je n'ai pas à vous regarder vous rouler des pelles sans arrêt ! Vous êtes chiants ! C'est dégueulasse !

Belinda claqua la porte de sa chambre et ils l'entendirent donner un tour de clé. La seconde d'après, la musique se mit à hurler, faisant vibrer et bondir en rythme les assiettes sur le plan de travail.

— Oups, dit Dan avec une grimace en levant les yeux vers l'étage.

— Oui, oups, comme tu dis. Elle a vraiment du mal à gérer tout ça, dit Anna en se dégageant de l'étreinte.

Elle prit les assiettes qui s'entrechoquaient et les posa dans l'évier.

— Merde, à la fin, il faut bien qu'elle accepte que j'aie rencontrée une nouvelle femme.

— Essaie de te mettre à sa place. D'abord vous divorcez, Pernilla et toi, ensuite il y a un certain… Elle pesa ses mots sur une balance d'orfèvre : Un certain nombre de nanas qui passent ici, comme ça, vite fait, et ensuite moi je viens m'installer avec deux petits enfants. Elle n'a que dix-sept ans, c'est déjà difficile à vivre. Alors avoir à s'adapter à trois étrangers qui emménagent…

— Oui, tu as raison, soupira Dan. Je ne sais pas m'y prendre avec une ado. Est-ce que je dois la laisser tranquille, ou est-ce qu'elle va se sentir négligée ? Est-ce que je dois insister, au risque qu'elle me trouve indiscret ? Il dit quoi, le manuel ?

— Oh, le manuel, je crois qu'ils ont oublié de le fournir à la maternité ! Mais à mon avis, tu peux essayer de lui parler. Si tu prends la porte en pleine figure, eh bien, au moins tu auras essayé. Puis tu essaieras de nouveau. Et encore. Elle a peur de te perdre. Elle a peur de perdre le droit d'être petite. Elle a peur qu'on prenne tout en main maintenant qu'on est là. C'est normal.

— Qu'est-ce que j'ai fait pour mériter une femme d'une telle sagesse ? dit Dan en l'attirant de nouveau contre lui.

Elle posa son visage sur sa poitrine, en souriant :

— Je ne sais pas. Mais en réalité je ne suis pas si sage que ça. C'est juste l'impression que tu as quand tu compares avec tes dernières conquêtes.

— Hé oh, rit Dan et il serra plus fort ses bras autour d'elle. Qu'est-ce que ça veut dire ? Attention, je pourrais conserver le lit en pin…

— Tu veux que je reste ou pas ?

43

— D'accord. Tu as gagné. Considère-le comme déjà bazardé.

Ils rirent. Et ils s'embrassèrent. A l'étage, la musique pop déversait ses décibels.

Dès son arrivée dans la cour devant la maison, Martin aperçut les deux jeunes. Ils attendaient un peu à l'écart, tous deux grelottant, les bras autour du corps. Ils étaient très pâles, et leur soulagement à la vue de la voiture de police était manifeste.

— Martin Molin.

Il tendit la main vers le garçon le plus proche qui murmura son nom, Adam Andersson. L'autre, qui se tenait derrière, agita la main droite et s'excusa, un peu honteux :

— J'ai vomi et je me suis essuyé avec… Je pense qu'il vaut mieux que je ne vous serre pas la main.

Martin hocha la tête, il comprenait très bien. Lui aussi avait cette réaction physiologique face aux décès, il n'y avait vraiment pas de quoi être embarrassé. Il se tourna vers Adam, qui semblait le plus maître de lui. Plus petit que son copain, il avait de violentes éruptions d'acné sur les joues et des cheveux blonds assez longs.

— Bon, qu'est-ce qui s'est passé ici ?

— Ben, on… Adam chercha le soutien de Mattias qui se contenta de hausser les épaules, puis il poursuivit : Ben, les deux vieux ne sont pas là, paraît qu'ils sont partis en voyage, et on avait pensé juste entrer regarder un peu dans la maison.

— Les deux vieux ? dit Martin. Ils sont deux à habiter ici ?

— C'est deux frères, répondit Mattias. Je connais pas leurs prénoms mais ma mère doit savoir. Elle s'occupe de leur courrier depuis début juin. L'un des deux part toujours en été, mais pas l'autre. Comme cette année personne n'est venu chercher le courrier dans la boîte aux lettres, on a pensé que… Son regard alla s'échouer sur ses chaussures. Quelques mouches y étaient restées accrochées, et il remua énergiquement la jambe pour les faire tomber. C'est lui qui est mort ? demanda-t-il en levant les yeux.

— Pour l'instant, nous n'en savons pas plus que vous, dit Martin. Mais continue, vous vouliez donc entrer dans la maison, que s'est-il passé ensuite ?

— Mattias a trouvé une fenêtre qu'on a pu ouvrir et il y est entré en premier, dit Adam. Ensuite il m'a tiré. On a sauté dans la pièce, ça crépitait sous nos semelles, il y avait quelque chose sur le plancher mais on n'a pas pu voir ce que c'était, il faisait beaucoup trop sombre.

— Sombre ? Pourquoi il faisait sombre ?

Du coin de l'œil, Martin vit Gösta, Paula et Bertil attendre derrière lui. Ils écoutaient ce que les garçons avaient à dire.

— Les stores étaient baissés, expliqua patiemment Adam. Mais on a relevé celui de la fenêtre par où on est entrés. Et alors on a vu que le plancher était couvert de mouches mortes. Et ça schlinguait.

— Ça schlinguait grave, reprit en écho Mattias qui avait l'air de lutter contre les nausées.

— Et ensuite ?

— On s'est avancés dans la pièce, le fauteuil du bureau était tourné et on n'a pas vu ce qu'il y avait. J'ai eu une sensation de… vous savez bien, tout le monde regarde *Les Experts*, la puanteur, les mouches mortes, tout ça… pas besoin d'être Einstein pour comprendre que quelqu'un était mort. Alors je me suis approché du fauteuil et je l'ai fait pivoter… et il était là !

Manifestement, Mattias visualisa de nouveau la scène parce qu'il se détourna et vomit dans l'herbe. Il s'essuya la bouche avec la main et chuchota :

— Excusez-moi.

— Pas de problème, dit Martin. Nous avons tous fait ça à un moment ou un autre en voyant un cadavre.

— Pas moi, crâna Mellberg.

— Moi non plus, dit Gösta d'un ton laconique.

— Non, moi non plus, ça ne m'est jamais arrivé, certifia Paula.

Martin se retourna et les foudroya du regard.

— C'était franchement immonde, renchérit Adam.

Malgré le choc, il semblait trouver un certain plaisir à la situation. Derrière lui, Mattias hoqueta encore une fois, plié en deux, mais il ne semblait plus rendre que de la bile.

— Est-ce que quelqu'un peut raccompagner les jeunes chez eux ? demanda Martin en se tournant vers tout le monde et personne à la fois.

— Je m'en occupe. Venez avec moi, les gars, j'ai la voiture par là, finit par dire Gösta.

— On n'habite qu'à une centaine de mètres, dit Mattias faiblement.

— Alors je vous raccompagne à pied, dit Gösta et il leur fit signe de venir avec lui.

Ils lui emboîtèrent le pas de la démarche nonchalante des adolescents, Mattias l'air reconnaissant, Adam manifestement déçu de louper la suite des événements.

Martin les suivit du regard jusqu'à ce qu'ils aient disparu au coin de la rue, puis il dit d'une voix qui était tout sauf joyeuse :

— Bon, allons voir ça.

Bertil Mellberg s'éclaircit la gorge.

— C'est vrai que je n'ai pas spécialement de problèmes avec les cadavres et tout ça… Vous comprenez bien que j'en ai vu plus d'un dans ma vie. Mais
il faut aussi quelqu'un pour inspecter les environs.
Ce serait peut-être mieux que je m'en charge, en ma
qualité de chef, je suis celui qui a le plus d'expérience.

Il se racla la gorge encore une fois. Martin et
Paula échangèrent un regard amusé, puis Martin se
composa une figure avant de répondre.

— Oui, tu as totalement raison, Bertil. Il vaut mieux
que ce soit une personne de ton expérience qui exa-
mine le terrain. Comme ça, Paula et moi, on va entrer
jeter un coup d'œil.

— Oui… C'est bien ce que je me disais, c'est le
plus sage.

Mellberg se balança un peu sur ses talons, puis il
partit en biaisant par la pelouse.

— On entre ? dit Martin.

Paula hocha la tête.

— Doucement, dit Martin avant d'ouvrir la porte. Il
ne faut pas qu'on détruise des preuves s'il s'avère que
ce n'est pas un décès naturel. On ne fera que regarder,
après c'est aux techniciens d'opérer.

— J'ai cinq ans d'expérience dans la brigade cri-
minelle de Stockholm. Je sais comment on doit se
comporter sur un lieu éventuel de crime, dit Paula,
sèchement mais sans malveillance.

— Désolé, en fait je le savais, dit Martin honteusement, avant de se concentrer sur la tâche qui les
attendait.

Un silence sinistre les accueillit dans le vestibule. Pas
un bruit sinon celui de leurs pas. Martin se demanda
s'il aurait trouvé le silence aussi lugubre en ignorant

qu'il y avait un cadavre dans la maison. Probablement pas.

— C'est là, chuchota-t-il, puis il se dit qu'il n'y avait aucune raison de chuchoter et il répéta d'une voix normale qui résonna entre les murs : C'est là.

Paula le suivait de près. Martin fit quelques pas en direction de la pièce qui devait être la bibliothèque et ouvrit la porte. L'étrange odeur qu'ils avaient sentie dès l'entrée était plus forte ici. Les jeunes avaient raison. Il y avait un tas de mouches par terre. Ça crépitait sous leurs chaussures quand ils posaient les pieds. L'odeur était douceâtre, saturée, mais certainement beaucoup moins dérangeante qu'elle n'avait dû l'être au départ.

— Aucune hésitation à avoir là-dessus, quelqu'un est mort ici depuis un bon moment, dit Paula.

Leurs yeux convergèrent vers le fond de la pièce.

— Oui, dit Martin avec un arrière-goût désagréable.

Il s'arma de courage et traversa précautionneusement la pièce jusqu'au cadavre dans le fauteuil.

— Reste où tu es.

Il leva la main devant Paula, qui se cantonna docilement du côté de la porte. Elle ne le prenait pas mal. Moins il y avait de pieds pour piétiner le parquet, mieux ça valait.

— En tout cas, on ne dirait pas que c'est une mort naturelle, constata Martin.

La bile jouait aux montagnes russes dans sa gorge. Il déglutit plusieurs fois pour combattre le réflexe vomitif et essaya de se concentrer sur sa tâche. Malgré l'état déplorable du corps, il n'y avait aucun doute. La grosse contusion sur le côté gauche de la tête était suffisamment éloquente. La personne dans le fauteuil avait été sauvagement assassinée.

Il se retourna et quitta la pièce, Paula sur ses talons. Après quelques inspirations profondes dehors à l'air libre, l'envie de vomir céda du terrain. Au même moment il vit Patrik tourner au coin de la rue et avancer vers eux dans l'allée de gravier.

— C'est un meurtre, dit-il dès que Patrik fut à portée de voix. Il faut appeler Torbjörn et son équipe, c'est à eux de prendre le relais maintenant. Nous, on ne peut rien faire de plus pour l'instant.

— Très bien, dit Patrik, l'air austère. J'aimerais juste…

Il s'arrêta net et regarda Maja dans la poussette.

— Vas-y, je m'occupe de Maja, dit Martin avec empressement et il alla tout de suite la prendre dans ses bras. Viens, ma puce, on va aller regarder un peu les fleurs là-bas.

— Fieur, dit Maja toute contente en montrant la platebande.

— Toi aussi, tu es entrée ? demanda Patrik à Paula, qui fit oui de la tête.

— Ce n'est pas beau à voir. Je dirais qu'il est là depuis le début de l'été.

— J'imagine que tu en as vu d'autres pendant tes années à Stockholm.

— Pas beaucoup qui soient restés aussi longtemps avant qu'on les trouve.

— Bon, je vais jeter un coup d'œil vite fait. En fait, je suis en congé, mais…

— C'est difficile de rester à l'écart, dit Paula en souriant. Je comprends très bien. Cela dit, je crois que Martin a les choses bien en main.

Elle le montra, accroupi avec Maja devant la platebande, en train d'admirer les plantes qui étaient encore en fleurs en cette saison.

— Lui, c'est un roc. A tout point de vue, dit Patrik avant de se diriger vers la maison.

Après quelques minutes, il était de retour.

— Je suis d'accord avec Martin. Il n'y a pas de doute. Pas avec une contusion comme ça à la tête.

— Aucun suspect dans les parages, dit Mellberg qui arriva en soufflant. Bon, qu'est-ce que vous avez trouvé là-dedans ? Tu es entré regarder, Hedström ?

— Oui, tout indique qu'il s'agit d'un meurtre. Tu appelles les techniciens ?

— Bien entendu, dit Mellberg pompeusement. Après tout, c'est moi, le chef de cette bande de cinglés. Qu'est-ce que tu fais ici, d'ailleurs ? Tu as insisté pour prendre ton congé paternité et, maintenant que tu l'as, tu ne peux pas t'empêcher de rappliquer. Mellberg se tourna vers Paula et continua : J'ai du mal à m'y faire, à ces nouveautés, les hommes qui restent à la maison à langer des bébés et les femmes qui se baladent en uniforme.

Il leur tourna subitement le dos et partit à grandes enjambées en direction de la voiture pour appeler les techniciens.

— Bienvenue au commissariat de Tanumshede, dit Patrik d'un ton ironique.

Il reçut un sourire amusé en retour.

— Je ne le prends pas mal, tu sais. Des types comme lui, il y en a plein. Si je devais m'en faire pour les dinosaures de son genre, il y a longtemps que j'aurais jeté l'éponge.

— Tant mieux si tu le vois comme ça. Et l'avantage avec Mellberg, c'est qu'au moins il est cohérent – il exerce sa discrimination envers tout et tout le monde.

— Tu parles d'une consolation ! rit Paula.

— Qu'est-ce qui est si drôle ? demanda Martin, qui tenait toujours Maja dans les bras.

— Mellberg, dirent Patrik et Paula à l'unisson.

— Qu'est-ce qu'il a dit, cette fois ?

— Oh, rien de nouveau. Mais on dirait que Paula sait y faire, je pense qu'il n'y aura pas de problèmes, répondit Patrik avant de tendre les bras pour prendre Maja. Maintenant on va rentrer à la maison, la puce et moi. Allez Maja, dis au revoir.

Maja agita la main et, à la grande satisfaction de Martin, elle le gratifia d'un sourire éclatant.

— Quoi, tu pars avec ma nana ? Et moi qui croyais que c'était une affaire qui marchait, elle et moi…

Il fit la moue, feignant d'être déçu.

— Ma fille n'aura jamais d'autre mec que son papa, pas vrai ma puce ?

Patrik enfouit son nez dans le pli du cou de Maja qui hoqueta de rire. Puis il l'installa dans la poussette et fit un signe d'au revoir avec la main. D'une certaine façon, il était soulagé de s'en aller. Mais il ressentait aussi une forte envie de rester.

Elle était confuse. On était lundi ? Ou était-ce déjà mardi ? Britta arpentait nerveusement le salon. C'était tellement… frustrant. Elle avait l'impression que plus elle essayait de se concentrer, moins elle y arrivait. Dans ses moments de lucidité, une voix intérieure lui disait qu'elle pouvait contrôler tout cela avec sa volonté. Elle devrait pouvoir forcer son esprit à obéir. Mais en même temps elle savait que son cerveau se détraquait, qu'elle perdait la faculté de retenir les dates, les faits, les visages.

Lundi. On était lundi. C'est ça. Hier, les filles étaient venues avec leurs familles pour le déjeuner dominical. C'est ça. Donc, aujourd'hui on était lundi. Pas de doute. Soulagée, Britta s'arrêta net. C'était comme une petite victoire. Elle savait quel jour on était.

Les larmes lui montèrent aux yeux et elle s'assit à une extrémité du canapé. Le tissu Josef Frank était familier et rassurant. Herman et elle avaient acheté le canapé ensemble. Ce qui signifiait qu'elle choisissait et que Herman lui donnait son accord. Tout pour qu'elle soit heureuse. Il aurait accepté avec joie un canapé orange à pois verts si elle l'avait voulu. Herman… Où était-il ? Alarmée, elle se mit à tripoter le dessin fleuri du canapé. En fait, elle savait très bien où il était. Elle voyait encore sa bouche remuer pour énoncer distinctement où il allait. Elle se rappela même qu'il l'avait répété plusieurs fois. Mais tout comme pour le jour de la semaine, cette partie de l'information se déroba, goguenarde. Elle serra l'accoudoir. Elle devrait pouvoir s'en souvenir. A condition de se concentrer. L'affolement s'empara d'elle. Où était Herman ? Serait-il absent longtemps ? Il n'était tout de même pas parti en voyage ? En la laissant ici ? Il l'avait peut-être carrément quittée ? Etait-ce cela que sa bouche disait dans son souvenir ? Elle devait s'assurer que non. Il fallait qu'elle aille vérifier si ses affaires étaient toujours là. Britta se releva vivement du canapé et grimpa l'escalier quatre à quatre. La panique l'envahit tel un raz-de-marée. Qu'avait dit Herman ? Un coup d'œil dans le placard suffit pour la calmer. Toutes ses affaires étaient suspendues là. Les vestes, les pulls, les chemises. Tout. Mais elle ne savait toujours pas où il était.

Britta se jeta sur le lit, se roula en boule comme une petite enfant et pleura. Dans son cerveau, les notions continuaient de disparaître. Seconde après seconde, minute après minute. Le disque dur de sa vie était en train de s'effacer. Et elle n'y pouvait absolument rien.

— Salut ! Quelle balade, vous êtes partis super longtemps !

Erica alla accueillir Patrik et Maja, et sa fille lui plaqua un bisou mouillé sur la joue.

— Oui… Tu n'étais pas censée bosser ? dit Patrik en évitant soigneusement de croiser le regard de sa femme.

— Si, soupira Erica. Mais j'ai du mal à démarrer. Je ne fais que fixer l'écran et me bourrer de bonbons. Si je continue comme ça, je vais peser cent kilos avant d'avoir terminé le bouquin. Elle aida Patrik à débarrasser Maja de sa combinaison. Je n'ai pas pu m'empêcher de lire un peu les journaux intimes de maman.

— Et c'était intéressant ? demanda Patrik, soulagé de ne plus subir de questions sur la promenade et sa longueur.

— Ben, ce sont surtout des notes sur le quotidien. Je n'ai lu que quelques pages. Je sens qu'il faut que j'avance par paliers.

Elle alla dans la cuisine et dit, surtout pour changer de sujet :

— On se fait un thé ?

— Oui, je veux bien.

Patrik suivit Erica et la contempla pendant qu'elle s'affairait. Maja était dans le séjour en train de farfouiller parmi ses jouets. Ils s'installèrent face à face à la table de la cuisine pour boire leur thé.

— Allez, accouche maintenant, dit-elle.

Elle le connaissait sur le bout des doigts. Le regard en dessous, les doigts nerveux qui tambourinaient sur la table. Il y avait quelque chose qu'il ne voulait pas ou n'osait pas lui raconter.

— Quoi ? dit-il en essayant d'avoir l'air totalement innocent.

— Tu sais très bien que tu ne me la fais pas. Qu'est-ce que tu ne me dis pas ?

Elle prit une gorgée de thé brûlant et attendit d'un air amusé qu'il cesse de se tortiller comme un ver.

— Eh bien…

— Je t'écoute, dit Erica pour l'aider à se mettre sur les rails.

Elle ne pouvait nier qu'une petite partie sadique en elle jouissait du tourment manifeste de Patrik.

— Eh bien, il est arrivé un truc quand on se baladait, Maja et moi.

— Ah bon ? Quoi donc ? Vous êtes rentrés à la maison sains et saufs, non ?

— Ben… Patrik but une gorgée de thé pour gagner du temps et réfléchir à la meilleure façon de présenter les choses : On se promenait du côté du moulin de Lersten quand on a croisé mes collègues qui partaient en intervention.

Il jeta un regard prudent à Erica. Elle leva les sourcils et attendit la suite.

— On leur avait signalé un cadavre dans une maison sur la route de Dingle.

— Aha – mais toi, tu es en congé, alors ça ne te concerne pas. Elle s'arrêta, la tasse en l'air : Tu ne veux pas dire que tu…

Incrédule, elle le dévisagea.

— Si.

La voix de Patrik était légèrement stridente et il garda les yeux baissés.

— Tu as emmené Maja dans un endroit où il y avait un cadavre ! s'exclama Erica en le foudroyant du regard.

— Oui, mais Martin l'a gardée pendant que je jetais un coup d'œil à l'intérieur. Il lui a fait sentir les fleurs, hasarda Patrik avec un sourire conciliant, mais il n'obtint en retour qu'un regard glacial.

— Tu jetais un petit coup d'œil à l'intérieur, dit Erica d'une voix cinglante. Tu es en congé paternité. Et dans congé paternité, il y a deux mots : "congé" et "paternité". Ce n'est quand même pas difficile de dire "Je ne suis pas en service"?

— Je n'ai fait que jeter un œil…, dit Patrik mollement.

Il savait qu'Erica avait raison. Il était effectivement en congé. En congé paternité. Ses collègues pouvaient très bien faire tourner la boutique sans lui. Et il n'aurait pas dû emmener Maja sur les lieux d'un crime.

A l'instant où il eut cette dernière pensée, il réalisa qu'Erica ignorait ce détail. Son visage était parcouru de tiraillements nerveux lorsqu'il déglutit et ajouta :

— C'était un meurtre, d'ailleurs.

— Un meurtre! La voix d'Erica partit dans les aigus. Ça ne t'a pas suffi d'emmener Maja sur le lieu où ils ont trouvé un macchabée – il fallait en plus qu'il ait été assassiné!

Elle secoua la tête et les mots qu'elle voulait prononcer restèrent coincés dans sa gorge.

— Mais ça s'arrête là, lui assura Patrik en écartant les mains. C'est aux autres de se débrouiller maintenant. Je suis en congé jusqu'en janvier, et ils le savent. Je vais me consacrer à Maja à cent pour cent. Je te le promets!

— Il vaudrait mieux pour toi, grogna Erica.

Elle était tellement en colère qu'elle avait envie de se pencher par-dessus la table et de le secouer par les épaules. Mais la curiosité la fit se calmer un peu.

— C'était où? Et celui qui a été assassiné, vous savez qui c'est?

— Je n'en ai aucune idée. C'était une grande maison blanche dans la rue à droite après le moulin.

Erica le regarda d'un drôle d'air. Puis elle demanda :

— Une grande maison blanche avec des boiseries grises ?

Patrik réfléchit, puis il hocha la tête.

— Oui, je crois bien. C'était écrit Frankel sur la boîte aux lettres.

— Je sais qui habite là. Axel et Erik Frankel. Tu sais, Erik Frankel, à qui j'ai laissé la médaille nazie.

Patrik la regarda, sans voix. Comment avait-il pu l'oublier ? Frankel n'était pas un nom si courant.

Dans le séjour, le babillage joyeux de Maja remplit tout l'espace.

L'après-midi était bien avancé lorsqu'ils purent enfin retourner au commissariat. Le chef de la brigade technique, Torbjörn Ruud, et son équipe étaient arrivés, avaient consciencieusement fait leur boulot puis étaient repartis. Même le corps était parti. En route pour l'institut médicolégal, où on allait l'examiner de toutes les manières imaginables et inimaginables.

— Quel lundi pourri, soupira Mellberg lorsque Gösta s'engagea dans le garage du poste.

— Eh oui, dit Gösta, fidèle à son habitude de ne pas gaspiller sa salive inutilement.

Passé la porte, Mellberg n'eut que le temps de voir quelque chose s'approcher à vive allure avant d'être assailli par une créature poilue et de sentir une langue qui essayait de lui lécher la figure.

— Dis donc, toi ! Arrête ça tout de suite !

D'un air dégoûté, il chassa le chien qui partit, l'oreille basse, se réfugier auprès d'Annika, sachant qu'elle, au moins, lui réservait toujours un accueil chaleureux. Mellberg essuya la bave canine avec le dos de la main en marmonnant, tandis que Gösta s'efforçait de garder son sérieux. La scène était d'autant plus drôle que la coiffure de Mellberg s'était effondrée. Irrité, il réarrangea ses cheveux sur le haut du crâne et continua à grommeler jusqu'à son bureau.

Gösta gagna le sien en se marrant tout bas, mais sursauta quand un hurlement familier se fit entendre :

— Ernst ! Ernst ! Viens ici !

Désorienté, il regarda autour de lui. Cela faisait un bon moment que son collègue Ernst Lundgren avait été renvoyé, et personne ne lui avait dit qu'il était de retour.

Mais Mellberg cria encore une fois :

— Ernst ! Viens ici ! Tout de suite !

Gösta sortit dans le corridor pour tenter de percer le mystère et il vit Mellberg, écarlate, en train de montrer quelque chose par terre. Un soupçon s'installa. Et comme sur commande, le chien arriva, en faisant grise mine.

— Ernst, c'est quoi, ça ?

Le chien fit de son mieux pour prendre l'air de celui qui ne comprend pas. Mais la crotte par terre dans le bureau de Mellberg parlait d'elle-même.

— Annika, meugla-t-il.

La seconde d'après, la secrétaire du commissariat arriva.

— Oups, je crois qu'il y a eu un petit accident ici.

Elle envoya un regard plein de reproches au chien qui s'approcha d'elle, tout content.

— Un petit accident ! Ernst a chié dans mon bureau, oui !

C'en fut trop pour Gösta. Il se mit à rigoler, fit tous les efforts du monde pour s'arrêter, mais le fou rire prit le dessus. Il contamina Annika, et bientôt ils riaient aux larmes tous les deux.

Curieux de savoir ce qui se passait, Martin arriva, suivi de près par Paula.

— Ernst…, hoqueta Gösta qui avait du mal à respirer. Ernst… a chié par terre.

D'abord, Martin fut totalement déconcerté mais, en déplaçant son regard de la crotte par terre au chien qui se serrait contre la jambe d'Annika, la lumière se fit en lui.

— Tu as… tu as appelé le chien Ernst ? dit-il, puis lui aussi fut pris de fou rire.

Seuls Mellberg et Paula restèrent de marbre. Alors que Mellberg avait surtout l'air de vouloir exploser de colère, Paula paraissait ne rien comprendre.

— Je t'expliquerai plus tard, lui dit Martin en s'essuyant les yeux. Ma parole, ça c'est de l'humour, Bertil, tu es un vrai comique, toi, ajouta-t-il.

— Oui, oui… c'est vrai que parfois je suis assez drôle, dit Mellberg qui se força à sourire un peu. Allez, tu vas me nettoyer ça vite fait, Annika, qu'on puisse retourner au boulot.

Il grogna et alla s'asseoir à son bureau. Le chien hésita entre Annika et lui, puis il décida que le pire de la crise était passé et, en remuant la queue, il partit s'installer aux côtés de son nouveau maître.

Les autres contemplèrent avec stupeur ce couple mal assorti en se demandant ce que le chien voyait en Bertil Mellberg qu'eux, manifestement, ne voyaient pas.

Erica n'arrêta pas de penser à Erik Frankel de toute la soirée. Elle ne l'avait pas très bien connu, mais d'une certaine façon lui et son frère Axel faisaient partie de Fjällbacka. "Les fils du docteur", comme on les appelait, bien que cela fît cinquante ans que leur père avait cessé son activité, et quarante qu'il était décédé.

Erica repensa à sa visite dans la villa que les frères partageaient. Sa seule visite. Ils vivaient ensemble dans la maison familiale, tous deux célibataires, tous deux passionnés par l'Allemagne et le nazisme, mais chacun à sa façon. Erik avait été professeur d'histoire au collège, mais pendant son temps libre il collectionnait des objets de l'époque nazie, qui l'intéressait particulièrement. Axel, l'aîné, avait un lien avec le centre Simon-Wiesenthal, si ses souvenirs étaient exacts, et il avait apparemment souffert pendant la guerre.

Pour commencer, elle avait passé un coup de téléphone à Erik. Elle avait parlé de sa trouvaille parmi les affaires de sa mère, décrit l'insigne et demandé s'il pouvait l'aider à faire des recherches sur son origine. La première réaction d'Erik avait été le silence. Plusieurs fois, Erica avait dit "allô", croyant qu'il avait raccroché. Puis, d'une voix étrange, il avait demandé à voir la médaille, pour l'examiner. C'était ça qui l'avait fait tiquer. Le long silence. Le ton curieux. Elle n'en avait pas parlé à Patrik, se disant qu'elle se faisait des idées. En se rendant chez les frères, elle n'avait rien remarqué de bizarre dans la conduite d'Erik. Il l'avait accueillie avec courtoisie et l'avait fait entrer dans la bibliothèque. Il avait pris la médaille avec un intérêt mesuré et l'avait minutieusement examinée. Puis il avait demandé s'il pouvait la garder quelque temps. Pour entreprendre certaines recherches. Erica avait hoché la tête, reconnaissante que quelqu'un veuille bien s'en charger.

Elle avait également pu voir sa collection. Avec un mélange de fascination et de frayeur, elle avait contemplé tous ces objets intimement liés à l'une des périodes les plus noires de l'histoire. Elle n'avait pas pu s'empêcher de lui demander comment quelqu'un qui se dressait avec tant de force contre tout ce que représentait le nazisme pouvait collectionner des objets qui le lui rappelaient sans cesse. Erik avait tardé à répondre. Pensivement, il avait ramassé un bonnet avec l'emblème SS qu'il triturait en réfléchissant à la meilleure manière de formuler sa réponse.

— Je n'ai pas confiance en la capacité de l'homme à se souvenir, avait-il fini par dire. Sans objets que nous puissions voir ou toucher, nous oublions facilement ce que nous ne voulons pas nous rappeler. Je recueille ce qui peut nous servir de rappel. Et dans une certaine mesure aussi pour mettre ces objets hors de portée de ceux qui les regardent d'un autre œil. Qui les admirent.

Ses arguments n'avaient pas tout à fait convaincu Erica. Ensuite ils s'étaient serré la main et dit au revoir.

Et maintenant il était mort. Assassiné. Peut-être pas très longtemps après sa visite. D'après ce que Patrik avait consenti à lui raconter de mauvaise grâce, il était resté mort dans sa maison tout l'été.

Elle se remémora l'étrange ton d'Erik, et elle se tourna vers Patrik qui zappait d'une chaîne à l'autre à côté d'elle sur le canapé.

— Tu sais si la médaille était toujours là ?

— Je n'y ai pas pensé. Aucune idée. Mais rien n'indique un crime crapuleux et, si c'en est un, qui serait tenté par une vieille médaille nazie ? Elles ne sont pas spécialement rares. Je veux dire, ce n'est pas les médailles qui manquent chez lui…

— Oui, je sais…, dit Erica avec hésitation. Elle se sentait toujours mal à l'aise. Est-ce que tu peux appeler tes collègues demain et leur demander de vérifier ?

— Franchement, je pense qu'ils auront autre chose à faire. On verra avec le frère d'Erik. On lui demandera de nous la rendre. Je suis sûr qu'elle est toujours chez eux.

— Axel, oui. Où est-il ? Comment ça se fait qu'il n'ait pas trouvé son frère ?

Patrik haussa les épaules.

— Je suis en congé, tu te souviens ? Il va falloir que tu appelles Mellberg toi-même et que tu le lui demandes.

— Ha, ha, très drôle, sourit Erica, mais son sentiment de malaise ne la quittait pas. Tu ne trouves pas bizarre qu'Axel ne se soit pas inquiété ?

— Si, mais tu as bien dit qu'il était en voyage quand tu es allée chez eux ?

— Oui. Erik disait que son frère était à l'étranger. Mais c'était en juin.

— Pourquoi tu te préoccupes de ça ?

Patrik se tourna à nouveau vers la télévision. C'était l'heure d'*Enfin chez moi*.

— Je ne sais pas trop, dit Erica en fixant l'écran.

Elle n'arrivait pas à expliquer ce trouble qui s'était insinué en elle. Mais elle entendait encore le silence d'Erik au téléphone. Son intonation étrange et rauque quand il lui demandait de venir lui montrer la médaille. Il avait réagi à quelque chose. Quelque chose qui touchait à l'insigne.

Elle essaya de se concentrer sur les conseils en menuiserie de l'animateur télé, sans grand succès.

— J'te jure, pépé, tu aurais dû voir ça ! Ce connard de bougnoul essayait de me passer devant dans la queue, tu vois, il se gênait pas. Alors moi, paf, je lui ai filé un coup de pied, il s'est écroulé comme une merde ! Après ça il s'est pris mes godasses dans les couilles, il est resté HS pendant un bon quart d'heure.

— Et à quoi ça t'avance, Per ? Tout ce que tu vas gagner, c'est d'être mis en examen pour coups et blessures volontaires et envoyé en centre de rééducation, comme ça tu te seras rendu antipathique à tout le monde, et nos adversaires pourront encore mieux se liguer contre nous. Et en fin de compte, au lieu d'avoir soutenu notre cause, tu auras contribué à mobiliser les contestataires.

Frans contempla son petit-fils avec raideur. Par moments, il se demandait comment faire pour dompter les hormones bouillonnantes de l'adolescent. Per était si ignorant. Malgré son apparence de dur à cuire, avec pantalon de camouflage, rangers et crâne rasé, ce n'était qu'un gamin de quinze ans mort de trouille. Il ne savait rien de la cause. Il ne savait pas comment le monde fonctionnait. Il ne savait pas canaliser ses pulsions de destruction pour les concentrer contre la structure sociale.

Per était assis à côté de lui sur le perron, honteux, la tête baissée. Frans savait que ses paroles l'avaient vexé. Son petit-fils voulait l'impressionner. Mais il lui rendrait un mauvais service s'il ne lui montrait pas le véritable fonctionnement de la société. Le monde était froid, dur et implacable, et seuls les plus forts sortiraient victorieux du combat.

En même temps, il adorait le garçon. Il voulait le protéger du mal. Frans entoura de son bras les épaules de son petit-fils. Il fut surpris de sentir combien elles étaient frêles encore. Per avait hérité de son physique. Grand et dégingandé, avec des épaules étroites. Toutes les séances de musculation du monde ne pourraient rien pour leur carrure menue.

— Je veux que tu réfléchisses avant d'agir, c'est tout, dit Frans d'une voix plus douce. Tu dois utiliser la parole plutôt que les poings. La violence n'est pas le premier outil. C'est le dernier.

Il serra un peu plus les épaules du garçon. Pendant une seconde, Per se laissa aller contre lui, comme lorsqu'il était petit. Puis il se rappela qu'il aspirait à devenir un homme. Qu'il n'était plus petit. Et que la chose la plus importante au monde, aujourd'hui comme hier, c'était de faire en sorte que son grand-père soit fier de lui. Il se redressa.

— Je le sais, pépé. Mais il m'a foutu en pétard. C'est toujours pareil. Ils essaient tout le temps de passer en force, ils imaginent que le monde est à eux, que la Suède entière est à eux. Ça m'a foutu en rogne… tu comprends ?

— Oui, je comprends, dit Frans. Il retira son bras des épaules de Per et lui tapota le genou : Mais fais attention, s'il te plaît. En prison, tu ne me seras d'aucune utilité.

KRISTIANSAND 1943

Il avait lutté contre le mal de mer tout au long du trajet. Les autres ne semblaient pas du tout affectés. Ils étaient habitués, ils avaient grandi en mer. Ils avaient le pied marin, comme disait son père. Ils paraient à tous les mouvements du bateau et marchaient droit sur le pont, n'étaient jamais atteints par les nausées qui partaient du ventre et remontaient dans la gorge. Axel s'appuya lourdement au bastingage. Il n'avait qu'une seule envie : se pencher par-dessus bord et vomir. Mais il refusa de s'exposer à une telle humiliation. Il savait que les quolibets des pêcheurs n'étaient pas méchants, mais il était trop fier pour les encaisser. Ils seraient bientôt arrivés en Norvège. Et dès qu'il serait sur la terre ferme, les nausées disparaîtraient comme par magie. Il le savait d'expérience. Il avait déjà entrepris ce voyage de nombreuses fois.

— Terre, s'écria Elof, le capitaine. On arrive dans dix minutes.

Il lança un long regard sur Axel, qui vint le rejoindre à la barre. Le visage du vieux loup de mer était bronzé et buriné, avec une peau comme du cuir fripé, après avoir subi les assauts du vent et du soleil depuis l'enfance.

— Tu es au point pour tes affaires ? demanda-t-il à voix basse en regardant autour de lui.

Ils distinguaient les navires allemands dans le port de Kristiansand, un rappel permanent de la réalité. La Norvège était envahie par l'Allemagne. Pour l'instant, la Suède était épargnée, mais personne ne pouvait dire combien de temps cette chance allait durer. En attendant, on gardait un œil attentif sur le voisin à l'ouest, et sur la progression allemande dans le reste de l'Europe.

— Occupez-vous des vôtres, et je m'occupe des miennes, dit Axel.

Il n'avait pas eu l'intention de paraître aussi bourru, mais il ressentait toujours une pointe de mauvaise conscience lorsqu'il mêlait l'équipage aux risques qu'il aurait préféré prendre seul. Il ne forçait personne, cependant. Elof avait immédiatement dit oui à sa demande d'être du voyage et d'embarquer… de la marchandise. Il n'avait jamais eu à dire ce qu'il transportait, et Elof et le reste de l'équipage d'*Elfrida* n'avaient jamais demandé.

Ils accostèrent le quai et préparèrent les papiers qu'on allait leur demander. Les Allemands ne laissaient rien au hasard, il y avait toujours une paperasserie rigoureuse à régler avant qu'ils aient le droit de décharger. Une fois les formalités expédiées, ils commencèrent à débarquer les pièces détachées mécaniques qui constituaient leur chargement officiel. Les Norvégiens réceptionnèrent la marchandise sous l'œil sévère des Allemands qui tenaient les fusils prêts en cas de besoin. Axel attendit le soir. Il avait besoin de l'obscurité pour décharger. La plupart du temps, c'était de la nourriture qu'il apportait. De la nourriture et des informations. Cette fois-ci aussi.

Après qu'ils eurent dîné dans un silence pesant, Axel guetta fébrilement l'heure convenue. Un coup prudent frappé à la vitre fit sursauter tout le monde. Il se pencha vivement en avant, souleva une partie du plancher et commença à sortir des caisses en bois et à les hisser sur le quai où des mains silencieuses et délicates les réceptionnèrent. Tout se passa au son de la conversation bruyante des Allemands dans la guérite un peu plus loin. A cette heure-ci du soir, les bouteilles d'alcool fort étaient sorties, ce qui simplifiait leur tâche périlleuse. Des Allemands ivres étaient bien plus faciles à rouler dans la farine que des Allemands sobres.

Après un "merci" assourdi en norvégien, la cargaison avait quitté le bateau et disparu dans la nuit. Encore une fois, la livraison s'était déroulée sans accrocs. Avec un sentiment enivrant de soulagement, Axel retourna dans le poste d'équipage. Trois paires d'yeux croisèrent les siens, mais personne ne parla. Elof se contenta de hocher la tête, puis il se retourna et commença à bourrer sa pipe. Axel eut un sentiment de profonde reconnaissance envers ces hommes qui bravaient les tempêtes et les Allemands avec la même placidité. Ils savaient depuis longtemps qu'on ne peut rien contre les volte-face de la vie et du destin, et ils l'acceptaient. Il fallait faire son possible, essayer de vivre du mieux qu'on pouvait. Le reste dépendait de la Providence.

Epuisé, Axel alla se coucher. Il s'endormit aussitôt, bercé par les légers mouvements du bateau et le clapotis de l'eau contre la coque. Dans la guérite sur le quai, les voix des Allemands enflaient puis s'atténuaient. Au bout d'un moment, on entendit des chants. Mais Axel dormait déjà profondément.

— Bon, au jour d'aujourd'hui, qu'est-ce qu'on sait ?

Mellberg jeta un regard autour de lui dans la cuisine. Le café était chaud, les brioches servies et tout le monde était là.

Paula s'éclaircit la voix :

— J'ai été en contact avec le frère, Axel. Apparemment, il travaille à Paris, il y passe tous ses étés. Mais il rentre, là. L'annonce du décès l'a complètement brisé.

— On sait quand il a quitté le pays ? dit Martin.

Il se tourna vers Paula qui consulta ses notes.

— Le 3 juin, d'après ce qu'il dit. Je vais évidemment vérifier ses déclarations.

— Est-ce qu'on a reçu le rapport préliminaire de Torbjörn ? demanda Mellberg.

Il essaya discrètement de bouger ses pieds. Ernst était couché dessus de tout son poids et ils ne tarderaient pas à être complètement ankylosés, mais il n'arrivait pas à se résoudre à repousser le chien.

— Pas encore, répondit Gösta. Je lui ai parlé ce matin, il m'a dit qu'on aura peut-être quelque chose demain.

— Bien, tu ne lâches pas l'affaire, dit Mellberg en déplaçant de nouveau ses pieds, mais Ernst se contentait de suivre son mouvement. Est-ce qu'on a des suspects ? des ennemis connus ? des menaces ? quelque chose ?

Mellberg exhorta Martin du regard, mais celui-ci secoua la tête :

— Aucune déposition chez nous en tout cas. Mais c'est vrai qu'il avait un passe-temps controversé. Le nazisme met toujours les gens en ébullition.

— On pourrait aller jeter un coup d'œil à sa maison. Voir si on trouve des lettres de menace ou des trucs comme ça.

Tout le monde regarda Gösta avec surprise. Ses initiatives étaient comme des éruptions volcaniques, rares, mais difficiles à ignorer.

— Vas-y avec Martin après la réunion, dit Mellberg.

Il adressa un sourire de satisfaction à Gösta, qui acquiesça et retrouva rapidement sa physionomie léthargique habituelle. Gösta Flygare ne s'animait que sur le terrain de golf. C'était un fait que ses collègues avaient compris et accepté depuis longtemps.

— Paula, tu surveilles le retour du frère – Axel, c'est ça, non ? – et tu nous programmes une petite entrevue avec lui. Tant que nous n'avons pas la date du décès, il faut se dire que ça peut très bien être lui qui a frappé son frère à la tête avant de s'enfuir du pays. Je veux que tu le cueilles dès qu'il touchera le sol suédois. D'ailleurs, c'est quand ?

Paula consulta de nouveau ses notes.

— Il atterrit à Landvetter demain matin à neuf heures et quart.

— Bien, tu veilleras à ce qu'il vienne ici directement.

Mellberg fut obligé de changer de position, ses pieds étaient en train de s'engourdir. Ernst se leva en lui lançant un regard scandalisé et, la queue entre les jambes, il partit rejoindre son panier dans le bureau du chef. Annika le suivit du regard.

— On dirait de l'amour, rigola-t-elle.

— Eh bien… Mellberg s'éclaircit la gorge : Je voulais justement te demander – quand est-ce qu'on viendra le chercher, ce clebs ?

— Ben, tu sais, ce n'est pas très facile, répondit Annika en prenant son air le plus innocent. J'ai téléphoné un peu partout, mais personne n'a envie de s'occuper d'un chien de cette taille, alors si tu pouvais t'en charger pendant encore quelques jours…

Elle posa ses grands yeux bleus sur Mellberg. Il lui répondit par un grognement.

— Oui, bon, je suppose que j'arriverai à le supporter encore deux, trois jours, ce cabot. Mais ensuite, si tu ne trouves personne, il retournera dans la rue.

— Merci, Bertil, c'est vraiment sympa. Je vais mettre le paquet.

Annika fit un clin d'œil aux autres à l'insu de Mellberg. Ils durent faire un effort pour ne pas éclater de rire. Ils commençaient à entrevoir le plan maintenant. Annika était habile, il n'y avait rien à dire.

— Bien, bien, alors on retourne au boulot, dit Mellberg qui se leva et sortit de la cuisine.

— Vous avez entendu le chef, dit Martin. Gösta, on y va ?

Gösta semblait déjà regretter d'avoir fait une proposition qui signifiait un surplus de travail pour lui-même, mais il hocha la tête avec lassitude et suivit Martin. Il n'y avait qu'à serrer les dents. Ce week-end, quoi qu'il arrive, il serait sur le terrain, au départ du premier trou à sept heures du matin, le samedi *et* le dimanche. D'ici là, tout n'était qu'une question d'attente.

Erik Frankel et la médaille revenaient sans cesse hanter Erica. Elle essayait de les chasser de ses pensées et y réussissait assez bien une fois qu'elle s'était mise à son manuscrit. Mais dès qu'elle relâchait son attention, ils envahissaient de nouveau son esprit. Sa brève rencontre avec Erik lui avait laissé l'impression d'un homme doux et cultivé, qui revivait dès qu'il pouvait parler de son grand centre d'intérêt, le nazisme.

Elle sauvegarda ce qu'elle venait d'écrire et, après une brève hésitation, elle alla sur Google. Elle tapa "Erik Frankel" dans le champ de recherche. Une foule de résultats apparurent. Certains étaient manifestement erronés et s'appliquaient à d'autres personnes. Mais la plupart concernaient le bon Erik Frankel, et elle consacra près d'une heure à parcourir le flot d'informations. Il était né en 1930 à Fjällbacka. Il avait un seul frère, Axel, son aîné de quatre ans. Son père avait été médecin à Fjällbacka de 1935 à 1954, et la maison où habitaient les deux frères était celle de la famille. Erica continua ses recherches. Le nom d'Erik figurait dans de nombreux forums traitant du nazisme. Mais elle ne trouva rien qui indiquât qu'il adhérait aux thèses national-socialistes. Au contraire, même si elle décelait dans certains de ses commentaires une sorte d'admiration pour certains aspects du nazisme. Une forme de fascination.

Elle croisa les mains derrière la nuque. Elle n'avait pas le temps de s'occuper de ça. Mais sa curiosité était éveillée.

Un petit coup frappé à la porte derrière elle la fit sursauter. Patrik passa la tête.

— Excuse-moi, je te dérange ?

— Non, pas du tout.

Elle tourna sa chaise de bureau pour lui faire face.

— Je voulais juste te dire que Maja dort. J'ai besoin d'aller faire deux, trois courses, alors j'ai pensé que tu pourrais peut-être la surveiller ?

Il lui tendit le babyphone.

— C'est-à-dire que… J'ai besoin de travailler. Erica soupira intérieurement. Tu dois faire quoi ?

— Le facteur a laissé un avis de passage, il y a quelques livres que je voulais aller chercher, je dois aller à la pharmacie acheter de l'Aturgyl, je voulais en profiter aussi pour faire un loto. Et puis des courses pour la maison.

Erica se sentit tout à coup épuisée. Elle pensa à toutes les courses qu'elle avait faites jusque-là, toujours avec Maja dans la poussette ou dans ses bras. Souvent elle était en nage avant même d'avoir commencé. Personne n'avait été là pour garder Maja et lui permettre de filer au magasin l'esprit tranquille. Mais elle écarta ces réflexions, elle n'avait pas envie de paraître mesquine et égoïste.

— Bien sûr, je prends le relais, dit-elle avec un sourire qu'elle essaya de faire monter jusque dans ses yeux. De toute façon, si elle dort, je peux travailler en même temps.

— Super, dit Patrik qui lui fit une bise sur la joue avant de refermer la porte derrière lui.

Ouais, se dit Erica et elle rouvrit le fichier de son manuscrit en essayant de reléguer Erik Frankel loin dans un coin de sa tête.

Elle venait de poser les doigts sur les touches du clavier quand le babyphone se mit à grésiller. Elle se figea. Ce n'était sans doute rien. Probablement Maja qui avait bougé un peu, l'appareil était assez sensible par moments. Elle entendit la voiture démarrer dehors et partir. Elle posa les yeux sur l'écran, chercha la phrase suivante. Nouveau crépitement. Des yeux, elle sembla conjurer l'appareil de se taire, mais celui-ci lui renvoya un "ouiiiin" sonore. Puis "Mamaaaan… Papaaaa…".

Avec un sentiment de résignation, elle repoussa sa chaise et se leva. Elle alla à la chambre de Maja et ouvrit la porte. Sa fille était debout dans le lit à barreaux en train de hurler.

— Mais Maja, ma puce, tu devrais dormir.

Maja secoua la tête.

— Si, c'est l'heure de la sieste.

Erica essaya de prendre son ton le plus autoritaire. Elle recoucha sa fille, mais Maja rebondit sur ses pieds comme une balle de caoutchouc.

— Mamaaaaan ! cria-t-elle d'une voix qui aurait pu briser du verre.

Erica sentit la colère monter. Elle avait fait ça tant de fois. Tant de jours à nourrir, à coucher, à porter, à amuser. Elle adorait sa fille. Mais elle avait un besoin urgent de se dégager de ses responsabilités. D'avoir un moment de répit. De pouvoir être une grande personne et faire des choses d'adulte – comme Patrik avait pu le faire durant toute l'année où elle était restée à la maison.

Elle coucha Maja de nouveau, mais sans succès. Sa fille mettait toute son énergie à s'énerver.

— Tu dors maintenant, dit Erica en sortant de la pièce à reculons, puis elle ferma la porte.

Bouillonnante de fureur, elle prit le téléphone et composa le numéro du portable de Patrik, en appuyant fort sur les touches, trop fort. Elle entendit la première sonnerie aboutir et tressaillit lorsqu'elle entendit sonner au rez-de-chaussée. Le portable de Patrik était posé sur la table de la cuisine.

— Je n'y crois pas !

Elle balança le téléphone fixe sur la table, puis elle se força à respirer à fond. Des larmes de colère montèrent aux coins de ses yeux, mais elle essaya de se raisonner. Après tout, ce n'était pas un drame si elle devait prendre la relève un petit moment. Mais, en même temps, ça l'était. Tout le problème venait de là. Elle n'était pas du tout assurée de pouvoir lever le pied. Elle n'était pas du tout certaine que Patrik soit là pour la relayer.

Mais c'était comme ça. Et il ne fallait pas qu'elle laisse Maja en pâtir. Ce n'était pas sa faute. De nouveau, Erica prit une profonde inspiration et retourna dans la chambre. Sa fille était écarlate à force de hurler. Et une odeur reconnaissable entre toutes s'était répandue dans la pièce. C'était donc ça, la raison pour laquelle Maja n'arrivait pas à s'endormir. Avec un certain remords et un fort sentiment de ne pas être à la hauteur, Erica prit sa fille et la consola en serrant sa petite tête contre sa poitrine.

— Allez, allez, ma puce, maman va te changer, ça va aller, tout doux.

Maja se serra contre elle en sanglotant. Dans la cuisine, le téléphone de Patrik se remit à sonner.

— C'est un peu lugubre…

Martin resta un moment dans le vestibule à écouter les bruits caractéristiques de toutes les vieilles maisons. De petits crépitements, des grincements, des protestations lorsque le vent s'en emparait.

Gösta hocha la tête. Cette maison avait vraiment quelque chose de sinistre, mais il comprit que ça venait probablement plus de ce qui s'y était passé que de la maison elle-même.

— Tu disais que Torbjörn nous a autorisés à entrer ? dit Martin.

— Oui, ils ont fait tous les prélèvements dont ils avaient besoin.

Gösta leva le menton en direction de la bibliothèque où les traces de la poudre à empreintes digitales étaient très nettes. Des taches noires et floues qui altéraient l'image d'une pièce sans cela très belle.

— Bon, alors on y va. On commence par là?

Martin essuya ses pieds sur le paillasson et se dirigea vers la bibliothèque.

— Ça me paraît tout indiqué, soupira Gösta avant de le suivre sans enthousiasme.

— Je prends le bureau, tu n'as qu'à examiner les classeurs.

— Parfait.

Gösta soupira encore une fois, mais Martin ne l'entendit même pas. Gösta soupirait toujours quand il se trouvait face à une tâche concrète.

Martin s'approcha lentement du grand bureau. C'était un énorme meuble en bois sombre aux volutes sculptées. A ses yeux, il aurait mieux convenu dans un manoir anglais que dans cette vaste pièce lumineuse. Le dessus était bien rangé avec juste un stylo et une boîte de trombones disposés en symétrie parfaite. Un peu de sang avait éclaboussé un bloc-notes. Martin se pencha pour voir ce qu'on y avait gribouillé. *"Ignoto militi"*. Ces mots ne lui évoquaient rien. Précautionneusement, il se mit à ouvrir les tiroirs, l'un après l'autre, puis il examina méthodiquement leur contenu. Rien n'éveilla son intérêt. La seule chose qu'il pouvait constater, c'était qu'Erik et son frère partageaient manifestement le bureau, et ils semblaient aussi partager un penchant pour l'ordre et la méthode.

— Ce n'est pas loin d'être de la maniaquerie, tu ne trouves pas? dit Gösta.

Il leva un classeur et le montra à Martin. Tous les papiers étaient soigneusement rangés et précédés d'un index dans lequel Erik ou Axel avaient scrupuleusement répertorié le contenu de chaque feuille.

— C'est pas comme moi, j'ai un de ces bordels dans mes papiers, rit Martin.

— J'ai toujours pensé qu'il y avait un truc qui clochait chez les gens qui sont ordonnés à ce point. Je me dis que ça doit venir d'un mauvais apprentissage du pot dans l'enfance ou quelque chose comme ça…

— C'est une théorie comme une autre, dit Martin en souriant.

Gösta pouvait se montrer très drôle quand il le voulait. Mais en général il ne le faisait pas exprès.

— Tu trouves quelque chose ? Ici en tout cas, il n'y a rien d'intéressant, dit-il en refermant le dernier tiroir.

— Rien pour l'instant. Surtout des factures, des contrats, ce genre de choses. Tu te rends compte, ils ont conservé leurs factures d'électricité depuis des lustres. Classées par dates, dit Gösta d'un air incrédule. Tiens, prends-en un, toi aussi.

Il sortit des étagères derrière le bureau un épais classeur au dos noir et le tendit à son collègue.

Martin alla s'asseoir dans un des fauteuils pour l'examiner. Gösta avait raison. Il parcourut chaque feuillet, étudia chaque papier, mais perdit rapidement courage. Jusqu'à ce qu'il arrive à la lettre "S" de l'index. D'un rapide coup d'œil, il vit une entrée *Sveriges vänner*, "Les Amis de la Suède", qui piqua sa curiosité. Il commença à feuilleter les papiers classés. C'étaient des lettres, chaque feuille avec un logo imprimé en haut à droite, une couronne sur fond d'un drapeau suédois flottant au vent. Toutes étaient du même expéditeur, Frans Ringholm.

— Ecoute ça. Martin lut à voix haute des extraits d'une lettre parmi les plus récentes : *Malgré notre histoire commune, je ne peux plus ignorer le fait que tu contraries activement les buts et les objectifs des Amis de la Suède, et ceci aura inévitablement des conséquences. Au nom d'une vieille amitié, j'ai fait de mon mieux pour te protéger, mais il y a des forces puissantes au sein de l'organisation qui ne voient pas ceci d'un bon œil, et le moment viendra où je ne pourrai plus rien faire pour toi.*

Martin leva les sourcils. Il feuilleta rapidement et compta cinq lettres écrites sur le même ton.

— On dirait que, par son activité, Erik Frankel est venu marcher sur les pieds d'une organisation néonazie, mais que paradoxalement il avait un protecteur au sein de celle-ci.

— Un protecteur qui a peut-être fini par échouer.

— Oui, l'hypothèse est tentante. Il faudra vérifier le reste des documents pour voir s'il y a autre chose. Mais dans tous les cas il nous faut avoir un entretien avec ce Frans Ringholm.

— Ringholm… Je reconnais ce nom, dit Gösta d'un air pensif.

Il fit une vilaine grimace en essayant de forcer son cerveau à trouver la réponse, mais sans résultat. Il reprit ses recherches, l'air toujours préoccupé.

Au bout d'une bonne heure, Martin referma le dernier classeur et constata :

— Bon, je n'ai rien trouvé d'autre d'intéressant. Et toi ?

— Non, et plus aucune référence à ce truc des Amis de la Suède.

Ils sortirent de la bibliothèque et fouillèrent le reste de la maison. Partout on lisait les traces d'une passion pour l'Allemagne et la Seconde Guerre mondiale, mais rien n'attira particulièrement leur attention. La maison était belle quoiqu'un peu vieillotte dans son aménagement, et défraîchie par endroits. Des portraits en noir et blanc des parents des deux frères et d'autres membres de la famille étaient accrochés aux murs ou alignés dans des cadres démodés sur les commodes et les tables d'appoint. Ils étaient très présents. Les frères ne semblaient pas avoir changé grand-chose à l'aménagement, d'où cette impression de désuétude. Seule une fine couche de poussière dérangeait l'ordre.

— Je me demande s'ils font le ménage eux-mêmes, ou s'ils ont quelqu'un pour le faire.

Martin passa son doigt sur la commode d'une des trois chambres à l'étage.

— J'ai du mal à imaginer deux vieux de près de quatre-vingts ans faire le ménage eux-mêmes, répondit Gösta en ouvrant la porte d'une penderie. Qu'est-ce que t'en dis ? La chambre d'Erik ou celle d'Axel ?

Il contempla l'alignement de vestes marron et de chemises blanches sur les cintres.

— Celle d'Erik, dit Martin.

Il venait de prendre un livre posé sur la table de chevet et montra à Gösta la page de garde où un nom était inscrit au crayon. "Erik Frankel". C'était une biographie d'Albert Speer. *L'Architecte de Hitler.* Martin lut à voix haute la quatrième de couverture avant de reposer le livre.

— Il a passé vingt ans dans la prison de Spandau après la guerre, murmura Gösta et Martin le regarda, surpris.

— Comment tu sais ça ?

— Moi aussi, je m'intéresse à la Seconde Guerre mondiale. J'ai lu pas mal de livres là-dessus au fil des ans. Et je regarde des documentaires sur Discovery, ce genre de trucs…

— Ah bon, dit Martin, toujours aussi surpris.

C'était la première fois, depuis qu'ils travaillaient ensemble, qu'il entendait Gösta dire qu'il s'intéressait à autre chose qu'au golf.

Ils fouillèrent encore la maison pendant une heure, sans rien trouver de nouveau. Martin n'en était pas moins satisfait lorsqu'il prit le volant pour retourner au commissariat. Avec le nom de Frans Ringholm, ils avaient une piste.

La Coop était très calme. Patrik prit son temps pour flâner dans les rayons. Quelle délivrance de sortir un moment. Quel soulagement d'avoir un moment à soi. Il n'en était qu'au troisième jour de son congé paternité, et il adorait passer du temps avec Maja. D'un autre côté, il avait du mal à rester à la maison toute la journée. Certes, il avait de quoi être occupé, il s'en était bien rendu compte. Les activités ne manquaient pas quand on devait prendre soin d'un bébé d'un an. Le problème, c'est que ce n'était pas très… stimulant, pensa-t-il, tout en se sentant un peu coupable. Il était pieds et poings liés, ne pouvait même pas aller aux toilettes en paix, maintenant que Maja avait pris l'habitude de crier "Papa, papa, papa, papa" en tapant sur la porte avec ses petites menottes jusqu'à ce qu'il ouvre. Ensuite elle restait à l'observer avec la plus grande curiosité faire ce que depuis toujours il avait fait de façon beaucoup plus privée.

Il avait un peu honte d'avoir demandé à Erica de prendre le relais pendant son absence. Mais Maja dormait, ce qui lui permettait de travailler quand même. Il devrait peut-être passer un coup de fil et vérifier, ça ne mangeait pas de pain. Il glissa la main dans sa poche pour sortir son portable, mais réalisa aussitôt qu'il était resté sur la table de la cuisine. Merde! Bon, de toute façon il n'y avait pas de raisons pour que ça n'aille pas. Il se dirigea vers le rayon des petits pots et commença à examiner les différents plats. "Bœuf bourguignon", "Poisson à la crème d'aneth", bof… "Spaghettis bolognaise", voilà qui semblait plus appétissant. Il en prit cinq pots. Mais il devrait peut-être commencer à songer à préparer les repas de Maja lui-même. Oui, c'était une bonne idée, il reposa trois petits pots. Il pouvait cuisiner en gros, et Maja serait avec lui, et…

— Laisse-moi deviner… Tu commets l'erreur des débutants, tu veux cuisiner toi-même.

La voix était familière, mais pas dans un tel contexte. Patrik se retourna.

— Karin? Salut! Qu'est-ce que tu fais ici?

Patrik ne s'attendait pas à croiser son ex-femme à la Coop de Fjällbacka. La dernière fois qu'ils s'étaient vus, elle déménageait de leur villa de Tanumshede pour aller vivre avec quelqu'un d'autre. Cet homme avec qui il l'avait surprise dans leur chambre. Une image furtive scintilla sur sa rétine, mais elle disparut aussi vite qu'elle était venue. Cela faisait si longtemps. C'était du passé.

— Leif et moi, on a acheté une maison à Fjällbacka. A Sumpan.

— Ah bon, dit Patrik en faisant un effort pour ne pas paraître trop étonné.

— Oui, on voulait être plus près des parents de Leif maintenant qu'on a Ludde.

Elle montra le caddie, et ce n'est qu'alors que Patrik remarqua un petit bonhomme avec un grand sourire collé sur la figure.

— Tiens, tiens. J'ai une petite minette à la maison qui doit avoir le même âge. Maja.

— Oui, quelqu'un me l'a dit, dit Karin en riant. Tu es marié maintenant, non? Avec Erica Falck? Tu lui diras que j'aime bien ses bouquins!

— Sans faute. Qu'est-ce que tu fais maintenant? demanda-t-il. La dernière fois, j'ai cru comprendre que tu bossais pour une boîte de compta?

— C'était il y a un petit moment, ça. J'ai démissionné il y a trois ans. Pour l'instant, je suis en congé maternité. Sinon, je travaille dans une boîte de consulting, on loue des services financiers.

— Aha, eh bien pour ma part j'en suis à ma troisième journée de congé paternité, dit Patrik, non sans une certaine fierté.

— C'est super, ça! Mais où est...?

Karin regarda autour de lui, et Patrik se sentit un peu idiot.

— C'est Erica qui la garde, j'avais quelques trucs à régler.

— Ça me rappelle quelque chose, dit Karin avec un clin d'œil. Cette incapacité des hommes à faire plusieurs choses à la fois, on dirait bien que c'est universel.

— Oui, je suppose que tu as raison, répondit Patrik, légèrement embarrassé.

— Ecoute! On pourrait se voir un de ces jours, avec les enfants! Ce n'est pas toujours très facile de les occuper, et comme ça, toi et moi, on aura l'occasion de passer un peu de temps avec un autre adulte pour une fois.

Elle interrogea Patrik du regard.

— Mais oui, pourquoi pas? Quand et où tu veux qu'on fasse ça?

— En général, je me balade avec Ludde tous les jours vers dix heures. Vous n'avez qu'à venir avec nous. On se donne rendez-vous devant la pharmacie, à dix heures et quart?

— D'accord. Au fait, il est quelle heure, là? J'ai oublié mon portable à la maison, il me sert de montre.

Karin consulta sa montre-bracelet.

— Deux heures et quart.

— Merde! Ça veut dire que je suis resté absent pendant deux heures! Il se précipita vers les caisses en poussant le caddie devant lui. A demain alors!

— Dix heures et quart. Devant la pharmacie. Et tâche de ne pas arriver avec un quart d'heure de retard comme d'habitude!

— T'inquiète! lança Patrik en retour et il commença à charger ses courses sur le tapis roulant. Pourvu seulement que Maja dorme encore!

Un épais brouillard matinal flottait derrière le hublot lorsque l'avion entama sa descente vers Göteborg. Axel entendit le vrombissement du train d'atterrissage qui sortait. Il inclina la tête contre le dossier de son siège et ferma les yeux. Il n'aurait pas dû. Les images surgirent derrière ses paupières closes comme elles l'avaient déjà fait tant de fois au cours de toutes ces années. Fatigué, il les rouvrit. Il avait passé la nuit dans son appartement parisien à se tourner et se retourner dans le lit sans parvenir à trouver le sommeil.

La voix de la femme au téléphone avait été pleine de retenue. Elle lui avait appris pour Erik, avec un ton à la fois empathique et distant. Ce n'était pas la première fois qu'elle annonçait un décès, il l'avait compris à la manière dont elle s'y était prise.

Il essaya d'imaginer tous les décès qui avaient été annoncés au fil de l'histoire, mais il eut vite le vertige. La police qui appelait, un pasteur qui frappait à la porte, une lettre qui arrivait, à l'en-tête de l'armée. Ces millions de personnes mortes. Il y avait toujours quelqu'un qui devait porter le message.

Axel tâta son oreille, c'était devenu un tic au fil du temps. Il n'entendait plus de l'oreille gauche et, d'une étrange façon, le petit bourdonnement s'atténua au contact de sa main.

Il tourna les yeux vers le hublot, mais n'y vit que son propre reflet. Un octogénaire gris et ridé. Des yeux tristes, profondément enfoncés dans leurs orbites. Un instant, il s'imagina que c'était Erik qu'il voyait.

Avec un petit coup sec, le train d'atterrissage toucha le sol. Il était arrivé.

Le petit accident dans son bureau avait rendu Mellberg prudent. Il prit la laisse qu'il avait suspendue à un crochet au mur et l'attacha au collier d'Ernst.

— Allez viens, ce qui est fait n'est plus à faire, grommela-t-il, et Ernst se mit à sauter de joie en se précipitant vers la porte d'entrée, si vite que Bertil dut courir pour le suivre.

— C'est toi qui es censé promener le chien, pas l'inverse, commenta Annika en les voyant passer.

— Si tu veux prendre ma place, je te la laisse, pesta Mellberg.

Saleté de clebs. Il avait mal aux bras à force d'essayer de le retenir. Mais une fois qu'Ernst eut levé la patte contre un buisson, il se calma et ils purent continuer la balade sur un tempo plus tranquille. Mellberg se surprit en train de siffloter. Ce n'était pas si mal, en fait. De l'air frais, un peu d'exercice, ça lui ferait sans doute le plus grand bien. Et Ernst paraissait assez raisonnable maintenant. Il furetait et fouinait sur le sentier forestier où ils s'étaient engagés. La docilité personnifiée. Tout comme les humains, il devait sentir que c'était un homme à poigne qui était aux commandes. Après tout, ce ne serait peut-être pas si difficile de le dresser, ce chien.

Alors Ernst s'arrêta net. Ses oreilles se dressèrent droit dans l'air et chaque muscle de son corps se tendit. Puis il partit comme une fusée.

— Ernst ! Qu'est-ce qui t'arrive ?

Mellberg fut entraîné si brutalement qu'il faillit se casser la figure. Mais il parvint à retrouver son équilibre au dernier moment et essaya de suivre le chien qui partait au triple galop.

— Ernst ! Ernst ! Arrête ça tout de suite ! Au pied ! Ici !

L'effort physique lui coupa le souffle, il avait du mal à crier, et le chien ignora ses ordres. Au détour d'un virage, Mellberg comprit la raison de ce déchaînement soudain. Ernst se jeta sur un grand chien jaune qui avait l'air d'être de la même race que lui, et ils se mirent à s'ébattre comme des fous, tandis que la maîtresse du chien tirait sur sa laisse et Bertil sur celle d'Ernst.

— Señorita ! Au pied ! Vilaine ! Assise !

Une petite femme brune commandait sa chienne d'une voix sévère. Contrairement à Ernst, elle obéit et s'éloigna à reculons de son nouveau copain. Toute penaude, elle s'assit et regarda benoîtement sa maîtresse.

— Vilaine Señorita. On ne fait pas ça.

Implacablement, la femme obligea la chienne à la regarder dans les yeux pendant qu'elle la sermonnait,

83

et Mellberg dut réfréner le réflexe de se mettre au garde-à-vous, lui aussi.

— Je… je… je vous présente mes excuses, bégaya-t-il et il tira sur la laisse pour empêcher Ernst de se jeter de nouveau sur la chienne.

— Vous n'avez pas beaucoup d'autorité sur votre chien.

La voix était tranchante et les yeux sombres jetèrent des étincelles lorsque la maîtresse de Señorita le fusilla du regard. Elle avait un léger accent qui collait parfaitement avec son physique méridional.

— Ben, ce n'est pas exactement mon chien… Je m'en occupe simplement jusqu'à ce qu'on… Mellberg s'entendit de nouveau bégayer comme un adolescent. Il s'éclaircit la gorge et reprit d'une voix plus péremptoire : Je ne sais pas m'y prendre avec les chiens. Et celui-là n'est pas à moi.

— On dirait qu'il est d'un autre avis.

Elle montra Ernst qui avait reculé et s'était assis tout contre la jambe de Mellberg. Il le vénérait du regard.

— Euh oui…

— On n'a qu'à faire un bout de chemin ensemble. Je m'appelle Rita, dit-elle en lui tendant la main et, après une seconde d'hésitation, il la prit. J'ai eu des chiens toute ma vie. Je pourrais vous donner quelques tuyaux. Et c'est plus sympa de se balader à deux.

Elle n'attendit pas sa réponse et se lança sur le sentier. Sans vraiment comprendre comment, Mellberg se surprit à la suivre. C'était comme si ses pieds avaient leur propre volonté. Quant à Ernst, il ne protesta pas. Il prit le rythme de Señorita et marcha à côté d'elle en remuant vigoureusement la queue. Il était heureux.

FJÄLLBACKA 1943

— Erik ? Frans ?

Britta et Elsy entrèrent doucement. Elles avaient frappé, mais personne n'avait répondu. Inquiètes, elles regardèrent autour d'elles. Le docteur et sa femme n'apprécieraient probablement pas que deux jeunes filles viennent voir leur fils en leur absence. En règle générale, ils se retrouvaient à Fjällbacka mais, dans un accès d'audace, Erik avait proposé qu'elles viennent chez lui puisque ses parents seraient partis pour la journée.

— Erik ?

Elsy appela un peu plus fort et sursauta en entendant un "chuuut" venant de la pièce en face d'elle. Erik passa la tête par l'entrebâillement de la porte et les fit entrer.

— Axel est en haut, il dort. Il est revenu ce matin.

— Il est si courageux…, soupira Britta, puis son visage s'illumina quand elle aperçut Frans. Salut !

— Salut, dit Frans mais son regard alla directement vers Elsy. Salut Elsy.

— Salut Frans, répondit-elle puis elle se dirigea vers la bibliothèque. Oh, tous ces livres que vous avez !

— Si tu veux, tu peux en emprunter un, dit Erik généreusement, puis il ajouta : Mais seulement si tu y fais très attention. Papa y tient énormément.

— Oh, merci !

Elsy dévora les livres des yeux. Elle adorait lire. Frans la suivit du regard.

— Moi, je trouve que les livres, c'est un gaspillage de temps, dit Britta. Il vaut quand même mieux vivre les choses soi-même que lire ce que les autres ont vécu. Tu n'es pas d'accord, Frans ?

Elle s'assit dans le fauteuil à côté de lui et inclina la tête.

— L'un n'exclut sans doute pas l'autre, dit-il avec raideur, toujours sans la regarder. Ses yeux étaient fixés sur Elsy.

Une ride se forma entre les sourcils de Britta. Elle bondit de son fauteuil et fit quelques pas de danse en lançant :

— Vous allez au bal samedi ?

— Je pense que maman et papa ne me donneront pas l'autorisation, répondit Elsy à voix basse, sans se détourner des livres.

— Et tu crois que nous, on l'aura, l'autorisation ? répondit Britta en continuant à danser.

Elle tira Frans par le bras, mais il résista et parvint à rester dans le fauteuil.

— Arrête ! On dirait une folle !

Le ton de Frans était sec, mais il ne put s'empêcher d'ajouter en riant :

— Britta, tu es vraiment fofolle, tu sais…

— Tu n'aimes pas les filles fofolles ? Dans ce cas, je peux être sérieuse. Elle afficha une mine sévère. Ou joyeuse…

Son rire rebondit entre les murs.

— Chuuut, dit Erik en levant les yeux vers le plafond.

— Ou alors je peux rester très silencieuse…, chuchota Britta théâtralement.

Frans rit et l'attira sur ses genoux.

— Fofolle, ça me va.

Une voix venue de la porte les interrompit.

— Vous faites un de ces boucans.

Axel était appuyé contre le chambranle, un sourire fatigué sur le visage.

— Pardon, on ne voulait pas te réveiller.

La voix d'Erik débordait de l'adoration qu'il éprouvait pour son frère, mais elle s'accompagnait d'une expression soucieuse.

— Bah, ça ne fait rien, Erik. Je pourrai retourner à ma sieste plus tard, dit Axel en croisant les bras sur sa poitrine. Alors comme ça, tu saisis l'occasion de faire venir des dames quand mère et père ne sont pas là.

— Ben, des dames, je ne suis pas certain, murmura Erik, troublé.

— Où tu vois des dames ici ? Aucune, si j'en crois mes yeux. Seulement deux morveuses, rigola Frans, toujours avec Britta sur ses genoux.

— Oh, tais-toi ! s'exclama Britta avant de frapper la poitrine de Frans.

— Et Elsy est tellement occupée par les livres qu'elle ne me dit même pas bonjour.

Embarrassée, Elsy se retourna.

— Pardon, je… Bonjour Axel.

— Je te taquine, tu devrais le savoir. Tu peux regarder les livres, je suppose qu'Erik t'a dit que tu pouvais en emprunter si tu voulais.

— Oui, il me l'a dit, confirma Elsy.

Elle rougissait toujours et ne tarda pas à tourner de nouveau son attention vers les rayonnages.

— Ça s'est passé comment hier ?

Erik regarda son frère comme pour boire la moindre de ses paroles. Le visage ouvert et joyeux d'Axel se referma aussitôt :

— Bien. Ça s'est bien passé, dit-il seulement, puis il se retourna brusquement. Je remonte me reposer encore un moment. Essayez de ne pas faire trop de bruit, vous serez gentils.

Erik suivit Axel des yeux. Outre l'adoration et la fierté, ils trahissaient aussi une petite dose de jalousie. Ceux de Frans ne reflétaient que de l'admiration.

— Comme il est courageux, ton frère… Moi aussi j'aimerais pouvoir aider. Si seulement j'avais quelques années de plus…

— Tu ferais quoi ? dit Britta qui boudait toujours d'avoir été tournée en ridicule devant Axel. Tu n'oserais jamais. Et que dirait ton père ? D'après ce que j'ai entendu, c'est plutôt aux Allemands qu'il donnerait son aide.

— Oh, arrête, dit Frans en repoussant Britta avec humeur. Les gens parlent tellement. Je ne croyais pas que tu écoutais tous ces ragots.

Erik, qui faisait toujours office de médiateur du groupe, se leva d'un coup et dit :

— On peut écouter de la musique sur le gramophone de mon père. Il a du Count Basie.

Il se dépêcha d'aller mettre l'appareil en marche. Il n'aimait pas que les gens se chamaillent. Il n'aimait vraiment pas ça.

Elle avait toujours adoré les aéroports. Se trouver parmi les avions qui atterrissaient et décollaient, il n'y avait rien de pareil. Tous ces gens avec leurs valises et de l'espoir plein les yeux, en route pour les vacances ou des voyages d'affaires. Et les rencontres. Ceux qui se retrouvaient, et ceux qui se disaient au revoir. Paula se remémora un autre aéroport, il y avait très, très longtemps. La foule grouillante, les odeurs, les couleurs, le brouhaha. Et la tension de sa mère, qu'elle sentait plus qu'elle ne la voyait. Sa façon de tenir sa main sans la lâcher. La valise qui avait été faite et défaite et refaite. Tout devait être parfait. Car c'était un voyage sans retour. Elle se rappela aussi la chaleur, et le froid glacial qui les avait accueillies. Jamais elle n'avait cru qu'on pouvait avoir aussi froid. Et l'aéroport où elles avaient atterri était si différent. Plus silencieux, avec des couleurs ternes. Personne ne parlait fort, personne ne gesticulait. Tout le monde paraissait enfermé dans sa petite bulle. Personne ne les avait regardées droit dans les yeux. On avait seulement tamponné leur passeport en leur disant d'avancer d'une drôle de voix dans une drôle de langue. Et maman avait serré fort sa main.

— Ça pourrait être lui ?

Martin montra un homme âgé qui passait le contrôle des passeports. Il était grand, avait les cheveux blancs et portait un trench-coat beige. Elégant, pensa immédiatement Paula.

— On n'a qu'à demander. Elle prit les devants. Axel Frankel?

— Oui. Je suis censé me rendre directement au commissariat, je crois, répondit-il d'un air fatigué.

— On s'est dit qu'on pouvait venir vous chercher et vous ramener chez vous, dit gentiment Martin.

— Ah bon, eh bien, dans ce cas, merci beaucoup.

— Vous avez des bagages à récupérer? demanda Paula.

— Non, je n'ai que ça. Axel montra sa valise-cabine à roulettes. Je voyage léger.

— C'est un art que je n'ai jamais réussi à pratiquer, dit Paula en riant.

La fatigue du visage de l'homme disparut un instant, et il lui rendit son sourire.

Ils parlèrent de la pluie et du beau temps jusqu'à ce qu'ils soient installés dans la voiture et que Martin prenne la direction de Fjällbacka.

— Vous avez… vous avez appris quelque chose de plus?

La voix d'Axel trembla et il se tut un instant pour rassembler ses esprits. Paula, qui s'était assise avec lui à l'arrière, secoua la tête.

— Non, malheureusement. On espérait que vous pourriez nous aider. Par exemple, on a besoin de savoir si votre frère avait des ennemis. Quelqu'un qui aurait pu lui vouloir du mal.

— Non, non, certainement pas. Axel secoua lentement la tête. Mon frère était un homme parfaitement paisible et pacifique et… non, c'est absurde d'imaginer que quelqu'un ait voulu du mal à Erik.

— Qu'est-ce que vous savez sur ses relations avec un groupe qui se nomme "Les Amis de la Suède"? glissa Martin.

Son regard croisa celui d'Axel dans le rétroviseur.

— Vous avez trouvé la correspondance d'Erik. Avec Frans Ringholm.

Axel se frotta la racine du nez et tarda à répondre. Paula et Martin patientèrent.

— C'est une histoire compliquée, qui remonte à loin.

— Nous ne sommes pas pressés, dit Paula en laissant comprendre qu'elle attendait la suite.

— Frans est un ami d'enfance d'Erik et moi. Nous nous connaissons depuis toujours. Mais… comment dire… Nous avons choisi une voie et Frans une autre.

— Frans est actif dans l'extrême droite? demanda Martin.

— Oui, je ne sais pas exactement comment ni quand ni dans quelle mesure, mais toute sa vie adulte il a fréquenté ce milieu. Il fait partie des fondateurs de cette… "Les Amis de la Suède". C'est vrai que quand il était petit… Pourtant, à l'époque où je le fréquentais, il n'affichait jamais de telles sympathies. Mais les gens changent, dit Axel en secouant la tête.

— Et pourquoi cette organisation se serait-elle sentie menacée par l'activité d'Erik? Si j'ai bien compris, il n'était pas engagé politiquement, il était historien, avec la Seconde Guerre mondiale comme spécialité.

Axel soupira.

— Ça, ce n'est pas une démarcation très aisée à tracer… On ne peut pas faire des recherches sur le nazisme et en même temps rester neutre, ou passer pour tel. Beaucoup d'organisations néonazies affirment par exemple que les camps de concentration n'ont jamais existé, et toute tentative d'écrire là-dessus, et de définir ce qui s'est passé, est considérée comme une menace et une attaque contre elles. Donc, vous voyez comme c'est compliqué.

— Et votre propre engagement dans la question ? Vous aussi, vous avez reçu des menaces ? demanda Paula en l'étudiant minutieusement.

— Bien sûr. Et bien davantage qu'Erik. Je travaille pour le centre Simon-Wiesenthal.

— Qui fait quoi ? demanda Martin.

— Vous traquez les nazis qui se sont enfuis et qui vivent dans la clandestinité puis vous les traduisez en justice, répondit Paula qui connaissait sa leçon.

— Oui, entre autres. Et donc, oui, j'ai eu ma part, dit Axel.

— Vous avez gardé des lettres ? demanda Martin depuis le siège avant.

— C'est le Centre qui conserve tout. Nous leur transmettons toutes nos lettres pour archivage. Vous pouvez les contacter, ils vous y donneront accès.

Il tendit une carte de visite à Paula qui la glissa dans sa poche.

— Et les Amis de la Suède ? Ils vous ont menacé ?

— Non… je ne sais plus trop… Non, il ne me semble pas. Mais vérifiez avec le Centre. Ils ont tout.

— Frans Ringholm. Quelle place occupe-t-il dans l'histoire ? Vous disiez que c'est un ami d'enfance ? dit Martin.

— Pour être tout à fait exact, c'était l'ami d'Erik. J'ai quelques années de plus que mon frère, si bien que nous n'avions pas tout à fait les mêmes copains.

— Erik le connaissait bien ?

Les yeux marron de Paula le contemplèrent aussi intensément qu'avant.

— Oui, mais ça fait des années qu'ils n'ont pas eu de contact, dit Axel en se tortillant. Il n'était manifestement

92

pas très à l'aise avec le sujet. On parle de quelque chose qui date de soixante ans. Sans être sénile, j'ai la mémoire qui commence à être un peu floue.

Il sourit et tapota sa tête avec l'index.

— Pas si longtemps que ça… Frans a en tout cas contacté votre frère par lettre à plusieurs reprises.

— Je ne sais rien de tout ça, dit Axel. Il se passa la main dans les cheveux en un geste d'insatisfaction : Je vivais ma vie et mon frère vivait la sienne. On ne contrôlait pas ce que faisait l'autre. Ça ne fait que trois ans qu'on s'est installés de façon permanente à Fjäll-backa, ou semi-permanente en ce qui me concerne. Erik avait un appartement à Göteborg pendant toutes les années où il y travaillait, et moi j'ai plus ou moins fait le tour du monde. Mais nous avons toujours eu la maison comme base et, quand on me demande où j'habite, je réponds "Fjällbacka". En été, je me réfugie dans mon appartement à Paris. Je ne supporte pas tout le business qui va avec le tourisme ici, c'est trop agité. Sinon, je pense qu'on peut dire qu'on vit une vie assez calme et isolée, mon frère et moi. Il n'y a que la femme de ménage qui vienne nous rendre visite. On préfère… On préférait que ce soit comme ça…

La voix d'Axel s'étrangla. Paula chercha le regard de Martin. Il secoua légèrement la tête avant de se concentrer de nouveau sur la route. Ni l'un ni l'autre ne trouvèrent d'autres questions à poser. Pendant le reste du trajet jusqu'à Fjällbacka ils bavardèrent de manière un peu forcée. Axel semblait pouvoir s'effondrer à tout moment. Il apparut manifestement soulagé lorsqu'ils s'arrêtèrent finalement devant sa maison.

— Ça ne vous pose pas de problèmes… d'y habiter maintenant ?

Paula ne put se retenir de poser la question.

Axel resta silencieux un instant, sa valise-cabine à la main, le regard dirigé sur la grande maison blanche. Puis il dit :

— Non. C'est notre foyer, à Erik et moi. C'est chez nous ici.

Il afficha un sourire attristé et leur serra la main avant de se diriger vers la porte d'entrée. Paula observa sa silhouette ployée sous le poids de la solitude.

— Alors tu t'es fait tirer les oreilles en rentrant, hier ? rit Karin.

Elle marchait d'un bon rythme, poussant Ludde dans sa poussette, et Patrik s'essouffla vite en essayant de maintenir le même tempo qu'elle.

— C'est le moins qu'on puisse dire.

Il fit une grimace en pensant à l'accueil qui lui avait été réservé la veille. Erica n'avait pas été d'une humeur très chaleureuse. Et en un sens il la comprenait, l'idée générale était effectivement qu'il s'occupe de Maja dans la journée désormais, pour qu'Erica puisse travailler. En même temps il ne pouvait s'empêcher de penser qu'elle forçait un peu le trait. Il n'était pas parti pour une partie de plaisir, c'était des courses pour la famille qu'il faisait. Et comment aurait-il pu savoir que Maja choisirait précisément ce jour-là pour ne pas s'endormir comme elle le faisait d'habitude ? Non, il avait ressenti un petit sentiment d'injustice de se retrouver douché de la sorte. Mais heureusement Erica n'était pas rancunière, et ce matin il avait eu droit à un baiser. La journée de la veille semblait oubliée. Mais il n'avait pas osé lui raconter qu'il allait avoir de la compagnie pour sa promenade aujourd'hui. Il le lui dirait, bien sûr, mais plus tard. Erica avait beau ne pas être spécialement jalouse, une promenade avec son ex-femme n'était peut-être pas un sujet à aborder alors qu'il avait déjà des points en moins. Comme si Karin pouvait lire ses pensées, elle dit :

— C'est bon pour Erica qu'on se voie ? Ça fait des années qu'on est divorcés, mais certaines personnes sont… sensibles…

— Mais oui, ne t'inquiète pas, dit Patrik, peu enclin à reconnaître sa lâcheté. Erica n'a aucun problème avec ça.

— Tant mieux. Je veux dire, c'est sympa d'avoir de la compagnie, mais si ça doit poser problème…

— Et Leif ? dit Patrik pour changer rapidement de sujet.

Il se pencha sur la poussette et arrangea le bonnet de Maja, qui avait glissé. Elle ne lui prêta aucune attention, occupée qu'elle était à communiquer avec Ludde dans la poussette à côté.

— Leif…, renifla Karin. On pourrait dire que c'est un miracle si Ludde le reconnaît. Il est tout le temps en tournée à droite et à gauche.

Patrik hocha la tête, compatissant. Le mari de Karin était chanteur dans le groupe Leffes et il imaginait facilement combien ça devait être lassant pour elle de se retrouver tout le temps seule à la maison.

— Pas de problèmes sérieux entre vous, j'espère ?

— Non, on se croise trop rarement pour qu'il y ait des problèmes, répondit Karin en riant.

Elle eut beau adopter un ton léger, son rire était amer et sonnait faux. Patrik eut l'intuition qu'elle ne disait pas toute la vérité et ne sut pas trop quoi dire. Ça faisait un peu bizarre de discuter de problèmes de couple avec son ex-femme. Heureusement la sonnerie de son téléphone portable le sauva.

— Patrik Hedström.

— Salut, c'est Pedersen. J'appelle pour donner les résultats d'autopsie d'Erik Frankel. Vous avez eu un rapport par fax, comme d'habitude, mais j'ai pensé que tu voudrais avoir les grandes lignes par téléphone.

— Oui, bien sûr… Patrik étira sa réponse après un regard sur Karin, qui avait ralenti pour l'attendre. Mais il se trouve que je suis en congé paternité en ce moment.

— Ah bon, toutes mes félicitations ! C'est une période merveilleuse qui t'attend. Moi, je suis resté six mois à la maison pour mes deux enfants, je pense que ce sont les meilleurs mois de ma vie.

Patrik n'en revint pas. Jamais il n'aurait cru ça de ce médecin légiste hyperefficace, discret et un peu froid. Il le visualisa subitement, affublé de sa tenue de médecin, assis dans un bac à sable en train de préparer des pâtés parfaits, lentement, méticuleusement et avec une grande précision. Il rit malgré lui et reçut un "Qu'est-ce qui est si drôle ?" en réponse.

— Rien, dit Patrik avant de poursuivre plus sérieusement : Mais j'aimerais bien que tu me fasses un petit résumé. J'étais présent sur les lieux du crime avant-hier, et j'essaie de me maintenir au courant de ce qui se passe.

— Oui, bien sûr, dit Pedersen en retrouvant sa raideur habituelle. C'est assez simple. Erik Frankel s'est pris un objet lourd sur la tête. Probablement en pierre, il y a de petits fragments dans la plaie, ce qui indique que la pierre en question doit être assez poreuse. L'objet l'a heurté à la tempe gauche et a déclenché une hémorragie massive dans le cerveau. Il est mort sur le coup.

— Est-ce que tu as une idée de l'endroit depuis lequel il a été frappé ? De derrière ? De devant ?

— J'estime que le meurtrier s'est tenu devant lui. Et selon toute vraisemblance il est droitier, c'est plus naturel pour un droitier de frapper de droite. Ça ne serait pas naturel pour un gaucher.

— Et l'objet? Ça peut être quoi?

Patrik entendit l'excitation dans sa voix. Il se sentait comme un poisson dans l'eau.

— C'est à vous de l'établir. Un objet lourd en pierre. Mais le crâne ne semble pas avoir été touché par un bord tranchant, la plaie a plus le caractère d'une contusion.

— Très bien, ça nous donne de quoi travailler.

— Nous? dit Pedersen, non sans un certain sarcasme. Tu ne viens pas de me dire que tu es en congé paternité?

— Oui, c'est vrai, dit Patrik et il se tut une seconde avant de reprendre son élan et de continuer : Je suppose que tu appelleras le commissariat pour leur donner tout ça.

— Vu les circonstances, je suis bien obligé, dit Pedersen sur un ton amusé. Est-ce que je dois prendre le taureau par les cornes et appeler Mellberg, ou tu as une autre proposition?

— Martin, dit Patrik instinctivement.

Pedersen gloussa.

— Je l'avais déjà calculé tout seul. Mais merci pour le tuyau. Et au fait, tu ne vas pas me demander quand il est mort?

— Si, justement, il est mort quand?

La voix de Patrik avait repris de la vigueur.

— Impossible de le dire avec exactitude. Il est resté exposé beaucoup trop longtemps à température ambiante. Mais je dirais que sa mort remonte à deux mois, deux mois et demi. Ce qui nous amène quelque part en juin.

— Tu ne peux pas être plus exact ? demanda Patrik alors qu'il connaissait la réponse avant même de poser la question.

— Nous ne sommes pas des devins. Nous n'avons pas de boule de cristal. C'est la meilleure réponse que je puisse te donner pour l'instant. Je la base d'une part sur l'espèce de mouche, d'autre part sur le nombre de générations de mouches et de larves qu'on a trouvées. En considération de ceci, et du stade de décomposition, j'estime qu'il est probablement mort en juin. Ça va être votre boulot de trouver une date plus exacte. Ou plus précisément : ça va être le boulot de tes collègues, rit Pedersen.

Patrik ne se rappela pas l'avoir jamais entendu rire auparavant. Et voilà que c'était arrivé à plusieurs reprises pendant cette communication téléphonique. À ses dépens. Mais c'était peut-être ce qu'il fallait pour que Pedersen se fende d'un rire. Patrik dit au revoir et raccrocha.

— Le boulot ? demanda Karin.

— Oui, ça concerne une enquête que nous menons en ce moment.

— Le vieux monsieur qui a été retrouvé mort lundi ?

— Je constate que la machine à ragots fonctionne à merveille, dit Patrik.

Karin avait de nouveau augmenté la cadence, et il dut presque courir pour la rattraper. Une voiture rouge les dépassa. Au bout d'une centaine de mètres, elle ralentit, on aurait dit que le conducteur regardait dans le rétroviseur. Puis elle fit une rapide marche arrière et Patrik jura intérieurement. Il voyait maintenant que c'était la voiture de sa mère.

— Ah ben ça alors, vous vous promenez ensemble, tous les deux ?

Kristina avait baissé la vitre et dévisageait Patrik et Karin d'une mine ahurie.

— Salut, Kristina! Ça fait plaisir de te voir! Je viens d'emménager à Fjällbacka, j'ai croisé Patrik par hasard et on s'est dit que comme on ne travaillait pas, ni l'un ni l'autre, on pourrait se tenir un peu compagnie. Je te présente mon petit Ludvig.

Karin désigna la poussette, Kristina se pencha par la vitre ouverte et proféra les roucoulements de mise en voyant le bébé.

— Mais c'est très bien tout ça, dit-elle sur un ton qui alarma Patrik.

Puis il fut frappé par une pensée qui l'alarma encore plus. Sans vouloir connaître la réponse, il demanda :

— Et tu vas où, toi?

— Je pensais faire un saut chez vous. Ça fait un moment que je ne suis pas venue. J'ai fait des gâteaux.

Toute contente, elle montra un sachet avec des brioches et un quatre-quarts sur le siège à côté d'elle.

— Erica travaille, protesta mollement Patrik, tout en sachant que ça ne servait à rien.

— Tant mieux, elle sera sûrement contente de faire un petit break. Et puis vous serez peut-être rentrés dans pas trop longtemps?

Elle enclencha la première et agita la main en direction de Maja.

— Oui, je pense, sûrement, dit Patrik.

Il chercha fébrilement un moyen de faire comprendre à sa mère qu'elle ne devait rien dire à Erica. Mais son cerveau était totalement vide et il dut se résigner à agiter la main. Une boule dans l'estomac, il vit sa mère démarrer sur les chapeaux de roues et partir en direction de Sälvik. Il allait avoir quelques petites explications à fournir.

Son travail sur le livre avançait bien. Elle avait écrit quatre pages dans la matinée et elle s'étira avec satisfaction dans son fauteuil de bureau. La colère de la veille avait eu le temps de se calmer et, avec le recul, elle se dit qu'elle y était peut-être allée un peu fort. Elle se rattraperait ce soir en préparant quelque chose de bon pour le dîner. Avant leur mariage ils avaient fait un petit régime et tous les deux avaient perdu quelques kilos, mais maintenant ils étaient retombés dans leur routine habituelle. Il fallait bien s'offrir un petit extra de temps en temps. Filet de porc sauce gorgonzola peut-être, Patrik adorait ça.

Erica laissa là ses réflexions culinaires et tendit la main vers les journaux intimes de sa mère. Elle aurait mieux fait de s'installer et de les lire tous d'un coup, mais elle avait du mal à s'y résoudre, et les lisait par petits bouts. De petites incursions dans le monde de sa mère. Elle posa les jambes sur le bureau et commença le travail laborieux de déchiffrage des fioritures de l'écriture à l'ancienne. Pour l'instant, il avait surtout été question des activités domestiques quotidiennes, des tâches ménagères dont Elsy se chargeait, de ses interrogations sur l'avenir, de son inquiétude pour son père, le grand-père d'Erica, qui partait en mer tous les jours de la semaine, jours de fête compris. Ces réflexions sur la vie étaient présentées avec la naïveté et l'innocence d'une adolescente, et Erica avait du mal à assortir la voix de jeune fille qui ressortait du texte avec le timbre d'acier de sa mère, qui n'avait jamais prodigué de mots tendres ni de témoignages d'affection à ses filles. Seulement une éducation stricte et distante.

En arrivant au bas de la deuxième page, Erica se redressa subitement. Un nom familier venait de surgir.

Ou plus exactement deux. Elsy racontait qu'elle était allée chez Erik et Axel quand leurs parents n'étaient pas là. Le texte était avant tout une description lyrique de la bibliothèque apparemment très impressionnante de leur père, mais Erica ne vit que ces deux noms. Erik et Axel. Il devait s'agir d'Erik et Axel Frankel. Tout excitée, elle lut tout le passage qui relatait la visite, et au ton employé elle comprit qu'ils se voyaient souvent. Elsy, Erik et deux autres jeunes qui s'appelaient Britta et Frans. Erica chercha dans ses souvenirs. Non, sa mère n'avait jamais parlé d'eux, elle en était tout à fait certaine. Dans le journal d'Elsy, Axel était décrit comme un héros quasiment mythique, "infiniment brave, et presque aussi beau qu'Errol Flynn". Sa mère avait-elle été amoureuse d'Axel Frankel ? Non, rien dans la description ne permettait de le penser, en revanche elle avait eu une profonde admiration pour lui.

Erica posa le carnet sur ses genoux et réfléchit. Pourquoi Erik Frankel ne lui avait-il pas précisé qu'il avait connu sa mère quand ils étaient jeunes ? Après tout, elle avait raconté où elle avait trouvé la médaille, et à qui elle avait appartenu. Pourtant, il n'avait rien dit. De nouveau, Erica se souvint de son étrange silence. Elle ne se trompait pas. Il lui avait caché quelque chose.

La sonnette de la porte d'entrée vint interrompre ses pensées. Elle descendit les jambes du bureau et repoussa le fauteuil avec un soupir. Elle se demanda qui ça pouvait être, lorsqu'un "ohé" radieux dans le vestibule répondit à sa question. Kristina. Belle-maman. Elle inspira à fond, ouvrit la porte et se dirigea vers l'escalier. Un "ohé" un peu plus insistant retentit et, malgré elle, Erica serra fort les mâchoires.

— Salut, lança-t-elle aussi gaiement qu'elle le pouvait.
Elle sentit bien que ça sonnait creux. Heureusement, Kristina n'était pas très sensible aux nuances.

— Salut ! C'est moi ! annonça sa belle-mère joyeusement en se débarrassant de sa veste. J'apporte des gâteaux pour le café. Faits maison. Je me suis dit que tu apprécierais, je sais que vous, les femmes actives, vous n'avez pas beaucoup de temps pour ça.

Erica put presque entendre son propre grincement de dents. Kristina était incroyablement douée pour distribuer des coups de griffes camouflés. Elle se demandait souvent si c'était un talent inné, ou si Kristina l'avait peaufiné au fil des ans. Probablement une combinaison des deux.

— Merci, c'est sympa, lâcha-t-elle obligeamment et elle descendit dans la cuisine où Kristina était déjà en train de préparer le café comme si elle était chez elle.

— Assieds-toi, je m'en occupe. Je sais où se trouvent les choses ici.

— Oui, en effet, maugréa Erica en espérant que Kristina ne relèverait pas le sarcasme. Patrik et Maja sont sortis se promener, je pense qu'ils en ont encore pour un petit moment, dit-elle dans l'espoir que sa belle-mère écourterait sa visite.

— Je ne crois pas, dit Kristina en comptant les doses de café. Deux, trois, quatre… Elle remit la mesurette dans le pot et tourna son attention vers Erica : Non, ils ne vont pas tarder. Je les ai doublés en venant. C'est vraiment chouette que Karin soit revenue s'installer ici, ça fait un peu de compagnie à Patrik dans la journée. Se promener tout seul, ce n'est pas très drôle, surtout quand on est habitué à être entouré de gens au travail tout le temps, comme Patrik. Ils avaient l'air de bien s'entendre.

Erica dévisagea Kristina pendant que son cerveau essayait de traiter l'information qu'il venait de recevoir. Karin ? De la compagnie pour Patrik ? Quelle Karin ?

A l'instant même où Patrik franchit la porte, la lumière se fit dans l'esprit d'Erica. Karin…

Patrik afficha un sourire bête et, après un instant de silence pesant, dit :

— Je prendrais bien un café, moi aussi.

Ils s'étaient rassemblés dans la cuisine pour faire le point. L'heure du déjeuner approchait et tout le monde pouvait entendre très nettement le ventre de Mellberg gargouiller. Il prit une brioche sur le plat qu'Annika avait disposé sur la table. Un petit avant-goût du repas, rien de plus.

— Bon, alors qu'est-ce qu'on a ? Paula et Martin ? Vous avez entendu le frère de la victime ce matin. Est-ce qu'il en est ressorti quelque chose d'intéressant ?

Mellberg mâchait énergiquement sa brioche en parlant, crachant des miettes à tous les vents.

— Oui, on est allés le chercher à l'aéroport, dit Paula. Manifestement, il ne sait pas grand-chose. On l'a interrogé au sujet des lettres des Amis de la Suède, mais le seul éclaircissement qu'il a pu fournir concernait ce Frans Ringholm, qui est un ami d'enfance d'Erik. Axel n'était pas au courant de menaces particulières émanant de cette organisation, même s'il a fait remarquer que cela n'aurait rien d'exceptionnel vu leur champ d'action, à Erik et à lui-même.

— Est-ce qu'Axel lui-même a reçu des menaces à un moment ou un autre ? demanda Mellberg en continuant à semer des miettes.

— Apparemment quelques-unes, répondit Martin. Mais les lettres sont archivées à l'organisme pour lequel il travaille.

— Ça veut dire qu'il ne sait pas s'il a reçu des lettres des Amis de la Suède?

Paula secoua la tête.

— Non, il ne semblait pas vraiment être au courant. Et je peux le comprendre. Il doit recevoir un paquet de saloperies dans sa boîte aux lettres, pourquoi s'en occuper?

— Quelle impression vous a-t-il donnée? demanda Annika. J'ai entendu dire que, dans sa jeunesse, c'était une sorte de héros.

— Un monsieur âgé très distingué, très élégant, dit Paula. Mais évidemment très choqué par ce qui s'est passé. J'ai eu le sentiment que la mort de son frère l'avait énormément affecté, je ne sais pas si tu es du même avis, Martin?

— Oui, j'ai eu cette impression aussi.

— Je suppose que vous allez l'entendre de nouveau, dit Mellberg, puis il regarda Martin en se raclant la gorge. Si j'ai bien compris, tu as été en contact avec Pedersen? Ça m'étonne qu'il n'ait pas cherché à me parler.

Martin toussota.

— Je crois que tu étais en train de promener le chien quand il a appelé. Je suis sûr qu'il voulait te faire son rapport à toi en priorité.

— Hum, oui, tu as sans doute raison. Bon, continue, qu'est-ce qu'il a dit?

Martin fit un résumé de ce que Pedersen avait pu dire sur les blessures de la victime, puis il ne put s'empêcher de dire avec un petit rire :

— Il avait d'abord appelé Patrik, qui apparemment n'était pas particulièrement ravi de rester à la maison.

Pedersen lui a fait part de tous les éléments et, quand je pense combien c'était facile de le faire venir sur le lieu du crime, je me dis qu'il ne va pas tarder à rappliquer avec Maja.

Annika rit.

— Oui, je lui ai parlé hier, il avait une manière très diplomate pour dire qu'il lui faudrait probablement du temps pour s'y faire.

— Tu m'étonnes, renifla Mellberg. Des conneries tout ça. Un grand gaillard qui se charge de changer des couches et de nourrir un bébé. Non, sur ce plan c'était bien mieux autrefois. Les hommes de ma génération étaient dispensés de ces foutaises, ils pouvaient se consacrer à ce pour quoi ils étaient faits, c'était aux bonnes femmes de s'occuper des mômes.

— Moi, j'aurais volontiers changé des couches, dit Gösta doucement en fixant la table.

Martin et Annika le regardèrent, tout surpris, puis ils se rappelèrent ce qu'ils avaient appris tout récemment. Que Gösta et sa femme décédée avaient eu un fils qui était mort peu après la naissance. Et qu'ensuite ils n'avaient pas eu d'autres enfants. Ils se turent, embarrassés, et évitèrent de le regarder. Puis Annika dit :

— Pour ma part, je crois que ça leur fait du bien. Que les mecs voient le boulot que c'est. C'est vrai que je n'ai pas d'enfants – ce fut au tour d'Annika d'avoir l'air triste – mais toutes mes amies en ont, et elles sont loin d'avoir passé leur congé maternité allongées sur le divan à bouffer du chocolat toute la journée. Si bien que je me dis que ça va lui faire du bien, à Patrik.

— Eh bien, tu n'arriveras jamais à me convaincre de ça, dit Mellberg. Puis il plissa le front d'impatience et regarda les papiers devant lui. Il balaya les miettes de brioche et lut silencieusement quelques lignes avant de parler : Bon, passons au rapport de Torbjörn et ses gars…

— Et ses nanas, ajouta Annika.

Mellberg poussa un soupir ostentatoire.

— Et ses nanas… Purée, vous les féministes, quand vous êtes sur le sentier de la guerre, c'est quelque chose ! On est censé mener une enquête policière, ici ! Ou vous préférez entamer des chants de lutte et débattre de Gudrun Schyman* ?

Il secoua la tête avant de reprendre le fil.

— Donc, j'ai le rapport de Torbjörn et ses *techniciens* ici. Rien de surprenant. Il y a des empreintes de chaussures et des empreintes digitales, et nous allons évidemment toutes les examiner. Gösta, tu veilleras à obtenir les empreintes des gamins pour les exclure, et aussi celles du frère, je pense. Pour le reste… Il lut encore en ponctuant avec des "hum, hum". Bon, il semble établi qu'il a reçu un coup violent sur la tête avec un objet lourd.

— Pas plusieurs coups donc, un seul, précisa Paula.

— Hum, oui, c'est ça. Un seul coup à en juger par les traces de sang sur les murs. J'ai discuté avec Torbjörn au téléphone et je lui ai justement posé la question. Ils peuvent apparemment le déterminer en analysant la façon dont les gouttes de sang éclaboussent. Bon, ça c'est leur domaine, mais la conclusion est sans équivoque – un coup violent sur la tête.

— Oui, et ça colle parfaitement avec le résultat d'autopsie, dit Martin. Et l'objet ? Pedersen pense qu'il s'agit d'un objet lourd en pierre.

* Gudrun Schyman, née en 1948, femme politique, présidente du parti communiste de 1993 à 2003, puis députée indépendante et militante féministe.

— Exactement! triompha Mellberg et il posa le doigt sur le document. Sous le bureau il y avait un buste en pierre. Il portait des traces de sang, de cheveux et de substance cérébrale, et je suis convaincu que les fragments de pierre que Pedersen a trouvés dans la plaie proviennent de ce buste.

— On tient l'arme du crime, autrement dit. C'est toujours ça, fit Gösta sombrement avant de boire une gorgée de café refroidi.

— Vous avez des suggestions pour la suite? dit Mellberg.

Il réussit à donner l'impression que lui-même avait déjà en tête tout un tas de mesures d'investigations précises. Ce qui n'était pas le cas.

— Il faut contacter Frans Ringholm. Pour en savoir plus sur ces fameuses menaces.

— Et interroger les gens du quartier, vérifier si quelqu'un a vu quelque chose de louche les jours du meurtre, continua Paula.

Annika leva les yeux de son bloc-notes.

— Quelqu'un devrait aussi entendre la femme de ménage. Savoir quand elle y est allée pour la dernière fois, si elle a vu Erik à ce moment-là, et pourquoi elle n'est pas revenue faire le ménage de tout l'été.

— Bien. Alors, au boulot!

Mellberg darda les yeux sur ses subordonnés et continua à les fixer jusqu'à ce qu'ils aient quitté la pièce, puis il prit encore une brioche. Savoir déléguer, voilà le secret d'un bon leadership.

Ils étaient totalement d'accord. Aller en cours, c'était gaspiller son temps. C'est pourquoi ils n'y faisaient que des sauts sporadiques quand l'envie se manifestait.

Ce qui n'arrivait pas très souvent. Aujourd'hui ils s'étaient retrouvés vers dix heures. Il n'y avait pas grand-chose à faire à Tanumshede. Ils traînaient comme ils pouvaient, discutaient le coup et fumaient des clopes.

— Vous avez entendu parler du vieux à Fjällbacka ? C'est sûrement ton grand-père et ses potes qui l'ont tué, rigola Nicke en tirant une grosse taffe.

Vanessa pouffa.

— Nan, bougonna Per, non sans fierté. Grand-père n'a rien à voir avec ça. Vous imaginez bien qu'ils ne vont pas risquer de se faire coincer juste pour le plaisir de refroidir un vieux. Je suis sûr que les Amis de la Suède ont un but bien plus grand que ça, plus noble.

— Tu lui as parlé ? On peut venir à une réunion, alors ?

Nicke ne rigolait plus, son visage exprimait de l'excitation à cette idée.

— Pas encore…, avoua Per à contrecœur.

En sa qualité de petit-fils de Frans Ringholm, il avait un statut particulier dans la bande. Dans un instant de faiblesse il avait promis à ses copains d'essayer de les faire venir à une réunion à Uddevalla. Mais la bonne occasion ne s'était jamais vraiment présentée. Et il savait très bien ce que son grand-père allait répondre. Qu'ils étaient trop jeunes. Qu'ils avaient besoin d'encore quelques années pour "développer pleinement leur potentiel". Il n'en voyait pas l'utilité. Ils étaient tout aussi aptes à comprendre que les plus âgés qui avaient déjà été intégrés. Tout ça était très simple. Il n'y avait aucun malentendu possible.

C'est ça qui lui plaisait. Que ce soit simple. Noir et blanc. Pas de zones grises. Per ne voyait pas pourquoi les gens s'obstinaient à tout compliquer comme ils le faisaient, à vouloir à tout prix considérer les choses sous tous leurs aspects. Alors que c'était si évident. Il y avait eux et nous. Rien que ça. Eux et nous. Si eux restaient sur leur bord, et s'occupaient de leurs affaires, il n'y aurait pas de problème. Mais ils s'entêtaient tout le temps à empiéter sur un territoire qui n'était pas le leur. Ils s'entêtaient à franchir des frontières qui pourtant étaient évidentes. La différence crevait les yeux, il n'y avait pas à tortiller. Blanc ou jaune. Blanc ou marron. Blanc ou cette couleur bleu-noir dégueu des gens sortis du fin fond de la jungle africaine. C'était si limpide, bordel. Quoique. Aujourd'hui la différence devenait de plus en plus difficile à détecter. Tout était gâché, mélangé, touillé en une merde sans nom. Il regarda ses copains mollement affalés sur le banc à côté de lui. Qu'est-ce qu'il connaissait réellement sur leur lignée ? Va savoir ce qu'une pute de leur famille avait pu fabriquer ! Ils avaient peut-être du sang impur dans les veines, eux aussi. Per frissonna.

Nicke le regarda, curieux.

— Qu'est-ce que t'as, toi ? Tu vas pas dégueuler quand même ?

— Nan, c'est rien, renifla Per.

Mais l'idée qu'il pourrait avoir raison le dégoûta franchement. Il éteignit sa cigarette.

— Allez venez, on trace à la cafèt'. On va choper le cafard à rester ici.

Il leva le menton en direction de l'école et partit sans attendre voir si les autres suivaient. Il savait très bien qu'ils viendraient.

Un instant il pensa au vieux qui avait été assassiné. Puis il haussa les épaules. Cet homme n'avait aucune importance.

FJÄLLBACKA 1943

Pendant le repas, on n'entendait que le bruit des couverts. Tous les trois essayaient de ne pas lorgner vers la chaise restée vide. Aucun n'y parvint.

— Il est reparti beaucoup trop tôt, dit Gertrud.

Elle tendit le plat avec les pommes de terre à Erik et il en reprit une qu'il posa dans son assiette déjà bien garnie. C'était plus simple comme ça. Sinon sa mère continuerait à insister inlassablement jusqu'à ce qu'il soit quand même obligé de se resservir. Mais en voyant son assiette débordante, il se demanda comment il ferait pour tout avaler. La nourriture ne l'intéressait pas. Il ne s'alimentait que parce qu'il le fallait. Et parce que sa mère disait qu'elle avait honte de le voir aussi maigre. Les gens pourraient croire qu'elle ne lui donnait pas à manger.

Axel, en revanche, se mettait toujours à table de bon appétit. Erik regarda la chaise vide tout en se forçant à porter la fourchette à ses lèvres. La nourriture ne fit que grandir dans sa bouche. La sauce transforma la pomme de terre en une bouillie collante et il se mit à mastiquer machinalement pour pouvoir l'avaler et s'en débarrasser au plus vite.

— Il faut le laisser faire ce qu'il a à faire.

Hugo Frankel regarda sévèrement son épouse. Mais ses yeux aussi étaient attirés par la chaise vide d'Axel.

— Oui, je trouve seulement qu'il aurait pu prendre quelques jours de repos au calme à la maison.

— C'est son choix. Personne d'autre qu'Axel ne décide de ce qu'Axel va faire.

La voix de Hugo enfla de fierté, et Erik ressentit l'aiguille habituelle dans la poitrine. Celle qui le piquait si souvent quand mère et père parlaient d'Axel. Parfois il avait l'impression d'être presque invisible. De n'être qu'une ombre dans la famille, l'ombre du grand et lumineux Axel, qui était toujours au centre, même s'il ne le cherchait pas spécialement. Avec répugnance, il prit une autre bouchée. Dès que le dîner serait terminé, il se faufilerait dans sa chambre pour lire. Il lisait de préférence des livres sur l'histoire. Des noms, des dates et des lieux. Il adorait ça. Les faits étaient constants, il pouvait s'en imprégner, il pouvait compter sur eux.

Axel n'avait jamais beaucoup aimé la lecture. Pourtant, étrangement, il avait réussi à l'école et récolté les meilleures notes. Erik aussi avait de bonnes notes. Mais il devait lutter pour les obtenir. Et personne ne lui tapotait l'épaule ni ne rayonnait de fierté en le portant aux nues devant les amis. Personne ne vantait les mérites d'Erik.

Pourtant il ne pouvait pas non plus se résoudre à détester son frère. Parfois il aurait aimé en être capable. Il aurait aimé pouvoir le haïr et le rendre responsable de l'épine qu'il sentait dans sa poitrine. Mais en vérité il aimait Axel. Plus que quiconque. Axel était le plus fort et le plus courageux, celui qui méritait des louanges. Pas lui. C'était un fait établi. Comme dans les livres d'histoire. De la même façon que la bataille d'Hastings avait eu lieu en 1066. C'était indiscutable, il ne pouvait rien y changer. C'était comme ça.

111

Erik regarda son assiette. A sa grande surprise, elle était vide.

— Père, est-ce que je peux sortir de table ?

— Tu as déjà fini de manger ? Comme quoi… Oui, tu peux sortir de table. Mère et moi allons rester encore un moment.

En montant l'escalier, Erik entendit les voix de ses parents dans la salle à manger.

— J'espère seulement qu'il ne prend pas trop de risques, je…

— Gertrud, il faut que tu cesses de le couver, il a dix-neuf ans. Ecoute, aujourd'hui le marchand m'a glissé qu'un garçon pareil, c'est comme un merle blanc… On devrait s'estimer heureux d'avoir un tel…

Les voix disparurent quand il ferma la porte derrière lui. Il se jeta sur son lit et prit le livre sur le dessus de la pile, celui qui parlait d'Alexandre le Grand. Lui aussi avait été courageux. Exactement comme Axel.

— Je veux juste dire que tu aurais peut-être pu m'en parler. J'étais là comme une idiote quand Kristina m'a dit que tu te baladais avec Karin.

— Oui, c'est vrai… je sais.

Patrik se fit tout petit. L'heure que Kristina avait passée chez eux avait été remplie de sous-entendus et de regards furtifs, et, à peine la porte refermée derrière elle, Erica avait explosé.

— Comprends-moi bien, ce n'est pas le fait que tu te promènes avec ton ex-femme qui me pose un problème. Je ne suis pas jalouse et tu le sais. Mais pourquoi tu ne me l'as pas dit ? C'est ça que je voudrais savoir…

— Oui…

Patrik évita les yeux d'Erica.

— C'est tout ce que tu as à répondre ? Aucune explication ? Je pensais, je croyais qu'on pouvait tout se raconter !

Erica sentit qu'elle s'approchait dangereusement de ce qu'on appelait une réaction excessive. Mais la frustration de ces derniers jours avait trouvé là une soupape par où s'échapper, et elle était incapable de s'arrêter.

— Je croyais que la répartition entre nous était établie une fois pour toutes ! Tu serais en congé paternité et moi je bosserais. Pourtant je suis tout le temps dérangée, tu n'arrêtes pas de te précipiter dans mon bureau et hier tu as eu le culot de te casser pendant deux heures et de me laisser m'occuper de Maja. Comment tu crois que j'ai fait pendant cette année que j'ai passée à la maison ? Tu crois que j'ai eu une bonne qui prenait la relève quand j'avais besoin d'aller faire une course, ou qui me disait où se trouvaient les moufles de Maja ? Hein ?

Erica entendit sa voix stridente et se demanda si c'était vraiment elle. Elle se tut brusquement et dit sur un ton plus bas :

— Pardon, je… Bon, je crois que je vais aller faire un tour. Il faut que je prenne l'air.

— Vas-y, dit Patrik et il eut l'air d'une tortue qui pointe prudemment la tête hors de sa carapace pour vérifier si le champ est libre. Et excuse-moi de n'avoir rien dit…

Il la supplia du regard.

— Ouais, mais ne refais plus jamais ça, l'avertit-elle avec un tout petit sourire.

Le drapeau blanc était hissé. Elle regrettait de s'être emportée à ce point, mais ils en parleraient plus tard. Pour l'instant, elle avait surtout besoin de respirer.

Elle traversa la bourgade à un rythme soutenu. Fjällbacka avait l'air un peu vide après la fébrilité des mois d'été. C'était comme un salon au petit matin, le lendemain d'une fiesta qui aurait dégénéré. Des verres avec des fonds d'alcool, un serpentin emmêlé dans un coin, un chapeau de cotillon en équilibre sur la tête d'un convive en train de comater sur le canapé. En réalité, c'était l'époque de l'année qu'Erica préférait. L'été était une période si intense. A présent le calme régnait sur la place Ingrid-Bergman. Maria et Mats garderaient le kiosque à journaux ouvert encore quelques jours, ensuite ils fermeraient et partiraient pour leur activité d'hiver à Sälen, comme chaque année. C'était cela qu'elle aimait tant dans sa ville. La prévisibilité de sa fluctuation. Chaque année la même chose, les mêmes cycles.

Erica salua ceux qu'elle croisait sur la place et dans Galärbacken. Elle connaissait la plupart des gens, au moins de vue. Mais dès que quelqu'un faisait mine de s'arrêter pour bavarder, elle pressait le pas. Elle n'en avait pas envie aujourd'hui. Elle passa devant la station-service, s'engagea d'un pas rapide sur la route de Dingle, et subitement elle comprit où elle allait. Son inconscient avait probablement décidé du but de sa promenade dès l'instant où elle avait quitté son quartier.

— Trois affaires de coups et blessures, deux braquages de banque et quelques autres petites joyeusetés de ce genre. Mais aucune condamnation pour incitation à la haine raciale, dit Paula en claquant la portière du côté passager. J'ai aussi eu des infos sur un mec qui s'appelle Per Ringholm, des bricoles pour l'instant.

— C'est son petit-fils, dit Martin en fermant la voiture à clé.

Ils s'étaient rendus à Grebbestad, où Frans Ringholm vivait dans un appartement à côté du Gästis.

— Hé hé, ça me rappelle de bons vieux souvenirs, dit Martin en hochant la tête en direction de la boîte de nuit.

— Mais c'est de l'histoire ancienne, non ?

— On peut dire ça, oui. Je n'ai pas mis les pieds dans une boîte depuis plus d'un an.

Il n'en avait pas l'air spécialement malheureux. La vérité est qu'il était tellement amoureux de Pia qu'il ne quittait leur nid douillet que contraint et forcé. Mais avant de trouver sa princesse, il avait été obligé d'embrasser bon nombre de crapauds.

— Et toi ?

— Quoi moi ? dit Paula, faisant semblant de ne pas comprendre.

Arrivé devant la porte de Frans, Martin frappa un coup ferme et entendit bientôt des bruits de pas dans l'appartement.

— Oui ?

Un homme aux cheveux argentés, coupés très court, ouvrit la porte. Il était vêtu d'un jean et d'une chemise à carreaux.

— Frans Ringholm ? dit Martin.

L'homme était connu dans la région et au-delà, Martin avait pu le constater après une recherche sur Internet. Apparemment, il était cofondateur de l'une des organisations xénophobes les plus étendues en Suède et, d'après les propos qu'il avait pu lire sur différents forums, ces gens prenaient de plus en plus d'importance. Il balaya Martin et Paula du regard.

— C'est moi. En quoi puis-je vous aider… monsieur, madame ?

— Nous avons quelques questions à vous poser. Pouvons-nous entrer ?

Frans s'effaça pour les laisser entrer sans autre commentaire qu'un sourcil légèrement levé. Martin fut surpris de ce qu'il vit. Il ne savait pas trop à quoi il s'était attendu, peut-être à un intérieur plus sale, plus bordélique, plus négligé. Au lieu de cela, l'appartement était si bien tenu qu'en comparaison le sien aurait pu passer pour un squat de junkies.

— Asseyez-vous, dit Frans en indiquant un canapé dans le salon. Je viens de lancer un café. Vous prenez du lait ? Du sucre ?

La voix était calme et policée, et Martin et Paula se regardèrent avec la même expression déconfite.

— Ni l'un ni l'autre pour moi, merci, répondit Martin.

— Du lait, mais pas de sucre, dit Paula.

Elle précéda Martin dans le salon. Ils s'assirent côte à côte sur le canapé blanc. La pièce était vaste et lumineuse, avec de grandes fenêtres donnant sur la mer. Elle ne révélait aucune maniaquerie, c'était juste un endroit bien rangé où il faisait bon vivre.

Frans arriva avec un plateau chargé de trois tasses de café brûlant et un plat de petits gâteaux qu'il posa sur la table, puis il se laissa tomber dans un grand fauteuil.

— Je vous en prie, servez-vous. Alors, qu'est-ce que je peux faire pour vous ?

Paula but une gorgée de café avant de prendre la parole :

— Vous avez peut-être entendu dire qu'un homme a été retrouvé mort à Fjällbacka.

— Oui, Erik, dit Frans et il hocha tristement la tête. J'ai été désolé de l'apprendre. C'est terrible pour Axel. Ça doit être un vrai choc pour lui.

— En effet, ça… Martin s'éclaircit la gorge. Il se sentit pris au dépourvu par la gentillesse de l'homme, mais il se reprit et dit : Nous voudrions vous parler de quelques lettres que nous avons trouvées chez Erik Frankel. Des lettres que vous lui avez envoyées.

— Tiens donc, il les a conservées, gloussa Frans. Il tendit la main pour prendre un biscuit. Oui, Erik aimait bien tout garder. Vous les jeunes, vous pensez sans doute qu'envoyer des lettres est une pratique d'un autre âge. Mais nous, les vieux, nous avons du mal à lâcher nos vieilles habitudes.

Il fit un clin d'œil amical à Paula. Elle faillit lui rendre un sourire, quand elle se rappela que l'homme qui était assis en face d'elle avait consacré sa vie à lutter contre des gens comme elle et à leur compliquer la vie. Son sourire disparut aussitôt, et elle afficha un visage neutre.

— Dans ces lettres, il est question de menaces.

— Eh bien… je ne parlerais pas de menaces. Frans la contempla calmement en se laissant aller contre le dossier du fauteuil. Il croisa les jambes avant de continuer : J'estimais simplement qu'il était de mon devoir de dire à Erik que certaines… forces dans l'organisation n'agissaient pas toujours de manière très… raisonnable.

— Et vous avez estimé nécessaire de l'en informer parce que… ?

— Erik et moi étions déjà amis au temps des culottes courtes. Bon, je dois reconnaître que nous nous sommes éloignés l'un de l'autre, et nous n'entretenions plus d'amitié réelle depuis de nombreuses années. On a choisi des voies différentes dans la vie. Mais je ne lui souhaitais aucun mal, et… eh bien, quand j'ai eu l'occasion de l'avertir, je l'ai saisie. Certaines personnes ont du mal à comprendre qu'il n'est pas bon d'user de la violence à tout bout de champ, précisa Frans avec un sourire.

— Vous-même, vous n'avez pas hésité à le faire, dit Martin. Trois condamnations pour coups et blessures, deux pour braquages et vous avez fait un parcours en prison plutôt agité, d'après ce que j'ai compris.

Frans ne se laissa pas ébranler, il se contenta de sourire.

— Chaque chose en son temps. La prison a ses règles, parfois il n'y a qu'un langage pour se faire comprendre. Et la sagesse vient avec l'âge, me semble-t-il, j'ai appris la leçon chemin faisant.

— Et votre petit-fils, il a appris sa leçon aussi ?

Martin tendit la main pour prendre un biscuit. Comme une flèche, celle de Frans fusa et se referma comme un étau autour de son poignet. Le regard bloqué dans celui du policier, il siffla :

— Mon petit-fils n'a rien à voir avec ça. Que ça soit clair.

Martin ne dévia pas le regard pendant un long moment, puis il se libéra et se massa le poignet.

— Ne refaites jamais ça, dit-il d'une voix sourde.

Frans rit et se cala de nouveau dans le fauteuil. Il était redevenu l'aimable personnage du début de leur entretien. Mais pendant quelques instants, la façade s'était fissurée. Derrière le calme se dissimulait la rage. La question était de savoir si Erik Frankel en avait fait les frais.

Ernst tirait comme un fou sur la laisse et Mellberg luttait pour le retenir. Il guettait les alentours en faisant de son mieux pour traîner la patte. Ernst ne comprenait pas pourquoi son maître insistait pour avancer à une allure d'escargot et il se démena afin de faire avancer le bonhomme plus vite.

Ils avaient fait presque tout le parcours avant que Mellberg soit récompensé pour sa peine. Il avait songé à abandonner quand il entendit des pas derrière lui. Ernst se mit à bondir d'excitation.

— Ah, vous vous promenez, vous aussi.

La voix de Rita était aussi joyeuse que dans ses souvenirs, et Mellberg sentit sa bouche former un sourire.

— Oui, oui, on se promène, dit Mellberg.

Il eut envie de se donner des baffes. Quelle réponse idiote ! Lui qui d'habitude savait si bien parler aux femmes… Voilà maintenant qu'il bafouillait comme un écolier. Il se sermonna lui-même et essaya de paraître plus sûr de lui.

— J'ai compris qu'il est important de les faire courir. Alors, Ernst et moi, on essaie de faire une balade d'au moins une heure tous les jours.

— Il n'y a pas que les chiens qui ont besoin d'exercice. A nous aussi, ça nous fait du bien.

Rita pouffa et tapota son ventre rond. Mellberg se sentit libéré. Enfin une femme qui avait compris qu'être un peu enveloppé n'était pas forcément un inconvénient.

— Oui, absolument, dit-il en pensant à sa propre bedaine. Faut juste faire attention à ne pas perdre son autorité par la même occasion.

— Non, Dieu nous en préserve, dit Rita. Prononcée avec son accent, l'expression désuète était ravissante. C'est pourquoi je veille toujours à avoir les stocks bien remplis.

Elle s'arrêta devant un immeuble, et Señorita commença à tirer en direction de l'entrée.

— Ça vous dirait de venir boire un café ? Avec un petit gâteau ? proposa-t-elle.

Avec un effort surhumain, Mellberg s'empêcha de faire une cabriole de joie et tenta d'avoir l'air de réfléchir. Puis il hocha légèrement la tête.

— Oui, pourquoi pas ? Je ne peux pas rester absent trop longtemps de mon travail, mais…

— Alors allons-y.

Elle tapa le code de la porte d'entrée et le précéda dans la cage d'escalier. Ernst n'avait pas la même maîtrise que son maître, il bondissait d'un bonheur authentique de pouvoir suivre Señorita jusque chez elle.

Le premier mot qui vint à l'esprit de Mellberg en arrivant dans l'appartement de Rita fut "douillet". Son intérieur n'était pas minimaliste et nu comme ceux de beaucoup de Suédois, c'était plutôt une explosion de couleurs et de chaleur. Mellberg détacha Ernst qui se précipita derrière Señorita. Il enleva sa veste, posa soigneusement ses chaussures dans l'entrée sur l'étagère prévue à cet effet, puis il alla rejoindre Rita dans la cuisine.

— On dirait qu'ils s'entendent bien.

— Qui ça ? dit Mellberg bêtement.

Son cerveau était entièrement occupé par la vue du postérieur merveilleusement plantureux de Rita. Elle était en train de préparer le café devant le plan de travail.

— Señorita et Ernst, évidemment, s'exclama Rita en se retournant.

Mellberg afficha un sourire embarrassé.

—Ah oui, les chiens, bien sûr. Oui, ils semblent s'apprécier.

— J'ai des brioches, tu aimes ?

— Est-ce que Dolly Parton dort sur le dos ? fit Mellberg dans une tentative d'être drôle, mais il le regretta immédiatement.

Rita se retourna, la perplexité peinte sur la figure.

— Je n'en sais rien. Peut-être que oui ? Avec la paire de seins qu'elle a, elle ne peut sans doute pas faire autrement…

— C'est une expression, simplement. Ça revient à dire que oui, évidemment, j'adore les brioches.

Il fut surpris de la voir poser trois tasses sur la table. Le mystère fut tout de suite éclairci quand Rita lança en direction d'une pièce à côté de la cuisine :

— Johanna, c'est l'heure du café !

— J'arrive !

La seconde d'après, une femme blonde extrêmement jolie, avec un énorme ventre, se présenta à la porte. Elle était enceinte jusqu'aux yeux.

— Voici ma belle-fille Johanna. Et voici Bertil. C'est le maître d'Ernst. Je l'ai trouvé dans la forêt, dit Rita en souriant.

Mellberg tendit la main pour dire bonjour et la seconde d'après il faillit demander grâce. Jamais il n'avait rencontré une poignée de main pareille, il avait pourtant serré la pince à plus d'une armoire à glace au fil des ans.

— Impressionnant, piailla-t-il avant de réussir à se dégager avec un soupir de soulagement.

Johanna le contempla d'un air amusé, puis elle s'installa péniblement devant la table. Elle finit par trouver une position qui lui permettait d'atteindre à la fois sa tasse et son assiette, puis elle attaqua la brioche d'un bel appétit.

— C'est pour quand ? demanda poliment Mellberg.

— Dans trois semaines.

Elle semblait totalement concentrée sur sa brioche. Quand elle l'eut terminée, elle en reprit une autre.

— Tu manges pour deux, à ce que je vois, rit Mellberg, mais un regard acide de Johanna le réduisit au silence. Pas très commode, celle-là.

— C'est la première fois que je serai grand-mère, lança fièrement Rita avant de caresser tendrement le ventre de Johanna, qui sourit en regardant sa belle-mère et posa sa main par-dessus la sienne. Et toi, tu as des petits-enfants ? demanda Rita après avoir servi le café et s'être installée avec Bertil et Johanna.

— Non, pas encore. Mais j'ai un fils. Simon, il a dix-sept ans.

Mellberg s'étira avec fierté. Simon était entré tardivement dans sa vie, et il n'avait pas accueilli la nouvelle de son existence avec beaucoup d'enthousiasme. Mais peu à peu ils s'étaient habitués l'un à l'autre, et maintenant il ne cessait de s'émerveiller de ce qu'il ressentait dès qu'il pensait à son fils. C'était un bon garçon.

— Dix-sept ans, oui, il a tout son temps alors. Mais une chose est sûre, les petits-enfants, c'est le dessert de la vie, dit Rita et elle posa de nouveau sa main sur le ventre de Johanna.

Ils buvaient leur café en bavardant tandis que les chiens mettaient l'appartement sens dessus dessous. Mellberg était fasciné par la joie authentique qu'il éprouvait de se retrouver ici dans la cuisine de Rita. Après les râteaux qu'il s'était pris ces dernières années, il se méfiait des femmes. Mais maintenant il était ici. Et il était bien.

— Alors, qu'est-ce que tu en dis ?

Rita le regardait avec insistance et il réalisa qu'il avait loupé la question alors qu'on attendait sa réponse.

— Pardon ?

— J'ai dit : J'espère que tu viendras ce soir, à mon cours de salsa. C'est un cours pour débutants. Pas du tout difficile. A huit heures.

Incrédule, Mellberg la dévisagea. Cours de salsa ? Lui ? C'était d'un ridicule achevé. Puis il eut le malheur de regarder un peu trop longtemps les yeux sombres de Rita et, horrifié, il s'entendit dire :

— Un cours de salsa ? A huit heures. Absolument.

Erica commença à regretter son entreprise tandis qu'elle remontait l'allée de gravier des frères Frankel.

L'idée ne lui paraissait plus aussi bonne, et ce fut avec une certaine hésitation qu'elle leva la main et frappa à la porte. Elle n'entendait rien à l'intérieur et se dit avec soulagement qu'il ne devait y avoir personne. Puis des pas s'approchèrent et elle sentit l'affolement la guetter quand la porte s'ouvrit.

— Oui ?

Axel Frankel avait l'air fatigué, épuisé. Il l'interrogea du regard.

— Bonjour, je m'appelle Erica Falck, je…

Elle hésita, ne sachant pas comment poursuivre.

— La fille d'Elsy, dit Axel en la dévisageant, une lueur étrange dans les yeux. La fatigue les avait quittés, et il l'observa attentivement. Oui, je le vois maintenant. Tu ressembles beaucoup à ta mère.

— Ah bon ? dit Erica toute surprise. Personne ne lui avait jamais dit ça auparavant.

— Oui, il y a quelque chose autour des yeux. Et de la bouche.

Il pencha la tête sur le côté et sembla vouloir s'approprier chaque détail de son physique. Puis il s'écarta soudain pour la laisser entrer.

— Viens. On va s'installer dans la véranda.

Il s'éloigna dans le couloir, s'attendant manifestement à ce qu'Erica le suive. Elle enleva rapidement sa veste et lui emboîta le pas. Il indiqua un canapé installé dans une magnifique véranda en verre, pas tellement différente de celle de sa propre maison.

— Installe-toi, dit-il.

Il ne paraissait pas avoir l'intention de lui offrir un café et, après un long silence, Erica s'éclaircit la gorge.

— Voilà, la raison de ma venue, c'est que je… Elle prit un nouvel élan : La raison de ma venue, c'est que j'avais laissé une médaille à Erik. Elle entendit la brusquerie de ses paroles et elle ajouta : Je voudrais aussi vous présenter mes condoléances. Je…

Subitement elle trouva la situation très inconfortable et elle se tortilla en cherchant un moyen de poursuivre.

De la main, Axel balaya son embarras et dit aimablement :

— Tu disais donc, une médaille ?

— Oui, dit-elle, reconnaissante qu'il prenne les choses en main. Ce printemps, j'ai trouvé une médaille parmi les affaires de ma mère. Une médaille nazie. J'ignorais qu'elle l'avait et j'ai été curieuse. Et comme je savais que votre frère…

Elle haussa les épaules.

— Et mon frère a pu t'aider ?

— Je ne sais pas. On s'est parlé au téléphone avant l'été, mais ensuite j'ai eu plein de choses à faire et… j'avais pensé le contacter mais…

Ses mots s'éteignirent.

— Et maintenant tu voudrais savoir si elle est encore ici ?

— Oui, je suis désolée, je sais que c'est affreux de m'inquiéter de ça, alors que… Mais ma mère n'avait pas gardé beaucoup d'effets et…

Elle se tortilla encore. Elle aurait vraiment dû téléphoner au lieu de venir. Ce qu'elle était en train de faire lui paraissait très cruel.

— Je comprends. Je comprends très bien. Crois-moi, je sais exactement combien il est important de maintenir une relation avec le passé. Même si ce sont des objets morts qui constituent ce lien. Erik l'avait parfaitement compris. Tous les objets qu'il collectionnait. Tous les faits. Pour lui ils n'étaient pas morts. Ils vivaient, ils racontaient une histoire, ils nous apprenaient quelque chose.

Son regard alla se perdre dehors et pendant un instant il parut se trouver ailleurs. Puis il se tourna de nouveau vers Erica.

— Je vais voir si je la trouve, bien évidemment. Mais parle-moi d'abord un peu de ta mère. Comment était-elle ? Comment vivait-elle ?

Erica trouva ses questions bizarres. Mais il y avait une sorte de supplication dans ses yeux et elle voulait bien essayer d'y répondre.

— Eh bien… comment était ma mère. Pour être honnête, je ne sais pas. Maman n'était plus très jeune quand elle nous a eues, ma sœur et moi, et… je ne sais pas… on n'a jamais réussi à être proches. Et comment elle vivait ?

Erica était déconcertée. D'une part, elle ne comprenait pas très bien la question et, de l'autre, elle ne savait pas comment y répondre. Elle se lança malgré tout :

— Je pense qu'elle avait un peu de mal à le faire, justement. A vivre. J'ai toujours eu l'impression que maman était très maîtrisée, pas très… joyeuse.

Erica chercha désespérément à la décrire mieux que ça. Mais c'était la seule vérité qu'elle avait. Elle ne se souvenait réellement pas d'avoir vu sa mère joyeuse.

— Je suis navré de l'apprendre.

Axel regarda de nouveau par la fenêtre, comme s'il ne pouvait pas se résoudre à regarder Erica. Déconcertée, elle se demanda d'où sortaient toutes ces questions.

— Et à l'époque où vous connaissiez ma mère, comment était-elle ?

Erica ne parvint pas à masquer l'excitation dans sa voix.

Le visage d'Axel s'adoucit lorsqu'il se tourna vers elle.

— En fait, c'était mon frère qui fréquentait Elsy, ils avaient le même âge, tous les deux. Ils étaient tout le temps ensemble, Erik, Elsy, Frans et Britta. Un véritable trèfle à quatre feuilles, dit-il avec un rire étrange dépourvu de joie.

— Oui, elle parle d'eux dans les journaux intimes que j'ai trouvés. Je vois qui est votre frère, mais qui sont Frans et Britta ?

— Des journaux intimes ? Axel tressaillit, mais le mouvement fut si bref et fugace qu'Erica se dit qu'elle l'avait imaginé. Frans Ringholm et Britta… Axel claqua les doigts. Quel était le nom de famille de Britta ? Il chercha un moment dans les recoins de sa mémoire, mais sans réussir à localiser l'information. En tout cas, je crois qu'elle habite encore à Fjällbacka. Elle a deux ou trois filles, mais elles sont plus âgées que toi, il me semble. Flûte, je l'ai sur le bord des lèvres mais… Et d'ailleurs elle a probablement changé de nom quand elle s'est mariée. Mais oui, c'est ça ! Elle s'appelait Johansson, puis elle s'est mariée avec un Johansson, si bien qu'elle n'a jamais eu à changer.

— Alors je vais sûrement pouvoir la retrouver. Mais vous n'avez pas répondu à ma question. Comment était ma mère ? A l'époque ?

Axel observa un silence, puis il dit :

— Elle était calme et pensive. Mais pas triste. Pas comme tu la décris. Elle dégageait une sorte de joie tranquille. Tout le contraire de Britta.

— Et comment était Britta ?

— Je ne l'aimais pas. Je ne comprenais pas pourquoi mon frère fréquentait une telle… cruche. Axel secoua la tête : Non, ta mère, elle était d'une tout autre trempe. Britta était superficielle et bêtasse et elle courait après Frans d'une façon qui… Eh bien, les filles ne devaient pas se comporter comme ça. Les temps n'étaient pas les mêmes, tu comprends.

Il lui adressa un sourire gauche et un clin d'œil.

— Et Frans?

La bouche entrouverte, Erica fixa Axel, prête à assimiler toute information qu'il pouvait lui donner sur sa mère. Elle la connaissait si mal. Et plus elle en apprenait, plus elle réalisait combien elle en savait peu.

— Frans Ringholm non plus n'était pas quelqu'un que j'aimais voir mon frère fréquenter. Un tempérament violent, une certaine méchanceté et… non, ce n'est pas quelqu'un avec qui entretenir des relations. Ni aujourd'hui, ni à l'époque.

— Il habite où maintenant?

— A Grebbestad. Et on pourrait dire que lui et moi, on a pris deux chemins diamétralement opposés dans la vie, dit Axel sur un ton bref et dédaigneux.

— Comment ça? De quelle manière?

— Je veux dire que j'ai consacré ma vie à lutter contre le nazisme, tandis que Frans aimerait bien voir l'histoire se répéter, et volontiers sur le sol suédois.

— Mais qu'est-ce que la médaille nazie que j'ai trouvée a à voir avec ça?

Erica se pencha en avant vers Axel, mais ce fut comme si un rideau était tombé devant son visage. Il se leva brutalement.

— C'est ça, la médaille. Allons la chercher.

Il quitta la pièce avec Erica sur ses talons, toute dépitée. Elle se demanda ce qu'elle avait bien pu dire pour qu'il se rembrunisse ainsi, mais le moment était mal choisi pour demander. Dans le vestibule, Axel s'était arrêté devant une porte, la main sur la poignée.

— Il vaut sans doute mieux que j'entre seul, dit-il, la voix légèrement tremblante.

Erica comprit quelle était cette pièce. La bibliothèque, où Erik était mort.

— On peut le faire un autre jour, dit-elle et elle eut de nouveau mauvaise conscience de déranger Axel dans son deuil.

— Non, on va le faire maintenant, dit Axel rudement mais, en répétant sa phrase sur un ton plus doux, il montra qu'il n'avait pas eu l'intention de la brusquer. Je reviens tout de suite.

Il ouvrit la porte, entra et referma derrière lui. Pendant qu'elle attendait dans le vestibule, Erica l'entendit farfouiller dans la pièce. On aurait dit qu'il ouvrait des tiroirs. Il eut vite fait de trouver ce qu'il cherchait, parce qu'il fut de retour au bout de deux petites minutes.

— La voici.

Il lui rendit l'insigne avec une expression insondable, et Erica le prit dans sa main tendue.

— Merci, je… Elle ne sut plus quoi dire et se contenta de serrer la médaille dans sa main. Merci, répéta-t-elle seulement.

En quittant la maison, la médaille dans la poche, elle sentit les yeux d'Axel dans son dos. Un instant elle envisagea de faire demi-tour et d'y retourner pour s'excuser de l'avoir dérangé avec ses futilités. Puis elle entendit la porte d'entrée se fermer.

FJÄLLBACKA 1943

— Je ne comprends pas comment Per Albin Hansson* peut être si lâche !

Vilgot Ringholm abattit son poing sur la table. Son verre de cognac fit un bond. Il avait dit à Bodil de commencer à servir le petit en-cas nocturne et il se demanda pourquoi elle tardait tant. C'était bien les bonnes femmes, de traîner la patte comme ça. Il fallait tout faire soi-même si on voulait que les choses soient faites.

— Bodil ! cria-t-il en direction de la cuisine, mais à son grand dépit il n'y eut pas de réaction.

Il laissa tomber la cendre de son cigare et rugit de nouveau, cette fois avec toute la force de ses poumons.

— Bodiiiil !

— Ta bourgeoise a pris la tangente par l'escalier de service ? gloussa Egon Rudgren, et Hjalmar Bengtsson se mit à rire à son tour.

La réplique rendit Vilgot encore plus furieux. Voilà que bobonne le ridiculisait devant ses futurs partenaires

* Per Albin Hansson (1885-1946), homme politique social-démocrate, Premier ministre du gouvernement de coalition formé durant la Seconde Guerre mondiale. Au début de la guerre, craignant une invasion allemande, Hansson accéda à la demande de Hitler de faire transiter par les chemins de fer suédois ses troupes pour relier la Norvège et la Finlande, alors déjà envahies et occupées.

d'affaires. Il y avait tout de même des limites. Mais comme il se levait pour reprendre les choses en main, son épouse arriva, portant un plateau bien chargé.

— Désolée d'avoir mis du temps, dit-elle les yeux baissés en posant le plateau sur la table devant eux. Frans, est-ce que tu pourrais…

Elle fit un mouvement de la tête en direction de la cuisine, mais Vilgot l'interrompit avant qu'elle ait terminé sa phrase.

— La cuisine, c'est pour les femmes, Frans n'a rien à y faire. C'est presque un homme maintenant, il reste ici avec nous pour prendre de la graine.

Il fit un clin d'œil à son fils, qui se redressa dans le fauteuil en face de lui. C'était la première fois qu'il avait le droit de rester aussi longtemps pendant une réunion d'affaires de son père, en général on lui demandait de se retirer dans sa chambre après le dessert. Mais aujourd'hui son père avait insisté pour qu'il soit là. La fierté gonfla sa poitrine et il se dit qu'à ce train les boutons de sa chemise n'allaient pas tarder à sauter. Une soirée déjà bonne était sur le point de devenir encore meilleure.

— Bien, on va peut-être te faire goûter un peu de cognac ? Qu'est-ce que vous en dites ? Treize ans qu'il a eus, l'autre semaine, il est temps qu'il goûte son premier cognac, non ?

— S'il est temps ? rigola Hjalmar. Je dirais qu'il aurait déjà dû l'avoir il y a belle lurette. Mes fils n'en avaient que onze quand ils y ont goûté, et ça ne leur a pas fait de mal, bien au contraire.

— Vilgot, tu crois vraiment que…

Du désespoir plein les yeux, Bodil regarda son mari verser un grand cognac et tendre le verre à Frans, qui se mit à tousser violemment dès la première goulée.

— Allons, tout doux, mon gars, ça se sirote, il ne s'agit pas de lever le coude.

— Vilgot…, dit Bodil à nouveau, mais les yeux de son mari devinrent tout noirs.

— Tu es encore là, toi ? Va donc ranger la cuisine.

Un instant, elle sembla sur le point de répliquer. Elle se tourna vers Frans, qui brandit triomphalement son verre en disant avec un sourire :

— A ta santé, chère mère !

Les éclats de rire la suivirent quand elle retourna à la cuisine et referma la porte derrière elle.

— Où j'en étais ? dit Vilgot tout en leur faisant signe de se servir de canapés au hareng sur le plateau d'argent. Ah oui, à quoi pense-t-il donc, ce Per Albin ? C'est une évidence qu'il faut soutenir l'Allemagne et intervenir !

Egon et Hjalmar hochèrent la tête. Ils ne pouvaient qu'être d'accord.

— C'est vraiment triste, dit Hjalmar. Que notre pays n'arrive pas à garder la tête haute par ces temps difficiles et à perpétuer son idéal. J'ai presque honte d'être suédois.

Tous les messieurs secouèrent la tête de concert et burent une gorgée de cognac.

— Mais à quoi je pense ? On ne peut tout de même pas arroser le hareng avec du cognac. Frans, tu peux descendre à la cave chercher quelques bières fraîches ?

Cinq minutes plus tard, l'ordre était rétabli et ils purent faire descendre leurs *smorrebrods* avec de grandes goulées de Tuborg. Frans s'était de nouveau installé dans le fauteuil en face de son père, et il afficha un énorme sourire lorsque Vilgot ouvrit une bouteille et la lui tendit, sans commentaire.

— Pour ma part, j'ai déjà consacré une petite somme à la bonne cause. Et je vous recommande de faire pareil, messieurs. Hitler a besoin de toutes les bonnes volontés à ses côtés.

— En tout cas, les affaires sont florissantes, dit Hjalmar en levant sa bière. Nous n'arrivons presque pas à fournir tout le minerai demandé à l'exportation. On peut dire ce qu'on veut de la guerre mais, comme idée commerciale, ce n'est pas mal du tout.

— Et si on se débarrasse de l'engeance juive tout en gagnant de l'argent, que demander de plus ?

Egon prit un autre canapé. Le plateau s'était peu à peu vidé. Il croqua un morceau puis se tourna vers Frans qui ouvrait grandes les oreilles devant tout ce qui se disait.

— Tu dois être fier de ton père, mon garçon. Il n'en reste pas beaucoup comme lui en Suède.

— Oui, murmura Frans, subitement embarrassé par l'attention dont il faisait l'objet.

— J'espère que tu écoutes bien ce qu'il dit, et que tu ne crois pas les affirmations des ignorants. Tu sais que la plupart de ceux qui condamnent les Allemands et la guerre n'ont pas de sang pur dans les veines. Il y a beaucoup de manouches et de Wallons* par ici, et d'autres de la même espèce, il ne faut pas s'étonner qu'ils cherchent à déformer la vérité. Mais ton père, lui, il sait à quoi ressemble le monde. On a tous vu

---

* Au XVIIᵉ siècle, plusieurs milliers de forgerons wallons immigrèrent en Suède pour moderniser la sidérurgie suédoise. Par leur culture et leur physique, ils différaient des blonds Suédois. La notion de "Wallon" prit une connotation péjorative, et vint à s'appliquer à toute personne brune aux yeux marron. Aujourd'hui, il est plutôt considéré comme intéressant d'avoir un ancêtre wallon.

comment les juifs et les étrangers essaient de prendre le pouvoir, essaient de détruire ce qui est suédois et pur. Non, Hitler est tout à fait sur la bonne voie, tu peux me croire.

Egon s'était maintenant tellement échauffé qu'il crachait des miettes de pain en parlant. Frans écoutait, fasciné.

— Bien, parlons affaires à présent, messieurs, dit Vilgot en posant sa canette de bière sur la table avec un petit bruit sec.

Il bénéficia immédiatement de l'attention générale. Frans resta encore vingt minutes à écouter. Ensuite il alla trouver son lit sur des jambes flageolantes. Il eut l'impression que toute la chambre tanguait lorsqu'il s'allongea tout habillé sur le lit. Dans le salon, la conversation de ces messieurs était comme un bourdonnement assourdi. Il s'endormit, ignorant l'état dans lequel il serait au réveil.

Gösta poussa un profond soupir. L'automne était en train de remplacer l'été, ce qui signifiait que ses séances de golf seraient beaucoup moins nombreuses. Certes, il faisait encore assez doux, et en théorie il lui restait un bon mois pour pratiquer. Mais une expérience chèrement payée lui avait appris ce qu'il en était réellement. Deux ou trois parcours allaient s'envoler avec la pluie. Deux ou trois autres avec les orages. Et puis la température allait chuter du jour au lendemain pour devenir insupportable. C'était l'inconvénient de la vie en Suède. Et il ne voyait aucun avantage pour contrebalancer les inconvénients. A part peut-être le *surströmming**. S'il décidait d'aller vivre à l'étranger, rien ne l'empêcherait d'emporter quelques boîtes dans ses bagages. Et de disposer ainsi du meilleur des deux mondes.

Tout était calme au commissariat, c'était au moins ça. Mellberg était sorti promener Ernst, et Martin et

* Le *surströmming*, spécialité culinaire à base de hareng de la Baltique fermenté en cuves et mis en conserve. Lorsqu'on ouvre la boîte, de préférence dans un lieu isolé, le hareng dégage une odeur nauséabonde. Le *surströmming* a une longue tradition, surtout dans le Nord de la Suède, et ses inconditionnels, considérés comme gentiment fêlés, dans tout le pays.

Paula étaient partis à Grebbestad s'entretenir avec Frans Ringholm. Gösta essaya une énième fois de se rappeler où il avait déjà entendu ce nom et, à son grand soulagement, ses neurones fonctionnèrent. Ringholm. C'était le nom d'un journaliste à *Bohusläningen*. Il attrapa le quotidien sur son bureau et le feuilleta jusqu'à ce qu'il puisse poser un doigt triomphant sur le nom : "Kjell Ringholm". Un gars caustique qui adorait coincer les politiciens locaux et les détenteurs de pouvoir. Ça pouvait être un hasard, mais le nom n'était pas très courant. Est-ce que ça pouvait être le fils de Frans ? Gösta archiva l'information dans son cerveau, au cas où il en aurait besoin plus tard.

Pour l'instant, il avait d'autres chats à fouetter. Il soupira de nouveau. Avec les années, l'art de soupirer était devenu une seconde nature chez lui. Il devait peut-être attendre le retour de Martin, non seulement sa charge de travail serait divisée par deux, mais il profiterait aussi d'un répit d'au moins une heure, voire deux, si Martin et Paula décidaient de déjeuner avant de revenir au poste.

Mais au diable, pensa-t-il. Ce serait une bonne chose de faite. Gösta se leva et enfila sa veste. Il informa Annika de sa destination, prit une des voitures dans le garage et mit le cap sur Fjällbacka.

Ce n'est qu'en sonnant à la porte qu'il réalisa que ce n'était pas très futé. Il était midi passé de peu. De toute évidence les garçons étaient à l'école à cette heure. Il s'apprêtait à faire demi-tour lorsque la porte fut ouverte par un Adam morveux et reniflant. Son nez était tout rouge et ses yeux brillants indiquaient qu'il avait de la fièvre.

— Tu es malade ? demanda Gösta.

Adam hocha la tête et éternua avant de se moucher bruyamment.

— J'ai un rhube, dit-il avec une voix nasillarde.

— Je peux entrer ?

— C'est à vos risques et périls.

Adam s'écarta, puis éternua de nouveau. Gösta sentit une légère douche de salive contaminée atterrir sur sa main, mais il l'essuya calmement sur sa manche. Quelques jours de congé maladie ne seraient pas forcément une mauvaise chose. Il s'accommoderait volontiers du nez bouché s'il pouvait rester sous la couette à la maison, regarder l'enregistrement du dernier Masters et analyser en toute tranquillité le swing de Tiger au ralenti.

— Baban d'est pas là, dit Adam.

Gösta suivit le garçon dans la cuisine, tout en plissant le front. Baban ? Puis il comprit. Sa maman n'était pas à la maison. Quelques considérations sur l'opportunité d'interroger un mineur sans la présence d'un parent traversèrent l'esprit de Gösta, mais elles disparurent aussi vite. Il estimait que les règles étaient avant tout un obstacle qui compliquait le travail. Si Ernst avait été là, il l'aurait pleinement soutenu. Le policier bien sûr, pas le chien, pensa Gösta en pouffant. Adam lui lança un regard bizarre.

Ils s'assirent devant la table de la cuisine qui portait encore les traces du petit-déjeuner. Miettes de pain, taches de beurre, un peu de chocolat renversé, il ne manquait rien. Gösta tambourina sur la table du bout des doigts mais le regretta aussitôt en sentant toutes les miettes qui s'y collaient. Il s'essuya sur son pantalon et prit un nouvel élan.

— Bon. Comment tu t'en es sorti ?

La question sonnait de manière étrange, même à ses oreilles. Il n'était pas spécialement à l'aise pour parler, ni avec les jeunes, ni avec ce qu'on appelait des personnes traumatisées. Cela dit, il n'accordait pas trop d'importance à ces inepties. Bon sang, le vieux était mort quand ils l'avaient trouvé, ce n'était tout de même pas un monde. Pour sa part, il en avait vu, des cadavres, au cours de ses années dans la police, et il n'avait pas été traumatisé pour autant.

Adam se moucha puis il haussa les épaules.

— Pourquoi ? Bien, je crois. Au bahut, ils ont trouvé que c'était cool.

— Pourquoi vous y êtes allés, pour commencer ?

— C'était une idée de Mattias.

Adam prononça "Battias", mais le cerveau de Gösta s'y était fait et il traduisait instantanément.

— Tout le monde ici sait que ce sont des farfelus, ces deux vieux, qu'ils s'occupent de la Seconde Guerre mondiale et ces trucs-là, puis il y a un mec de l'école qui a dit qu'ils avaient un tas de trucs cool chez eux, et Mattias trouvait qu'on devait entrer mater un peu et…

Le flot de paroles fut interrompu par un éternuement violent.

— C'était donc l'idée de Mattias d'entrer dans la maison par effraction, dit Gösta en regardant Adam avec sévérité.

— Effraction, effraction… Adam se tortilla. C'est-à-dire, on n'allait rien voler, on voulait juste mater ce qu'ils avaient. Et on croyait qu'ils étaient en voyage tous les deux, on se disait qu'ils n'allaient même pas savoir qu'on était venus…

— Bon, je suppose que je dois te croire sur parole. Et vous n'étiez jamais entrés dans la maison auparavant ?

— Non, je le jure, c'était la première fois, dit Adam en suppliant le policier du regard.

138

— J'ai besoin de prendre tes empreintes digitales. Pour prouver ton histoire. Et pour pouvoir t'exclure du champ de l'enquête. J'espère que ça ne pose pas de problèmes ?

— Nan, pas du tout, dit Adam, les yeux brillants. Je regarde toujours *Les Experts*. Je sais que c'est important. Quand il faut exclure quelqu'un. Et ensuite vous passez toutes les empreintes dans l'ordi et comme ça il vous dit les autres personnes qui y sont allées.

— Oui, exactement. C'est comme ça qu'on travaille, dit Gösta d'une mine grave, tout en riant intérieurement.

Passer toutes les empreintes dans l'ordi ! Tu parles ! Il sortit son équipement : un tampon encreur et une fiche bristol avec dix champs dans lesquels il apposa les doigts d'Adam, l'un après l'autre.

— Voilà, c'est fait.

— Vous les scannez ensuite pour les entrer dans la bécane, ou vous faites comment ? voulut savoir Adam.

— Oui, c'est ça, on les scanne, et ensuite on les compare avec la base de données dont tu parlais. On a des fichiers sur tous les citoyens suédois de plus de dix-huit ans. Et quelques étrangers aussi. Tu sais, via Interpol. On est en liaison directe avec eux, avec Interpol je veux dire. Et avec le FBI et la CIA aussi.

— Cool, dit Adam avec un regard admiratif.

Gösta se marra tout au long du trajet de retour à Tanumshede.

Il mettait la table avec soin. La nappe jaune qui était la préférée de Britta. La porcelaine blanche avec des motifs en relief. Les bougeoirs qu'on leur avait offerts en cadeau de mariage. Et quelques fleurs dans un vase. Elle y tenait, Britta. Quelle que soit la saison, elle voulait toujours des fleurs. Elle était une habituée chez le fleuriste, ou plus exactement elle l'avait été. Désormais, c'était Herman qui s'y rendait la plupart du temps. Il avait envie que tout soit comme d'habitude. Si l'environnement quotidien de Britta restait inchangé, la spirale qui l'entraînait vers le bas serait peut-être ralentie, à défaut d'être arrêtée.

Les premiers temps avaient été très pénibles. Avant qu'ils reçoivent le diagnostic. Britta avait toujours été très ordonnée. Personne ne comprenait pourquoi subitement elle ne retrouvait plus ses clés de voiture, pourquoi elle confondait les noms de ses petits-enfants, pourquoi elle oubliait les numéros de téléphone de ses amies qu'elle connaissait par cœur depuis toujours. Ils avaient invoqué la fatigue et le stress. Ils avaient cru qu'elle avait peut-être une carence en quelque chose, et elle s'était gavée de vitamines et de compléments alimentaires. Mais finalement ils avaient été obligés d'admettre la réalité. Il y avait vraiment quelque chose qui n'allait pas.

Le diagnostic les avait réduits au silence tous les deux, un long moment. Puis Britta avait laissé échapper un sanglot. Rien d'autre. Un sanglot. Elle avait serré fort la main de Herman et il avait serré la sienne en retour. Ils comprenaient ce que ça signifiait. La vie qu'ils menaient ensemble depuis cinquante-cinq ans allait radicalement changer. La maladie allait lentement démolir son cerveau, lui faire perdre peu à peu sa personnalité. L'abîme qui s'ouvrait devant eux était béant et profond.

Un an s'était écoulé depuis. Les bons moments se faisaient plus rares. Les mains de Herman tremblèrent quand il essaya de plier les serviettes comme Britta le faisait toujours. En éventail. Bien qu'il l'ait vue faire tant de fois, il n'y parvint pas. Après la quatrième tentative, la colère et la frustration s'allumèrent en lui et il déchira la serviette en mille morceaux. Il s'assit et essaya de rassembler ses esprits. Essuya une larme qui avait surgi au coin de son œil.

Ils avaient eu cinquante-cinq années ensemble. De bonnes années. Des années heureuses. Bien sûr qu'il y avait eu des hauts et des bas, comme dans tous les mariages. Mais les fondations n'avaient jamais tremblé. Ils avaient évolué ensemble, Britta et lui. Ils étaient devenus adultes ensemble. Surtout à la naissance d'Anna-Greta. Il avait été immensément fier d'elle à ce moment-là. Avant l'arrivée de leur fille, il avait parfois trouvé sa femme superficielle et brouillonne, il le reconnaissait volontiers. Mais à partir du jour où elle avait tenu Anna-Greta dans ses bras, elle avait changé du tout au tout. Comme si, en devenant mère, elle avait brusquement trouvé ce qui lui manquait. Ils avaient eu trois filles. Trois filles bénies, et il avait aimé sa femme encore davantage à l'arrivée de chacune.

Il sentit une main sur son épaule.

— Papa ? Ça va ? J'ai frappé, mais tu n'as pas répondu, alors je suis entrée.

Herman s'essuya promptement les yeux et s'efforça de sourire en voyant le visage soucieux de sa fille aînée. Mais il n'arrivait pas à donner le change. Elle l'entoura de ses bras et posa sa joue contre la sienne.

— C'est un jour difficile, papa ?

Il hocha la tête et s'abandonna un bref instant comme un enfant dans les bras de sa fille. Ils lui avaient donné une bonne éducation, Britta et lui. Anna-Greta était une femme chaleureuse et généreuse, mère elle-même et grand-mère de deux de leurs arrière-petits-enfants. Parfois il avait du mal à comprendre. Que cette cinquantenaire grisonnante était la petite fille qui avait gambadé chez eux et qui avait su les mener par le bout du nez.

— Les années passent, Anna-Greta, dit-il finalement et il caressa son bras qui barrait toujours sa poitrine.

— Eh oui, papa, les années passent, dit-elle en le serrant un peu plus fort. Bon, on va essayer de terminer la table ? Maman ne va pas être contente si elle voit le souk que tu as mis.

Elle rit, et il fut obligé de sourire à son tour.

— Je vais plier les éventails, et toi tu mettras les couverts. Je crois que ça vaudrait mieux, non ?

Elle lui fit un clin d'œil et montra tous les petits bouts de serviette éparpillés sur la table.

— Ça vaudrait sûrement mieux, dit-il en adressant un sourire de reconnaissance à sa fille. Ça vaudrait sûrement mieux.

— A quelle heure ils sont censés arriver ?

Patrik était monté se changer dans la chambre, son jean et son tee-shirt ne convenaient pas à Erica. Il avait protesté, après tout ce n'était que sa frangine et Dan qui venaient dîner, mais elle ne l'entendait pas de cette oreille. Un dîner de vendredi soir était sacré. Avoir un peu de style, c'était la moindre des choses.

Erica ouvrit le four et vérifia le filet mignon. Depuis la veille elle avait mauvaise conscience de s'en être prise si violemment à Patrik, et pour se racheter elle avait préparé un de ses plats favoris : filet mignon en croûte sauce porto et purée de pommes de terre. C'était le plat qu'elle lui avait cuisiné le premier soir où elle l'avait invité à manger chez elle. Le premier soir où ils avaient… Elle eut un petit rire en fermant le four. Ça paraissait si lointain, alors qu'il n'y avait que quelques années. Elle aimait Patrik d'un amour pur et sincère, mais elle ne s'était pas imaginé à quel point le train-train quotidien et la vie avec un bébé pouvaient tuer l'envie de faire l'amour cinq fois de suite, comme ils l'avaient fait cette nuit-là. Aujourd'hui, rien que d'y penser, elle sentait l'épuisement l'envahir. Une fois par semaine, c'était déjà une sorte de performance.

— Ils seront là dans une demi-heure, cria-t-elle et elle commença à préparer la sauce.

Elle s'était déjà changée, un pantalon noir et la chemise violette qu'elle avait gardée depuis ses années à Stockholm et qu'elle adorait. Par précaution, elle avait mis un tablier, et Patrik montra son enthousiasme en sifflant quand il la vit.

— Mais que voient-ils donc là, mes yeux fatigués ? Une apparition ! Un être divin et glamour, avec toutefois une touche de folklore et de culinarité !

— Culinarité, ça n'existe pas, dit Erica en riant quand Patrik lui embrassa la nuque.

— A partir de maintenant, si.

Il fit un pas en arrière et esquissa un tour sur lui-même.

— Alors ? Je te conviens ? Ou il faut que je remonte me changer encore une fois ?

— Arrête, à t'entendre on a l'impression que je suis la pire des mégères.

Erica l'inspecta des pieds à la tête avec une sévérité feinte, puis elle éclata de rire.

— C'est bon, tu es digne de représenter notre foyer. Si maintenant tu pouvais aussi mettre la table, je commencerais à comprendre pourquoi je t'ai épousé.

— Mettre la table. Considère que c'est déjà fait.

Une demi-heure plus tard, à sept heures pile, lorsqu'on sonna à la porte, le repas était prêt et la table mise. Anna et Dan arrivèrent avec Emma et Adrian, qui se précipitèrent à la recherche de Maja.

— C'est qui, ce beau mec ? dit Anna. Et qu'est-ce que tu as fait de Patrik ? T'as bien fait de le changer, il est vraiment canon celui-ci.

Patrik serra Anna dans ses bras.

— Content de te voir, chère belle-sœur. Comment vont les tourterelles ? C'est un honneur de vous avoir là, de savoir que vous avez réussi à vous arracher de la chambre à coucher un moment.

— Beehhh, dit Anna en rougissant, avant de lui donner quelques petits coups de boxe amicaux sur la poitrine.

Mais le regard qu'elle lança à Dan montra que Patrik avait touché juste.

La soirée fut très réussie. Emma et Adrian s'amusèrent avec Maja jusqu'à ce que ce soit l'heure pour elle d'aller au lit, puis ils s'endormirent chacun dans un coin du canapé. Le repas fut dûment loué, le vin était excellent, les bouteilles défilaient. Erica était heureuse de se trouver en compagnie de sa sœur et de Dan pour un dîner décontracté. Sans nuages noirs à l'horizon. Sans penser à tout ce qu'ils avaient traversé. Rien que des conversations anodines et d'amicales chamailleries.

Le calme fut dérangé par la sonnerie furieuse du portable de Dan.

— Excusez-moi, dit Dan, je vais juste voir qui appelle à cette heure-ci.

Il alla chercher son téléphone dans la poche de sa veste. En voyant l'écran, il fronça les sourcils, il ne connaissait pas le numéro.

— Allô, Dan, dit-il avec prudence. Qui ça ? Je suis désolé, j'entends très mal… Belinda ? Où ça ? Comment ? Mais j'ai bu, je ne peux pas… Mets-la dans un taxi. Tout de suite. Oui, je réglerai à l'arrivée. Fais en sorte qu'elle arrive, c'est tout.

La ride qui barrait son front s'était creusée et il jura tout bas quand il coupa la communication après avoir donné l'adresse de Patrik et Erica.

— Putain de merde !

— Qu'est-ce qui s'est passé ? dit Anna, inquiète.

— C'est Belinda. Elle est allée à une fête quelque part et elle est complètement pétée. C'était une de ses copines qui appelait. Ils la mettent dans un taxi, elle va arriver.

— Mais où ça ? Elle était censée être chez Pernilla à Munkedal ?

— Ben, il y a eu un changement. Sa copine appelait de Grebbestad.

Dan se mit à pianoter sur son portable, s'apprêtant apparemment à réveiller son ex-femme. Il alla dans la cuisine et ils n'entendirent que des mots épars de la conversation. Des mots pas très aimables. Quelques minutes après, il revint dans la salle à manger et se rassit, l'air furax.

— Belinda avait dit qu'elle dormirait chez une copine. Et la copine a très probablement dit qu'elle dormirait chez Belinda. Puis elles ont réussi à aller à Grebbestad, je ne sais pas comment, où il y avait une fête. Merde alors ! Je pensais que je pouvais lui faire confiance pour gérer Belinda !

— A Pernilla, tu veux dire ? dit Anna et elle lui caressa le bras pour le calmer. Ce n'est pas très facile, tu sais. Tu aurais très bien pu gober la même chose. C'est la plus vieille combine du monde.

— Non, je ne l'aurais pas gobée ! fulmina Dan. J'aurais appelé les parents de la copine pour vérifier que tout allait bien. Jamais je n'aurais fait confiance à une gamine de dix-sept ans. C'est d'une connerie, je n'y crois pas ! Ça veut dire que je ne peux pas compter sur elle pour s'occuper des filles.

— Calme-toi, on va prendre les choses une par une, dit Anna avec autorité, puis elle interrompit Dan quand il ouvrit la bouche pour parler. Il faut d'abord qu'on s'occupe de Belinda quand elle arrivera. Et on ne l'engueulera pas ce soir. C'est une discussion qu'on aura demain quand elle aura cuvé son vin. D'accord ?

Même si c'était formulé comme une question, tous autour de la table, Dan y compris, comprirent que ce n'était pas négociable. Il hocha simplement la tête.

— Je vais préparer le lit de la chambre d'amis, dit Erica en se levant.

— Et je vais trouver un seau ou quelque chose, dit Patrik et il espéra de tout son cœur ne pas avoir à répéter une telle phrase quand Maja serait adolescente.

Quelques minutes plus tard, ils entendirent une voiture dans l'allée et se précipitèrent dehors. Anna paya le taxi, pendant que Dan sortait Belinda, affalée à l'arrière de la voiture.

— Papa…, bafouilla-t-elle.

Puis elle mit les bras autour de son cou et appuya la tête sur sa poitrine. L'odeur de vomi qui l'entourait donna des nausées à Dan, mais en même temps il ressentit une énorme tendresse pour sa fille qui lui parut si petite et frêle dans ses bras. Ça faisait de nombreuses années qu'il ne l'avait pas portée ainsi.

Belinda eut un haut-le-cœur et il l'écarta instinctivement de sa poitrine. Une bouillasse rougeâtre et puante s'abattit sur le perron. Il n'y avait aucune hésitation sur sa consommation. Du vin rouge, et en quantité beaucoup trop importante.

— Entre maintenant, je donnerai un coup de jet d'eau plus tard, dit Erica. Porte-la dans la douche, on s'occupera d'elle, Anna et moi, et on lui trouvera des vêtements propres.

Dans la douche, Belinda se mit à pleurer toutes les larmes de son corps. Anna lui caressait la tête, tandis qu'Erica la lavait doucement avec un gant de toilette.

— Chut, ça ira, tu verras, dit Anna en lui enfilant un tee-shirt propre.

— Kim était là… Et je pensais que… Mais il a dit à Linda qu'il me trouve… laaaiiide…

Les mots venaient par saccades, entrecoupés de pleurs.

Anna regarda Erica par-dessus la tête de Belinda. Ni l'une ni l'autre n'auraient voulu être à la place de la pauvre fille, pour rien au monde. Il n'y avait rien d'aussi douloureux qu'un cœur d'adolescent brisé. Elles avaient traversé ces affres-là toutes les deux et elles comprenaient très bien la tentation de noyer son chagrin dans du vin. Mais c'était une consolation très temporaire. Demain Belinda se sentirait encore pire, ça aussi, elles le savaient d'expérience. La seule chose qu'elles pouvaient faire pour le moment, c'était la mettre au lit. Elles s'occuperaient du reste le lendemain.

Mellberg hésita, la main sur la poignée, pesant le pour et le contre. Il sentit très nettement le "contre" gagner de plusieurs longueurs. Deux choses l'avaient cependant poussé à venir. Primo, il n'avait rien de mieux à faire un vendredi soir. Secundo, il voyait encore les yeux sombres de Rita. Mais il se demanda si ces deux arguments étaient une motivation suffisante pour entreprendre un truc aussi absurde et ridicule que des cours de salsa. De plus, il n'y aurait sûrement qu'un tas de jupons désespérés. Qui imaginent qu'elles vont se trouver un mec en allant à des cours de danse. Pathétique ! Un instant il faillit tourner les talons pour aller faire un tour à la boutique de la station-service, acheter un paquet de chips, puis rentrer s'installer devant la télé. Mellberg venait juste de se décider pour ce plan B lorsque la porte s'ouvrit.

— Bertil ! Comme je suis contente de te voir ! Entre, on allait juste commencer.

Et avant qu'il ait eu le temps de dire ouf, Rita l'avait pris par la main et traîné dans la salle de gymnastique. La musique latino-américaine sortait d'une énorme radiocassette posée par terre. Quatre couples le dévisagèrent avec curiosité quand il entra. Des couples formés, nota Mellberg avec surprise, et l'image d'une meute de chiennes en chaleur qui se seraient jetées sur lui s'effaça.

— Tu danseras avec moi. Tu m'aideras à faire la démonstration, dit Rita.

Elle l'attira avec elle au milieu de la salle. Se plaçant face à lui, elle saisit sa main et posa l'autre autour de sa taille. Mellberg dut lutter pour ne pas céder à l'envie de serrer à pleines mains ses formes merveilleusement dodues. Il ne comprenait tout simplement pas les hommes qui préféraient sentir des os sous leurs paumes.

— Bertil, concentration, dit Rita avec autorité et il se redressa immédiatement. Regardez maintenant comment on fait, Bertil et moi, poursuivit-elle en se tournant vers les autres couples. La dame : pied droit en avant, déplacez le poids sur le pied gauche, puis pied droit en arrière. Le monsieur fait la même chose, mais inversement, pied gauche en avant, le poids à droite et pied gauche en arrière. On va faire ce pas jusqu'à ce que vous l'ayez assimilé.

Mellberg fit un gros effort pour comprendre ce qu'elle voulait dire, mais son cerveau avait choisi de supprimer des notions aussi basiques que la droite et la gauche. Heureusement, Rita était un bon professeur. Avec des mouvements résolus, elle faisait avancer et reculer ses pieds, et au bout d'un moment il fut tout content de sentir qu'il commençait à piger le truc.

— Et maintenant… nous allons commencer à remuer les hanches aussi, dit Rita avec un regard amusé à ses élèves. Vous les Suédois, vous êtes tellement raides. Alors que la salsa, ce n'est que mouvement, adaptation et douceur.

Elle montra ce qu'elle voulait dire en remuant les hanches au rythme de la musique. On aurait dit qu'elles ondulaient, comme portées par une vague. Fasciné, Mellberg regarda son corps bouger. Ça avait l'air si facile quand elle le faisait. Fermement décidé à l'impressionner, il essaya d'imiter ses mouvements tandis qu'il déplaçait ses pieds en avant, en arrière selon le schéma qu'il croyait avoir parfaitement assimilé. Mais plus rien ne fonctionnait. Ses hanches étaient bloquées comme s'il avait subi une arthrodèse, et toute tentative de coordonner leurs mouvements avec ceux des pieds provoquait un court-circuit total. De frustration, il s'arrêta net. Comble d'humiliation, ses cheveux choisirent cette occasion pour glisser sur son oreille gauche. Il les réajusta prestement en espérant que personne ne l'avait vu. Un petit rire étouffé vint tout de suite briser cet espoir.

— Je sais que c'est difficile, il faut de l'entraînement, Bertil, l'encouragea Rita. Ecoute la musique,
Bertil, écoute. Puis tu laisses ton corps suivre. Et ne
regarde pas tes pieds, c'est moi que tu dois regarder.
Quand on danse la salsa, il faut toujours regarder sa
partenaire dans les yeux. C'est la danse de l'amour,
la danse de la passion.

Elle planta son regard dans le sien et il se força à ne
pas regarder ses pieds. Ça ne marchait pas trop. Mais
au bout d'un moment, avec le pilotage souple de Rita,
il sentit quelque chose se passer. Il eut l'impression
que son corps commençait à entendre la musique.
Ses hanches se mirent à bouger doucement et docilement. Tandis que le poste diffusait ses rythmes latinos, il regarda plus intensément les yeux de Rita. Il
sentit qu'il craquait complètement.

KRISTIANSAND 1943

Il ne fallait pas croire qu'Axel aimait prendre des risques. Ni qu'il était spécialement courageux. Bien sûr qu'il avait peur. Sinon il aurait été fou. Non, il se sentait tout simplement obligé de le faire. Il ne pouvait pas rester assis sur ses fesses à regarder le mal s'emparer du monde, sans agir.

Debout devant le bastingage, il sentit le vent lui fouetter le visage. Il adorait l'odeur de la mer. En fait, il avait toujours envié les pêcheurs, ces hommes qui prenaient la mer de l'aube à la fin du jour et laissaient le bateau les mener là où se trouvait le poisson. Axel savait qu'ils se moqueraient de lui s'il révélait ses sentiments. Que lui, le fils du docteur, qui allait continuer ses études et devenir quelqu'un de distingué, envie leurs mains calleuses, l'odeur de poisson qui collait toujours aux vêtements, l'incertitude du retour à chaque appareillage. Ils trouveraient absurde de sa part, et présomptueux, de souhaiter vivre leur vie. Ils ne comprendraient jamais. Mais il savait avec chaque fibre de son corps qu'en réalité il était fait pour cette vie. Certes, il était doué pour les études, mais il ne se sentait jamais aussi à l'aise parmi les livres et les connaissances théoriques qu'ici, sur le pont d'un bateau qui tanguait, avec le vent qui s'emparait de ses cheveux et l'odeur de poisson dans le nez.

Erik, en revanche, adorait le monde des livres. Il était entouré d'un halo de bonheur, assis le soir sur son lit, le nez dans un vieux bouquin beaucoup trop épais pour éveiller le moindre enthousiasme chez un autre que lui. Il avalait les connaissances, il s'y vautrait, comme un affamé il se gavait de dates, de noms et de lieux. Si ça fascinait Axel, ça l'attristait aussi. Ils étaient si différents, son frère et lui. Quatre ans les séparaient, c'était peut-être trop. Ils ne s'étaient jamais amusés ensemble, n'avaient jamais partagé leurs jouets. Axel s'inquiétait aussi de voir leurs parents faire une telle différence entre eux. Ils le portaient aux nues d'une façon qui dérangeait l'équilibre familial, qui faisait d'Axel quelque chose qu'il n'était pas et qui dévalorisait Erik. Mais comment empêcher cela ? Il ne pouvait faire que ce qu'il était destiné à faire.

— On ne va pas tarder à entrer au port.

La voix sèche d'Elof fit sursauter Axel. Il ne l'avait pas entendu arriver.

— Je vais débarquer discrètement dès qu'on sera à quai. Je resterai absent une heure à peu près.

Elof hocha la tête.

— Fais attention à toi, mon garçon, dit-il et il lui jeta un dernier regard avant d'aller à l'arrière prendre la barre.

Dix minutes plus tard, Axel regarda soigneusement autour de lui avant de monter sur le quai. On voyait des uniformes allemands tous azimuts, mais la plupart des soldats semblaient occupés à des tâches diverses, en général la vérification des bateaux qui venaient d'accoster. Il sentit son pouls s'accélérer. Pas mal de marins étaient en mouvement sur le quai, pour charger ou décharger, et il essaya de prendre la même démarche nonchalante que ceux qui faisaient leur travail sans objectifs inavoués. Il n'avait rien emporté cette fois. A ce voyage, il était venu chercher quelque chose. Axel ignorait ce que contenait le document qu'on allait lui remettre et qu'il avait pour mission d'introduire en Suède. Il ne tenait pas non plus à le savoir. Il connaissait juste le nom de la personne à qui le donner.

Les instructions avaient été claires. L'homme qu'il devait rencontrer se tiendrait tout au bout du port, avec une casquette bleue et une chemise marron. Tout en le guettant, Axel s'approcha du coin indiqué. Jusque-là, tout semblait bien se passer. Personne ne prêtait attention à un pêcheur qui se déplaçait en habitué. Les Allemands étaient occupés à leurs affaires et l'ignoraient. Finalement, il aperçut l'homme en train d'empiler des cartons. Il était totalement concentré sur son travail. Axel se dirigea résolument vers lui. L'astuce était de faire comme s'il savait parfaitement où il allait. Il ne devait surtout pas commettre la faute de laisser son regard errer et de paraître perdu, auquel cas il pourrait tout aussi bien porter une cible sur la poitrine.

Une fois arrivé près de l'homme, qui ne lui avait pas encore prêté attention, il se mit à empiler des cartons lui aussi. Du coin de l'œil, il vit son contact lâcher quelque chose par terre. Axel fit semblant de se pencher pour soulever encore une boîte, mais il attrapa d'abord rapidement le papier roulé et le glissa dans sa poche. La livraison était faite. Pour l'instant il n'avait pas échangé un seul regard avec l'homme.

Il sentit le soulagement couler dans ses veines et presque lui donner le vertige. La livraison était toujours l'instant le plus critique. Une fois qu'elle était faite, il y avait moins de risques que quelqu'un…

"Halt ! Hände hoch !"

L'ordre en allemand venait de nulle part. Stupéfait, Axel regarda l'homme à son côté et les yeux honteux qu'il croisa lui firent comprendre. C'était un piège. Soit toute la mission avait été un bluff, pour le coincer, soit les Allemands avaient intercepté des informations sur ce qui se tramait et forcé les protagonistes à les aider à tendre le piège. Quoi qu'il en soit, il sut que c'était terminé. Les Allemands l'avaient probablement surveillé dès l'instant où il avait mis pied à terre et jusqu'à la livraison. Et le document brûlait dans sa poche. Il leva les mains en un geste de soumission. Les hommes devant lui appartenaient à la Gestapo. La partie était finie.

Un coup sonore frappé à la porte le dérangea dans son immuable rituel matinal. D'abord passer sous la douche. Puis se raser. Ensuite préparer le petit-déjeuner, deux œufs, une tranche de pain de seigle avec du beurre et du fromage, et une grande tasse de café. Toujours le même petit-déjeuner qu'il prenait devant la télé. Les années en prison lui avaient fait apprécier la routine et la prévisibilité. On frappa de nouveau. Irrité, Frans se leva pour aller ouvrir.

— Salut, Frans.

C'était son fils, avec dans les yeux cette lueur dure à laquelle il avait dû s'habituer. Frans n'arrivait plus à se rappeler l'époque où tout était différent. Mais il y avait certaines choses contre lesquelles on ne pouvait rien, et celle-ci en était une, il n'y avait qu'à l'accepter. Il n'y avait plus que dans ses rêves qu'il lui arrivait de sentir une petite main dans la sienne. Un vague souvenir d'un temps très, très lointain. Avec un soupir à peine audible, il fit un pas de côté et laissa son fils entrer.

— Salut, Kjell, fit-il. Qu'est-ce qui peut bien t'amener chez ton vieux père aujourd'hui ?

— Erik Frankel, dit Kjell posément et il observa son père comme s'il s'attendait à une réaction particulière.

— Je prends mon petit-déjeuner. Viens.

Kjell le suivit dans le séjour. C'était la première fois qu'il entrait dans cet appartement, et il eut du mal à dissimuler sa curiosité.

Frans ne demanda pas à son fils s'il voulait du café. Il connaissait la réponse d'avance.

— Eh bien, qu'est-ce qu'il a, Erik Frankel ?

— Tu sais qu'il est mort, j'imagine.

C'était plus une constatation qu'une question.

— Oui, je l'ai appris. C'est regrettable.

— C'est ce que tu penses ? Que c'est regrettable ?

Kjell le regarda fixement, et Frans savait très bien pourquoi. Il n'était pas venu en sa qualité de fils, mais de journaliste.

Frans prit son temps avant de répondre. Tant de choses remuaient sous la surface. Tant de choses tapies parmi les souvenirs qui l'avaient accompagné toute sa vie. Mais il ne pourrait jamais le raconter à son fils. Kjell ne comprendrait jamais. Il avait jugé son père depuis belle lurette. Ils se trouvaient chacun de son côté d'un mur tellement haut qu'on ne pouvait même pas jeter un coup d'œil par-dessus, et il en était ainsi depuis longtemps, trop longtemps. Et pour l'essentiel il ne pouvait s'en prendre qu'à lui-même. Quand il était petit, Kjell n'avait pas beaucoup vu son taulard de père. Quelques rares fois, sa mère l'avait emmené à la centrale pour la visite mais, à la vue de son petit visage plein de questions dans la salle des visites nue et inhospitalière, son père s'était durci et avait refusé ces rendez-vous. Il avait pensé que c'était mieux pour le petit de ne pas avoir de père plutôt que celui qu'il avait. C'était peut-être une erreur. Mais il était trop tard maintenant pour y remédier.

— Oui, je regrette qu'Erik Frankel soit mort. On se connaissait quand on était jeunes, et je n'ai que de bons souvenirs de lui. Par la suite, on a pris des chemins séparés et…

Frans écarta les mains. Il n'avait pas besoin d'expliquer à Kjell. Ils en connaissaient déjà un rayon sur les chemins séparés, tous les deux.

— Mais ce n'est pas vrai, ça. J'ai des informations selon lesquelles tu étais en contact avec Erik ces temps-ci. Et les Amis de la Suède auraient montré un certain intérêt pour les frères Frankel. Ça ne te fait rien si je prends des notes ?

Kjell sortit ostensiblement un carnet et un stylo et défia son père du regard.

Frans haussa les épaules et agita la main en signe d'assentiment. Il était fatigué de jouer à ce jeu. Kjell avait tant de colère en lui, il la reconnaissait si bien. C'était sa colère. La fureur dévorante qu'il avait toujours portée en lui et qui lui avait si souvent causé des soucis, qui avait gâché tant de choses. Son fils avait utilisé sa colère différemment. Frans suivait ce qu'il écrivait dans le journal. Ils étaient nombreux, les despotes locaux et les entrepreneurs qui s'étaient attiré les foudres de Kjell Ringholm par journal interposé. En réalité, ils n'étaient pas si différents que ça, Kjell et lui, même s'ils n'avaient pas choisi les mêmes points de départ. Tous deux étaient poussés par cette rage qu'ils portaient en eux. Grâce à elle, il s'était senti à l'aise avec les sympathisants nazis qu'il avait rencontrés dès son premier passage en prison. Eux nourrissaient la même haine, avaient le même moteur. Et il savait argumenter, il s'exprimait bien, son père lui avait soigneusement enseigné la rhétorique. Faire partie de la bande des nazis en prison lui avait conféré un statut et du pouvoir, il était devenu quelqu'un, et sa colère avait été considérée comme un atout, une preuve de force.

Avec les années, il avait fini par ne plus faire qu'un avec son rôle. On ne pouvait plus faire la distinction entre lui et ses opinions, ils formaient une véritable entité. Et il avait le sentiment qu'il en allait de même pour Kjell.

— On en était où ? Kjell regarda son bloc-notes encore vierge. Ah oui, il y a donc eu des contacts entre Erik et toi.

— Seulement au nom d'une vieille amitié. Rien de particulier. Et rien qui puisse être associé à sa mort.

— C'est toi qui le dis. A mon avis c'est à d'autres de le déterminer. Et c'était quoi, l'objet du contact ? Une menace ?

— Je ne sais pas d'où tu tiens tes informations, renifla Frans. Je n'ai pas menacé Erik Frankel. Tu as suffisamment écrit sur mes partisans pour savoir qu'il y a toujours des… têtes brûlées qui ne pensent pas de façon rationnelle. J'ai juste voulu tenir Erik informé de ça.

— Tes partisans, dit Kjell avec un mépris qui frôlait le dégoût. Tu veux dire des réacs déséquilibrés qui s'imaginent pouvoir fermer les frontières.

— Appelle-les comme tu veux, dit Frans d'une voix fatiguée. Je n'ai pas menacé Erik Frankel. Et j'aimerais bien que tu partes maintenant.

Un bref instant, Kjell eut l'air de vouloir protester. Puis il se leva, se pencha au-dessus de son père et le regarda droit dans les yeux.

— Comme père, tu n'as jamais valu grand-chose, mais je peux vivre avec ça. En revanche, je jure que, si tu entraînes davantage mon fils là-dedans, alors…

Il serra les poings. Frans lui rendit calmement son regard.

— Je n'ai pas entraîné ton fils dans quoi que ce soit. Il est suffisamment grand pour penser tout seul. Il fait ses propres choix.

— Comme toi ? dit Kjell amèrement, puis il se rua hors de l'appartement comme s'il ne supportait plus de se trouver dans la même pièce que son père.

Frans resta assis et sentit son cœur cogner dans sa poitrine. Il entendit la porte claquer.

— Vous avez passé un bon week-end ? demanda Paula à Martin et à Gösta, pendant qu'elle remplissait le filtre à café.

Tous deux se contentèrent de hocher sombrement la tête. Ni l'un ni l'autre n'aimaient le lundi matin. De plus, Martin avait mal dormi. Ça avait commencé récemment, il restait éveillé la nuit à s'inquiéter pour le bébé qui allait naître dans quelques mois. Pourtant l'enfant était ardemment désiré. Mais c'était comme s'il ne comprenait que maintenant l'étendue de sa responsabilité. Il s'agissait d'une petite vie, d'un petit être sur qui il aurait à veiller, qu'il devrait élever et dont il faudrait prendre soin. Il passait ses nuits à regarder le plafond pendant que le gros ventre de Pia se soulevait et s'abaissait au rythme calme de sa respiration. Ce qu'il voyait, c'était des agressions, des armes, de la drogue, des abus sexuels, des misères et des malheurs. En y pensant, il n'y avait pas de fin à tout ce qui pourrait arriver à l'enfant à naître. Pour la première fois il se demanda s'il était vraiment mûr pour cette tâche. Il était cependant un peu tard pour s'en préoccuper. Dans deux mois, le bébé arriverait, inéluctablement.

— Comme joyeux drilles, j'ai vu mieux.

Paula s'assit et posa ses coudes sur la table avec un grand sourire.

— Ça devrait être interdit d'être d'aussi bonne humeur un lundi matin, dit Gösta.

Il se leva pour se servir un café. Toute l'eau n'était pas encore passée et, en prenant la verseuse, le café continua à couler sur la plaque. Gösta ne parut même pas s'en rendre compte, il remit simplement la verseuse en place après avoir rempli sa tasse.

— Mais Gösta, dit Paula sévèrement. Tu ne vas pas laisser ça comme ça. Il faut que tu essuies.

Il jeta un regard sur la cafetière et remarqua la flaque de café qui s'était formée.

— Ah oui, c'est vrai, dit-il d'un air contrarié, puis il donna un coup d'éponge sur le plan de travail.

— Enfin quelqu'un qui t'a à l'œil, rigola Martin.

— C'est bien les bonnes femmes. Toujours à faire des histoires pour des broutilles.

Paula s'apprêtait à lancer une réplique acide quand un bruit se fit entendre dans le corridor. Un bruit qui n'était pas très habituel au commissariat. Un joyeux babillage d'enfant.

Martin tendit le cou, un sourire aux lèvres.

— Ça doit être…

Avant qu'il ait eu le temps de finir sa phrase, Patrik se montra à la porte. Avec Maja sur le bras.

— Salut, tout le monde !

— Salut ! dit Martin. Alors comme ça, tu n'as pas pu t'empêcher de venir.

— Ben, la puce et moi, on pensait qu'il fallait venir vérifier si vous bossiez vraiment. Pas vrai, la puce ?

Maja gargouilla gaiement et agita les bras. Puis elle se tortilla et montra qu'elle voulait descendre. Patrik la posa par terre et elle se lança immédiatement sur ses jambes instables. Droit sur Martin.

— Salut, Maja-la-puce. Alors, tu as reconnu tonton Martin ? On a regardé les fleurs l'autre jour. Tu sais quoi, Maja ? Tonton Martin va aller te chercher des jouets.

Il se leva et revint avec la caisse qu'ils gardaient au commissariat pour les enfants. Maja déborda de joie devant les trésors qui se matérialisaient devant elle.

— Merci, Martin. Bon, alors comment ça va? demanda Patrik en se servant un café, avant de s'asseoir.

La première gorgée lui arracha une vilaine grimace. Apparemment il ne lui avait fallu qu'une semaine pour oublier combien le breuvage du poste était infect.

— Ben, ça n'avance pas trop, dit Martin. Mais on a quelques ouvertures.

Il raconta les entretiens qu'ils avaient eus avec Frans Ringholm et avec Axel Frankel, et Patrik hocha la tête.

— Et Gösta est allé prendre les empreintes digitales et celles des chaussures d'un des jeunes vendredi. Il ne nous reste qu'à recueillir celles de l'autre mec, pour les éliminer du champ de l'enquête.

— Et qu'est-ce qu'il a dit? Qu'est-ce qu'ils ont vu? Pourquoi est-ce qu'ils se sont introduits là précisément, chez les frères Frankel? Il t'a dit quelque chose qui nous permettra de poursuivre?

— Non, je n'ai pas réussi à lui faire cracher quoi que ce soit d'utile, dit Gösta, irrité.

On aurait dit que Patrik doutait de sa façon de faire son boulot, et il n'aimait pas ça. Mais en même temps ses questions lui remuèrent les neurones. Ça bougeait là-haut, quelque chose qui voulait remonter à la surface. Mais ce n'était peut-être qu'une impression. Et ça apporterait de l'eau au moulin de Patrik s'il ouvrait la bouche pour en parler.

— Somme toute, on est en train de piétiner pour l'instant. La seule chose intéressante qu'on a, c'est le lien avec les Amis de la Suède. Autrement, Erik Frankel ne semble pas avoir eu d'ennemis, on n'a découvert aucun autre motif pour vouloir le tuer.

— Vous avez vérifié ses comptes bancaires ? Ça peut peut-être donner quelque chose ? réfléchit Patrik à voix haute.

Martin secoua la tête, agacé de ne pas y avoir pensé lui-même.

— On va le faire, dit-il. Et on va voir avec Axel s'il y avait une femme dans la vie d'Erik. Ou un homme, pourquoi pas. Quelqu'un avec qui il partageait des confidences au lit. Et on va entendre la femme qui faisait le ménage chez Erik et Axel.

— Bien, dit Patrik. On apprendra peut-être pourquoi elle n'y est pas allée de tout l'été.

— Vous savez, je vais appeler Axel tout de suite pour cette histoire de partenaire dans la vie d'Erik, dit Paula et elle se leva et partit dans son bureau.

— Vous avez les lettres que Frans a envoyées à Erik ? demanda Patrik.

— Bien sûr, dit Martin. Je vais les chercher. Je suppose que tu voudras les voir ?

— Ben, je suis là, alors tant qu'à faire…

Patrik haussa les épaules dans un geste étudié.

— Tu ne changeras jamais ! Congé paternité, c'est ça ? rigola Martin.

— Dis donc, attends voir quand ça va être ton tour. C'est limité, le nombre d'heures qu'on arrive à passer dans le bac à sable. Et Erica bosse à la maison, ça l'arrange de ne pas nous avoir dans les pattes.

— Mais tu es sûr qu'elle pensait que vous iriez vous réfugier au commissariat ? dit Martin, les yeux scintillants.

— Non, peut-être pas. Mais je ne fais que jeter un petit coup d'œil. Pour m'assurer que vous vous tenez à carreau.

— Bon, alors il vaut mieux que j'aille les chercher tout de suite, ces lettres…

Quelques minutes plus tard, Martin était de retour avec les cinq lettres, glissées maintenant dans des pochettes plastique. Maja leva les yeux des jouets et essaya d'attraper les documents qu'il avait à la main, mais Martin les tendit à Patrik.

— Non, ma puce, tu ne peux pas jouer avec ça.

Patrik disposa les lettres les unes à côté des autres sur la table, puis il les lut en silence, le front plissé.

— Il n'y a rien de bien concret. Il ne fait que se répéter. Tout ce qu'il dit, c'est qu'Erik ferait mieux de se faire oublier un moment, qu'il ne peut plus le protéger. Qu'il y a des forces au sein des Amis de la Suède qui ne pensent pas avant d'agir. Patrik continua sa lecture. Là, j'ai l'impression qu'Erik lui a répondu. Frans écrit : *Je pense que tu te trompes en disant ça. Tu parles de conséquences. De responsabilité. Moi je parle d'enterrer le passé. D'aller de l'avant. Nous avons des opinions différentes, des repères différents, toi et moi. Mais notre origine est la même. Dans le fond, il y a le même monstre qui se tortille. Et contrairement à toi je ne trouve pas sage de ranimer de vieux monstres. Certains os doivent reposer en paix. Je t'ai donné mon point de vue sur ce qui s'est passé dans ma lettre précédente, et je ne vais plus y revenir. Je te recommande de faire pareil. En ce moment, j'ai choisi d'agir comme un protecteur, mais si la situation change, si les monstres sont ressuscités, mon attitude ne sera peut-être plus la même.*

Patrik regarda Martin.

— Vous avez demandé à Frans ce qu'il a voulu dire ? C'est quoi, ces "vieux monstres" dont il parle ?

— On n'a pas encore eu le temps de le lui demander. Mais on aura d'autres occasions de lui parler.

Paula se présenta à la porte.

— J'ai réussi à localiser la femme dans la vie d'Erik. J'ai suivi la suggestion de Patrik. J'ai appelé Axel. Et il m'a confié que, ces quatre dernières années, Erik a eu une "bonne amie", comme il disait, qui s'appelle Viola Ellmander. Je viens de lui parler, elle peut nous recevoir ce matin.

— Tu n'as pas traîné, toi, lui dit Patrik avec un sourire qui montrait sa satisfaction.

— Et si tu venais avec nous ? dit Martin spontanément, mais après avoir jeté un regard sur Maja, qui était en train d'examiner avec soin les yeux d'une poupée, il ajouta : Non, évidemment, ce n'est pas possible.

— Bien sûr que c'est possible, tu n'as qu'à la laisser avec moi, fit une voix à la porte.

Pleine d'espoir, Annika regarda Patrik et gratifia Maja d'un grand sourire qui lui fut immédiatement rendu. Faute d'avoir des enfants, Annika saisissait volontiers chaque occasion d'en emprunter un.

— Ben…

Patrik observa Maja en réfléchissant.

— Tu crois que je ne suis pas cap ? dit Annika en faisant semblant d'être vexée.

Elle croisa les bras sur la poitrine.

— Non, ce n'est pas ça, dit Patrik, toujours un peu hésitant. Puis la curiosité prit le dessus et il hocha la tête : D'accord, voilà ce qu'on va faire. Je viens avec vous, mais il faut que je sois de retour avant le déjeuner. Et tu m'appelles au moindre problème. Ah, au fait, elle mange en général vers onze heures et demie, elle préfère la purée, d'ailleurs je crois que j'ai un petit pot de bolognaise dans mon bureau que tu pourras chauffer au micro-ondes. Elle est toujours fatiguée après le repas, mais tu n'as qu'à la mettre dans la poussette et aller faire un petit tour, n'oublie pas la sucette et elle veut nounours à côté d'elle pour s'endormir et…

— Stop, stop. Annika leva les mains en riant. On se débrouillera, Maja et moi. Ne t'inquiète pas. Je ferai en sorte qu'elle ne meure pas de faim sous ma responsabilité, et on s'en sortira pour la sieste aussi.

— Merci, Annika. Patrik s'accroupit devant sa fille et embrassa sa tête blonde : Papa va juste aller faire un tour. Tu vas rester avec Annika, d'accord ?

Maja lui ouvrit de grands yeux pendant une seconde puis elle retourna avec les jouets et continua à essayer d'enlever les cils de la poupée. Dépité, Patrik se releva et dit :

— Eh bien, personne n'est irremplaçable. Bon, amusez-vous bien.

Il serra Annika dans ses bras, puis alla rejoindre Martin et Paula dans le garage. Une merveilleuse sensation d'enjouement se répandit en lui quand il s'installa derrière le volant et que Martin se glissa sur le siège passager. Paula s'assit à l'arrière, elle tenait un bout de papier à la main avec l'adresse de Viola. Patrik sortit du garage en marche arrière et prit la direction de Fjällbacka. Il réfréna une envie de fredonner.

Lentement, Axel raccrocha. Subitement tout parut terriblement irréel. C'était comme s'il était encore couché dans son lit en train de rêver. La maison était si vide sans Erik. Ils avaient toujours veillé à ne pas empiéter sur la sphère privée de l'autre. Parfois il pouvait se passer des jours sans qu'ils se parlent. Ils mangeaient souvent à des heures différentes, ils restaient chacun dans leur chambre. Mais ce n'était pas parce qu'ils n'étaient pas proches. Ils l'étaient. Ou ils l'avaient été, se corrigea Axel. Car à présent un autre silence avait envahi la maison. Un silence différent de celui qui régnait quand Erik lisait dans la bibliothèque. Ils pouvaient toujours le rompre en échangeant quelques mots. S'ils voulaient. Celui-ci était total. Définitif.

Erik n'avait jamais amené Viola ici. Jamais il n'avait parlé d'elle. Le seul contact qu'Axel avait eu avec elle était au téléphone. Après ses coups de fil, Erik disparaissait pendant quelques jours. Il préparait un sac avec des affaires, lançait un bref au revoir et s'en allait. Parfois il avait été jaloux de voir son frère s'éclipser ainsi. Jaloux parce que lui avait quelqu'un. Ça n'avait jamais été le cas d'Axel. Bien sûr qu'il y avait eu des femmes. Mais rien qui ait duré au-delà de la première période amoureuse. C'était toujours sa faute. Il n'en doutait pas, mais il n'y pouvait rien. L'autre force dans sa vie était trop puissante, trop absorbante. Avec les années, elle était devenue une maîtresse exigeante qui ne laissait de place pour rien d'autre. Son travail était devenu sa vie, son identité, son essence intime. Il ignorait à quel moment cela avait eu lieu. Quoique, non, ce n'était pas vrai.

Dans la maison silencieuse, Axel s'assit sur la chaise rembourrée à côté de la commode. Pour la première fois depuis la mort de son frère, il pleura.

Erica jouissait de la tranquillité de la maison. Elle pouvait même garder la porte de son bureau ouverte, sans être dérangée par le bruit. Elle mit les jambes sur la table et réfléchit à l'entretien qu'elle avait eu avec le frère d'Erik Frankel. Il avait fait tomber un barrage en elle. Libéré une insatiable curiosité. Elle voulait connaître les facettes de sa mère dont elle avait ignoré l'existence. Elle sentit instinctivement qu'elle n'avait appris qu'une infime partie de ce qu'Axel Frankel savait sur sa mère. Mais pourquoi voudrait-il lui cacher quelque chose ? Qu'y avait-il dans le passé de sa mère qu'il n'avait pas envie de raconter ? Elle prit les carnets intimes et reprit sa lecture à l'endroit où elle s'était arrêtée quelques jours plus tôt. Mais ils ne lui fournirent aucune piste, ce n'était que des pensées et le quotidien d'une adolescente. Pas de grandes révélations, rien qui aurait pu expliquer l'étrange expression d'Axel quand il parlait d'Elsy.

Les yeux d'Erica couraient sur les pages. A la recherche d'un indice, du moindre élément susceptible de faire taire ses appréhensions. Mais elle dut attendre les dernières pages du troisième carnet pour trouver une information en rapport avec Axel.

Tout à coup elle sut ce qu'elle allait faire. Elle se redressa, prit les carnets et les glissa dans son sac à main. Après avoir ouvert la porte pour tâter la température, elle enfila une mince veste et s'en alla à pied sur un rythme soutenu.

Elle emprunta l'escalier raide qui montait vers Badis* et s'arrêta sur la dernière marche, en sueur après l'effort. Le vieux restaurant avait l'air déserté et abandonné maintenant que le rush estival était fini. Cela dit, ces dernières années il vivotait même l'été. C'était dommage. La situation était exceptionnelle, le restaurant trônait sur les hauteurs, au-dessus du quai, avec une vue dégagée sur l'archipel de Fjällbacka. Avec le temps, le bâtiment s'était beaucoup délabré et il faudrait sans doute d'importants investissements pour le réhabiliter.

---

* Célèbre restaurant construit en 1938 dans le plus pur style du fonctionnalisme. Badis eut son heure de gloire dans les années 1960, il est aujourd'hui fermé et à l'abandon.

La maison où elle se rendait était située au-dessus du restaurant, et elle espérait que la personne qu'elle cherchait à voir serait chez elle.

Une paire d'yeux pétillants l'accueillirent quand la porte s'ouvrit.

— Oui ? fit la dame en la dévisageant avec curiosité.

— Je m'appelle Erica Falck. Je suis la fille d'Elsy Moström.

Il y eut un éclat fugace dans les yeux de Britta. Après être restée muette et immobile un instant, elle sourit et s'effaça.

— Oui, bien sûr. La fille d'Elsy. Je le vois maintenant. Entre.

Erica entra et regarda autour d'elle. La maison était claire et agréable, avec quantité de photos d'enfants et de petits-enfants sur les murs, peut-être même d'arrière-petits-enfants.

— C'est le clan au complet, sourit Britta.

— Vous avez combien d'enfants ? demanda Erica poliment.

— Trois filles. Et pour l'amour du ciel il faut me tutoyer. Autrement je me sens vieille. Ce que je suis effectivement, mais on n'est pas obligée de se le faire rappeler. L'âge, après tout, ce n'est qu'un chiffre.

— Oui, tu as raison, dit Erica avec un petit rire.

Elle aimait bien cette petite dame.

— Viens t'asseoir, dit Britta en lui touchant légèrement le coude.

Erica la suivit dans le séjour.

— C'est beau, chez vous.

— Ça fait cinquante-cinq ans qu'on habite ici, dit Britta et son visage se fit doux et lumineux. Elle s'assit sur un grand canapé au tissu fleuri et tapota le coussin à côté d'elle : Assieds-toi, qu'on bavarde un peu. Je

suis contente de te rencontrer, tu sais. Elsy et moi…
on se voyait beaucoup quand on était jeunes.

Un instant, Erica eut l'impression d'entendre le
même ton étrange que quand elle avait parlé avec Axel,
mais il disparut aussitôt et Britta afficha de nouveau
son doux sourire.

— J'ai trouvé quelques affaires de ma mère quand je
rangeais le grenier et… je suis devenue très curieuse.
Je n'ai jamais su grand-chose sur elle. Par exemple,
comment vous vous êtes connues ?

— On était voisines de table à l'école, Elsy et moi.
Le premier jour, on a été assises côte à côte, et ensuite
on a continué comme ça.

— Et vous connaissiez Erik et Axel Frankel, aussi ?

— Oui, plus Erik qu'Axel. Le frère d'Erik avait
quelques années de plus que nous, je pense qu'il nous
prenait pour d'insupportables gamines. Mais il était
magnifique, Axel, vraiment beau.

— Oui, c'est ce qu'on m'a dit, rit Erica. Et il l'est
toujours.

— Je suis d'accord avec toi, mais ne le dis pas à
mon mari, chuchota Britta d'un air théâtral.

— Non, je promets. Erica aimait de plus en plus
l'ancienne amie de sa mère. Et Frans ? Si j'ai bien
compris, Frans Ringholm faisait partie de votre petit
groupe aussi, non ?

Britta se figea.

— Frans, oui. Oui, bien sûr, il en faisait partie aussi.

— On dirait que tu ne l'apprécies pas beaucoup.

— Que je n'apprécie pas Frans ? Oh que si, j'étais
follement amoureuse de lui. Mais c'était sans espoir.
Son cœur était pris par quelqu'un d'autre.

— Ah bon, par qui ? demanda Erica, tout en ayant
l'impression de déjà connaître la réponse.

— Frans n'avait d'yeux que pour ta mère. Il la suivait comme un chiot. Mais ça ne l'avançait pas à grand-chose. Ta mère ne se serait jamais intéressée à quelqu'un comme lui. Il n'y avait que les cruches comme moi pour le faire, les dindes qui ne jugeaient que la surface. Parce qu'il était craquant. Il avait ce je ne sais quoi d'un peu dangereux qu'adorent les adolescentes, mais qui rebute plutôt à l'âge mûr.

— Je ne sais pas si je suis d'accord avec ça. A mon avis, les hommes dangereux conservent leur force d'attraction même sur les femmes d'un certain âge.

— Tu as peut-être raison, dit Britta en regardant par la fenêtre. Mais heureusement, avec le temps mes yeux se sont ouverts. Et j'ai vu Frans. Il… ce n'était pas un homme avec qui j'aurais voulu passer ma vie. Pas comme mon Herman.

— Est-ce que tu n'es pas trop dure avec toi-même ? Je veux dire, tu n'as franchement rien d'une cruche.

— Non, pas aujourd'hui. Mais autant le reconnaître, avant de rencontrer Herman et d'avoir mon premier enfant, je… Non, je n'étais pas une fille sympathique.

La franchise de Britta étonna Erica. Elle n'était vraiment pas tendre avec elle-même.

— Et Erik ? Comment était-il ?

De nouveau Britta regarda par la fenêtre. Elle parut réfléchir à la question. Puis son visage s'adoucit.

— Erik était déjà un petit vieux quand il était jeune. Mais ce n'est pas péjoratif, ce que je dis. Il avait simplement un comportement d'adulte. Tellement raisonnable. Il pensait beaucoup. Et il lisait. Toujours, toujours le nez fourré dans un livre. Frans se moquait souvent de lui à cause de ça. Mais ce genre qu'il se donnait, un peu rasoir, c'était probablement un moyen pour Erik de se distinguer de son frère.

— Axel était populaire, si j'ai bien compris.

— Axel était un héros. Et celui qui l'admirait le plus, c'était Erik. Il vénérait le sol où son frère posait les pieds. Aux yeux d'Erik, Axel ne pouvait pas se tromper, dit Britta en tapotant la cuisse d'Erica, puis elle se leva brusquement. Tu sais, je crois qu'on va se faire un café. La fille d'Elsy… Eh bien, ça me fait vraiment, vraiment plaisir.

Erica resta dans le séjour pendant que Britta allait dans la cuisine. Elle entendit le bruit de tasses et d'eau qu'on faisait couler. Puis il y eut un grand silence. Elle attendit calmement sur le canapé, jouissant de la vue qui s'étendait devant elle. Mais quand le silence se prolongea au-delà de quelques minutes, elle se leva pour aller voir ce que fabriquait Britta.

Elle était assise devant la table, le regard perdu dans le vague. Une plaque de la cuisinière était allumée, une bouilloire vide posée dessus, en train de brûler. Erica se précipita et l'ôta de la plaque. Elle poussa un juron en se brûlant. Pour calmer la douleur, elle mit sa main sous l'eau froide du robinet, puis elle se tourna vers Britta. C'était comme si ses yeux s'étaient éteints.

— Britta? dit-elle doucement.

Un instant, elle craignit que la vieille femme n'ait eu une sorte d'attaque, puis Britta tourna les yeux vers elle.

— Alors comme ça, tu es finalement venue me voir, Elsy.

Erica la regarda, consternée. Elle protesta :

— Britta, je suis Erica, la fille d'Elsy.

La vieille femme ne parut pas enregistrer ce qu'elle disait. Elle dit à voix basse :

— Ça fait si longtemps que je voulais te parler, Elsy. T'expliquer. Mais je n'ai pas pu…

— Qu'est-ce que tu n'as pas pu expliquer ? De quoi tu voulais me parler, Britta ?

Erica s'assit en face d'elle, incapable de dissimuler son excitation. Pour la première fois, elle sentit qu'elle s'approchait du cœur du mystère. Elle allait obtenir l'explication de cet étrange sentiment qu'elle avait éprouvé pendant les entretiens avec Erik et Axel. Il y avait quelque chose qu'ils n'avaient pas voulu qu'elle apprenne.

Mais Britta se contenta de la regarder, confuse, sans rien dire. Erica eut envie de se pencher en avant et de la secouer, de la forcer à dire ce qu'elle avait eu sur le bout de la langue. Elle répéta sa question :

— Qu'est-ce que tu n'as pas pu expliquer ? Quelque chose qui concerne ma mère ? Quoi ?

Britta fit un signe de la main, puis elle se pencha vers Erica. D'une voix basse et sifflante, elle chuchota :

— Je voulais te parler. Mais les vieux os. Doivent. Reposer en paix. Ne sert à rien de… Erik a dit que… soldat inconnu…

Sa voix s'éteignit dans un murmure indéfini et ses yeux se perdirent dans le vide.

— Quels os ? De quoi tu parles ? Qu'est-ce qu'il a dit, Erik ?

Sans s'en rendre compte, Erica avait élevé la voix et, dans le silence de la cuisine, on aurait dit qu'elle criait. Britta réagit en se bouchant les oreilles et en débitant des paroles indistinctes, à la manière des enfants qui ne veulent pas entendre des gronderies.

— Qu'est-ce qui se passe ici ? Qui êtes-vous ?

Une voix d'homme en colère s'éleva derrière Erica et elle pivota sur sa chaise. Un homme de grande taille la dévisagea. Une couronne de cheveux blancs entourait son crâne dégarni, et il portait deux sacs de supermarché. Erica comprit que c'était Herman. Elle se leva.

— Excusez-moi, je… Je m'appelle Erica Falck. Britta a connu ma mère quand elles étaient jeunes, et je voulais juste lui poser quelques questions. Ça ne semblait pas la déranger, mais ensuite… elle a allumé la plaque électrique.

Erica entendit l'incohérence de ses propos, mais toute la situation était désagréable. Derrière elle, Britta poursuivait son babillage.

— Mon épouse a la maladie d'Alzheimer, dit Herman et il posa ses sacs.

Le mot contenait une tristesse infinie, et Erica sentit une pointe de mauvaise conscience. Alzheimer. Elle aurait dû le comprendre. Le passage rapide d'une lucidité totale à une confusion coupée de la réalité. Elle se rappela avoir lu que le cerveau des malades d'alzheimer les pousse dans une sorte de zone frontalière indistincte dominée par la brume.

Herman s'approcha de sa femme et ôta doucement ses mains de ses oreilles.

— Britta, ma chérie. J'étais obligé d'aller faire des courses. Mais ça y est, je suis de retour maintenant. Chuut, tout va bien…

Il la berça dans ses bras et lentement le babillage cessa. Il regarda Erica.

— Je pense qu'il vaudrait mieux que vous partiez maintenant. Et je préférerais que vous ne reveniez pas.

— Mais Britta commençait à dire que… J'aurais besoin d'en savoir plus…

Erica cherchait les bons mots, mais Herman ne fit que répéter d'une voix ferme :

— Ne revenez plus ici.

En quittant la maison comme une voleuse, une intruse, Erica entendit Herman parler doucement à sa femme pour la calmer. Mais dans sa tête résonnèrent les paroles obscures de Britta. De vieux os. Qu'est-ce qu'elle pouvait bien vouloir dire ?

Les géraniums avaient été remarquables cet été. Viola passait de l'un à l'autre et enlevait tendrement les feuilles mortes. C'était nécessaire pour qu'ils restent jolis. Sa collection était vraiment impressionnante. Chaque année, elle faisait des boutures qu'elle plantait soigneusement dans de petits pots pour ensuite les rempoter dans des jardinières. Son préféré était le Mårbacka. Rien ne pouvait égaler sa beauté. La combinaison des délicates fleurs roses et des tiges un peu grossières et désordonnées créait un effet esthétique incomparable. Mais le rosat aussi était magnifique.

Ils étaient nombreux, les amateurs de géraniums. Depuis que son fils l'avait initiée au monde merveilleux de l'Internet, elle était membre de trois forums différents dédiés aux géraniums et abonnée à quatre newsletters. Ce qui lui procurait le plus de plaisir était son échange de mails avec Lasse Anrell*. S'il y avait quelqu'un qui aimait les géraniums plus qu'elle, c'était bien Lasse. Ils correspondaient depuis le jour où elle était allée à une de ses conférences. Ce soir-là, elle avait eu une foule de questions à poser sur son livre sur les géraniums. Ils s'étaient bien entendus, et elle attendait toujours avec grande impatience ses mails. Erik l'avait taquinée à ce propos. Il disait qu'elle avait une liaison secrète avec Lasse Anrell, et que tous ces échanges sur les plantes n'étaient que des messages codés. Il avait surtout une théorie personnelle sur la

* Journaliste sportif et écrivain né en 1953. Un de ses livres s'intitule *L'Homme qui parlait aux géraniums*.

signification du mot "géranium rosat" et, depuis, le petit nom tendre qu'il lui donnait était… "mon petit rosat", justement. Viola rougit un peu en y pensant, mais son embarras fut de courte durée et les larmes prirent la relève lorsque, pour la millième fois, elle se rappela qu'Erik n'était plus.

La terre aspira avidement l'eau qu'elle versa dans les soucoupes. Il était important de ne pas donner trop à boire aux géraniums. Le mieux était de laisser la terre se dessécher complètement entre deux arrosages. Par bien des aspects, c'était une métaphore parfaite de sa relation avec Erik. Leur terre à tous les deux était terriblement asséchée quand ils s'étaient rencontrés, et ils faisaient très attention à ne pas noyer ce qu'ils avaient. Ils continuaient à habiter chacun de leur côté, ils vivaient chacun leur vie séparée et ils se voyaient quand ils en ressentaient l'envie tous les deux, et qu'ils en avaient la force. C'était une promesse qu'ils s'étaient faite. Que leur relation soit joyeuse. Pas écrasée par les trivialités du quotidien. Un échange réciproque de tendresse, d'amour et de délicieuses conversations. Quand le cœur leur en disait.

Lorsqu'elle entendit qu'on frappait à la porte, Viola posa l'arrosoir et essuya ses larmes avec la manche de sa chemise. Elle inspira à fond, chercha un peu de courage auprès de ses géraniums, puis elle alla ouvrir.

FJÄLLBACKA 1943

— Britta, calme-toi ! Qu'est-ce qui s'est passé ? Il est encore soûl, c'est ça ?

Elsy passait la main dans le dos de son amie pour la rassurer. Elle essaya de parler, mais la seule chose qui sortit fut un sanglot. Elsy l'attira plus près d'elle et continua de lui caresser le dos.

— Chuuut, allez, tu pourras bientôt t'en aller. Te placer quelque part. Tu seras débarrassée de tout cet enfer.

— Je ne… je ne rentrerai plus jamais à la maison, sanglota Britta contre la poitrine d'Elsy.

Elsy sentit les larmes de Britta mouiller son chemisier, mais elle n'y prêta pas attention.

— Il s'en est encore pris à ta mère ?

— Il l'a frappée au visage. Ensuite je n'ai plus rien vu. Je me suis sauvée. Oh, si j'étais un garçon, je lui arrangerais le portrait, tu peux me croire.

— Ça aurait été dommage que tu sois un garçon, un si joli minois, dit Elsy en berçant Britta dans ses bras.

Elle la connaissait suffisamment bien pour savoir qu'un peu de flatterie l'égayait toujours.

— Mmmm, fit Britta et ses pleurs s'atténuèrent. Mais je plains mes petits frères et ma sœur.

— Tu n'y peux pas grand-chose.

Elsy songea aux deux frères et à la sœur de Britta et sa gorge se noua de colère. Le père de Britta s'occupait si mal de sa famille. Il était connu dans tout Fjällbacka pour avoir le vin mauvais. Tout le monde savait que plusieurs fois par semaine il s'en prenait à Rut, une femme peureuse qui couvrait tant bien que mal les hématomes sur son visage avec un fichu lorsqu'elle devait sortir. Il lui arrivait de frapper les enfants aussi, surtout les deux jeunes frères de Britta. Les deux filles s'en tiraient avec moins de mal.

— Si seulement il pouvait mourir. S'il pouvait se noyer dans la mer, chuchota Britta.

Elsy la serra plus fort contre elle.

— Chuuut, il ne faut pas dire des choses comme ça, Britta. Même pas les penser. Avec l'aide de Dieu, ça finira par s'arranger. D'une façon ou d'une autre. Sans que tu sois obligée de tomber dans le péché en souhaitant sa mort.

— Dieu ? dit Britta amèrement. Il n'a pas trouvé le chemin de chez nous. Et pourtant mère n'arrête pas de lui adresser ses prières tous les dimanches. Pour ce que ça lui apporte comme aide… C'est facile pour toi de parler de Dieu. Avec des parents aussi gentils. Et tu n'as pas à te faire une place au milieu de frères et de sœurs.

La voix de Britta était remplie d'une amertume abyssale. Elsy desserra ses bras. Gentiment mais avec une certaine verdeur, elle dit :

— Il ne faut pas croire, ce n'est pas toujours facile pour nous non plus. Mère devient de plus en plus fluette à force de s'inquiéter pour père. Depuis qu'ils ont torpillé l'*Öckerö*, elle imagine que chaque voyage de père pourrait être le dernier. Parfois je la surprends en train de fixer la mer, comme si elle essayait de la conjurer de ramener père à la maison.

177

— Eh bien, je trouve quand même que ce n'est pas pareil, dit Britta en sanglotant pitoyablement.

— Bien sûr que ce n'est pas pareil, ce que je voulais dire, c'est seulement que… bah, oublie.

Elle savait que ça ne servait à rien de poursuivre la conversation dans cette direction. Elle connaissait Britta depuis qu'elles étaient toutes petites et elle l'aimait pour les bons côtés qu'elle avait malgré tout. Mais ils étaient indéniablement dissimulés par un grand égocentrisme et une difficulté à voir d'autres problèmes que les siens.

Elles entendirent des pas dans l'escalier et Britta se redressa et se mit à sécher fébrilement ses larmes.

— Tu as de la visite.

La voix de Hilma était sèche. Dans l'escalier derrière elle surgirent Frans et Erik.

— Salut !

Elsy se rendit compte que sa mère n'appréciait pas cette visite. Mais elle les laissa pourtant, après avoir ajouté :

— Elsy, n'oublie pas que tu dois aller livrer le linge chez Österman. Je te donne dix minutes. Et tu sais que père va rentrer d'un moment à l'autre.

Elle disparut en bas des marches. Frans et Erik s'installèrent par terre dans la chambre d'Elsy, faute de chaises.

— On dirait qu'elle n'aime pas qu'on vienne te voir, dit Frans.

— Ma mère trouve qu'on ne doit pas mélanger les torchons et les serviettes, dit Elsy. Vous, vous êtes supposés être des gens distingués, allez savoir à quoi ça tient !

Elle eut un sourire taquin et Frans lui tira la langue. Pendant ce temps, Erik contempla Britta.

— Qu'est-ce qui se passe, Britta ? dit-il doucement. Tu as pleuré ?

— Ce n'est pas tes affaires, siffla-t-elle en rejetant fièrement la tête en arrière.

— Bah, ça doit être des trucs de fille, rit Frans.

Britta lui jeta un regard d'adoration en lui souriant généreusement. Mais ses yeux étaient toujours bordés de rouge.

— Pourquoi il faut toujours que tu sois si moqueur, Frans ? dit Elsy en croisant ses mains sur ses genoux. Ça existe, les gens qui souffrent, tu sais. Tout le monde n'est pas comme toi et Erik. La guerre est très pénible pour beaucoup de familles. Vous devriez y penser de temps en temps.

— Vous ? Comment est-ce que je suis entré dans cette discussion ? dit Erik. Que Frans soit un ignare et un idiot, on le sait tous, mais m'accuser de ne pas être au courant des souffrances du peuple…

Erik était offusqué, mais il sursauta et cria "aïe" lorsque Frans lui donna un coup de poing sur le bras.

— Un ignare et un idiot ? C'est comme ça que tu m'as appelé ? Pour moi, les idiots sont plutôt ceux qui disent des choses comme "être au courant des souffrances du peuple". On dirait que tu as quatre-vingts ans. Au moins. Ça ne doit pas être bon pour toi, tous ces livres que tu lis. Ça ne m'étonnerait pas que tu aies une araignée là-haut, dit Frans en se tapotant la tempe avec l'index.

— Ne fais pas attention à lui, répliqua Elsy avec lassitude.

Parfois elle en avait assez des éternelles chamailleries des garçons. Ils étaient tellement puérils.

Elle retrouva sa bonne humeur en entendant un bruit en bas.

— Père est rentré !

Elle regarda ses trois amis avec un grand sourire, puis elle se leva pour descendre l'accueillir. Mais le ton de ses parents la figea. Il s'était passé quelque chose. Leurs voix étaient bouleversées et elle n'entendit pas les rires joyeux qui accompagnaient en général le retour de son père. De lourds pas montèrent l'escalier. Dès qu'elle aperçut le visage de son père, elle sut que quelque chose n'allait pas. Il était gris et se passa la main dans les cheveux comme il le faisait quand il avait de gros soucis.

— Père ?

Elle sentit son cœur marteler dans sa poitrine. Qu'est-ce que ça pouvait bien être ? Elle chercha ses yeux mais il les gardait fixés sur Erik. Plusieurs fois il ouvrit la bouche pour parler, mais aucun mot n'en sortit. Il finit tout de même par dire :

— Erik, je crois que tu ferais mieux de rentrer chez toi. Ta mère et ton père... vont avoir besoin de toi.

— Qu'est-ce qui s'est passé ? Pourquoi ? bredouilla Erik, puis il se plaqua la main sur la bouche en comprenant ce que le père d'Elsy lui annonçait. Axel ? Il est... ?

Il fut incapable de terminer sa phrase. Il déglutit plusieurs fois pour éloigner la boule qui se formait dans sa gorge. Les pensées se bousculèrent dans sa tête et il eut subitement une vision du corps sans vie d'Axel. Comment allait-il pouvoir retrouver ses parents ? Comment allait-il... ?

— Il n'est pas mort, dit Elof avec un signe négatif de la main en comprenant les craintes d'Erik. Il n'est pas mort, répéta-t-il. Mais les Allemands l'ont pris.

Une grande confusion se peignit sur le visage d'Erik tandis qu'il essayait d'assimiler cette nouvelle information. Il était soulagé d'apprendre qu'Axel était vivant, mais sa joie fut rapidement remplacée par l'inquiétude et la consternation de savoir son frère aux mains des Allemands.

— Viens, je t'accompagne chez toi, dit Elof.

Tout son corps semblait accablé par la lourde tâche qui l'attendait : annoncer aux parents d'Axel que leur fils aîné ne reviendrait pas.

Paula sourit toute seule à l'arrière de la voiture. Les petites chamailleries entre Patrik et Martin à l'avant avaient quelque chose de rassurant et de sympathique. Martin s'étendait longuement sur la conduite de Patrik, qu'il jugeait désastreuse. Mais il était évident que les deux collègues s'aimaient bien, et elle-même avait déjà commencé à éprouver du respect pour Patrik.

Jusque-là, venir s'installer à Tanumshede s'était révélé un pari gagnant. Elle ne savait pas à quoi ça tenait mais, dès leur arrivée ici, elle avait eu le sentiment d'être chez elle. Après tant d'années passées à Stockholm, elle avait oublié comment était la vie dans une petite localité. Tanumshede lui rappelait peut-être le petit village au Chili où elle avait passé les premières années de sa vie, avant qu'elles partent se réfugier en Suède. Comment expliquer autrement qu'elle se soit si rapidement adaptée dans une si petite ville ? La vie de Stockholm ne lui manquait absolument pas. Peut-être parce qu'en tant que policière dans la capitale, elle avait côtoyé le pire du pire, et que cela déteignait sur sa façon de voir la ville. En réalité, elle n'y avait jamais trouvé sa place. Ni comme enfant, ni comme adulte. On leur avait attribué, à sa mère et elle, un petit appartement dans la banlieue de Stockholm. Elles faisaient partie d'une vague précoce d'immigrés et elle était la seule dans sa classe à ne pas avoir l'air suédoise. Et on le lui faisait payer. Chaque jour, chaque minute, elle subissait le fait d'être née dans un autre pays. Elle avait parlé parfaitement le suédois au bout d'un an, sans le moindre accent, mais ses yeux sombres et ses cheveux noirs la trahissaient toujours.

En revanche, elle n'avait pas subi de racisme quand elle était entrée dans la police, contrairement à ce qu'on pouvait imaginer. A ce moment-là, les Suédois s'étaient habitués aux personnes venues d'autres pays, et on ne la prenait presque plus pour une immigrée. Ça faisait longtemps qu'elle vivait en Suède et, avec ses origines sud-américaines, on la jugeait avec moins de sévérité que les réfugiés des pays arabes et du continent africain. Elle avait souvent trouvé absurde de ne plus être considérée comme une immigrée simplement parce qu'elle paraissait moins atypique que les demandeurs d'asile plus récemment arrivés.

C'est pourquoi des hommes comme Frans Ringholm l'effrayaient tant. Ils ne voyaient pas les nuances, les différences, ils se contentaient de regarder brièvement l'apparence avant d'y coller des préjugés ancestraux. C'était ce manque de discernement qui les avait forcées à fuir, sa mère et elle. Quelqu'un avait déterminé qu'un seul chemin était le bon. Des gens comme Frans Ringholm, il y en avait toujours eu. Des gens qui estimaient posséder l'intelligence, la force et la puissance nécessaires pour fixer la norme.

— Quel numéro tu disais ? demanda Martin à Paula, la tirant de ses réflexions.

— Numéro sept.

— C'est là, dit Martin.

Patrik ralentit et se gara. Ils étaient dans le quartier de Kullen, un ensemble d'immeubles près du terrain de sport à Fjällbacka.

La plaque standard de la porte avait été remplacée par une autre, personnalisée, en bois, avec le nom "Viola Ellmander" calligraphié et entouré de fleurs peintes à la main. La femme qui ouvrit la porte correspondait bien à l'écriteau. Viola était ronde mais bien proportionnée et son visage était aimable. En voyant sa robe fleurie romantique, Paula l'imagina tout de suite avec un chapeau de paille perché sur son chignon de cheveux blancs.

— Entrez, dit Viola en s'écartant pour les laisser passer.

Paula apprécia l'intérieur qu'elle vit, très différent du sien, et pourtant agréable. Elle n'était jamais allée en Provence, mais c'était à peu près comme ça qu'elle se l'imaginait. Des meubles campagnards rustiques, assortis de tissus et de tableaux représentant des fleurs. Elle tendit le cou pour regarder dans le salon et put constater la cohérence de la décoration : le style était le même. Sur la table basse siégeait un délicat service à fleurs roses, des biscuits étaient disposés sur un plat.

— J'ai préparé du café, dit Viola.

— Merci beaucoup, dit Patrik en s'asseyant précautionneusement sur le canapé.

Une fois les présentations faites, Viola servit le café et attendit qu'ils parlent.

— Comment faites-vous pour avoir de si jolis géraniums ? demanda Paula. Chez moi, ils pourrissent, ou alors ils se dessèchent.

Patrik et Martin la regardèrent bouche bée. Viola s'étira fièrement.

— Oh, en fait ce n'est pas très difficile. Il faut simplement veiller à ce que la motte sèche bien entre deux arrosages, et ensuite ne pas l'inonder. Lasse Anrell m'a passé un super-tuyau, on peut apporter un peu d'engrais sous forme d'urine, c'est incomparable s'ils sont durs à la détente.

— Lasse Anrell? fit Martin comme un écho. Celui qui commente le sport dans *Aftonbladet*? Et sur la quatre? Quel rapport avec les géraniums?

Manifestement, Viola trouva inutile de répondre à une question aussi idiote. En ce qui la concernait, Lasse était avant tout un expert en géraniums. Qu'il soit en outre un journaliste sportif lui importait peu.

Patrik se racla la gorge avant de commencer à parler.

— Si nous avons tout bien compris, vous et Erik Frankel, vous vous voyiez assez régulièrement? Il hésita un instant, puis il ajouta : Je… je vous présente mes sincères condoléances.

— Merci, dit Viola en regardant sa tasse de café. Oui, on se voyait. Erik passait la nuit ici de temps à autre, peut-être deux fois par mois.

— Vous vous êtes rencontrés comment? demanda Paula.

Après avoir vu leurs intérieurs réciproques, elle avait du mal à comprendre comment ces deux êtres avaient pu se croiser.

Viola sourit et Paula vit deux charmantes fossettes se former sur ses joues.

— Erik donnait une conférence à la bibliothèque il y a quelques années. Laissez-moi réfléchir, il y a quatre ans peut-être. Il parlait du Bohuslän et de la Seconde Guerre mondiale et je suis allée l'écouter. Après, on a commencé à discuter et, bon… les choses se sont faites naturellement, dit-elle et le souvenir la fit sourire.

— Vous ne vous voyiez jamais chez lui?

— Non, Erik trouvait que c'était mieux de se voir ici. Il partage… partageait sa maison avec son frère, et même si Axel était souvent absent… non, il préférait venir ici.

— Est-ce qu'il vous a parlé de menaces qu'il aurait reçues ? demanda Patrik.

— Non, jamais, dit Viola en secouant vigoureusement la tête. Je n'arrive même pas à l'imaginer, je veux dire pourquoi quelqu'un voudrait-il menacer Erik, un professeur d'histoire à la retraite ? C'est une idée absurde.

— Il se trouve qu'il a réellement été l'objet de menaces, en tout cas indirectement. A cause de son intérêt pour la Seconde Guerre mondiale et le nazisme. Certaines organisations n'apprécient pas qu'on brosse un tableau de l'histoire qui ne correspond pas au leur.

— Erik ne brossait pas un tableau, comme vous le dites, lança Viola. Ses yeux scintillèrent brusquement de colère. C'était un véritable historien, très à cheval sur les faits et extrêmement soucieux de montrer l'histoire telle qu'elle est, pas telle que lui ou quelqu'un d'autre aurait souhaité la voir. Erik ne peignait pas. Il faisait des puzzles. Lentement, morceau après morceau, il révélait la vraie image de la réalité. Un bout de ciel bleu par-ci, un bout de pré vert par-là, jusqu'à ce qu'il puisse exhiber le résultat au monde. Certes, il n'aurait jamais pu le terminer, dit-elle et la tendresse fut de retour dans ses yeux. Le travail d'un historien n'est jamais fini. Il reste toujours un peu plus de faits, un peu plus de réalité à extirper.

— Pourquoi s'était-il tant passionné pour la Seconde Guerre mondiale ? demanda Paula.

— Pourquoi se passionne-t-on pour quelque chose ? Pourquoi précisément les géraniums ? Pourquoi pas les roses ? dit Viola en écartant les mains, mais elle eut en même temps une lueur songeuse dans les yeux. Pour ce qui est d'Erik, il n'est peut-être pas nécessaire d'être un génie pour comprendre pourquoi. Ce qu'avait vécu son frère pendant la guerre l'a marqué plus que toute autre chose, je pense. Il n'en parlait jamais avec moi, j'ai été obligée de lire entre les lignes. A une seule occasion il a mentionné le sort de son frère, c'est d'ailleurs la seule fois où j'ai vu Erik boire trop. C'était la dernière fois qu'on s'est vus.

Sa voix se brisa et elle eut besoin de quelques secondes pour se maîtriser avant de poursuivre.

— Il est venu ici sans me prévenir, ce qui était très inhabituel. De plus il était manifestement ivre, ce qui l'était encore davantage. Je ne l'avais jamais vu comme ça auparavant. Il est allé tout droit à ma réserve d'alcool et s'est servi un double scotch. Puis il s'est affalé ici dans le canapé et a commencé à parler, tout en éclusant son whisky. Je n'ai pas compris grand-chose de ce qu'il disait, c'était tout décousu, ça ressemblait surtout à un délire d'ivrogne. Mais ça tournait autour d'Axel, j'ai au moins compris ça. De ce qu'il avait vécu durant son emprisonnement. Des répercussions que ça avait eues sur sa famille.

— Vous venez de dire que c'était le dernier soir où vous avez vu Erik, comment ça se fait ? Pourquoi est-ce que vous ne vous êtes pas vus au cours de l'été ? Pourquoi est-ce que vous ne vous êtes pas inquiétée ?

Le visage de Viola disparut sous une grimace. Elle luttait pour contrôler ses larmes. D'une voix lourde, elle finit par dire :

— Parce qu'Erik a dit au revoir. Il est parti d'ici vers minuit, en titubant, il faut bien le dire. Et la dernière chose qu'il a dite, c'est que c'était fini. Il m'a remerciée pour le temps qu'on avait passé ensemble et m'a embrassée sur la joue. Puis il est parti. Et moi, j'ai pensé que c'était parce qu'il avait bu. Le lendemain, je me suis comportée comme une gamine, à regarder le téléphone toute la journée, à attendre qu'il appelle et s'explique, ou qu'il présente ses excuses, ou… quelque chose… Mais il n'a pas appelé. Et moi, avec ma fierté stupide, j'ai refusé de le contacter. Si je l'avais fait, si je n'avais pas pris mes grands airs et choisi d'abandonner, il n'aurait peut-être pas eu à passer l'été assis là…

Les pleurs prirent le dessus et l'empêchèrent de terminer sa phrase. Mais Paula comprit ce qu'elle voulait dire. Elle posa sa main sur celle de Viola et dit doucement :

— Ce n'est pas votre faute. Comment auriez-vous pu savoir ?

— Est-ce que vous vous rappelez quel jour de la semaine il est venu ? demanda Patrik.

— Je peux regarder dans mon agenda. Je prends des notes tous les jours, ça ne va pas être difficile à trouver, dit Viola et, manifestement soulagée de l'interruption, elle se leva et quitta la pièce. C'était le 15 juin, dit-elle en revenant. Je m'en souviens très bien, parce que je suis allée chez le dentiste dans l'après-midi. Il n'y a aucun doute là-dessus.

— Très bien, je vous remercie de votre aide, dit Patrik.

Quand ils se retrouvèrent dans la rue, après avoir pris congé de Viola, ils pensaient tous la même chose. Que s'était-il passé le 15 juin pour qu'Erik s'enivre, lui qui ne buvait pratiquement jamais, et qu'en plus il mette brutalement un terme à sa relation avec Viola ?

— C'est évident qu'elle n'a aucun contrôle sur elle !

— Mais Dan, ce n'est pas juste de dire ça ! Comment peux-tu être si sûr que tu n'aurais pas avalé la même chose ?

Adossée au plan de travail, les bras croisés sur la poitrine, Anna foudroya Dan du regard. Il passait obstinément la main dans ses cheveux blonds, achevant de les emmêler complètement.

— Non… je n'aurais certainement pas avalé ça !

— C'est ça… Il me semble que c'est toi qui pensais sérieusement que quelqu'un s'était introduit dans la maison pendant la nuit pour finir les plaquettes de chocolat dans le placard. Si je n'avais pas trouvé l'emballage de Crunch sous l'oreiller de Lina, tu serais encore en train de courir les rues à la recherche d'un cambrioleur qui aurait la bouche barbouillée de chocolat…

Anna étouffa un rire et oublia un peu sa colère. Dan la regarda. Il ne put s'empêcher d'esquisser un sourire à son tour.

— Cela dit, elle était très convaincante quand elle nous assurait de son innocence.

— Absolument. Cette gamine sera nominée aux oscars quand elle sera grande, c'est sûr. Mais dis-toi bien que Belinda peut être tout aussi convaincante. Alors il ne faut pas s'étonner si Pernilla l'a crue. Tu ne peux pas jurer que tu n'aurais pas fait pareil.

— Bon, je suppose que tu as raison, maugréa Dan. Mais elle aurait dû appeler la mère de la copine pour vérifier. C'est en tout cas ce que j'aurais fait.

— Je n'en doute pas. Et à partir de maintenant Pernilla aussi va le faire.

— Pourquoi vous parlez de maman ?

Belinda descendit l'escalier, toujours en chemise de nuit et les cheveux en pétard. Elle avait refusé de

sortir du lit depuis qu'ils étaient allés la chercher chez
Erica et Patrik le samedi matin, avec sa gueule de bois
et ses regrets manifestes. A présent les regrets semblaient avoir presque complètement disparu, rempla-
cés par la mauvaise humeur qui l'accompagnait de
plus en plus souvent.

— Comme ça, sans raison particulière, dit Dan,
fatigué et pleinement conscient du conflit inévitable
qui lui pendait au nez.

— C'est toi qui dis du mal de maman encore ? siffla Belinda en direction d'Anna.

Anna adressa un regard résigné à Dan, puis elle se
tourna vers Belinda et dit calmement :

— Je n'ai jamais dit du mal de ta maman. Et tu le
sais. Je ne veux pas que tu me parles sur ce ton.

— Je parle sur le ton que je veux ! hurla Belinda.
C'est chez moi ici, pas chez toi ! Alors tu peux prendre
tes saletés de mômes et te casser !

Dan fit un pas vers elle, le regard noir.

— C'est à Anna que tu parles comme ça ? Elle
habite ici maintenant, elle aussi. Tout comme Adrian
et Emma. Et si ça ne te va pas…

Il réalisa aussitôt que c'était la chose la plus idiote
à dire.

— Non, ça ne me va pas ! Je vais faire ma valise
et aller chez maman ! Et je vais y rester ! Jusqu'à ce
qu'elle et ses mômes aient dégagé !

Belinda tourna les talons et se précipita dans l'escalier. Dan et Anna sursautèrent en entendant la porte
de sa chambre claquer.

— Elle a peut-être raison, Dan, dit Anna d'une
petite voix. C'est peut-être allé beaucoup trop vite. Je
veux dire, elle n'a pas eu le temps de s'habituer avant
qu'on arrive et envahisse sa maison et sa vie.

— Merde, elle a dix-sept ans et elle se comporte comme si elle en avait cinq.

— Il faut que tu la comprennes aussi. Ça ne doit pas être facile pour elle. Elle était à un âge sensible quand vous vous êtes séparés, Pernilla et toi, et…

— Oui, merci, tu n'es pas obligée de me bazarder toute ma mauvaise conscience à la gueule. Je sais que c'est ma faute si on a divorcé, ce n'est pas la peine de me le rappeler.

Dan passa en trombe devant Anna et gagna la porte. Pour la deuxième fois en une minute, une porte claqua à en faire trembler les vitres. Anna resta immobile devant le plan de travail pendant quelques secondes. Puis elle fondit en larmes.

FJÄLLBACKA 1943

— On m'a dit que les Allemands ont enfin mis la main sur le fils Frankel, l'Axel.

Vilgot gloussa, tout content, en suspendant son manteau à la patère dans le vestibule. Il donna sa serviette à Frans qui la posa à sa place habituelle, appuyée contre la chaise.

— Oui, il était temps. Haute trahison, voilà comment j'appelle ce qu'il fabriquait. Je sais bien qu'il n'y en a pas beaucoup ici à Fjällbacka qui seraient d'accord avec moi, les gens sont de véritables moutons, ils suivent le troupeau et bêlent sur commande. Ce sont les gens qui savent penser tout seuls, comme moi, qui voient la réalité telle qu'elle est. Et tu peux me croire sur parole, ce garçon-là est un traître à sa patrie. J'espère seulement qu'ils vont lui régler son compte rapidement.

Vilgot alla s'asseoir dans son fauteuil préféré dans le salon. Frans lui emboîta le pas et son père l'exhorta du regard.

— Allons, j'attends toujours mon verre. Tu traînes aujourd'hui.

Le ton était mécontent et Frans se précipita vers le bar pour verser une bonne rasade d'eau-de-vie à son père. C'était une habitude qu'ils avaient depuis qu'il était tout petit. Sa mère n'avait pas apprécié de voir

Frans manier de l'alcool si jeune mais, comme toujours, elle n'avait pas eu voix au chapitre.

— Assieds-toi, mon garçon, assieds-toi.

Le verre solidement ancré dans la main, Vilgot fit un geste généreux en direction du fauteuil à côté du sien. Frans sentit l'odeur familière d'alcool en s'asseyant. Le coup de gnôle qu'il venait de servir à son père n'était certainement pas le premier de la journée. Les relents d'aquavit piquèrent les narines de Frans lorsque Vilgot se pencha en avant.

— Ton père a fait de très bonnes affaires aujourd'hui, tu comprends. J'ai signé un contrat avec une firme allemande. Un contrat d'exclusivité. Je serai leur seul fournisseur en Suède. Ils ont dit qu'ils avaient du mal à trouver de bons partenaires… Tu m'étonnes !

Vilgot gloussa et son gros ventre bougea. Il avala son aquavit puis il tendit le verre à Frans pour être resservi. L'alcool avait rendu ses yeux brillants. La main de Frans trembla légèrement quand il prit le verre. Elle tremblait encore quand il versa le liquide translucide à l'odeur pénétrante, et quelques gouttes atterrirent à l'extérieur du verre.

— Prends-en un, toi aussi, dit Vilgot.

C'était plus un ordre qu'une invitation. Frans posa le verre rempli de son père et en prit un vide pour lui-même. Sa main ne trembla plus lorsqu'il le remplit à ras bord. Totalement concentré sur la tâche, il porta les verres à son père. Vilgot leva le sien vers lui quand il se rassit.

— Allez, cul sec !

Frans sentit l'alcool lui déchirer la gorge jusqu'à l'estomac, où il s'installa comme une masse chaude. Son père sourit. Un mince filet d'eau-de-vie avait coulé sur son menton.

— Elle est où, ta mère? demanda Vilgot à voix basse.

— Chez grand-mère. Elle rentrera tard.

Frans fixa un point sur le mur derrière son père. Sa voix lui sembla sourde et creuse. Comme si elle venait de quelqu'un d'autre.

— Tant mieux. Comme ça, on peut parler entre hommes. Mais prends-en un autre, bon sang!

Frans sentit les yeux de son père dans son dos quand il se leva et alla remplir son verre. Cette fois, il ne laissa pas la bouteille dans le meuble, il la rapporta avec lui. Vilgot apprécia et lui tendit son verre pour une autre rasade.

— Tu es un bon garçon.

Frans sentit de nouveau l'alcool lui brûler la gorge, puis une sensation de bien-être se diffusa dans son ventre. Les contours de la pièce commencèrent à se dissoudre. Il flottait dans des sortes de limbes, entre réalité et rêve.

La voix de Vilgot se fit plus douce.

— Cette affaire peut me faire gagner des milliers de gentilles rixdales dans les années à venir. Et si les Allemands continuent à s'armer, ça peut faire bien plus que ça. Alors il s'agira de millions. Ils m'ont aussi promis de me mettre en contact avec d'autres sociétés qui ont besoin de nos services. Une fois que j'y aurai mis un pied… Les yeux de Vilgot brillaient dans la pénombre du soir. Il se pourlécha les babines. Ça sera une belle entreprise dont tu hériteras un jour, Frans. Il posa sa main sur la cuisse de son fils. Une très belle entreprise. Le jour viendra où tu pourras envoyer paître tout le monde à Fjällbacka. Quand les Allemands auront pris le pouvoir, quand nous gouvernerons, et que nous aurons plus d'argent qu'ils n'ont jamais pu imaginer. Allons, bois donc encore un verre avec ton père, qu'on trinque aux jours meilleurs !

Vilgot leva son verre et l'entrechoqua avec celui de Frans qu'il avait lui-même rempli jusqu'en haut. Le bien-être se répandit encore davantage dans la poitrine de Frans. Il trinqua avec son père.

Gösta venait de lancer une partie de golf sur son ordinateur quand il entendit les pas de Mellberg dans le corridor. Il ferma rapidement le jeu, saisit un rapport et fit semblant d'être très concentré. Les pas de son chef s'approchèrent de plus en plus, mais ils n'étaient pas comme d'habitude. Et c'était quoi, ce drôle de bruit qu'il faisait ? Curieux, Gösta fit rouler son fauteuil en arrière pour pouvoir pointer la tête par l'embrasure de la porte. Il vit d'abord Ernst qui respirait lourdement, la langue pendante. Puis un être bizarrement courbé qui se traînait péniblement pour avancer. Ça ressemblait à Mellberg à s'y méprendre. Et pourtant pas.

— Tu veux ma photo ?

Eh bien si, la voix et le ton étaient définitivement ceux du chef !

— Qu'est-ce qui t'est arrivé ? dit Gösta.

Annika arriva aussi de la cuisine, où elle était en train de faire manger Maja.

Mellberg marmonna quelque chose d'inaudible.

— Pardon ? dit Annika. Qu'est-ce que tu as dit ? Je n'ai pas entendu.

Mellberg la lorgna hargneusement avant de dire :

— J'ai dansé la salsa. D'autres questions ?

Gösta et Annika se dévisagèrent, déconcertés. Puis ils firent un gros effort pour contrôler leurs zygomatiques.

— Alors ? Des commentaires ? Quelqu'un ? Sachez qu'on ne recule pas devant des baisses de salaire dans ce commissariat, rugit Mellberg, puis il claqua la porte de son bureau.

Annika et Gösta fixèrent la porte fermée pendant quelques secondes avant d'exploser. Ils riaient aux larmes, mais s'efforcèrent de le faire sans bruit. Gösta suivit Annika dans la cuisine et, après avoir vérifié que la porte de Mellberg était toujours fermée, il chuchota :

— Il a vraiment dit qu'il avait dansé la salsa ? C'est bien ça qu'il a dit ?

— J'en ai peur, dit Annika en essuyant ses larmes avec la manche de son pull.

Maja était installée devant une assiette, elle les observait, fascinée.

— Mais comment ? Pourquoi ? dit Gösta incrédule.

Des images du spectacle commencèrent à se présenter sur sa rétine.

— En tout cas, c'est la première fois que j'en entends parler, confirma Annika en secouant la tête puis elle s'assit pour continuer à donner à manger à Maja.

— Tu as vu comme il était mal en point ? On aurait dit le personnage dans *Le Seigneur des anneaux*. Gollum, c'est ça ?

Gösta fit de son mieux pour imiter la démarche de Mellberg et Annika plaqua la main sur sa bouche pour étouffer son éclat de rire.

— Oui, ça a dû être un choc pour son corps. Il n'a pas fait d'exercice depuis… ben, il n'en a jamais fait.

— C'est ce que je me dis aussi. C'est un miracle qu'il ait réussi les épreuves de condition physique de l'école de police.

— D'un autre côté, on ne peut pas le savoir, c'était peut-être un véritable athlète quand il était jeune.

Annika réfléchit à ce qu'elle venait de dire, puis elle secoua la tête. Non, je ne crois pas. Oh là là, quelle blague ! Mellberg qui apprend la salsa. Seigneur, on aura tout vu.

Elle essaya d'introduire une cuillerée dans la bouche de Maja, qui refusa catégoriquement de l'ouvrir.

— Cette petite demoiselle ne veut pas manger. Si je n'arrive pas à lui en faire avaler au moins un tout petit peu, on ne me la confiera plus jamais, soupira-t-elle en essayant encore une fois.

Mais la bouche de Maja était aussi imprenable que Fort Knox.

— Je peux essayer ? demanda Gösta et il se tendit pour prendre la cuillère.

Annika le regarda, toute surprise.

— Toi ? Oui, n'hésite pas. Mais n'en espère pas trop, c'est un conseil que je te donne.

Gösta ne répondit pas, il prit simplement la place d'Annika. Il enleva la moitié de l'énorme bouchée qu'elle avait chargée sur la cuillère puis il la leva en l'air.

— Vroum, vroum, vroum, c'est l'avion qui arrive… Il fit tourner la cuillère devant Maja comme un avion dans l'air et capta immédiatement son attention : Vroum, vroum, vroum, c'est l'avion qui vole tout droit dans…

La bouche de Maja s'ouvrit et l'avion avec sa cargaison de spaghettis bolognaise amorça son atterrissage.

— Mmm… ça c'était bon, dit Gösta et il chargea de nouveau la cuillère. Tchou, tchou, tchou, maintenant c'est le train qui arrive… Tchou, tchou, tchou et droiiiit dans le tunnel.

La bouche de Maja s'ouvrit encore une fois et les spaghettis s'engouffrèrent dans le tunnel.

— Ça alors, dit Annika, bouche bée. Où tu as appris ça ?

— Bah, ce n'est rien, dit Gösta modestement.

Mais il sourit fièrement lorsque la voiture de course entra au garage avec la troisième bouchée.

Annika s'assit à côté de Gösta et le regarda vider l'assiette de Maja.

— Eh bien, Gösta, dit Annika. La vie est tout de même injuste parfois.

— Vous n'avez jamais songé à l'adoption ? dit Gösta sans la regarder. De mon temps, ce n'était pas très courant. Mais aujourd'hui je n'hésiterais pas un instant. De nos jours, ils sont tous plus ou moins adoptés, les mômes.

— On en a parlé, dit Annika en traçant des cercles avec l'index sur la nappe. Mais ça ne s'est jamais fait. On a essayé de remplir notre vie avec autre chose que des enfants… mais…

— Il n'est pas encore trop tard, dit Gösta. Si vous vous y mettez maintenant, ça ne prendra pas forcément très longtemps. Et la couleur qu'il a, on s'en fiche, alors il n'y a qu'à choisir le pays qui a le moins de délai. Il y a tant d'enfants qui ont besoin d'un foyer. Et si j'étais un enfant, je remercierais ma bonne étoile si je me retrouvais chez Lennart et toi.

Incapable de parler, Annika regarda le mouvement de son index sur la table. Les paroles de Gösta avaient éveillé quelque chose en elle, quelque chose que Lennart et elle avaient refoulé ces dernières années. Peut-être par peur. Toutes les fausses couches, tous les espoirs qui avaient été brisés, tout cela avait rendu leur cœur fragile et vulnérable. Ils n'avaient pas osé nourrir d'autres espoirs, n'avaient pas osé prendre le risque d'avoir à affronter un autre échec. Mais ils étaient peut-être suffisamment forts à présent. Peut-être pourraient-ils, oseraient-ils. Car l'envie était toujours là. Aussi forte, aussi brûlante. Ils n'avaient pas réussi à la refouler complètement, cette envie d'un enfant à tenir dans ses bras, à aimer.

— Bon, il faut que je m'active maintenant, dit Gösta. Il se leva sans la regarder et tapota la tête de Maja en un geste gauche. En tout cas, la voilà calée, Patrik ne pourra pas dire qu'elle meurt de faim avec nous.

Il avait quasiment franchi la porte quand Annika dit à voix basse :

— Gösta. Merci.

Gêné, Gösta hocha la tête. Puis il disparut dans son bureau et ferma la porte derrière lui. Il s'installa devant l'ordinateur, puis fixa l'écran sans vraiment le voir. Devant lui il n'y avait que Maj-Britt. Et le garçon. Qui n'avait vécu que quelques jours. Tant de temps s'était écoulé depuis. Une éternité. Presque une vie entière. Mais il arrivait encore à sentir ses petits doigts autour de son index.

Gösta soupira et se remit à sa partie de golf.

Elle réussit à oublier la visite catastrophique chez Britta pendant trois heures, qu'elle employa à écrire cinq pages de son nouveau livre. Mais ses pensées y retournaient sans cesse malgré elle, et elle abandonna bientôt toute tentative d'écrire davantage.

Elle était partie de chez Britta avec un profond sentiment de honte. Elle avait eu du mal à se débarrasser du regard de Herman quand il l'avait trouvée à côté de sa femme en pleine crise. Erica le comprenait. C'était terriblement maladroit de sa part de ne pas avoir détecté les signaux. En même temps, elle n'arrivait pas à regretter sa visite. Peu à peu elle découvrait de nouveaux morceaux du puzzle concernant sa mère. Epars et fragmentaires certes, mais bien plus nombreux qu'avant.

En fait, c'était assez étrange. Auparavant, elle n'avait jamais entendu parler d'Erik, de Britta ou de Frans. Pourtant ils avaient dû être très importants à une époque de la vie de sa mère. Mais aucun ne semblait avoir gardé le contact à l'âge adulte. Bien qu'ils habitent tous dans la petite ville de Fjällbacka, c'était comme s'ils vivaient dans des mondes parallèles. Les portraits d'Elsy qu'avaient donnés Axel et Britta se recoupaient singulièrement, tout en rimant très mal avec le souvenir qu'elle avait de sa mère. Elle ne l'avait jamais vue tendre ou aimante comme ils avaient décrit la jeune Elsy. Elle ne pouvait pas dire que sa mère avait été méchante, mais elle avait été distante et fermée. La chaleur en elle avait comme disparu en cours de route, bien avant la naissance d'Erica et d'Anna. Elle ressentit subitement un immense chagrin à la pensée de tout ce qu'elle n'avait jamais eu. De tout ce qu'elle n'aurait jamais. Sa mère n'était plus, elle était morte dans l'accident qui avait également coûté la vie à Tore, son père, quatre ans plus tôt. Il n'y avait rien qu'elle pouvait réveiller, rien dont elle pouvait exiger une compensation, rien qu'elle pouvait supplier sa mère de faire et rien dont elle pouvait l'accuser. Tout ce qu'elle pouvait espérer, c'était de comprendre enfin. Qu'était-il arrivé à l'Elsy que décrivaient ses amis ? Qu'était-il arrivé à l'Elsy gentille, tendre et chaleureuse ?

On frappa à la porte. Elle abandonna ses réflexions pour aller ouvrir.

— Anna ?

Elle fit entrer sa sœur et, avec le regard affûté d'une grande sœur, elle remarqua tout de suite les bords rougis de ses yeux.

— Qu'est-ce qui s'est passé ? dit-elle d'une voix beaucoup plus inquiète qu'elle ne l'aurait voulu.

Anna avait traversé de nombreux malheurs ces dernières années, et Erica n'avait jamais vraiment su abandonner le rôle de mère qu'elle avait adopté vis-à-vis de sa sœur tout au long de leur enfance puis de leur jeunesse.

— Ce qui se passe quand deux familles se mélangent, c'est tout, dit Anna en tentant un petit sourire. Rien que je ne saurais gérer, mais ça me ferait du bien de parler un peu.

— Entre, dit Erica. Je nous fais un café, et si je fouille un peu dans les placards je trouverai sans doute un petit biscuit pour nous aider à nous consoler.

— Alors tu ne fais plus attention à ta ligne maintenant que tu es une femme mariée ?

— Ne m'en parle pas, soupira Erica en allant dans la cuisine. Après une semaine à bosser assise, je pense que je suis bonne pour aller acheter un nouveau pantalon. Celui que j'ai, là, je n'entre presque plus dedans.

— Je sais de quoi tu parles, dit Anna. J'ai l'impression que la vie à deux a ajouté deux, trois kilos autour de ma taille. Dan, lui, il peut engloutir tout ce qu'il veut sans prendre un gramme, ça n'améliore pas franchement les choses.

— Oui, je l'envie, dit Erica en posant quelques petits pains à la cannelle sur un plat. Il en prend toujours pour le petit-déjeuner, des pains à la cannelle ?

— Il faisait ça quand vous étiez ensemble aussi ? rit Anna en secouant la tête. Tu imagines combien c'est

202

facile d'essayer de faire comprendre aux enfants l'importance d'un petit-déjeuner correct quand Dan est en train de tremper ses petits pains dans du chocolat chaud droit devant leur nez.

— Les tartines de Patrik, avec *kaviar** et fromage, qu'il trempe dans son chocolat, ce n'est pas terrible non plus… Bon, qu'est-ce qu'il s'est passé? C'est Belinda qui fait des histoires encore?

— Oui, au départ, et puis ça part en vrille. On s'est engueulés à cause de ça aujourd'hui, Dan et moi, et… Anna eut l'air triste et elle attrapa un petit pain. Mais en fait ce n'est pas la faute de Belinda et c'est ça que j'essaie d'expliquer à Dan. Elle réagit à une situation nouvelle qu'elle n'a pas choisie. Elle a raison. Elle n'a jamais demandé que je vienne envahir son espace vital avec deux mioches insupportables.

— D'accord, mais vous êtes quand même en droit d'exiger qu'elle se comporte décemment. Et là, il faut que ce soit Dan qui s'en charge. Le Dr Phil dit qu'une belle-mère ou un beau-père ne doit jamais intervenir dans l'éducation d'un enfant de son âge…

— Le Dr Phil… Anna rit tellement qu'elle faillit s'étouffer avec les miettes. Il était vraiment temps que tu sortes de ton congé maternité. Le Dr Phil?

— Tu n'imagines pas tout ce que j'ai appris en regardant le Dr Phil.

Erica était un peu offusquée. On ne se moquait pas impunément de son demi-dieu. Le Dr Phil avait ensoleillé ses journées, et elle avait l'intention de continuer de faire une pause dans son travail d'écriture à l'heure de l'émission du Dr Phil.

---

* Pâte d'œufs de cabillaud salés et/ou fumés, une des garnitures les plus répandues sur les tartines suédoises.

— Cela dit, il n'a pas tout à fait tort, admit Anna à contrecœur. On dirait que Dan ne prend pas tout ça au sérieux, ou alors c'est qu'il le prend trop au sérieux. J'ai eu un mal fou depuis vendredi soir à le convaincre de ne pas embêter Pernilla au sujet de la garde des enfants. Il est entré dans un délire comme quoi il ne peut plus lui faire confiance pour les filles et… Oui, il s'est pas mal échauffé. Et au beau milieu Belinda est descendue, et puis ça a tourné au vinaigre. Maintenant elle ne veut plus rester chez nous, et Dan l'a mise dans le bus pour Munkedal.

— Et Emma et Adrian, qu'est-ce qu'ils en disent ? dit Erica en prenant un autre petit pain.

La semaine prochaine elle se mettrait au régime. Vraiment. Si seulement elle arrivait à prendre le rythme pour son boulot d'ici là, alors…

— Je touche du bois, mais ils trouvent que c'est génial, dit Anna et elle serra le bord de la table. Ils adorent Dan et les filles, ils pensent que c'est super d'avoir des grandes sœurs. Donc, sur ce front-là, tout est calme.

— Et Malou et Lisen, comment est-ce qu'elles le gèrent ?

Erica faisait référence aux petites sœurs de Belinda qui avaient onze et huit ans.

— Bien aussi. Elles adorent faire les folles avec Emma et Adrian, et je dirais que moi, elles me tolèrent. Non, c'est surtout avec Belinda que ça pose problème. Mais je suppose que c'est l'âge. C'est dans l'ordre des choses, soupira Anna. Et toi ? Comment tu vas ? Le livre avance ?

— Oui, on peut dire que ça roule. C'est toujours un peu lent au début, mais j'ai pas mal de matière écrite comme base, et j'ai quelques interviews à faire aussi. Tout se met en place. Mais…

Erica hésita. Son instinct de vouloir protéger sa sœur contre vents et marées était profondément ancré, mais elle décida qu'Anna avait le droit de savoir ce qu'elle fabriquait. Elle fit un rapide résumé de tout, depuis le début, parla de la médaille et des autres objets qu'elle avait trouvés dans le coffre d'Elsy, des journaux intimes et du fait qu'elle avait parlé à des personnes faisant partie du passé de leur mère.

— Et c'est maintenant que tu me racontes tout ça?

— Oui, bon, je sais… Erica se tortilla. Mais je te le raconte, pas vrai?

Anna parut se demander si elle devait protester davantage, mais décida de laisser tomber.

— J'aimerais bien voir tout ça, dit-elle sèchement et Erica se leva, soulagée qu'Anna ne fasse pas plus d'histoires que ça.

— Bien sûr, je vais les chercher.

Elle alla chercher les objets qu'elle gardait dans son bureau. Quand elle fut de retour dans la cuisine, elle les aligna sur la table : les journaux, la brassière de bébé et la médaille. Anna les regarda fixement.

— Où a-t-elle trouvé ça? dit-elle en prenant la médaille dans le creux de sa main, la tournant en tous sens et l'examinant minutieusement. Et ça? A qui ça peut bien être? Anna tenait la petite chemise d'enfant souillée devant elle : C'est de la rouille?

Elle l'approcha de ses yeux pour voir de plus près les taches qui couvraient la plus grande partie du vêtement.

— Patrik pense que c'est du sang, dit Erica, et Anna éloigna immédiatement la chemise de son visage.

— Du sang? Pourquoi maman aurait-elle conservé une brassière pleine de sang dans un coffre? D'une mine dégoûtée, elle posa la chemise sur la table et saisit les carnets. Rien qui soit interdit aux enfants?

Pas d'histoires de sexe qui vont me traumatiser pour la vie si je les lis?

— Non, rigola Erica. Ce que tu peux être bête. Non, il n'y a rien là-dedans qui soit interdit aux enfants. En fait il n'y a pas grand-chose. Seulement des récits de la vie de tous les jours sans grand intérêt. Mais j'ai réfléchi à une chose…

Erica formula pour la première fois la pensée qui lui trottait dans la tête depuis quelque temps.

— Oui?

— Eh bien, je me demande s'il n'y en a pas d'autres quelque part… Ceux-là s'arrêtent en mai 1944, à la fin du quatrième carnet. Ensuite plus rien. Bien sûr, maman a pu en avoir assez d'écrire son journal. Mais juste au moment où le quatrième carnet était plein? Je trouve ça un peu étrange.

— Alors tu penses qu'il y en a d'autres? Et qu'est-ce qu'ils t'apporteraient que tu n'aies pas trouvé ici? Je veux dire, ça ne donne pas l'impression que la vie de maman était spécialement grisante. Elle est née ici et elle a grandi ici, elle a rencontré papa, nous sommes nées et, bon, il n'y a pas grand-chose de plus.

— Ne dis pas ça, fit Erica pensivement.

Elle se demanda ce qu'elle allait ou non raconter à sa sœur. Elle n'avait rien de concret. Mais son intuition lui parlait. Ce qu'elle avait appris révélait les contours de quelque chose de plus grand, quelque chose qui avait jeté une ombre sur leurs vies, à Anna et à elle. Et surtout la médaille et la chemise avaient forcément joué un rôle dans la vie de leur mère, pourtant elles n'en avaient jamais entendu parler.

Elle prit une profonde inspiration et évoqua plus en détail les entretiens qu'elle avait eus avec Erik, puis avec Axel et Britta.

— Tu es allée chez Axel Frankel et tu lui as demandé de te rendre la médaille, quelques jours seulement après que son frère avait été retrouvé mort assassiné ? Il a dû te prendre pour un vautour, dit Anna avec cette sincérité brutale que seule une petite sœur pouvait se permettre.

— Eh, dis donc, tu veux savoir ce qu'ils ont dit ou pas ? fit Erica, vexée.

Mais elle savait qu'Anna avait raison. Ça n'avait pas été spécialement délicat de sa part.

Quand elle eut fini de raconter, Anna la regarda, le front plissé.

— On dirait qu'ils ont connu une tout autre personne. Qu'a dit Britta au sujet de la médaille ? Elle savait pourquoi maman gardait une médaille nazie ?

Erica secoua la tête.

— Je n'ai pas eu le temps de demander. Elle a un alzheimer et, au bout d'un moment, elle s'est complètement embrouillée, puis son mari est rentré et il s'est fâché et… Erica s'éclaircit la gorge : Et il m'a demandé de partir.

— Erica ! Tu es allée interroger une petite vieille qui a la tête dérangée ! Et tu t'es fait mettre à la porte par son mari ! Franchement, je le comprends… Ça a dû te monter à la tête, tout ça.

Anna avait l'air de ne pas en croire ses oreilles.

— Mais tu n'es pas curieuse, toi ? Pourquoi maman a-t-elle gardé tout ça caché ? Et pourquoi les gens qui l'ont connue la décrivent-ils comme une totale étrangère ? L'Elsy dont ils parlent n'est pas celle avec qui on a grandi. Il s'est passé quelque chose. Britta l'a évoqué au moment où tout s'est troublé dans sa tête, elle a parlé de vieux os et… je ne me rappelle pas, mais j'ai eu l'impression que c'était une métaphore pour quelque chose qui était caché et… je me fais peut-être des idées, mais c'est bizarre tout ça, et j'ai l'intention d'aller au fond des choses et…

Le téléphone sonna. Erica interrompit son exposé embrouillé pour aller répondre.

— Erica. Oh, salut Karin. Elle se tourna vers Anna en écarquillant les yeux. Oui, merci, tout va bien. Oui, moi aussi je suis contente de pouvoir enfin parler avec toi. Elle adressa une drôle de grimace à Anna qui ne parut pas comprendre de quoi il s'agissait. Patrik? Non, il n'est pas là. Il est allé au commissariat avec Maja pour leur faire un petit coucou, et ensuite je ne sais pas trop où ils sont allés. Ah bon… Oui, ils auront sûrement envie de venir avec Ludde et toi, demain. A dix heures. A la pharmacie. Je vais le lui dire, et il te rappelle s'il a d'autres projets, mais je ne pense pas. Oui, il n'y a pas de quoi. C'est ça, à bientôt. Merci à toi.

— C'était quoi, ça? Qui est Karin? Et qu'est-ce que Patrik va faire avec elle à la pharmacie demain?

Erica s'assit devant la table. Après une longue pause, elle dit :

— Karin, c'est l'ex-femme de Patrik. Elle et son musicien, ils ont emménagé ici à Fjällbacka. Et il se trouve que Patrik et elle ont leur congé parental en même temps, et qu'ils vont se promener ensemble demain.

Anna faillit s'étrangler de rire.

— Tu viens juste d'arranger un rencard pour Patrik avec son ex, c'est ça? Oh mon Dieu, c'est fabuleux! Il n'a pas d'autres ex-copines que tu peux appeler pour voir si elles veulent venir aussi? Il ne faut pas qu'il s'ennuie pendant son congé paternité, le pauvre.

Erica jeta un regard noir à sa sœur.

— Au cas où tu ne l'aurais pas remarqué, c'est elle qui a appelé. Et je ne vois pas où est le problème. Ils sont divorcés. Depuis plusieurs années. Ça ne me dérange pas du tout.

— Mais voyons, rit Anna en se tenant les côtes. Je l'entends parfaitement, ça ne te pose pas de problèmes du tout… Ton nez est en train de grandir à vue d'œil.

Erica envisagea un instant de lancer un petit pain sur sa sœur, puis elle décida d'y renoncer. Qu'Anna imagine donc ce qu'elle voulait, elle n'était *pas* jalouse.

— On va voir la femme de ménage dans la foulée ? dit Martin.

Patrik hésita une seconde, puis il sortit son téléphone portable.

— Je vais simplement vérifier que tout va bien avec Maja.

Après avoir reçu le rapport d'Annika, il remit le portable dans sa poche et hocha la tête.

— Tout va bien. Elle vient de l'endormir dans la poussette. Tu as l'adresse ?

Il se tourna vers Paula.

— Oui, bien sûr. Paula feuilleta son bloc-notes et lut l'adresse à voix haute. Elle s'appelle Laila Valthers. Elle m'a dit qu'elle serait chez elle toute la journée, ajouta-t-elle. Tu sais où ça se trouve ?

— Oui, c'est un des immeubles près du rond-point, au sud de Fjällbacka.

— Les jaunes ? demanda Martin.

— Oui, c'est ça, tu les trouveras sans problème. Il faut prendre à droite un peu plus loin après l'école.

Il ne leur fallut que deux petites minutes pour arriver, et Laila était effectivement chez elle. Elle eut l'air un peu effrayé en ouvrant et très réticente à les faire entrer, si bien qu'ils restèrent dans le vestibule. Mais comme ils n'avaient pas beaucoup de questions à lui poser, ils ne voyaient pas de raison d'insister pour s'introduire chez elle.

— Vous faites le ménage chez les frères Frankel, c'est ça?

La voix de Patrik était calme et rassurante, et il s'efforça de rendre leur présence aussi peu menaçante que possible.

— Oui, mais j'espère que ça ne va pas m'attirer des problèmes…?

Laila chuchotait presque. Elle était petite et vêtue d'un jogging d'intérieur en velours marron. Elle s'était manifestement habillée pour passer la journée douillettement chez elle. Ses cheveux étaient gris souris, sa coupe courte et sûrement très pratique mais pas très jolie. Elle se balançait d'un pied sur l'autre, les bras croisés sur la poitrine. Elle semblait avoir hâte d'entendre ce qu'ils allaient répondre à sa question. Patrik pensait savoir ce qui la tracassait.

— Vous travailliez au noir, c'est ça que vous voulez dire? Je peux vous assurer qu'on ne s'occupe pas de ce genre de choses, et on ne va pas vous dénoncer. On mène une enquête pour meurtre, c'est la seule chose qui nous intéresse.

Il tenta un sourire pour la rassurer, et Laila cessa son balancement nerveux.

— Ils me laissaient une enveloppe avec l'argent sur la commode de l'entrée. Notre accord était que je vienne le mercredi une semaine sur deux.

— Vous aviez une clé?

Laila secoua la tête.

— Non, ils mettaient toujours la clé sous le paillasson, puis je la remettais en place en partant.

Paula posa la question qui les intriguait le plus :

— Pourquoi vous n'y êtes pas allée pendant tout l'été ?

— Je croyais que j'étais censée le faire. En tout cas nous n'avions pas convenu d'autre chose. Mais quand je suis arrivée comme d'habitude, il n'y avait pas de clé. J'ai frappé, mais personne n'est venu ouvrir. Ensuite j'ai essayé de téléphoner, pour voir s'il s'agissait simplement d'un malentendu. Mais personne n'a répondu. Bon, je savais que le plus âgé des deux, Axel, serait absent pendant l'été, ça a été comme ça pendant toutes les années où j'ai travaillé chez eux. Et comme il n'y avait personne à la maison, j'ai cru que le plus jeune aussi était parti en voyage. Mais j'ai trouvé qu'ils étaient un peu gonflés, ils auraient pu me le dire. Je comprends pourquoi maintenant…

Elle baissa les yeux.

— Et vous n'avez rien remarqué d'inhabituel ? demanda Martin.

— Non, je ne crois pas. Rien qui m'ait frappée.

— Savez-vous quelle date c'était, quand vous y êtes allée sans pouvoir entrer ? demanda Patrik.

— Oui, je le sais parce que c'était mon anniversaire. Et j'ai pensé que ce n'était vraiment pas de pot que ça tombe ce jour-là, parce que j'avais eu l'intention d'aller m'acheter quelque chose avec l'argent.

— C'était quelle date alors ? C'est quand, votre anniversaire ?

— Ah oui, bien sûr, c'était le 17 juin. Elle eut l'air embêtée. J'en suis sûre. Le 17 juin. Et je suis retournée une deuxième fois pour vérifier. Mais il n'y avait toujours personne, et pas de clé. Alors je me suis dit qu'ils avaient oublié de me prévenir qu'ils seraient absents.

Elle haussa les épaules en un geste qui montrait qu'elle était habituée à ce que les gens oublient de la prévenir.

— Merci, c'est une information très précieuse pour nous.

Patrik lui tendit la main pour dire au revoir. Il frissonna au contact de sa poignée de main molle. Il eut l'impression de serrer un poisson mort.

— Bon, qu'est-ce que vous en dites ? lança-t-il dans la voiture sur le chemin du retour.

— Je pense qu'on peut en déduire avec une grande certitude qu'Erik a été tué entre le 15 et le 17 juin, dit Paula.

— Oui, je suis assez d'accord, répondit Patrik tout en négociant beaucoup trop vite le virage serré juste avant Anrås.

Il faillit rentrer dans un camion-benne, Leif la Poubelle le menaça du poing et Martin, terrorisé, s'agrippa à la poignée de maintien au plafond.

— Tu l'as eu dans une pochette-surprise, ton permis ? demanda Paula, qui semblait avoir regardé la mort dans les yeux sans ciller.

— Comment ça ? Je suis un excellent conducteur ! s'exclama Patrik et du regard il chercha le soutien de Martin.

— C'est cela, ricana celui-ci avant de se tourner vers Paula. J'ai essayé d'inscrire Patrik à l'émission *Le Pire Conducteur de Suède*, mais je pense qu'ils l'ont trouvé trop qualifié. Il n'y aurait pas eu de compétition s'il avait participé.

Paula pouffa et Patrik renifla avec mépris :

— Je ne vois pas de quoi tu parles. Après toutes ces heures qu'on a passées ensemble en voiture – est-ce que j'ai déjà eu un accident ? Est-ce que j'ai jamais causé un quelconque incident ? Non, tu vois. C'est de la pure calomnie.

Il foudroya Martin du regard et faillit emboutir la Saab devant eux. Il dut se mettre debout sur la pédale pour freiner.

— Je ne dis plus rien, dit Martin en levant les mains devant lui, tandis que Paula se bidonnait à l'arrière.

Patrik bouda tout au long du trajet de retour. Mais il respectait les limitations de vitesse.

L'agacement après la rencontre avec son père ne faiblissait pas. Frans lui faisait toujours cet effet-là. Ou plutôt non. Quand il était petit, c'était la déception qui avait dominé. Une déception mêlée d'amour, qui au fil des ans s'était transformée en une boule dure de haine et de rage. Il savait très bien qu'il avait laissé ces sentiments-là guider tous ses choix. Mais il était totalement impuissant face à cette situation. Il lui suffisait de repenser à ce qu'il ressentait lorsque sa mère le traînait à une visite en prison. La salle des visites grise et nue. Impersonnelle, sans la moindre décoration. Les tentatives gauches de son père pour lui parler, pour faire comme s'il participait à sa vie, alors qu'il la contemplait à distance. De derrière les barreaux.

Bien des années s'étaient écoulées depuis la dernière incarcération de son père. Ce qui ne signifiait pas qu'il était devenu un homme meilleur. Seulement qu'il était devenu plus futé. Il avait choisi un autre chemin. Et comme une suite logique, Kjell avait pris le chemin radicalement opposé. Il écrivait sur les organisations racistes, avec une frénésie et une passion qui lui avaient procuré un nom et une réputation bien au-delà des frontières du Bohuslän. Il se rendait souvent à Stockholm pour participer à des émissions de télévision où il parlait des forces destructives au sein du néonazisme et des moyens qu'avait la société de les endiguer. Contrairement à d'autres qui, suivant l'esprit veule de l'époque, voulaient inviter les néonazis sur la scène publique pour des débats ouverts, il préconisait une ligne dure. Il ne fallait pas les tolérer. Ils devaient être combattus à chaque pas du chemin, être remis en question partout où ils choisissaient de s'exprimer et être chassés comme la vermine indésirable qu'ils étaient.

Il était garé à une centaine de mètres de la maison de son ex-femme. Cette fois il ne s'était pas donné la peine de téléphoner. Parfois elle en profitait pour partir avant qu'il arrive. Mais aujourd'hui il s'était assuré qu'elle était bien chez elle. Il était resté un long moment à l'attendre dans sa voiture, un peu plus loin dans la rue. Au bout d'une heure, elle était arrivée et avait rangé sa voiture sur l'allée d'accès de la maison. Elle avait dû faire des courses car elle sortit des sacs de supermarché du coffre. Kjell lui laissa le temps d'entrer, puis alla frapper avec détermination à la porte. Carina prit un air las en le voyant.

— Ah, c'est toi ? Qu'est-ce que tu veux ?

Le ton était bref et Kjell sentit l'irritation poindre. Tout de même, elle devrait comprendre le sérieux de la situation. Comprendre qu'il était temps de serrer la vis. La mauvaise conscience lui brûlait la poitrine et soufflait sur son irritation. Pourquoi fallait-il qu'elle ait encore cette putain de tête… brisée ? Après dix ans !

— Il faut qu'on parle. De Per.

Il se fraya brutalement un passage dans la maison et se mit à enlever ses chaussures et à suspendre sa veste. Un instant, Carina sembla vouloir protester, puis elle haussa les épaules et alla dans la cuisine, où elle se planta dos au plan de travail, les bras croisés, comme si elle se préparait à une bataille. C'était une danse qu'ils pouvaient exécuter les yeux fermés.

— C'est quoi cette fois ?

Elle secoua la tête, ses cheveux sombres coupés au carré balayèrent son visage et elle dut écarter la frange de ses yeux. Tant de fois il avait vu ce geste. Ça faisait partie de ce qu'il avait le plus aimé chez elle quand ils s'étaient rencontrés. Les premières années. Avant que le quotidien et la grisaille prennent le dessus, avant que l'amour pâlisse et l'amène à choisir un autre chemin. Il ne savait toujours pas s'il avait bien choisi ou non.

Kjell tira une chaise et s'assit.

— Il faut qu'on s'y attelle. Ça ne va pas se régler tout seul, il serait temps que tu l'admettes. Une fois qu'on est engagé sur cette voie-là, on…

Carina l'interrompit en levant une main.

— Qui a dit que je crois que ça va se régler tout seul ? J'ai simplement une autre idée que toi de la manière de s'y prendre. Renvoyer Per n'est pas une solution, même toi, tu devrais le comprendre.

— C'est toi qui ne comprends pas qu'il faut l'éloigner de ce milieu !

— Ce milieu, ça veut dire ton père, je suppose. La voix de Carina dégoulinait de mépris. Je trouve que tu devrais d'abord résoudre tes problèmes avec ton père avant de mêler Per à ça.

— Quels problèmes ? Kjell entendit qu'il élevait la voix et se força à prendre quelques profondes inspirations pour se calmer. Premièrement je ne pense pas seulement à mon père quand je dis qu'il faut l'éloigner d'ici. Tu crois que je ne vois pas ce qui se passe ? Tu crois que je ne sais pas que tu as des bouteilles cachées un peu partout dans les placards ? Kjell fit un geste en direction des meubles de cuisine. Carina prit son élan pour protester mais il leva la main pour l'arrêter. Et il n'y a rien à résoudre entre Frans et moi, dit-il, la mâchoire serrée. Si ça ne dépendait que de moi, je n'aurais jamais rien à faire avec ce type, et je n'ai aucune intention de le laisser prendre de l'influence sur Per. Mais comme on ne peut pas le surveiller à chaque instant du jour et de la nuit, et que tu ne sembles pas t'intéresser à ce qu'il fait, je ne vois pas d'autre solution que de trouver une école avec internat et du personnel qui sait gérer ce genre de chose.

— Et ça va se faire comment, tu crois ? cria Carina. Sa frange tomba de nouveau dans ses yeux. Ils n'envoient pas les jeunes comme ça dans des écoles spécialisées, il faut qu'ils aient d'abord fait une connerie, mais tu es peut-être en train de te frotter les mains et d'attendre ça pour pouvoir…

— Cambriolage, l'interrompit Kjell. Il s'est introduit par effraction chez quelqu'un.

— C'est quoi ce délire ? Comment ça, cambriolage ?

— Début juin. Le propriétaire de la maison l'a pris en flagrant délit. Il m'a appelé. Je suis allé cueillir Per chez lui. Il s'était introduit par une fenêtre de la cave et il était en train de se remplir les poches quand il a été découvert. Le propriétaire a pris l'initiative de l'enfermer à clé. Il a menacé d'appeler la police s'il ne donnait pas le numéro de téléphone de ses parents. Per lui a finalement donné le mien.

Il ne put s'empêcher de ressentir une certaine satisfaction en voyant la consternation et la déception de Carina.

— Il lui a donné ton numéro ? Pourquoi pas le mien ?

— Va savoir. Un père reste un père, dit Kjell avec un haussement d'épaules.

— C'était chez qui ?

Carina paraissait toujours avoir du mal à digérer que Per ait préféré contacter son père plutôt qu'elle. Il tarda quelques secondes avant de répondre.

— Tu sais, le vieux qu'ils ont trouvé mort à Fjällbacka la semaine dernière. Erik Frankel. C'était chez lui.

— Mais pourquoi ?

— C'est ce que j'essaie de t'expliquer ! Erik Frankel était spécialiste de la Seconde Guerre mondiale, il avait plein d'objets chez lui datant de cette époque, et je suppose que Per a voulu impressionner ses potes en leur montrant des pièces authentiques.

— La police est au courant ?

— Non, pas encore, dit-il froidement. Mais tout dépend de…

— Tu ferais ça envers ton propre fils ? Tu le dénoncerais pour cambriolage ? chuchota Carina en le fixant du regard.

Subitement, il sentit son ventre se nouer. Il la vit comme elle était la première fois qu'ils s'étaient rencontrés. A une fête à l'école de journalisme. Elle était venue avec une amie qui y faisait ses études, mais la copine s'était éclipsée avec un mec dès leur arrivée, et Carina s'était retrouvée toute seule sur un canapé sans connaître personne. Il était tombé amoureux dès le premier regard. Elle portait une robe jaune et un ruban de la même couleur dans les cheveux, qui étaient longs à l'époque, aussi sombres qu'aujourd'hui, mais sans les cheveux blancs qui commençaient à apparaître. Elle avait quelque chose qui lui avait donné envie de s'occuper d'elle, de la protéger, de l'aimer. Il se souvint du mariage. La robe que ce jour-là Carina avait trouvée incroyablement belle mais qu'aujourd'hui on considérerait comme une relique des années 1980, avec beaucoup trop de volants et de manches bouffantes. Kjell avait eu l'impression de regarder une reine. Et la première fois qu'il l'avait vue avec Per. Fatiguée, sans maquillage et vêtue des habits horribles de la maternité. Avec son fils dans les bras, elle l'avait regardé en souriant, et il s'était senti capable de combattre des dragons, ou d'affronter une armée entière, et de gagner.

Se tenant là dans la cuisine, comme deux adversaires face à face, ils virent en un éclair fugace dans les yeux l'un de l'autre ce qui avait été. Pendant un instant ils se souvinrent de moments de rire et de complicité, avant que l'amour s'oublie et devienne frêle et vulnérable. Son ventre se serra encore davantage et il essaya d'écarter ces pensées.

— Si j'estime que c'est nécessaire, eh bien oui, je veillerai à ce que la police reçoive cette information, dit-il. Soit on fait en sorte d'éloigner Per de ce milieu, soit je laisse la police faire le boulot.

— Salaud! dit Carina avec une voix chargée de pleurs et de déception devant toutes les promesses qui n'avaient pas été tenues.

Kjell se leva. Il s'efforça de rester de marbre en disant :

— C'est comme ça. J'ai quelques propositions d'endroits où on peut l'inscrire. Je te les envoie par mail, tu y jetteras un œil. Et il ne doit sous aucun prétexte avoir un quelconque contact avec mon père. Tu entends!

Carina ne répondit pas, mais elle inclina la tête en signe de capitulation. Cela faisait longtemps qu'elle n'avait plus la force de s'opposer à Kjell. Le jour où il l'avait abandonnée, où il les avait abandonnés, elle s'était abandonnée elle-même.

Kjell monta dans sa voiture et fit quelques centaines de mètres, puis il se gara. Il appuya le front contre le volant et ferma les yeux. Des images d'Erik Frankel se mirent à tournoyer dans son esprit. Ce qu'il lui avait appris. La question était de savoir quoi faire de cette information.

GRINI, PRÈS D'OSLO, 1943

Le pire, c'était le froid. Ne jamais avoir chaud. L'humidité aspirait le peu de chaleur qu'il y avait et enveloppait son corps comme une couverture. Axel se roula en boule sur la couchette. Les journées étaient si longues ici, dans la cellule d'isolement. Mais il préférait l'ennui aux interruptions. Les interrogatoires, les raclées, les questions qui lui pleuvaient dessus. Comment pourrait-il leur fournir des réponses ? Il savait si peu de choses, et le peu qu'il savait, jamais il ne le raconterait. Plutôt mourir sous les coups.

Axel se passa la main sur le crâne. Il n'y avait plus de cheveux, juste une petite repousse rêche sous sa paume. On avait douché et rasé les prisonniers dès leur arrivée et on leur avait donné des uniformes de la garde royale norvégienne. Dès son arrestation, il avait compris qu'on allait le conduire dans cette prison à douze kilomètres d'Oslo. Mais rien ne l'avait préparé à la réalité de ce lieu, à la douleur, à l'ennui, à la terreur sans fond qui remplissaient ses journées.

— Repas.

Il y eut un bruit devant la cellule et le jeune gardien posa un plateau devant la grille.

— Quel jour sommes-nous ? demanda Axel en norvégien.

Erik et lui avaient passé pratiquement toutes leurs vacances d'été en Norvège chez leurs grands-parents maternels, et il maîtrisait la langue à la perfection. Il voyait ce gardien tous les jours et essayait toujours de lui parler pour combler un peu son manque de contact humain. Mais la plupart du temps on ne lui répondait que par monosyllabes.

— Mercredi.

— Merci.

Il se força à sourire. Le jeune homme se retourna pour partir. Etre de nouveau abandonné à la solitude et au froid lui était insupportable, et il essaya de le retenir en lançant une autre question.

— Il fait quel temps aujourd'hui ?

Le gardien s'arrêta. Hésita. Il regarda autour de lui, puis il revint.

— Le ciel est couvert. Il fait assez froid, répondit-il.

Axel fut frappé par sa jeunesse. Un ou deux ans de moins que lui peut-être, mais d'un autre côté lui-même faisait sans doute plus que son âge, aussi vieux qu'il se sentait dans son cœur. Le garçon s'éloigna de quelques pas.

— Un peu froid pour la saison, pas vrai ?

Sa voix se cassa, et il entendit combien son commentaire paraissait étrange. Autrefois, une conversation aussi creuse lui aurait paru du temps gaspillé. A présent elle était une planche de salut, un rappel de la vie qui lui semblait de plus en plus n'être qu'un pâle souvenir.

— Oui, on peut dire ça. Mais il fait souvent froid à Oslo à cette époque de l'année.

— Tu es d'ici ?

Axel se dépêcha de poser la question avant que le gardien ne reparte. Il hésita, ne sembla pas vouloir répondre. Regarda autour de lui, mais il n'y avait personne d'autre dans les parages.

— On est là depuis deux ans, c'est tout.

Axel choisit une autre question :

— Et moi, ça fait combien de temps que je suis ici ? Une éternité, j'ai l'impression.

Il rit un peu, mais fut effrayé en entendant son rire éraillé. Cela faisait un bail qu'il n'avait pas eu l'occasion de rire.

— Je ne sais pas si j'ai le droit…

Le gardien tira sur le col de son uniforme. Manifestement, il n'était pas tout à fait à l'aise dans cette tenue stricte. Mais il s'habituerait avec le temps, pensa Axel. Il s'accommoderait des habits comme de la façon de traiter les gens. La nature humaine était ainsi faite.

— Qu'est-ce que ça peut bien faire si tu me dis depuis quand je suis ici ? supplia Axel, que cette impression de se trouver hors du temps dérangeait terriblement. De ne pas avoir d'heure, de date, de jour de la semaine pour se repérer.

— A peu près deux mois. Je ne me souviens pas exactement.

— A peu près deux mois. Et on est mercredi. Temps couvert. Cela me suffit, sourit Axel et il reçut un sourire prudent en retour.

Une fois le gardien parti, il se laissa retomber sur la couchette, le plateau sur les genoux. La nourriture laissait vraiment à désirer. La même chose tous les jours. Des patates pour les cochons et des ragoûts immondes. Mais c'était probablement une étape dans leurs tentatives de les briser. Il trempa sans enthousiasme la cuillère dans la bouillasse grise du bol, puis la faim finit par le décider à la porter à sa bouche. Il essaya de faire comme s'il mangeait la fricassée de sa mère, mais ça ne marchait pas très bien. En réalité ça ne fit qu'empirer les choses, puisque ses pensées se mirent à errer là où il leur avait interdit d'aller, vers son foyer, vers sa famille, vers ses parents, vers Erik. Subitement, même la faim n'était pas un condiment suffisant, rien ne pouvait le faire manger. Il posa la cuillère dans le bol et appuya sa tête contre le mur rugueux. Tout à coup, il les vit nettement devant lui. Père avec sa grosse moustache grise qu'il peignait tous les soirs avant d'aller au lit. Mère avec ses longs cheveux attachés en chignon et les lunettes au bout du nez quand elle faisait du crochet le soir à la lueur de la liseuse. Et Erik. Il était sûrement dans sa chambre, le nez fourré dans un livre. Est-ce qu'ils pensaient à lui en ce moment ? Comment ses parents avaient-ils pris la nouvelle de son arrestation ? Et Erik ? Lui qui la plupart du temps était si taciturne et solitaire. Son esprit subtil maniait des textes et des faits avec une rapidité impressionnante, mais il avait du mal à montrer ses sentiments. Il arrivait à Axel de faire exprès de prendre son frère dans une grosse étreinte d'ours pour sentir comment il se figeait de malaise. Mais il cédait toujours au bout d'un moment, il se détendait et se permettait de profiter de la proximité pendant quelques secondes avant de lancer un "lâche-moi" et de se dégager. Axel le connaissait si bien. Bien mieux qu'il ne l'imaginait. Il savait qu'Erik se sentait parfois comme le vilain petit canard, qu'il s'estimait inférieur à son frère aîné. Et maintenant ça deviendrait probablement encore plus difficile pour lui. Axel comprenait que son absence allait avoir des répercussions sur le quotidien d'Erik, que le peu d'espace qu'il avait au sein de la famille allait encore rétrécir. Il n'osa même pas imaginer ce que ce serait s'il venait à mourir.

— Salut, on est de retour !

Patrik ferma la porte et posa Maja. Elle partit immédiatement dans la maison, et il l'arrêta en l'attrapant par le manteau.

— Eh, dis donc ! Il faut d'abord enlever les chaussures et le manteau avant d'aller retrouver ta maman. Erica ? Tu es là ?

Pas de réponse, mais en écoutant bien il entendit le bruit du clavier à l'étage. Il prit Maja sur le bras et monta au bureau.

— Salut. On a fini par te trouver.

— Oui, j'ai réussi à écrire quelques pages aujourd'hui. Puis Anna est venue prendre un café.

Erica sourit à Maja et lui tendit les bras. Sur des jambes instables, sa fille vint lui plaquer un bisou mouillé sur la bouche.

— Salut ma puce, qu'est-ce que vous avez fait aujourd'hui, avec papa ? Elle frotta son nez contre celui de Maja, et sa fille hoqueta de rire. Les bisous esquimaux étaient leur spécialité. Vous êtes restés longtemps, dit Erica en déplaçant son attention sur Patrik.

— Oui, j'ai été obligé de leur donner un petit coup de main, dit Patrik avec enthousiasme. La nouvelle fliquette paraît très bien, mais ils n'avaient pas vraiment pris en compte tous les aspects de l'affaire, et je les ai accompagnés à Fjällbacka. Il y avait quelques visites à faire et, grâce à ça, on pense connaître les deux jours possibles où Erik Frankel a été tué et…

Il s'arrêta net en voyant la tête que faisait Erica. Il comprit illico qu'il aurait sans doute dû réfléchir un peu avant de l'ouvrir.

— Et où était Maja pendant que tu "donnais un petit coup de main"? demanda Erica d'une voix glaciale.

Patrik se tortilla. Si l'alarme d'incendie avait pu se déclencher juste à ce moment-là… Il respira à fond et se lança.

— Annika s'est occupée d'elle un petit moment. Au commissariat.

Il ne comprenait pas pourquoi, jusque-là, la pensée que ça pouvait être déplacé ne l'avait même pas effleuré.

— Alors comme ça Annika a gardé notre fille au commissariat pendant que tu partais quelques heures sur le terrain. J'ai tout bien compris?

— Euh… oui…, dit Patrik en cherchant fébrilement un moyen de tourner la situation à son avantage. Maja était aux anges. Apparemment elle a super bien mangé, puis Annika l'a emmenée faire un tour dans la poussette pour qu'elle s'endorme.

— Je suis convaincue qu'Annika est une excellente baby-sitter. Ce n'est pas ça. Ce qui me met hors de moi, c'est qu'on s'était mis d'accord pour que tu t'occupes de Maja pendant que je travaille. Je n'exige pas que tu sois avec elle chaque minute et chaque seconde jusqu'en janvier, on aura sûrement à faire appel à des baby-sitters de temps en temps. Je trouve juste que c'est un peu tôt pour commencer à la laisser à la secrétaire du poste et partir bosser au bout d'une semaine de congé paternité. Tu n'es pas de mon avis?

Patrik réfléchit une seconde à la question d'Erica. Etait-elle rhétorique ? Sa femme avait l'air d'attendre une réponse.

— Ben, quand tu le dis de cette manière... évidemment, c'était bête... Mais tu comprends, ils n'avaient même pas vérifié si Erik fréquentait quelqu'un, et j'ai été pris d'un tel... Il se passa la main dans les cheveux avant de poursuivre : D'accord. A partir de maintenant, plus de boulot. Parole d'honneur. Rien que moi et la puce. Juré.

Il leva les deux pouces en l'air et essaya d'avoir l'air de quelqu'un qui inspire confiance. Erica sembla avoir autre chose à lui dire, mais elle se contenta de soupirer lourdement et de se lever.

— Bon, ma petite chérie, on dirait que tu n'as manqué de rien en tout cas. On va dire que papa est pardonné et on va descendre préparer à manger, d'accord ? Maja hocha frénétiquement la tête. Papa pourra nous faire des carbonara pour se racheter, poursuivit-elle en descendant au rez-de-chaussée avec Maja qui hochait toujours la tête.

Les spaghettis à la carbonara de papa faisaient partie de ses plats préférés.

— Et qu'est-ce que vous avez trouvé alors ? dit Erica un peu après, assise devant la table de la cuisine en train de regarder Patrik faire frire du bacon et cuire les spaghettis.

Maja était installée devant *Bolibompa* à la télé, si bien qu'ils avaient un petit moment entre adultes.

— Tout indique qu'il est mort entre le 15 et le 17 juin, répondit Patrik. En retournant le bacon dans la poêle, de la graisse brûlante lui gicla sur le bras. Merde, aïe ! Saloperie, ce que ça peut faire mal. Heureusement qu'on ne fait pas la cuisine à poil !

— Tu sais quoi, mon chéri ? Moi aussi je trouve que c'est une bonne chose que tu ne sois pas tout nu…

Erica lui fit un clin d'œil et il alla l'embrasser sur la bouche.

— Alors je suis ton chéri de nouveau. Je suis remonté dans les plus ?

— Ben, pas tout à fait. Tu es revenu à zéro. Mais si les carbonara sont vraiment bonnes, je pense que tu gagneras quelques points…

— Et toi, comment a été ta journée ? dit Patrik en retournant à ses fourneaux.

Il sortit le bacon de la poêle et le posa sur un sopalin pour l'égoutter. Pour de bonnes carbonara, il devait être très croustillant, il n'y avait rien de pire que du bacon tout mou.

— Je ne sais pas par quoi commencer, soupira Erica.

Elle raconta d'abord la visite d'Anna et ses problèmes de belle-mère d'une adolescente. Puis elle prit son élan et raconta sa visite chez Britta. Patrik posa la spatule et la dévisagea, stupéfait.

— Tu es allée chez elle pour l'interroger ? Alors qu'elle est atteinte d'alzheimer ? Ne t'étonne pas si son mari a pété un plomb, je pense que j'aurais fait pareil.

— Oui merci, Anna a dit la même chose, ça va, je me suis suffisamment fait tirer les oreilles comme ça, je te remercie. Erica s'assombrit : Il se trouve que je ne le savais pas avant d'y aller.

— Et qu'est-ce qu'elle a dit ? demanda Patrik en plongeant les spaghettis dans l'eau bouillante.

— Tu sais que tu es en train d'en faire pour un régiment ? dit Erica en voyant près de deux tiers du paquet prendre le chemin de la casserole.

— C'est toi ou c'est moi qui cuisine ? dit Patrik et il la menaça avec la spatule. Bon, qu'est-ce qu'elle a dit, alors ?

— Premièrement, j'ai l'impression qu'elles se sont beaucoup vues quand elles étaient jeunes, maman et elle. Apparemment, c'était une bande soudée, les deux filles, puis Erik Frankel et quelqu'un qui s'appelle Frans.

— Frans… Ringholm ? tenta Patrik, surexcité.

— Oui, je crois que c'est ça. Frans Ringholm. Pourquoi ? Tu sais qui c'est ?

Erica l'observa, mais Patrik se contenta de hausser les épaules.

— Qu'est-ce qu'elle a dit d'autre ? Elle avait gardé le contact avec Erik et Frans ? Ou avec Axel ?

— Je ne crois pas. Rien ne laisse penser qu'ils aient encore des relations, mais j'ai pu me tromper.

Elle fronça les sourcils et on aurait dit qu'elle se repassait mentalement l'entrevue.

— Il y avait un truc…, dit-elle.

Patrik cessa de remuer les spaghettis pour bien entendre ce qu'elle allait dire.

— Elle disait… Quelque chose sur Erik et de "vieux os". Qu'il ne fallait pas les déterrer, ou quelque chose comme ça. Et qu'Erik avait dit… Non, ensuite elle a disparu dans les brumes et je n'ai rien appris de plus. Elle était assez embrouillée, je ne sais pas quelle importance on peut attacher à ce qu'elle disait. Si ça se trouve, elle divaguait.

— Pas si sûr, dit Patrik lentement. Pas si sûr. C'est la deuxième fois aujourd'hui que j'entends cette expression en rapport avec Erik Frankel. De vieux os… Qu'est-ce que ça peut bien vouloir dire ?

Et tandis que Patrik réfléchissait, l'eau des pâtes déborda.

Frans s'était soigneusement préparé en vue de la réunion. Le bureau se rassemblait une fois par mois, et il y avait beaucoup de choses à discuter. Il y aurait des élections locales l'année suivante, c'était le plus grand défi qui les attendait.

— Tout le monde est là?

Il compta mentalement les personnes autour de la table. Le bureau était constitué de cinq membres, tous des hommes. La vague de la parité n'avait pas encore atteint les organisations néonazies. Et ne les atteindrait probablement jamais.

Le local mis à leur disposition à Uddevalla par Bertolf Svensson était situé dans la cave de l'immeuble dont il était propriétaire. Il était souvent utilisé par diverses associations, et les vestiges d'une fête organisée par un locataire y étaient encore visibles. Ils avaient aussi accès à un bureau dans le même immeuble, mais petit et mal adapté aux réunions en groupe.

— Ils ont bâclé le ménage. Je leur en toucherai deux mots après la réunion, marmonna Bertolf et d'un coup de pied il envoya rouler une canette de bière sur le sol.

— Assez de bavardages, revenons à l'ordre du jour. On en est où dans les préparatifs? dit Frans avec raideur.

Il se tourna vers Peter Lindgren, le plus jeune membre du bureau, qui avait été élu coordinateur de la campagne, contre l'avis formel de Frans. Il n'avait tout simplement pas confiance en lui. L'été dernier, il s'était fait pincer pour violence envers un Somalien sur la place de Grebbestad, et Frans ne le croyait pas capable de garder son sang-froid dans ce qui les attendait à présent.

Comme pour confirmer ses soupçons, Peter éluda la question :

— Vous êtes au courant de ce qui s'est passé à Fjäll-backa ? Apparemment quelqu'un a réglé son compte à Frankel, ce foutu traître à sa race.

Il poussa un petit rire.

— Oui et, comme je suis certain qu'aucun des nôtres n'est impliqué dans cette affaire, je propose qu'on reprenne l'ordre du jour, dit Frans en fusillant Peter du regard.

Il y eut un moment de silence pendant que les deux hommes se mesuraient. Puis Peter détourna les yeux.

— On est sur la bonne voie, dit-il. On a eu dernière-ment quelques excellentes nouvelles recrues et on s'est assurés que tout le monde, les nouveaux comme les anciens, diffusera notre message jusqu'aux élections.

— Bien, dit Frans. Et l'inscription du parti, c'est fait ? Et les bulletins de vote ?

— C'est sous contrôle.

Peter tambourina du bout des doigts sur la table, apparemment irrité d'être interrogé comme un éco-lier. Il ne résista pas à l'occasion de lancer une pique à Frans au passage.

— Tu n'as donc pas réussi à protéger ton vieux pote. Qu'est-ce qu'il avait de si important, ce vioque, pour que tu ailles te mouiller pour lui ? Les gens en ont parlé, tu sais, ils se sont posé des questions sur ta loyauté…

Frans se leva et fixa Peter. Werner Hermansson, qui était assis à côté de lui, le prit par le bras.

— Ne l'écoute pas, Frans. Et Peter, merde, calme-toi. C'est ridicule, tout ça. On est censés trouver comment faire pour progresser, pas s'injurier les uns les autres. Allez, serrez-vous la main.

Werner les supplia du regard. Après Frans, il était le plus ancien membre des Amis de la Suède, et il était également celui qui connaissait Frans depuis le plus longtemps. Et ce n'était pas son bien-être qui l'inquiétait en ce moment, c'était celui de Peter. Il avait déjà vu ce dont Frans était capable.

Un instant, la situation resta en suspens. Puis Frans se rassit.

— Au risque de paraître rabâcheur, je propose qu'on reprenne l'ordre du jour. Des objections ? Ou vous avez d'autres vieilles pommes pourries qu'on doit perdre notre temps à mâchouiller ? Il posa son regard sur chacun jusqu'à ce qu'ils baissent les yeux, puis il continua : Il semble que tous les détails pratiques soient en train de se mettre en place. Parlons plutôt des questions à soulever dans notre profession de foi. J'ai discuté avec des gens un peu partout dans la commune, et je sens que cette fois nous avons réellement une chance d'arriver jusqu'au conseil municipal. Les gens ont réalisé à quel point le gouvernement et la commune sont laxistes en matière d'immigration. Ils voient leurs emplois ficher le camp chez les non-Suédois. Ils voient les finances de la commune grignotées par les allocations sociales versées aux étrangers. Il y a un mécontentement généralisé à l'égard de la commune pour sa gestion de ces problèmes, et nous allons en tirer profit.

Le téléphone de Frans se mit à sonner.

— Merde alors. Excusez-moi, j'ai oublié de l'éteindre.

Il sortit son téléphone et vérifia l'écran. Le téléphone fixe d'Axel, il reconnut le numéro. Il referma le portable après l'avoir éteint.

— Excusez-moi, où on en était ? Oui, donc, nous avons une opportunité fantastique de tirer profit de l'incapacité dont a fait preuve la commune dans les questions de droit d'asile et…

Il continua à parler. Tous autour de la table le regardaient attentivement. Mais dans sa tête ses pensées prirent un tout autre chemin.

La décision de sauter le cours de maths avait été facile à prendre. S'il y avait un cours où il était hors de question qu'il se montre, c'était bien les maths. Les chiffres et ces trucs-là avaient quelque chose qui lui donnait des fourmis dans tout le corps. Il ne les comprenait tout simplement pas. Dès qu'il essayait de faire une addition ou une soustraction, il avait la tête en compote. D'ailleurs, pourquoi fallait-il qu'il sache compter, bordel de merde ? Puisqu'il ne serait jamais expert-comptable ou un autre truc chiant du même genre, c'était du temps perdu de se prendre la tête pour ça.

Per alluma une autre cigarette et guetta la cour de l'école. Les autres étaient partis chez Hedemyrs voir s'ils pourraient glisser quelque chose dans leurs poches. Il avait dormi chez Tomas hier soir et ils avaient joué à *Tomb Raider* jusqu'à cinq heures du matin. Sa mère avait appelé plusieurs fois sur son portable, et il avait fini par l'éteindre. Il aurait préféré faire la grasse mat', mais la mère de Tomas les avait virés avant de partir au boulot, et ils étaient allés traîner du côté de l'école, faute de meilleures idées.

Mais maintenant il commençait à vraiment s'emmerder. Il aurait peut-être dû suivre la bande après tout. Il se leva pour partir à sa recherche mais se rassit en voyant Mattias sortir dans la cour avec sur ses talons cette pétasse qui faisait fantasmer tout le monde. Pour sa part, il n'avait jamais compris ce qu'elle avait, Mia. Il n'avait jamais aimé le genre blond et angélique.

Il tendit l'oreille pour entendre ce qu'ils disaient. C'était surtout Mattias qui causait, et c'était manifestement quelque chose d'intéressant, car Mia écarquillait ses yeux bleus et maquillés, totalement fascinée. Quand ils arrivèrent plus près, Per put capter des fragments de leur conversation. Il ne bougea pas. Mattias était tellement occupé à baratiner Mia qu'il ne vit même pas que Per était là.

— Tu aurais vu Adam quand il l'a aperçu, il est devenu tout blanc. Mais j'ai tout de suite compris ce qu'il fallait faire, et je lui ai dit de reculer lentement pour ne pas détruire de traces.

— Oh…, fit Mia d'un air admiratif.

Per rit tout bas. Putain, ce qu'il était bien placé, Mattias, en ce moment, pour se la faire. Elle avait sûrement sa petite culotte toute mouillée. Il continua à écouter.

— Et tu sais, le plus cool, c'est que personne d'autre que nous n'a osé y aller. Les autres en ont pas mal parlé mais, tu sais, parler c'est une chose, et agir c'en est une autre.

Per en avait assez entendu. Il bondit du banc et courut attraper Mattias. Avant d'avoir le temps de comprendre ce qui lui arrivait, il fut attaqué par-derrière. Per le fit tomber à plat ventre et s'assit sur son dos, lui tordit un bras jusqu'à ce que Mattias hurle de douleur. Il attrapa sa tignasse à pleines mains, sa coupe ridicule de surfeur était idéale pour ça. Puis il leva résolument sa tête et la tapa contre le goudron. Il ignora totalement Mia qui hurlait à quelques mètres de là et qui se précipita ensuite vers l'école pour appeler à l'aide. Il cogna encore une fois la tête de Mattias sur le sol dur en crachant en rythme :

— C'est quoi ces conneries que tu débites ! T'es qu'un petit merdeux, tu vas pas croire que je vais te laisser faire, espèce de sale petit… petite tapette…

Per était tellement furieux que sa vue se brouilla et que tout disparut autour de lui. Il ne sentait que les cheveux de Mattias dans sa main, le choc qui la traversait chaque fois que la tête heurtait le bitume. Il ne voyait que le sang qui commençait à colorer le bitume noir. Voir ces taches rouges le remplit de bien-être. Un bien-être qui pénétra tout au fond de sa poitrine, qui lui réchauffa le cœur et lui procura un calme qu'il ne ressentait que rarement. Il ne lutta pas contre sa rage, il la laissa l'envahir, il céda avidement à ses assauts, et jouit de sentir cette chose primitive qui éliminait tout le reste, tout ce qui était compliqué, triste et petit. Il ne voulait pas s'arrêter, il ne pouvait pas s'arrêter. Il continuait à hurler et à frapper, continuait à voir le sang rouge, collant et mouillé, chaque fois qu'il soulevait la tête de Mattias, jusqu'à ce que quelqu'un le saisisse par-derrière et le jette violemment sur le côté.

— Qu'est-ce que tu es en train de faire ?

Per se retourna et il fut presque surpris de voir l'expression furieuse et consternée du prof de maths. Les fenêtres du bâtiment étaient remplies d'élèves qui regardaient dehors et dans la cour un petit attroupement de curieux s'était formé. Sans ressentir quoi que ce soit, Per observa le corps inanimé de Mattias, puis se laissa traîner encore quelques mètres plus loin de sa victime.

— Tu as perdu la tête ou quoi ?

Le visage du prof n'était qu'à quelques centimètres du sien. Il hurlait, mais Per détourna seulement le sien avec indifférence.

Pendant un petit moment, ça avait été tellement bon. Maintenant il n'y avait que du vide.

Il resta un long moment dans le vestibule à regarder les photos. Tant de moments joyeux. Tant d'amour. La photo en noir et blanc de leur mariage. Britta et lui avaient l'air plus empesés qu'ils ne l'étaient en réalité. Anna-Greta dans les bras de Britta, lui derrière l'objectif. Si ses souvenirs étaient exacts, il avait posé l'appareil photo et pour la première fois pris sa nouveau-née dans les bras. Inquiète, Britta lui avait dit de soutenir sa tête, mais il avait su d'instinct comment s'y prendre. Et il avait toujours beaucoup participé, bien plus que ce qu'on attendait d'un homme à cette époque-là. Sa belle-mère l'avait réprimandé plus d'une fois en disant que changer des couches ou donner le bain à un nourrisson n'était pas un boulot pour un homme. Mais c'était plus fort que lui. Ça lui semblait si naturel, et de plus il ne trouvait pas juste de laisser Britta se charger de tout, avec les trois filles qui étaient si rapprochées. En réalité, ils avaient voulu avoir d'autres enfants, mais après le troisième accouchement, qui avait été dix fois plus compliqué que les deux premiers réunis, le médecin l'avait pris à part et lui avait dit que le corps de sa femme ne supporterait sans doute pas une autre grossesse. Et Britta avait pleuré. Elle avait baissé la tête sans le regarder et entre les larmes elle lui avait demandé pardon de ne pas lui avoir donné de fils. Il l'avait fixée avec stupéfaction. Ça ne lui était jamais venu à l'esprit de souhaiter autre chose que ce qu'il avait eu. Entouré de ses quatre nanas, il était l'homme le plus comblé du monde. Il lui avait fallu un moment pour l'expliquer à Britta mais, une fois qu'elle eut compris qu'il était sérieux, ses larmes avaient séché et ils s'étaient concentrés sur les petites qu'ils avaient mises au monde.

Aujourd'hui, ils en avaient tant d'autres encore à aimer. Leurs filles avaient eu des enfants, que Herman et Britta aimaient de tout leur cœur, et, quand ils se mobilisaient pour donner un coup de main aux filles et à leurs familles, il pouvait de nouveau montrer sa dextérité pour changer des couches. Britta et lui avaient été heureux et reconnaissants de la place qu'on leur donnait, quelqu'un à aider, quelqu'un à aimer. Et maintenant les petits-enfants avaient des enfants à leur tour. Ses doigts étaient sans doute un peu plus raides qu'avant, mais avec les nouvelles couches-culottes Up & Go il était encore capable de changer un bébé. Il secoua la tête. Où étaient-elles passées, toutes ces années ?

Herman monta dans la chambre et s'assit sur le bord du lit. Britta faisait la sieste. Elle n'avait pas été très en forme aujourd'hui. A certains moments elle ne l'avait pas reconnu, elle croyait qu'elle se trouvait dans sa maison natale et demandait où était sa mère. Puis, avec beaucoup de crainte, son père aussi. Il lui avait caressé les cheveux en lui assurant que son père n'était plus là depuis de nombreuses années. Il ne pouvait plus lui faire de mal.

Il effleura sa main posée sur le couvre-lit fait au crochet. Ridée, et avec les mêmes tavelures que lui. Mais toujours avec les doigts longs et fins. Il sourit en voyant qu'elle avait mis du vernis à ongles rose. Elle avait toujours été un peu coquette, on ne se refait pas. Mais il ne se plaignait pas. Il avait une belle épouse et, durant leurs cinquante-cinq ans de mariage, il n'avait jamais eu une pensée ou un regard pour une autre femme.

Ses yeux bougeaient derrière les paupières. Elle rêvait. Il aurait voulu pouvoir entrer dans ses rêves. Y vivre, avec elle, et faire comme si tout était comme avant.

Aujourd'hui, dans sa confusion, elle avait parlé de ce qu'ils avaient convenu de ne plus jamais mentionner. Mais avec la destruction et la décomposition de son cerveau, les barrages sautaient, ces murs qu'au fil des ans ils avaient construits autour du secret. Ils l'avaient partagé pendant si longtemps que d'une certaine façon il s'était fondu dans la trame de leur vie et était devenu invisible. Herman s'était autorisé à se détendre et à oublier.

Ce n'était pas une bonne chose qu'Erik soit venu la voir. Pas du tout. Cela avait ouvert la brèche dans le mur qui maintenant était en train de s'élargir de plus en plus. Si elle n'était pas colmatée, un raz-de-marée pourrait jaillir et les emporter, tous.

Mais il n'avait plus besoin de s'en faire pour Erik. Ils n'avaient plus besoin de s'en faire pour lui. Il continua à caresser sa main.

— Ah oui, j'ai oublié de te le dire hier. Karin a appelé. Vous avez rendez-vous à dix heures pour votre balade. Devant la pharmacie.

Patrik s'arrêta net.

— Karin ? Aujourd'hui ? Dans… Il regarda l'heure : Dans une demi-heure.

— Désolée, dit Erica sur un ton qui indiquait qu'elle ne l'était pas du tout. Puis elle s'adoucit : J'ai l'intention de faire un saut à la bibliothèque, j'ai quelques recherches à faire. Si vous êtes prêts dans vingt minutes, je vous emmène.

— Ça ne te pose pas de problèmes, alors ? dit Patrik tout penaud.

Erica alla lui planter un bisou sur la bouche.

— A côté de l'utilisation d'un commissariat de police comme garderie pour notre fille, les rendez-vous avec les ex-femmes, ça compte pour du beurre.

— Ha, ha, très drôle, dit Patrik, mauvais joueur, surtout parce qu'il savait qu'Erica avait raison. Ce n'était pas très futé, ce qu'il avait fait hier.

— Alors ne reste pas planté là ! Allez hop, va t'habiller ! J'aurais définitivement quelque chose à dire si tu partais voir ton ex-femme dans cette tenue, rit Erica en examinant de bas en haut son mari qui ne portait qu'un caleçon et une paire de chaussettes.

— Ouais, je suis trop bandant comme ça, dit Patrik et il prit la pose d'un bodybuilder accompli.

Erica s'écroula de rire sur le lit.

— Oh mon Dieu, arrête tout de suite !

— Quoi ? dit Patrik en feignant d'être froissé. En fait je suis extrêmement musclé. Tout ça, c'est uniquement pour faire croire aux voyous qu'ils n'ont rien à craindre.

Il se tapota le ventre qui trembla un peu trop pour qu'il n'y ait que des muscles sous la peau. Le fait d'être marié n'avait en rien diminué ses poignées d'amour.

— Arrête ! hurla Erica. Je ne vais plus jamais pouvoir faire l'amour avec toi si tu continues comme ça…

Patrik répondit en se jetant sur elle avec un hurlement bestial et commença à la chatouiller.

— Retire ça ! Tu retires ça tout de suite ! Hein ? !

— Oui, oui, je le retire, arrête ! cria Erica qui était extrêmement chatouilleuse.

— Maman ! Papa !

Maja était arrivée et elle applaudissait frénétiquement le show. Les bruits intéressants dans la chambre des parents l'avaient attirée comme un aimant.

— Viens par là, que papa te chatouille un peu, toi aussi, dit Patrik et il souleva sa fille sur le lit.

La seconde d'après, la mère et la fille hurlaient de rire. Puis tous les trois restèrent épuisés sur le lit à se faire des mamours, avant qu'Erica se redresse brusquement.

— Il faut vous speeder maintenant, vous deux. Je peux habiller Maja pendant que tu te mets quelque chose sur le dos.

Vingt minutes plus tard, Erica roulait en direction de la Maison des services, qui abritait notamment la pharmacie et la bibliothèque. Elle était un peu curieuse. Ce serait sa première rencontre avec Karin, même si elle avait entendu parler d'elle de temps à autre. Mais à vrai dire Patrik restait assez discret sur son premier mariage.

Elle se gara, aida Patrik à sortir la poussette du coffre, puis vint avec lui pour dire bonjour à Karin. Elle inspira à fond et tendit la main.

— Salut, je suis Erica. On s'est parlé au téléphone hier.

— Enfin on se rencontre, ça me fait plaisir, dit Karin.

Erica fut surprise de constater que, spontanément, la femme devant elle lui paraissait sympathique. Du coin de l'œil, elle vit Patrik balancer sur ses talons et elle ne put s'empêcher de savourer l'instant. La situation était franchement cocasse.

Elle observa l'ex-femme de son mari et nota qu'elle était plus mince qu'elle, un peu plus petite et brune avec les cheveux ramassés en une simple queue de cheval. Pas de maquillage, ses traits étaient fins, mais elle avait l'air un peu… fatiguée. Sûrement la vie avec un enfant en bas âge. Elle-même n'aurait probablement pas résisté à une inspection approfondie avant que Maja fasse ses nuits.

Ils bavardèrent un moment, puis Erica les regarda partir et elle continua en direction de la bibliothèque. D'une certaine façon, elle était soulagée d'avoir enfin mis un visage sur la femme qui avait partagé la vie de Patrik pendant huit ans. Elle n'avait même pas vu une photo d'elle. Etant donné les circonstances de leur divorce, il était compréhensible que Patrik n'ait pas voulu garder de témoignages de leurs années de vie commune.

La bibliothèque était aussi calme que d'habitude. Elle avait passé de nombreuses heures ici. Les bibliothèques avaient le don de toujours lui inspirer une énorme satisfaction.

— Salut Christian !

Le bibliothécaire leva les yeux et sourit chaleureusement en apercevant Erica.

— Salut Erica, tu vas bien ? Qu'est-ce que je peux faire pour toi ?

Son accent du Småland était comme toujours très plaisant. Elle se demandait pourquoi ces gens-là paraissaient si sympathiques dès qu'ils ouvraient la bouche. Dans le cas de Christian, ce n'était pas juste une impression. Elle ne comptait plus le nombre de fois où il l'avait aidée à trouver les informations qu'elle cherchait.

— C'est pour la même affaire que la dernière fois ? demanda-t-il, presque excité.

Les recherches d'Erica lui offraient toujours des moments de répit agréables dans un travail autrement assez monotone et qui consistait la plupart du temps à fournir des renseignements sur les poissons, les voiliers et la faune du Bohuslän.

— Non, pas aujourd'hui, dit-elle en s'asseyant devant le comptoir. Aujourd'hui, je suis à la recherche d'informations sur des gens de Fjällbacka. Et sur des événements.

— Des gens. Et des événements. Il te faut être un peu plus précise, dit-il avec un clin d'œil.

— Bien sûr. Erica débita rapidement les noms : Britta Johansson, Frans Ringholm, Axel Frankel, Elsy Falck, non je veux dire Moström, et… Elle hésita quelques secondes, puis elle ajouta : Erik Frankel.

Christian tressaillit.

— Ce n'est pas lui qui a été assassiné ?

— Si, fit Erica.

— Et Elsy ? C'est ta… ?

— Ma mère, oui. J'ai besoin de renseignements sur ces personnes datant de l'époque de la Seconde Guerre mondiale. Tu peux limiter les recherches aux années de guerre proprement dites.

— 1939 à 1945, donc.

Elle fit oui de la tête et regarda impatiemment Christian entrer les données dans son ordinateur.

— Et ton projet à toi, comment ça avance ?

Une ombre fugace passa sur le visage du bibliothécaire avant qu'il réponde :

— Merci de demander, je suis à peu près à mi-chemin. Et c'est en grande partie grâce à tes tuyaux si je suis arrivé aussi loin.

— Bof, ce n'est rien, dit Erica en minimisant sa contribution. Tu n'as qu'à me dire si tu en veux d'autres, ou si tu veux que je relise ton manuscrit à la fin. D'ailleurs, tu lui as trouvé un nom ?

— *La Sirène*, dit Christian sans rencontrer son regard. Je vais l'appeler *La Sirène*.

— C'est pas mal comme nom, où as-tu… ? commença-t-elle, mais Christian l'interrompit assez brusquement.

Elle le regarda, un peu surprise, ça ne lui ressemblait pas. Elle se demanda s'il s'était offusqué de quelque chose qu'elle avait dit, mais elle ne voyait pas quoi.

— Tiens, j'ai trouvé quelques articles qui pourraient t'intéresser. Tu veux que je te les imprime ?

— Oui, je veux bien, répondit-elle, toujours un peu confondue.

Mais lorsque Christian revint de l'imprimante quelques minutes plus tard avec un paquet de feuillets pour elle, il était de nouveau l'amabilité personnifiée.

— Voilà de quoi te tenir occupée un bon moment. Et appelle-moi si tu veux encore de l'aide.

Erica le remercia et quitta la bibliothèque. Elle avait de la chance. La cafétéria située juste à côté venait d'ouvrir. Elle prit un café et s'installa pour lire. Ce qu'elle trouva était tellement intéressant que le café resta à refroidir dans la tasse.

— Bon, qu'est-ce qu'on a ?

Mellberg s'étira les jambes avec une grimace. Il n'aurait jamais cru qu'un peu d'exercice ferait aussi mal aux muscles aussi longtemps. A ce rythme-là, il aurait tout juste le temps de récupérer avant que ce soit vendredi soir de nouveau et l'heure de se faire laminer pendant le cours de salsa. Mais bizarrement la perspective ne lui parut pas si terrible que ça. La musique entraînante, la proximité du corps de Rita, le fait que ses pieds avaient commencé à piger le truc…

Non, il n'avait pas l'intention d'abandonner de sitôt. Si quelqu'un à Fjällbacka avait un potentiel pour devenir le roi de la salsa, c'était bien lui. Mellberg sursauta.

— Excuse-moi, tu disais ?

Plongé dans les délices des rythmes latinos, il avait complètement loupé la réponse de Paula.

— On pense avoir réussi à établir quand Erik Frankel a été tué, dans une fourchette de deux jours, dit Gösta. Il était chez sa… petite amie, ou je ne sais pas comment il faut dire pour les gens de leur âge, le 15 juin. Il a mis fin à leur relation ce soir-là, il était manifestement ivre, ce qui d'après elle ne lui arrivait jamais.

— Puis la femme de ménage y est allée le 17 juin, mais la porte était fermée à clé et elle n'a pas pu entrer, continua Martin. Cela ne signifie pas forcément qu'il était mort, mais ça fournit en tout cas une forte présomption. Ce n'était jamais arrivé qu'elle ne puisse pas entrer. Quand les frères n'étaient pas là, ils lui laissaient toujours une clé.

— D'accord, bien, alors on va bosser sur l'hypothèse selon laquelle il est mort entre le 15 et le 17 juin. Vérifie avec le frère où il se trouvait à cette époque, dit Mellberg et il se pencha pour gratter Ernst entre les oreilles.

Il était couché sous la table de la cuisine, comme d'habitude sur ses pieds.

— Mais tu crois vraiment qu'Axel Frankel a quelque chose à voir avec…

Paula s'arrêta au milieu de la phrase en voyant le mécontentement de Mellberg.

— Je ne crois rien pour le moment. Mais tu sais aussi bien que moi que la plupart des meurtres sont commis par quelqu'un de la famille. Alors secouez le frangin. Compris ?

Elle fit oui de la tête. Pour une fois, Mellberg avait raison. Elle ne devait pas se laisser freiner dans son travail par le fait qu'elle avait trouvé Axel Frankel extrêmement sympathique.

— Et les garçons qui sont entrés dans la maison ? On a pris leurs empreintes ?

Mellberg jeta un regard sévère autour de la table. Tous les regards se tournèrent vers Gösta qui se tortilla, embarrassé.

— Ben… C'est-à-dire… Oui et non. J'ai pris les empreintes digitales et celles des chaussures d'Adam, mais je n'ai pas trop eu le temps pour l'autre…

Mellberg le foudroya du regard.

— Tu as eu plusieurs jours pour t'acquitter de cette petite tâche très simple et tu n'as pas, je cite, trop eu le temps ? J'ai bien compris ?

— Oui, je… oui, dit Gösta découragé. Mais je m'en occupe aujourd'hui même. Un autre regard de Mellberg et il ajouta en baissant la tête : Tout de suite.

— Je pense qu'il vaut mieux pour toi, dit Mellberg, et il déplaça son attention vers Martin et Paula. Ensuite ? Comment ça avance pour ce Ringholm ? On a quelque chose ? Personnellement, ça me semble la piste la plus prometteuse, nous devrions littéralement les retourner cul par-dessus tête, ces Amis de la Suède, ou peu importe le nom qu'ils se sont donné.

— On a interrogé Frans chez lui et je ne peux pas dire que ça nous a beaucoup aidés. D'après lui, certains éléments au sein de l'organisation avaient envoyé des lettres de menace à Erik Frankel, et il avait essayé de s'interposer et de le protéger au nom d'une vieille amitié.

— Et ces "éléments" – Mellberg traça des guillemets dans l'air –, est-ce qu'on les a entendus ?

244

— Non, pas encore, fit Martin calmement, mais c'est inscrit à l'agenda d'aujourd'hui.

— Tant mieux, dit Mellberg et il essaya de repousser Ernst de ses pieds qui commençaient à picoter désagréablement. Alors il ne reste qu'un point à aborder : ce commissariat n'est pas une garderie d'enfants ! Compris ?

Il regarda Annika qui était restée silencieuse et avait noté tout ce qui se disait pendant la réunion. Elle lui rendit son regard par-dessus ses lunettes. Après un long silence, pendant lequel Mellberg commença à se tortiller sur sa chaise et à se demander s'il n'avait pas employé un ton un peu trop vif, elle dit :

— J'ai fait mon travail hier, même quand je gardais Maja, et c'est la seule chose dont tu devrais t'occuper, Bertil.

Une lutte silencieuse se joua lorsque le regard calme d'Annika croisa celui de Mellberg. Puis il céda et murmura :

— Oui, d'accord, tu es peut-être la mieux placée pour le déterminer…

— De plus, c'est grâce à Patrik et à sa visite qu'on s'est rendu compte qu'on avait oublié de vérifier le compte bancaire d'Erik, fit Paula avec un clin d'œil de soutien à Annika.

— C'est vrai qu'on y aurait certainement pensé tôt ou tard nous-mêmes… mais là, ça s'est fait plus tôt… au lieu de plus tard…, dit Gösta et lui aussi regarda Annika avant de baisser les yeux et de se mettre à examiner minutieusement le dessus de la table.

— Ben, je croyais juste que, quand on est en congé paternité, on ne travaillait pas, dit Mellberg d'un air boudeur, bien conscient qu'il avait perdu la bataille. Bon, ça nous laisse un emploi du temps chargé.

Ils se levèrent tous pour ranger leur tasse dans le lave-vaisselle lorsque la sonnerie stridente du téléphone les fit sursauter.

FJÄLLBACKA 1944

— Je savais bien que je te trouverais là.

Elsy s'assit à côté d'Erik, qui était installé bien à l'abri dans une crevasse du rocher.

— Oui, c'est ici que j'ai le plus de chances d'être tranquille, dit Erik sur un ton bourru, puis son visage s'adoucit et il referma le livre qu'il était en train de lire. Pardon, dit-il, je ne voulais pas te faire subir ma mauvaise humeur.

— C'est à cause d'Axel que tu es de mauvaise humeur? dit Elsy doucement. Ça va comment chez vous?

— Comme s'il était déjà mort. Mère, en tout cas, se comporte comme si Axel était mort. Quant à père, il ne fait que marmonner, il refuse même d'en parler.

Erik tourna le regard vers les vagues agitées à l'entrée du port de Fjällbacka.

— Et toi, qu'est-ce que tu ressens? dit Elsy.

Elle observa de près son ami. Elle connaissait si bien Erik. Mieux qu'il ne pouvait l'imaginer. Ils avaient passé tant d'heures ensemble à jouer, Erik, Britta, Frans et elle. Il ne leur restait plus beaucoup de jeux, maintenant qu'ils étaient censés être bientôt des adultes. Mais en cet instant elle ne vit aucune différence entre l'Erik de quatorze ans et celui de cinq, qui avait été un vieil homme dans un corps d'enfant.

C'était comme si Erik était né adulte et qu'il retrouvait graduellement sa véritable apparence. Comme si le corps de petit garçon, le corps d'enfant et maintenant celui d'adolescent étaient des étapes nécessaires avant d'arriver dans sa véritable peau.

— Je ne sais pas ce que je ressens, dit Erik sèchement en détournant la tête, mais pas assez vite pour qu'Elsy ne voie pas le scintillement dans le coin de ses yeux.

— Mais si, tu le sais, dit-elle en observant son profil. Tu peux me parler.

— Je me sens si… partagé. Je ressens une telle peur, un tel chagrin devant ce qui s'est passé et ce qui se passe encore, pour Axel. La seule idée qu'il pourrait mourir et me quitter…

Il chercha les mots mais n'en trouva aucun. Elsy comprit cependant ce qu'il voulait dire. Elle garda le silence et le laissa poursuivre.

— Mais d'un autre côté je ressens de la rage. Sa voix s'assombrit, laissant pressentir ce que serait son timbre d'adulte : Je ressens de la rage parce que je suis encore plus invisible qu'avant. Je n'existe pas. Je n'existe plus. Tant qu'Axel était à la maison, il pouvait détourner sur moi une partie de la lumière qui tombait sur lui. Une petite lueur de temps à autre, une petite gentillesse pour moi. Et c'était suffisant. Je n'ai jamais demandé plus que ça. Axel méritait d'être au centre, d'avoir l'attention de tous. Il a toujours été meilleur que moi. Je n'aurais jamais osé faire ce qu'il faisait. Je ne suis pas courageux. Je n'attire pas le regard des autres. Et je n'ai pas le don d'Axel de mettre les gens à l'aise. Je crois que son secret, c'était ça… que c'est ça… il arrive à faire en sorte que les gens se sentent bien. Je n'ai pas ce talent. Je rends les gens nerveux et inquiets. Ils ne savent pas très bien quoi faire de moi. Je sais trop de choses. Je ris trop rarement. Je…

Il fut obligé de chercher son souffle après ce qui était probablement le plus long discours qu'il eût jamais fait.

Elsy fut obligée de rire.

— Fais attention de ne pas te trouver à court de mots, Erik. D'habitude tu en es plus économe.

Elle sourit, mais Erik serra les dents.

— C'est exactement ce que je veux dire. Et tu sais quoi, je crois que je pourrais me mettre à marcher, m'en aller, et continuer à marcher, marcher, marcher, et ne plus jamais revenir. Personne à la maison ne se rendrait compte de mon absence. Je ne suis qu'une ombre à la périphérie du champ de vision de mes parents. Je crois même qu'ils seraient soulagés si l'ombre disparaissait, pour qu'ils puissent se focaliser entièrement sur Axel.

Sa voix se brisa et il détourna de nouveau son visage, rempli de honte. Elsy l'entoura de son bras et posa sa tête sur son épaule, le forçant à revenir de l'obscurité où il se trouvait.

— Erik, je te promets qu'ils le remarqueraient si tu disparaissais. Ils sont simplement occupés à gérer ce qui est arrivé à Axel.

— Ça fait quatre mois maintenant qu'il est aux mains des Allemands, dit Erik sourdement. Ils vont rester occupés pendant combien de temps encore ? Six mois ? Un an ? Une vie ? Moi, je suis là. Je suis toujours là. Pourquoi ça n'est pas important ? Et en même temps je me sens abject d'être jaloux de mon frère qui est probablement en prison et qui sera peut-être exécuté sans même qu'on le revoie. Tu parles d'un frère !

— Personne ne met en doute ton amour pour Axel. Mais c'est tout à fait normal si toi aussi tu veux être

vu, si tu veux exister. Et moi je sais que tu existes…
Mais tu dois leur parler et leur dire ce que tu ressens,
tu dois les obliger à te voir.

— Je n'ose pas. Erik secoua violemment la tête : Si
ça se trouve, ils pensent que je suis affreux.

Elsy prit sa tête entre ses mains et le força à la
regarder.

— Ecoute-moi maintenant, Erik Frankel. Tu n'es
pas quelqu'un d'affreux. Tu aimes ton frère et tes
parents. Mais tu as du chagrin. Tu dois le leur dire,
tu m'entends?

Il chercha à détourner la tête, mais elle la main-
tint fermement entre ses paumes et le regarda droit
dans les yeux.

— Tu as raison, finit-il par dire. Je vais leur parler…

Impulsivement, Elsy le prit dans ses bras et le serra
fort. Elle sentit qu'il se détendit quand elle passa sa
main dans son dos.

— Non mais c'est quoi, ça?

Une voix derrière eux les fit sursauter et ils se séparèrent. Elsy se retourna et vit Frans, le visage blanc et
les poings serrés.

— C'est quoi, ça? répéta-t-il.

Il semblait avoir du mal à trouver d'autres mots. Elsy
comprit ce qu'il avait cru voir et elle essaya de lui faire
comprendre ce qui s'était réellement déroulé, pour éviter qu'il ne prenne la mouche. Elle l'avait déjà vu plusieurs fois s'emporter aussi rapidement qu'on craque
une allumette. Frans se tenait constamment prêt à se
mettre en colère, comme s'il cherchait en permanence
des raisons pour donner libre cours à sa rage. Et elle
n'était pas bête au point de ne pas comprendre qu'il
avait un faible pour elle. Cette situation pourrait mener
à une catastrophe si elle n'arrivait pas à lui expliquer.

— Erik et moi, on était juste en train de discuter.

Elle parlait lentement et calmement.

— Ouais, j'ai bien vu comment vous étiez juste en train de discuter, dit Frans et quelque chose dans ses yeux donna des frissons à Elsy.

— On parlait d'Axel, combien c'est difficile de le savoir là où il est, dit-elle sans céder au regard de Frans.

La lueur froide et sauvage dans ses yeux recula un peu. Elle continua à parler.

— J'étais en train de le consoler. Voilà ce que tu as vu. Viens maintenant t'asseoir avec nous.

Elle tapota avec autorité la dalle de pierre à côté d'elle. Il hésita. Mais ses mains commencèrent à se détendre et l'éclat froid dans ses yeux avait totalement disparu. Il soupira profondément et s'assit.

— Je te demande pardon, dit-il sans la regarder.

— Il n'y a pas de problème, dit-elle, mais fais attention de ne pas tirer de conclusions trop hâtives.

Frans garda le silence. Puis il tourna le regard vers elle. L'intensité qu'elle y lut lui fit subitement plus peur que l'éclat froid et furieux de tout à l'heure. Elle eut l'intuition que ceci ne se terminerait pas bien.

Elle pensa aussi à Britta et aux regards amoureux qu'elle envoyait continuellement en direction de Frans.

Elsy se le répéta. Cela ne pouvait pas bien se terminer.

— Elle a l'air sympa, dit Karin avec un sourire.

— Erica, oui, elle est chouette.

Patrik sentit sa bouche former un grand sourire. Certes, ça avait coincé un peu dernièrement, mais c'était des broutilles. Il se sentait vraiment très chanceux de pouvoir se réveiller à côté d'Erica tous les matins.

— J'aurais aimé pouvoir dire la même chose de Leif. Je commence à en avoir par-dessus la tête de cette vie de femme de musicien. Il est toujours en tournée. Mais je savais dans quoi je me lançais, alors j'imagine que je n'ai pas le droit de me plaindre.

— Ça change quand on a des enfants, dit Patrik, autant comme une question que comme un constat.

— Ah bon ? J'étais sans doute naïve, mais j'ignorais totalement que ça faisait autant de travail, qu'il fallait donner autant de soi quand on a un petit, et… ben, ce n'est pas très facile quand on doit assumer toute la charge. Parfois j'ai l'impression que les corvées, c'est pour ma pomme, les nuits blanches, les couches à changer, jouer avec lui, lui donner à manger, l'emmener chez le docteur quand il est malade. Et quand Leif se pointe à la maison, il est accueilli comme s'il était le père Noël en personne. C'est tout simplement injuste.

— Mais vers qui est-ce qu'il va, Ludde, quand il se fait mal ?

— Tu as raison, sourit Karin, c'est vers moi qu'il vient. Je suppose qu'il sait très bien que c'est moi qui suis là quand il se réveille la nuit. Mais je ne sais pas… je me sens flouée, d'une certaine façon. Ce n'était pas comme ça que c'était censé se passer.

— Moi, je trouve que c'est beaucoup plus amusant que ce que j'avais imaginé, dit Patrik, mais le regard pénétrant que lui lança Karin lui fit comprendre qu'il avait dit une bêtise.

— Est-ce qu'Erica est du même avis ? dit-elle sèchement.

Patrik comprit où elle voulait en venir.

— Non, effectivement. En tout cas, elle ne l'était pas avant, dit-il.

Il ressentit un coup au cœur en pensant à sa pâleur et à son manque d'entrain les premiers mois qui avaient suivi la naissance de Maja.

— Est-ce que ça peut venir du fait qu'elle a été coupée de sa vie d'adulte pour rester à la maison avec Maja, tandis que toi, tu allais au boulot tous les jours ?

— Mais j'ai fait tout ce que j'ai pu pour l'aider, protesta Patrik.

— Aider. Il y a une sacrée différence entre "aider" et être celle qui porte la responsabilité. Ce n'est pas évident de calmer un bébé en colère, il faut apprendre sur le tas comment il doit manger et quand, et on doit trouver les moyens pour se distraire, et le bébé avec, cinq jours sur sept, en général sans le moindre adulte en vue pour vous tenir compagnie. Etre le PDG de l'entreprise Bébé et être un simple manœuvre qui attend les ordres, ça n'a rien à voir.

— Mais tu ne peux pas tout mettre sur le dos des pères, dit Patrik en poussant plus fort dans la forte montée. A mon sens, ce sont les mères qui ne veulent pas abandonner le contrôle aux pères. Quand on change le bébé, on ne fait pas comme il faut, quand on donne le biberon, on ne le tient pas comme il faut, etc. Tu vois, je ne pense pas que ça soit toujours très facile pour les papas d'entrer dans ce rôle de PDG dont tu parles.

Karin garda le silence un instant, puis elle regarda Patrik en disant :

— Elle était comme ça, Erica, sincèrement, quand elle restait à la maison avec Maja ? Elle ne te laissait pas de place ?

Patrik réfléchit minutieusement. Il fut obligé de lui donner raison.

— Non, elle n'était pas comme ça. C'était plutôt moi qui trouvais bon de ne pas avoir à prendre de responsabilités. Quand Maja pleurait et que j'essayais de la consoler, c'était bon de savoir que je pouvais toujours la donner à Erica si je n'arrivais pas à la calmer. Et bien sûr que c'était un plaisir de partir au boulot le matin, et c'était tout aussi sympa de rentrer le soir retrouver Maja.

— Parce que tu avais eu ta dose du monde des adultes ? dit Karin sèchement. Et comment ça se passe maintenant ? Alors que c'est toi qui assumes la responsabilité ? Ça fonctionne ?

— Ben, je n'ai sans doute pas vingt sur vingt comme papa à la maison, si je puis dire, admit Patrik après avoir réfléchi un instant. Mais ce n'est pas aussi simple. Erica travaille à la maison et elle sait où tout se trouve et…

De nouveau, il secoua la tête.

— Oh oui, je reconnais ça. Chaque fois que Leif rentre, ce sont des questions à ne plus en finir. "Karin ! Tu les ranges où, les couches ?" Parfois je me demande comment vous fonctionnez au boulot, vous les hommes, alors qu'à la maison vous n'êtes même pas capables de vous rappeler où se trouvent les couches.

— Allez, arrête, dit Patrik en donnant un petit coup de coude à Karin. On n'est quand même pas si nuls que ça. Donne-nous un peu de crédit. Les hommes de la génération avant moi ne changeaient pas leurs bébés, je trouve qu'on a pas mal progressé. Un tel virage ne se fait pas en un tour de main. Nos pères nous servaient de modèles, on a été influencés par eux, et il faut du temps pour que les choses avancent. Mais on fait de notre mieux.

— Toi, peut-être, dit Karin, et sa voix reprit un ton amer. Leif en tout cas ne fait certainement pas de son mieux.

Patrik ne dit rien parce qu'il n'y avait pas grand-chose à dire. Ils se séparèrent à l'embranchement du club nautique à Sälvik, et Patrik continua seul avec Maja. Il était à la fois triste et pensif. Pendant long-temps il en avait voulu à Karin de l'avoir trahi comme elle l'avait fait. Mais à présent il ne ressentait plus qu'une immense pitié pour elle.

Ils se jetèrent dans la voiture de police immédiate-ment après l'appel téléphonique. Fidèle à lui-même, Mellberg avait murmuré une excuse et gagné son bureau à la hâte, mais Martin, Paula et Gösta déva-lèrent Affärsgatan en direction du collège de Tanums-hede. On leur avait dit de se rendre directement au bureau du principal et, comme ce n'était pas la pre-mière visite de la police au collège, Martin n'eut aucune difficulté pour les guider.

— Que s'est-il passé ?

Il regarda la pièce, où un adolescent maussade était assis sur une chaise, flanqué du principal et de deux hommes, manifestement des professeurs.

— Per vient de s'attaquer très violemment à un élève, dit le principal. Je vous félicite d'être arrivés si vite.

— Comment va-t-il ? demanda Paula.

— Pas très bien. L'infirmière est avec lui, et l'ambulance est en route. J'ai appelé la mère de Per, elle ne devrait pas tarder.

Le principal fusilla le jeune du regard. Il répondit avec un bâillement d'indifférence.

— Tu vas venir au poste avec nous, dit Martin et il lui fit signe de se lever. Puis il s'adressa au principal : Essayez de joindre sa mère pour qu'elle vienne directement au commissariat. Ma collègue, Paula Morales, restera ici pour entendre les témoins de l'agression.

Paula confirma d'un hochement de la tête.

— Je m'y mets tout de suite, dit-elle et elle quitta la pièce.

Per affichait toujours la même indifférence lorsqu'il suivit les policiers dans le couloir. Devant l'attroupement d'élèves curieux, il réagit en ricanant et en leur faisant un doigt d'honneur.

— Connards, murmura-t-il.

— Tu te tais jusqu'à ce qu'on arrive au commissariat, dit Gösta en le regardant avec autorité.

Per haussa les épaules mais obéit. Il passa le reste du trajet jusqu'au bâtiment qui abritait à la fois le commissariat et la caserne de pompiers à regarder par la vitre sans prononcer un mot.

En arrivant, ils le parquèrent dans une pièce en attendant la venue de sa mère. Le téléphone de Martin sonna. Il écouta attentivement puis il se tourna vers Gösta, l'air pensif.

— C'était Paula, dit-il. Tu sais à qui il s'est attaqué ?

— Non, c'est quelqu'un qu'on connaît ?

— Un peu, mon neveu. Mattias Larsson, celui qui a trouvé Erik Frankel. Il est en route pour l'hôpital. On l'entendra plus tard.

Gösta assimila l'information sans faire de commentaire, mais Martin vit qu'il devenait blême.

Dix minutes plus tard, Carina arriva en courant et demanda tout essoufflée où était son fils. Annika la fit tranquillement entrer dans le bureau de Martin.

— Où est Per ? Qu'est-ce qui s'est passé ?

Elle parlait comme si elle avait une grosse boule dans la gorge, et elle était manifestement hors d'elle. Martin lui tendit la main et dit son nom. Les formalités et les rituels familiers avaient souvent un effet apaisant. Tel fut effectivement le cas. Carina répéta ses questions, mais sur un ton plus posé, puis Martin lui indiqua une chaise. Il eut une petite grimace quand il s'installa derrière le bureau en sentant l'odeur manifeste qui émanait de la femme en face de lui. Vapeurs d'alcool. L'odeur était très nette et reconnaissable. Elle avait peut-être tout simplement fait la fête hier. Mais il n'y croyait pas trop. Ses traits étaient un peu bouffis, signes caractéristiques d'une alcoolique.

— Per a été arrêté pour violences envers autrui. D'après le rapport de l'école, il a agressé un camarade dans la cour de l'école.

— Oh mon Dieu ! s'exclama-t-elle en serrant fort l'accoudoir. Comment… ? Il est…

Elle ne parvint pas à terminer sa phrase.

— Il est en route pour l'hôpital en ce moment. Apparemment il a été assez amoché.

— Mais comment ? Pourquoi ?

Elle déglutit tout en secouant la tête.

— C'est ce que nous avons l'intention d'éclaircir. Il est dans la salle d'interrogatoire à côté, mais il nous faut votre autorisation pour lui poser des questions.

— Oui, bien sûr, vous l'avez.

— Bon, alors allons-y.

Ils sortirent du bureau, puis Martin s'arrêta devant le bureau de Gösta et frappa un petit coup sur la porte ouverte.

— Tu peux venir avec nous ? On va l'entendre maintenant.

Carina et Gösta se serrèrent poliment la main, puis le trio entra dans la pièce où Per essayait de prendre l'air de celui qui s'ennuie profondément. Il laissa tomber le masque un instant en voyant sa mère, puis il se força à reprendre son expression d'indifférence et tourna ses yeux vers le mur.

— Per, qu'est-ce que tu as fait !

La voix de Carina se cassa quand elle s'assit à côté de son fils et essaya de poser son bras sur ses épaules. Il se dégagea vivement sans répondre.

Martin et Gösta s'installèrent face à Per et Carina, et Martin posa le magnétophone sur la table. La force de l'habitude lui avait aussi fait apporter un bloc-notes et un stylo. Il récita la date et l'heure et s'éclaircit la gorge.

— Alors Per, peux-tu nous dire ce qui s'est passé ? Mattias est dans une ambulance en route pour l'hôpital. Au cas où tu te le demanderais.

Per sourit. Sa mère lui donna un coup de coude.

— Per ! Réponds. Tu te le demandais, n'est-ce pas ?

Sa voix se brisa de nouveau, mais Per refusait toujours de la regarder.

— Laissez-le, c'est à lui de répondre, dit Gösta à Carina avec un petit clin d'œil pour la rassurer.

Il y eut un moment de silence pendant qu'ils attendaient la réponse de Per. Puis l'adolescent rejeta la tête en arrière.

— Mattias disait des conneries.

— Quelle sorte de conneries ? demanda Martin gentiment. Est-ce que tu peux préciser ?

Silence de nouveau. Puis :

— Ben, il essayait de baratiner Mia, c'est genre la reine du bahut, tu vois, je l'ai entendu frimer avec le cambriolage qu'ils avaient fait, Adam et lui, chez le vieux, vous savez, quand ils l'ont trouvé, il disait que personne d'autre n'avait osé faire ça. Je veux dire, merde quoi, c'est moi le premier à y être allé, c'est moi qui leur ai donné l'idée. Il avait des oreilles comme des paraboles quand je racontais tous les trucs cool qu'il y avait, n'importe qui peut comprendre qu'ils n'auraient pas osé y aller en premier, ces connards.

Per rit et Carina regarda honteusement la table. Il fallut quelques secondes à Martin pour comprendre ce que Per venait de dire. Il répéta lentement :

— Tu parles de la maison d'Erik Frankel ? A Fjällbacka ?

Oui, le vieux que Mattias et Adam ont trouvé mort. Avec tous les trucs nazis. De la camelote de ouf, dit Per, les yeux brillants. J'avais l'intention d'y retourner avec les potes pour emporter quelques bidules, puis le vieux est arrivé et il m'a enfermé et il a appelé mon père et…

— Attends, attends, dit Martin. On va le faire un peu plus lentement. Tu dis qu'Erik Frankel t'a pris en flagrant délit de cambriolage. Et qu'il t'a enfermé ?

259

— Je croyais qu'il n'y avait personne, je suis entré par une fenêtre de la cave. Puis il est arrivé quand j'étais dans la pièce où il y a les livres et tout plein de trucs, et il m'a enfermé à clé. Ensuite il m'a forcé à donner le numéro de papa et il l'a appelé.

— Vous étiez au courant de ça ?

Martin lança un regard mordant à Carina, qui hocha légèrement la tête.

— Mais pas avant l'autre jour. Kjell, mon ex-mari, ne me l'a pas dit avant. Jusque-là, je l'ignorais totalement. Et je ne comprends pas pourquoi tu n'as pas plutôt donné mon numéro de téléphone, Per. Au lieu de mêler papa à tout ça !

— De toute façon tu n'aurais pas pigé, dit Per et pour la première fois il regarda sa mère. Toi, tu ne fais que rester au lit et picoler, tu te fous du reste. Même là, en ce moment, tu pues l'alcool, est-ce que tu le sais au moins ?

Les mains de Per tremblèrent de nouveau, comme quand il avait perdu le contrôle une brève seconde au moment où ils entraient dans la pièce.

Les larmes montèrent aux yeux de Carina et elle dévisagea son fils. D'une voix basse elle dit :

— C'est tout ce que tu as à dire après tout ce que j'ai fait pour toi ? Je t'ai mis au monde, je t'ai nourri et habillé et j'ai été là pour toi pendant toutes ces années, quand ton père n'en avait rien à faire de nous. Elle se tourna vers Martin et Gösta : Un jour, il est simplement parti. Il a fait ses valises et il est parti. J'ai appris qu'il avait une affaire avec une jeune de vingt-cinq ans qui était en cloque, et il nous a quittés, Per et moi, sans un regard en arrière, jamais. Il a démarré une nouvelle famille et nous a laissés tomber comme une paire de vieilles chaussettes.

— Ça fait dix ans que papa s'est tiré, dit Per et il eut tout à coup l'air beaucoup plus âgé que ses quinze ans.

— Comment s'appelle ton père ? dit Gösta.

— Mon ex-mari s'appelle Kjell Ringholm, répondit Carina d'une voix guindée. Je peux vous donner son numéro de téléphone.

Martin et Gösta échangèrent un regard.

— S'agit-il du journaliste à *Bohusläningen* ? demanda Gösta tandis que tout commençait à se mettre en place dans son esprit. Le fils de Frans Ringholm ?

— Frans est mon grand-père, dit Per avec fierté. Il est hyper-cool. Il est même allé en prison, mais maintenant il s'occupe de politique. Ils seront élus aux municipales, et ensuite les bougnouls seront virés de la commune.

— Per ! lança Carina, effarée. Elle se tourna vers les policiers : Il est à l'âge où on se cherche. On essaie différents rôles. Et c'est vrai, son grand-père n'a pas une bonne influence sur lui. Kjell a interdit à Per de le voir.

— Vous pouvez toujours essayer, marmonna Per. Et le vieux, là, avec tous ses trucs nazis, il a eu son compte en tout cas. Je l'ai entendu parler avec papa quand il est venu me chercher, il disait qu'il allait lui donner de la matière pour ses articles sur les Amis de la Suède et sur Frans. Ils croyaient que je n'entendais pas, ils se sont mis d'accord pour se voir plus tard. Putain de traître, je comprends que grand-père ait honte de lui.

Carina lui donna une gifle et, dans le silence qui s'ensuivit, mère et fils se regardèrent avec autant de surprise que de haine. Puis le visage de Carina s'adoucit.

— Pardon, pardon, mon chéri. Je ne voulais pas… je… pardon.

Elle essaya de prendre son fils dans ses bras, mais il la repoussa brutalement.

— Dégage, sale ivrogne. Tu ne me touches pas ! T'entends ?

— On se calme. Gösta se redressa et regarda sévèrement Carina et Per : Je ne pense pas qu'on ira beaucoup plus loin aujourd'hui, on te laisse partir pour l'instant, Per. Mais... Du regard, il interrogea Martin, qui acquiesça imperceptiblement de la tête : Mais nous allons transmettre l'affaire aux services sociaux. Ce que nous venons de voir est préoccupant et nous pensons qu'ils devraient y regarder de plus près. Quant à l'enquête sur les violences à autrui, elle suivra son cours.

— Est-ce vraiment nécessaire ? demanda Carina d'une voix tremblante, sans mettre de véritable énergie dans sa question.

Gösta eut l'impression qu'elle était soulagée que quelqu'un prenne la situation en charge.

Après le départ de Per et Carina, Gösta suivit Martin dans son bureau.

— Eh bien, voilà de quoi réfléchir, dit Martin en s'asseyant.

— En effet.

Gösta se mordit la lèvre et pesa sur ses talons.

— Tu as quelque chose à me dire ?

— Euh, oui, un tout petit truc peut-être.

Gösta prit son élan. Quelque chose avait rongé son inconscient depuis plusieurs jours et pendant l'interrogatoire il avait subitement compris ce que c'était. Maintenant il s'agissait simplement de bien le formuler. Ça ne ferait pas plaisir à Martin.

Il hésita longuement sur le perron avant de se décider à frapper à la porte. Herman ouvrit presque aussitôt.

— Ah, tu es quand même venu.

Axel hocha la tête. Il resta sans bouger devant la porte.

— Entre. Je ne lui ai pas dit que tu allais venir. Je ne savais pas si elle allait s'en souvenir.

— Ça va si mal que ça ?

Axel regarda l'homme devant lui avec beaucoup de compassion. Herman avait l'air fatigué. Ça ne devait pas être facile pour lui.

— C'est ta tribu ? dit-il en levant le menton en direction des photos dans le vestibule.

Herman s'anima.

— Oui, ils y sont tous.

Axel observa les clichés, les mains dans le dos. Fêtes de la Saint-Jean et anniversaires, réveillons de Noël et jours ordinaires. Un fourmillement d'adultes, d'enfants et de petits-enfants. Un instant, il pensa à l'aspect qu'aurait eu cet affichage chez lui, s'il s'était donné la peine de le faire. Des photos de lui au bureau. Une montagne de documents. D'innombrables dîners avec la crème du monde politique et toutes sortes de personnes influentes. Peu d'amis, peut-être aucun. Ils n'étaient pas nombreux à supporter ça, la chasse continuelle, l'énergie qu'il mettait à localiser encore un autre criminel quelque part dans le monde. Encore un qui vivait une vie agréable imméritée. Qui avait du sang sur les mains et qui jouissait pourtant du privilège de caresser la tête de ses petits-enfants avec elles. Comment une famille, des amis, une vie ordinaire pouvaient-ils se mesurer à un tel moteur ? Pendant la plus grande partie de sa vie, il ne s'était pas demandé si cela lui manquait, il ne se l'était pas permis. Et la récompense était si belle lorsque le travail portait ses fruits. Lorsque des années d'interviews et de recherches dans les archives produisaient leurs fruits, que les coupables étaient rattrapés par leur passé et remis à la justice. Une récompense telle qu'elle l'emportait sur l'envie d'une existence ordinaire. Du moins, c'est ce qu'il avait cru. Mais à présent, devant les photographies de Herman et Britta, il se demandait s'il n'avait pas fait le mauvais choix en donnant la priorité à la mort plutôt qu'à la vie.

— Une famille charmante, dit Axel avant de tourner le dos aux photos.

Il suivit Herman dans le salon et s'arrêta net en apercevant Britta. Bien qu'Erik et lui aient eu Fjällbacka comme base depuis toujours, ça faisait des décennies qu'il ne l'avait pas vue. Leurs chemins n'avaient eu aucune raison de se croiser.

Les années se rappelèrent brutalement à lui, et il chancela. Elle était toujours belle. En réalité, elle était beaucoup plus belle qu'Elsy, qu'on aurait plutôt qualifiée de jolie. Mais Elsy avait possédé un éclat intérieur, une gentillesse avec laquelle la beauté superficielle de Britta ne pouvait rivaliser. Quelque chose avait cependant changé avec le temps. Il ne voyait plus aucune trace de la dureté anguleuse de Britta, aujourd'hui elle rayonnait de chaleur maternelle. Une maturité venue avec l'âge.

— C'est toi? dit-elle en se levant du canapé. C'est vraiment toi? Axel?

Elle lui tendit ses deux mains et il les saisit. Tant d'années s'étaient écoulées, une éternité. Soixante ans. Une vie. Plus jeune, il n'imaginait pas que le temps pourrait filer aussi vite. Les mains qu'il tenait entre les siennes étaient ridées et constellées de petites taches brunes dues à l'âge. Les cheveux n'étaient plus châtains, mais d'une jolie nuance argentée. Britta le regarda calmement droit dans les yeux.

— C'est bon de te revoir, Axel. Le temps a été clément avec toi.

— C'est drôle, j'allais te dire la même chose.

— Assieds-toi, qu'on bavarde un peu. Herman, tu peux nous préparer du café?

Herman acquiesça et partit s'affairer dans la cuisine. Britta s'assit. Elle tenait toujours la main d'Axel quand il s'installa à côté d'elle dans le canapé.

— Eh oui Axel, nous voilà devenus vieux, nous aussi. Qui l'eût cru? dit-elle en inclinant la tête, lui permettant de constater qu'elle avait conservé la coquetterie de sa jeunesse. J'ai entendu dire que tu avais fait beaucoup de bien au fil des ans, reprit-elle en l'examinant attentivement.

Il évita son regard.

— Du bien, du bien… J'ai fait ce qui devait être fait. Il y a des choses qu'on ne peut pas simplement balayer sous le tapis, dit-il avant de se taire brusquement.

— Tu as raison, Axel, répondit Britta d'un air sérieux. Tu as entièrement raison.

Ils restèrent en silence l'un à côté de l'autre et regardèrent la baie jusqu'à ce que Herman arrive avec le café et des tasses sur un plateau fleuri.

— Merci, mon chéri, lui dit Britta.

Axel sentit son cœur se serrer en voyant le regard qu'ils échangeaient. Il dut se rappeler que par son travail il avait contribué à donner la paix à beaucoup de personnes. Elles avaient eu la satisfaction de voir leurs bourreaux traînés devant la justice. C'était aussi une sorte d'amour. Pas un amour personnel, ni physique, mais de l'amour néanmoins.

Comme si elle avait lu dans ses pensées, Britta demanda en lui tendant une tasse :

— Est-ce que la vie a été bonne pour toi, Axel ?

La question contenait tant de dimensions, tant de strates qu'il ne sut quoi répondre. Il eut une vision d'Erik et de ses trois amis, chez eux dans la bibliothèque, insouciants, désinvoltes. Elsy au gentil sourire et aux manières douces. Frans qui donnait l'impression à tout son entourage de marcher sur le bord d'un volcan, mais qui avait aussi quelque chose de fragile en lui. Britta, si différente aujourd'hui de ce qu'elle était alors. Elle avait porté sa beauté tel un bouclier et il l'avait éliminée comme une coquille vide, sans contenu qui en valait la peine. C'était peut-être la vérité à l'époque. Mais les années avaient rempli la coquille, et aujourd'hui il avait l'impression qu'elle brillait d'une lumière intérieure. Puis Erik. La pensée d'Erik était tellement douloureuse que son cerveau chercha à la repousser. Assis là dans le salon de Britta, Axel s'obligea à voir son frère tel qu'il était alors, avant les temps difficiles. Installé derrière le bureau de leur père, les pieds posés dessus. Les cheveux châtains toujours un peu ébouriffés, et avec cette expression distraite qui le faisait paraître plus vieux que son âge. Erik, Erik, qu'il aimait tant.

Axel réalisa que Britta attendait une réponse. Il se força à quitter le passé et tenta de trouver une réponse dans le présent. Mais comme toujours les deux étaient inexorablement liés et les soixante années qui s'étaient écoulées s'emmêlèrent dans son souvenir en une bouillie de gens, de rencontres et d'événements. La main qui tenait la tasse tremblait. Pour finir, il dit :

— Je ne sais pas. Je crois. Aussi bonne que je l'ai mérité.

— Moi, j'ai eu une bonne vie, Axel. Et ça fait très, très longtemps que j'ai décidé que je la méritais. Tu devrais faire pareil.

Sa main trembla encore davantage et il renversa un peu de café sur le canapé.

— Oh pardon, je…

Herman bondit.

— Ce n'est pas grave, je vais chercher une éponge.

Il disparut dans la cuisine et revint avec un torchon imbibé d'eau avec lequel il tamponna doucement le tissu.

Britta gémit bruyamment et Axel sursauta.

— Oh là là, mère va se fâcher maintenant. Son joli canapé. Ce n'est pas bien, ça.

Axel interrogea Herman du regard, qui répondit en frottant plus énergiquement la tache.

— Tu penses que ça va partir ? Mère va me gronder, c'est sûr ! dit Britta en se balançant.

Elle observa avec inquiétude les efforts de Herman pour éliminer la tache. Il se leva et prit sa femme dans ses bras.

— Ça ira, ma chérie. Je vais l'enlever.

— Tu en es sûr ? Parce que, si mère se met en colère, elle le dira peut-être à père et…

Britta se mordilla nerveusement les jointures des doigts.

— Je te promets que je vais l'enlever. Elle n'en saura rien.

— Ça va, alors. Britta se détendit. Puis elle se figea et fixa Axel : Qui es-tu ? Qu'est-ce que tu veux ?

Des yeux, Axel chercha de l'aide auprès de Herman qui répondit simplement :

— Elle a des hauts et des bas.

Britta observa intensément Axel, comme pour trouver quelque chose sur ce visage qui s'obstinait à

267

s'esquiver de façon si moqueuse. Puis elle prit brutalement sa main et s'approcha tout près de lui.

— Il m'appelle, tu sais.

— Qui ça ? dit Axel et il lutta contre l'impulsion d'éloigner sa tête, sa main, son corps.

Quand Britta répondit, ce fut l'écho de ses propres mots qu'il entendit.

— Il y a des choses qu'on ne peut pas simplement balayer sous le tapis, chuchota-t-elle lentement, le visage à seulement quelques centimètres du sien.

Il retira vivement sa main et regarda Herman au-dessus de la tête argentée de Britta.

— Tu vois toi-même, dit Herman d'une voix fatiguée. Qu'est-ce qu'on fait maintenant ?

— Adrian ! Maintenant tu fais un effort !

Anna se démenait pour essayer de l'habiller, mais ces derniers temps il était devenu champion dans l'art de se tortiller comme une anguille. Il était impossible de lui enfiler ne serait-ce qu'une chaussette. Elle essaya de l'immobiliser pour lui mettre son slip, mais il se dégagea et se mit à courir partout en rigolant.

— Adrian ! Arrête ! S'il te plaît, je n'en peux plus. Dan nous attend, on va partir à Tanumshede. Faire des courses. Tu pourras regarder les jouets chez Hedemyrs, tenta-t-elle, bien consciente que la corruption n'était pas la meilleure façon de gérer la crise vestimentaire. Mais que faire ?

— Vous n'êtes pas encore prêts ? dit Dan en voyant Anna assise par terre, entourée d'un tas de vêtements, et Adrian qui galopait tout autour. J'ai mes cours dans une demi-heure, il faut qu'on y aille.

— Ben, tu n'as qu'à essayer toi-même alors, cracha-t-elle en lui lançant les affaires d'Adrian.

Il la regarda, perplexe. Elle n'était pas de très bonne humeur depuis quelque temps, mais c'était peut-être normal. Réunir deux familles coûtait plus qu'ils ne l'auraient cru.

— Allez viens, Adrian. On va voir si je sais toujours y faire.

Il attrapa le petit sauvage tout nu au vol, lui enfila le slip et les chaussettes avec une facilité déconcertante, puis Adrian se transforma de nouveau en anguille et refusa totalement le pantalon. Dan fit quelques essais en gardant son calme, mais il finit par perdre patience à son tour.

— Adrian, maintenant tu te tiens tranquille !

Tout surpris, Adrian cessa son manège. Puis il devint écarlate.

— Tu n'es PAS mon papa ! Va-t'en ! Je veux mon papa ! Papaaaa !

C'en fut trop pour Anna. Tous les souvenirs de Lucas revinrent, de la période épouvantable où elle vivait comme une prisonnière dans sa propre maison, et les larmes jaillirent. Elle se précipita dans la chambre, se jeta sur le lit, et fondit en larmes.

Puis elle sentit une main douce dans son dos.

— Ma chérie, qu'est-ce qui te prend ? Ce n'est pas très grave, tout ça. Il n'est pas encore habitué et il nous teste, c'est tout. D'ailleurs, comparé à Belinda au même âge, Adrian, c'est un amateur. A un moment, j'en ai eu tellement marre de toutes les histoires qu'elle faisait pour s'habiller que je l'ai déposée en petite culotte dehors devant la porte. Pernilla était furieuse contre moi, on était en décembre. Cela dit, elle n'y est restée qu'une petite minute avant que je change d'avis.

Anna ne rit pas. Au contraire, ses pleurs redoublèrent et tout son corps trembla.

— Mais ma puce, qu'est-ce qu'il y a? Tu m'inquiètes. Je sais que tu as vécu des choses difficiles, mais on va venir à bout de tout ça. On a tous besoin d'un peu de temps, ensuite ça va se calmer tout seul. Toi et moi... on va s'en sortir, ensemble.

Elle tourna un visage rouge et bouffi vers lui et se redressa à demi dans le lit.

— Je... je... sais..., bégaya-t-elle en essayant de contrôler les larmes. Je... le... sais... et je ne comprends... pas... pourquoi je deviens... toujours... comme ça quand...

Anna s'arrêta net au milieu de la phrase et regarda Dan, la bouche ouverte.

— Quoi? dit-il, complètement perdu. Tu deviens comme ça quand...?

Anna était incapable de répondre et au bout d'une minute elle vit qu'il comprenait. Lentement elle hocha la tête, les yeux écarquillés.

— Je deviens comme ça quand je suis... enceinte.

Un silence absolu s'installa dans la chambre. Puis une petite voix se fit entendre à la porte.

— Je me suis habillé. Tout seul. Je suis un grand garçon. On va regarder les jouets maintenant?

Dan et Anna regardèrent Adrian qui débordait de fierté. Le pantalon était devant derrière, et le pull à l'envers. Mais il s'était habillé. Tout seul.

Ça sentait bon dès l'entrée, et Mellberg se rendit droit dans la cuisine. Rita avait téléphoné un peu avant onze heures pour l'inviter à déjeuner, puisque Señorita avait exprimé l'envie de faire la folle avec Ernst. Il n'avait pas demandé comment la chienne avait communiqué ce souhait à sa maîtresse. Il était des choses qu'on devait se contenter d'accepter comme une manne tombée du ciel.

— Salut.

Johanna était en train d'aider Rita à couper des légumes. Avec difficulté cependant puisque son ventre l'obligeait à garder une certaine distance avec le plan de travail.

— Salut, toi. Mmm, ça sent bon ici, dit Mellberg en humant l'air.

— On prépare un chili con carne, dit Rita et elle vint lui faire une bise.

Mellberg résista à l'envie de lever la main et tâter la peau là où elle avait posé ses lèvres, et il alla s'asseoir à table.

— Tu devrais peut-être t'asseoir aussi ? dit-il à Johanna qui se massait le bas du dos, et il lui tira une chaise. Ça doit être lourd à trimballer.

— Plus que tu ne l'imagines. Mais j'aurai bientôt fini de le porter. Ça va me faire du bien d'être débarrassée de ce ballon. Elle se frotta le ventre. Tu veux toucher ? demanda-t-elle à Mellberg en voyant son regard.

— Je peux ? dit-il d'un air bête.

Il n'avait découvert l'existence de son propre fils que lorsque Simon était déjà un adolescent, et cette partie de la paternité restait un mystère pour lui.

— Là, il donne des coups de pied.

Johanna prit sa main et la posa à gauche sur son ventre. Mellberg sursauta en sentant un mouvement violent sous sa main.

— Oh pétard, il est fort. Ça ne fait pas mal ?

— Pas spécialement. Un peu désagréable peut-être quand je veux dormir. On pense que ce sera un footballeur.

— Je serais assez d'accord, dit Mellberg.

Il eut du mal à se résoudre à retirer sa main. L'expérience éveilla en lui de drôles de sentiments, qu'il ne sut pas définir. Envie, fascination, regret... Il ne savait pas trop.

— Et le papa alors, il a des talents footballistiques qu'il a pu transmettre ? dit-il en riant.

A sa grande surprise, il ne reçut aucune réponse. En levant les yeux, il vit le visage stupéfait de Rita.

— Mais Bertil, tu n'as pas compris que...

La porte d'entrée s'ouvrit au même moment.

— Mmm, ce que ça sent bon. C'est quoi ? Tu fais du chili, maman ?

Paula entra dans la cuisine et son visage ahuri répondit parfaitement à la stupéfaction de Mellberg.

— Paula ?

— Patron ?

Puis Mellberg eut un déclic et tout devint clair. Paula qui était arrivée ici avec sa mère. Rita qui venait de s'installer. Et les yeux sombres. Pourquoi ne l'avait-il pas noté avant ? Elles avaient exactement les mêmes yeux. Il n'y avait qu'une chose qu'il eut du mal à...

— Alors tu as rencontré ma compagne, dit Paula, et elle enlaça ostensiblement Johanna, tout en guettant sa réaction.

Elle le défia de dire ce qu'il ne fallait pas dire, de faire ce qu'il ne fallait pas faire.

Du coin de l'œil, il vit que Rita l'observait intensément. Elle tenait une cuillère en bois à la main, mais elle avait cessé de touiller la marmite en attendant son commentaire. Mille pensées fusèrent dans la tête de Mellberg. Mille préjugés. Mille choses qu'il avait prononcées au fil des ans, qui n'avaient peut-être pas toujours été très réfléchies. Subitement il comprit que c'était l'occasion de sa vie et qu'il ne devait pas se tromper. Trop de choses étaient en jeu, et avec les yeux sombres de Rita dirigés sur lui il dit calmement :

— Je ne savais pas que tu allais être maman. Et que c'est pour bientôt. Toutes mes félicitations. Johanna m'a fait le plaisir de me laisser tâter le petit sauvage qu'elle a là-dedans, et je suis d'accord avec votre hypothèse. C'est un futur footballeur, c'est évident.

Paula resta absolument immobile pendant encore quelques secondes, les bras autour de Johanna et les yeux fixés sur les siens, pour essayer de déterminer s'il y avait une pointe d'ironie cachée dans ses paroles. Puis elle se détendit et sourit.

— C'est vrai que c'est une sacrée expérience de sentir les coups de pied.

La pièce entière implosa de soulagement.

Rita se remit à touiller la marmite et elle dit en riant :

— Ce n'est rien en comparaison des coups que tu donnais, Paula. Je me souviens de ton père. Pour me taquiner, il disait toujours qu'apparemment tu cherchais un autre chemin pour sortir.

Paula fit une bise à Johanna et s'assit. Elle ne put cacher qu'elle s'interrogeait sur la présence de Mellberg. Pour sa part, il se sentit terriblement satisfait de lui-même. Il trouvait bien ça bizarre, deux femmes qui vivaient ensemble, et ce truc avec le bébé lui embrouillait franchement la tête. Tôt ou tard il serait obligé de calmer sa curiosité sur ce point… Mais tout de même. Il avait dit ce qu'il convenait de dire, et à sa grande surprise il avait été sincère.

Rita posa la marmite sur la table et les invita à se servir. Le regard dont elle gratifia Mellberg fut la preuve définitive qu'il avait agi comme il fallait.

Il se rappela encore la sensation de la peau tendue du ventre sous sa main, et du pied du bébé qui s'agitait là-dedans.

— Tu arrives pile-poil pour déjeuner. J'allais t'appeler.

Patrik goûta la soupe de tomates avec une cuillère avant de poser la casserole sur la table.

— Quel service. Qu'est-ce qui se passe ? dit Erica en arrivant dans la cuisine.

Elle se planta derrière lui et l'embrassa dans la nuque.

— Il n'y a pas que ça, qu'est-ce que tu crois ? Tu veux dire que, pour t'impressionner, il m'aurait suffi de préparer le déjeuner ? Merde, alors j'ai fait la lessive et le ménage dans le séjour pour rien, j'ai même été jusqu'à changer l'ampoule cassée aux toilettes.

— Je ne sais pas ce que tu prends comme drogue, mais je veux la même, dit Erica en lui jetant un regard surpris. Et Maja, elle est où ?

— Elle dort depuis un quart d'heure. Comme ça on pourra déjeuner tranquillement tous les deux. Et après je m'occupe de la vaisselle et tu remontes bosser.

— Booon… Ça devient inquiétant maintenant. Tu as dilapidé tout notre argent, ou alors tu vas me dire que tu as une maîtresse, ou que tu as été accepté pour le programme spatial de la Nasa et que tu vas passer une année à tourner autour de la planète… Ou alors mon mari a été enlevé par des extraterrestres et tu n'es qu'une sorte d'organisme cybernétique, un robot…

— Comment tu as fait pour deviner pour la Nasa ? dit Patrik avec un clin d'œil. Il coupa du pain qu'il mit dans un petit panier, puis il s'assit en face d'Erica.

Non, à vrai dire, j'ai été un peu rappelé à l'ordre quand je me promenais avec Karin aujourd'hui et… eh bien, je me suis dit que j'allais proposer un meilleur service, c'est tout. Mais ne compte pas sur ce traitement en permanence, je ne garantis pas qu'il n'y aura pas de rechutes.

— Alors tout ce que j'ai à faire pour que mon mari aide un peu plus à la maison, c'est lui fixer un rencard avec son ex-femme. Il faut que je passe le tuyau à mes copines…

— Mmmm, n'est-ce pas? dit Patrik et il souffla sur sa cuillerée de soupe. Mais il se trouve que ce n'était pas un rencard. Et je pense qu'elle vit des choses pas faciles en ce moment.

Il raconta brièvement ce que Karin lui avait confié et Erica hocha la tête. Même si Karin semblait plus mal lotie qu'elle-même, elle reconnut bien le tableau.

— Et toi alors, ça s'est bien passé? demanda Patrik en aspirant bruyamment sa soupe de tomates.

— J'ai trouvé plein de trucs super. Tu n'imagines pas tous les événements excitants qu'il y a eu ici à Fjällbacka et dans les environs à l'époque de la Seconde Guerre mondiale. Il y avait un de ces trafics avec la Norvège, de la contrebande dans les deux sens, de la nourriture, des armes, des humains. C'était aussi bien des Allemands transfuges que des résistants norvégiens qui venaient ici. Puis il y avait aussi le risque de tomber sur des mines, il y a eu plusieurs bateaux de pêche et des cargos qui ont sombré avec leur équipage en sautant sur des mines. Est-ce que tu savais que l'aviation civile avait abattu un avion allemand du côté de Dingle en 1940? Il y avait trois membres d'équipage, ils sont tous morts. Et je n'en avais jamais entendu parler. J'avais cru que la guerre était passée assez inaperçue ici, à part les difficultés d'approvisionnement.

— On dirait que tu t'es plongée corps et âme là-dedans, rit Patrik et il resservit de la soupe à Erica.

— Oui, et tu n'as pas tout entendu encore. J'ai demandé à Christian de sortir tous les documents où ma mère et ses amis pourraient figurer. Je ne pensais pas que ça donnerait quoi que ce soit, ils étaient si jeunes à l'époque. Mais regarde ça…

La voix d'Erica tremblotait. Elle alla chercher son porte-documents et en sortit une épaisse liasse de feuillets.

— Ouah, tu as trouvé tout ça !

— Oui, j'ai passé trois heures à tout lire.

Erica continua à feuilleter avec des doigts légèrement instables, et elle finit par trouver ce qu'elle cherchait. Elle montra une coupure de journal avec une grande photographie en noir et blanc.

— Là ! Regarde ça !

Patrik regarda attentivement la coupure. Ce fut la photographie qui attira d'abord son attention. Cinq personnes. Côte à côte. Il plissa les yeux pour pouvoir lire la légende et il reconnut quatre noms : Elsy Moström, Frans Ringholm, Erik Frankel et Britta Johansson. Mais il n'avait jamais entendu le cinquième auparavant. Un jeune homme, du même âge que les autres, un dénommé Hans Olavsen. Il lut l'article en silence, le regard d'Erica suspendu à son visage.

— Alors ? Qu'est-ce que tu en dis ? Je ne sais pas ce que ça veut dire, mais ça ne peut pas être un hasard. Regarde la date. Il est arrivé à Fjällbacka au moment où ma mère a cessé d'écrire son journal, presque jour pour jour. Pas vrai ? Ça ne peut pas être un hasard ! Ça signifie forcément quelque chose !

Erica arpenta la cuisine, tout excitée.

Patrik se pencha de nouveau sur la photographie. Il étudia les cinq jeunes gens. L'un d'eux était mort, assassiné, soixante ans plus tard. Une intuition lui dit qu'Erica avait raison. Ça signifiait forcément quelque chose.

Les pensées virevoltaient dans sa tête quand elle retourna au commissariat. Sa mère avait évoqué le fait qu'elle avait trouvé de la compagnie en promenant Señorita, un homme charmant qu'elle avait réussi à faire venir à ses cours de salsa. Mais jamais Paula n'aurait pu imaginer qu'il s'agissait de son chef. Et il n'était pas exagéré de dire qu'elle n'était pas ravie. Mellberg était à peu près le dernier homme qu'elle voulait voir fréquenter sa mère. Mais elle dut reconnaître qu'il avait plutôt bien géré la nouvelle concernant Johanna et elle. Etonnamment bien. L'étroitesse d'esprit avait justement été le premier argument qu'elle avait avancé contre un déménagement à Tanumshede. Il avait été suffisamment difficile de se faire accepter à Stockholm. Alors dans une petite localité… Ça pourrait virer au cauchemar. Mais elle avait discuté de la chose avec Johanna et sa mère, et elles s'étaient mises d'accord. Si ça ne fonctionnait pas, elles retourneraient à Stockholm. Pour l'instant tout se passait à merveille. Son travail lui plaisait énormément, sa mère avait pu monter ses cours de salsa et elle s'était trouvé un boulot à mi-temps à la Coop. Johanna était en arrêt de travail pour l'instant, ensuite elle serait en congé maternité pour un bon bout de temps, mais elle avait déjà prospecté les entreprises du coin qui étaient définitivement intéressées par ses compétences en économie. Mais en voyant la mine de Mellberg lorsqu'elle était entrée et avait enlacé Johanna, Paula avait eu l'impression pendant une seconde que tout allait s'écrouler comme un château de cartes. C'était l'exact moment où leur existence aurait pu s'effondrer. Mais Mellberg les avait surprises. Il n'était peut-être pas aussi désespérant qu'elle l'avait cru.

Paula échangea quelques mots avec Annika à la réception, puis elle alla frapper à la porte de Martin.

— Ça s'est passé comment ?

— Pour l'agression ? Il a avoué, il n'avait pas trop le choix. Sa mère l'a ramené à la maison, mais Gösta est en train de mettre les services sociaux sur le coup. Le contexte familial n'a pas l'air formidable.

— Non, c'est comme ça en général, dit Paula en s'asseyant.

— Ce qui a déclenché l'incident, c'est que Per était entré par effraction chez Erik Frankel ce printemps, et ça, c'est intéressant.

Paula leva les sourcils, mais elle laissa Martin poursuivre son récit. Quand il l'eut fini, ils gardèrent le silence un instant.

— Je me demande ce qu'Erik détenait comme informations qui ont pu intéresser Kjell. Quelque chose concernant son père ?

— Aucune idée. Martin haussa les épaules. Mais je me suis dit qu'on allait le lui demander. De toute façon, on doit aller à Uddevalla pour entendre ces messieurs des Amis de la Suède, et *Bohusläningen* y a son siège. On pourra s'arrêter en chemin chez Axel.

— On est partis, dit Paula et elle se leva.

Vingt minutes plus tard, ils se trouvèrent encore une fois devant la maison d'Axel et Erik. Paula pensa que l'homme avait l'air plus vieux cette fois. Plus gris, plus mince, comme un peu transparent. Il leur sourit aimablement en les faisant entrer, ne demanda pas pourquoi ils étaient revenus et se contenta de les guider jusqu'à la véranda.

— Vous avez avancé ? demanda-t-il une fois qu'ils furent assis, en précisant, assez inutilement : Avec l'enquête.

Martin regarda Paula avant de dire :

— On a quelques pistes à suivre. La plus importante, c'est qu'on a pu déterminer à deux jours près quand votre frère a été tué.

— Mais c'est un grand pas en avant, dit Axel avec un sourire qui n'effaça cependant pas le voile de chagrin et de fatigue de ses yeux. Vous pensez que ça s'est passé quand ?

— Il a rencontré sa… son amie, Viola Ellmander, le 15 juin, on est donc sûrs qu'il était en vie ce jour-là. L'autre date est un peu plus hasardeuse, mais on pense en tout cas qu'il était déjà mort le 17 juin lorsque votre femme de ménage…

— Laila, glissa Axel.

— Laila, c'est ça. Elle s'est rendue ici le 17 pour faire le ménage comme d'habitude, mais il n'y avait personne, et la clé n'était pas à sa place.

— Oui, Erik faisait toujours très attention à mettre la clé sous le paillasson pour Laila, que je sache il ne l'a jamais oublié. Alors s'il ne venait pas ouvrir et que la clé n'était pas là…

Axel se tut et se passa rapidement la main sur les yeux, comme s'il avait des visions de son frère qu'il voulait effacer.

— Je suis désolée de vous le demander, dit Paula doucement, mais nous voudrions savoir où vous étiez entre le 15 et le 17 juin. Ce sont des formalités, je vous assure.

Axel balaya ses excuses.

— Il n'y a aucune raison de vous excuser, je comprends que ça fait partie de votre travail. De plus les statistiques montrent que la plupart des meurtres sont commis par des membres de la famille, n'est-ce pas ?

— Oui, dit Martin. On aimerait bien recueillir ces informations pour pouvoir vous exclure de l'enquête au plus vite.

— Evidemment. Je vais aller chercher mon agenda.

Axel resta absent quelques instants, puis il revint avec un épais carnet. Il se rassit et commença à le feuilleter.

— Voyons voir… J'ai quitté la Suède pour Paris le 3 juin et ensuite je ne suis pas revenu avant… avant le jour où vous avez eu la gentillesse de venir me chercher à l'aéroport. Mais du 15 au 17… J'avais une réunion à Bruxelles le 15, puis je suis allé à Francfort le 16 et j'étais de retour au siège à Paris le 17. Je peux vous faire parvenir des copies des billets, si vous voulez.

Il tendit son agenda à Paula. Elle l'examina minutieusement, et après avoir interrogé Martin du regard elle le lui rendit.

— Non, je ne pense pas que ça sera nécessaire. Vous ne vous rappelez rien de particulier en ce qui concerne Erik à ces dates précises ? Un coup de téléphone ? Quelque chose qu'il aurait dit ?

— Non, je suis désolé. Mon frère et moi, on ne s'appelait pas très souvent quand j'étais à l'étranger. Je pense qu'Erik n'aurait téléphoné que si la maison était en feu. Il rit un peu, puis se tut brusquement et se passa de nouveau la main sur les yeux. C'est tout ? Je ne peux rien de plus pour vous ? dit-il en refermant son agenda.

— Si, en fait, il y a une chose, dit Martin en observant Axel. On a interrogé un jeune, Per Ringholm, qui a violemment agressé un camarade aujourd'hui. Il a raconté qu'il avait essayé de cambrioler votre maison, début juin. Et qu'Erik l'a surpris, l'a enfermé dans la bibliothèque puis a appelé son père, Kjell Ringholm.

— Le fils de Frans, constata Axel.

— Exactement, fit Martin. Per a entendu des fragments d'une conversation entre Erik et Kjell, ils convenaient de se rencontrer plus tard, Erik avait des informations dont il pensait qu'elles pourraient intéresser Kjell. Est-ce que ça vous dit quelque chose ?

— Rien du tout.

— Et ces informations que détenait Erik ? Vous ne savez pas de quoi il s'agissait ?

Axel garda le silence un long moment, il eut l'air de réfléchir, puis il secoua lentement la tête.

— Non, j'ai du mal à imaginer ce que ça pourrait être. Mais il est vrai qu'Erik consacrait beaucoup de temps à éclaircir la période de la Seconde Guerre mondiale, et il se trouvait évidemment en lien avec tout ce qui avait trait au nazisme de l'époque. Kjell se consacre au nazisme dans la Suède d'aujourd'hui. Alors je me dis qu'il avait peut-être trouvé un rapport, quelque chose d'un intérêt historique qui pouvait servir de matériau de base à Kjell. Mais le mieux, c'est de lui demander directement, j'imagine qu'il vous dira de quoi il s'agissait.

— Oui, nous partons directement pour Uddevalla. Au cas où vous vous rappelleriez autre chose, je vous donne mon numéro de portable.

Martin nota scrupuleusement son numéro sur un bout de papier et le tendit à Axel, qui le glissa entre les pages de son agenda.

Paula et Martin gardèrent le silence pendant tout le trajet. Mais leurs pensées empruntèrent les mêmes chemins. Qu'est-ce qu'ils avaient loupé ? Quelles étaient les questions qu'ils auraient dû poser ?

— On ne peut plus différer. Il faut qu'elle soit prise en charge.

Herman regarda ses filles avec un désespoir si profond qu'elles eurent du mal à y faire face.

— On le sait, papa. Tu fais ce qu'il faut faire, il n'y a pas d'autre alternative. Tu t'es occupé de maman aussi longtemps que tu as pu, mais maintenant c'est à d'autres de prendre la relève. On trouvera un endroit qui lui conviendra.

Anna-Greta se plaça derrière son père et l'entoura de ses bras. Elle eut un petit tressaillement en sentant combien il était maigre sous la chemise. La maladie de sa femme l'avait usé. Peut-être plus que ce qu'elles avaient vu. Ou voulu voir. Elle se pencha en avant et posa sa joue contre celle de Herman.

— On est là, papa. Birgitta, Maggan et moi, et nos familles. On est là pour toi, tu le sais. Tu n'auras jamais à te sentir seul.

— Sans votre mère, je me sens seul. Personne n'y peut rien, dit-il d'une voix sourde. Il essuya furtivement une larme du coin de l'œil : Mais je sais que ça vaut mieux pour Britta. Je le sais.

Les filles échangèrent un regard par-dessus la tête de leur père. Herman et Britta avaient été le noyau de leur vie, le roc sur lequel elles avaient pu se reposer. Maintenant les fondations mêmes de leur existence vacillaient, et elles se serreraient les coudes pour essayer de leur redonner une solidité. C'était effrayant de voir sa mère rétrécir, se réduire et devenir plus petite que soi. D'être obligé de devenir l'adulte face à celle qu'on a considérée tout au long de sa jeunesse comme infaillible, indestructible. Même si on avait cessé de voir sa mère comme un être divin qui a réponse à tout, il était extrêmement douloureux d'être témoin de sa déchéance.

Anna-Greta serra encore les épaules maigres de Herman et se rassit devant la table de la cuisine.

— Et là, elle se débrouille toute seule, même si tu es ici ? dit Maggan, inquiète. Tu ne veux pas que je fasse un saut pour vérifier que tout va bien ?

— Elle venait de s'endormir quand je suis parti. Mais en général elle ne dort qu'une heure, je pense qu'il est temps que je rentre maintenant, dit-il en se levant péniblement.

— On pourrait aller lui tenir compagnie pendant quelques heures, comme ça tu peux te reposer un moment, dit Birgitta. Elle se tourna vers Maggan, chez qui ils s'étaient retrouvés pour parler de Britta : Il pourrait s'allonger dans la chambre d'amis, non ?

— C'est une bonne idée, dit Maggan. Va donc t'allonger un moment, on passera la voir.

— Merci, les filles, dit Herman en se dirigeant vers le vestibule. Mais maman et moi, on s'est occupés l'un de l'autre pendant plus de cinquante ans, et j'aimerais continuer pour le peu de temps qui nous reste. Une fois qu'elle sera hospitalisée, alors…

Il ne termina pas sa phrase et se dépêcha de sortir avant que ses filles ne voient ses larmes.

Britta sourit dans son sommeil. La lucidité que son cerveau lui refusait quand elle était éveillée se manifestait quand elle dormait. Tout était si net. Certains souvenirs n'étaient pas les bienvenus, mais ils s'imposaient quand même. Comme le bruit de la ceinture de son père sur des fesses d'enfant dénudées. Ou les joues de sa mère baignées de larmes. Ou la promiscuité dans la petite maison où les cris d'enfants stridents retentissaient entre les murs et lui donnaient envie de se boucher les oreilles et de crier elle aussi. Mais il y avait des souvenirs agréables aussi. L'été quand ils couraient sur les dalles rocheuses et jouaient librement. Elsy dans ses robes fleuries que les doigts habiles de sa mère lui avaient confectionnées. Erik en culottes courtes et la mine grave. Frans avec ses cheveux blonds et bouclés qui lui donnaient toujours envie d'y passer la main, même quand ils étaient si petits que la différence entre garçon et fille n'avait pas grande importance.

Une voix perça à travers les souvenirs du sommeil. Une voix qu'elle ne reconnaissait que trop bien. Celle qui lui parlait de plus en plus souvent. Qui ne la laissait pas en paix, qu'elle soit éveillée, endormie ou entourée par les brumes. Celle qui traversait tout, qui voulait tout, qui insistait pour exister dans son monde. La voix qui lui refusait la rédemption, et l'oubli. La voix qu'elle avait pensé ne plus jamais entendre. Pourtant elle était là. C'était bizarre. Et effrayant.

Inquiète, elle remua la tête sur l'oreiller. Essaya de se débarrasser de la voix dans son sommeil, de se débarrasser des souvenirs qui troublaient son repos. Elle finit par y parvenir. Des souvenirs heureux se présentèrent. La première fois qu'elle avait vu Herman. L'instant où elle avait su qu'ils passeraient leur vie ensemble. Le mariage. Elle-même vêtue d'une belle robe blanche, ivre de bonheur. Les douleurs à la naissance d'Anna-Greta et l'immense tendresse qui s'ensuivit. Puis Birgitta et Margareta qu'elle aimait tout aussi fort. Herman qui s'occupait des bébés et les changeait, en dépit des protestations de sa belle-mère.

Il le faisait par amour. Pas par devoir, ni parce qu'il le fallait. Elle sourit. Ses yeux bougeaient derrière les paupières closes. Elle voulut rester ici. Parmi ces souvenirs. Si elle devait en choisir un seul qui remplirait sa tête pour le restant de sa vie, ce serait celui de Herman donnant le bain à la plus jeune des filles dans la baignoire de bébé. Il fredonnait tout en soutenant doucement la tête. Avec une extrême précaution, il passait le gant de toilette sur le petit corps. Rencontrait les yeux grands ouverts de sa fille, qui suivaient tous ses mouvements. Elle se vit debout à la porte, les observant à la dérobée. Dût-elle oublier tout le reste, elle lutterait pour conserver ce souvenir. Herman et Margareta, la main sous la tête de bébé, la tendresse, la proximité.

Un bruit la sortit brutalement du sommeil. Elle essaya d'y retourner. De retrouver le son des éclaboussures quand Herman trempait le gant dans l'eau tiède. Le gazouillis satisfait de Margareta. Mais le bruit extérieur la tira de nouveau vers la surface. L'approcha des brumes qu'elle tenait à tout prix à éviter. Si elle se réveillait, elle risquait d'être enveloppée par la grisaille floue qui s'emparait de son esprit.

Elle finit par ouvrir les yeux, de mauvaise grâce. Quelqu'un était penché sur elle. Britta sourit. Peut-être n'était-elle pas réveillée après tout. Peut-être tenait-elle tête aux brumes à l'aide de ses souvenirs.

— C'est toi ? dit-elle en fixant le personnage qui se pencha davantage sur elle.

Le sommeil s'attardait dans son corps engourdi, et elle fut incapable de bouger. Pendant une minute aucun des deux ne parla. Il n'y avait pas grand-chose à dire. Puis la certitude se fraya un passage dans le cerveau malade de Britta. Des souvenirs remontèrent à la surface. Des sentiments tombés dans l'oubli s'agitèrent et revinrent à la vie. Et elle sentit la peur s'installer. La peur dont la perte de mémoire l'avait peu à peu libérée. A présent elle voyait la Mort debout devant son lit et tout son être s'y opposa. Elle ne voulait pas quitter la vie, elle ne voulait pas quitter tout ce qu'elle avait. Elle serra fort le drap, et seuls quelques sons gutturaux franchirent ses lèvres sèches. La terreur se répandit dans son corps et lui fit tourner la tête d'un côté à l'autre, violemment. Désespérément, elle tenta d'envoyer des pensées et des appels à l'aide à Herman, comme s'il pouvait l'entendre via les ondes qu'elle expédiait à travers les airs. Mais elle savait que ça ne servait à rien. La Mort était venue la chercher, bientôt la faux tomberait et il n'y avait personne pour l'aider. Elle allait mourir seule ici dans son lit. Sans Herman. Sans les filles. Sans aucun adieu. En cet instant les brumes avaient disparu et son cerveau était plus lucide que jamais. La peur s'emballant comme un animal sauvage dans sa poitrine, elle réussit finalement à inspirer à fond et à pousser un cri. La Mort ne bougea pas. La regarda seulement dans son lit, la regarda et sourit. Ce n'était pas un sourire hostile, ce qui le rendait d'autant plus effrayant.

Puis la Mort se pencha en avant et prit l'oreiller de Herman. Terrorisée, Britta vit la masse blanche s'approcher. La brume définitive.

Son corps protesta un instant. Paniqua devant le manque d'air. Elle essaya d'inspirer, de faire entrer de l'oxygène dans ses poumons. Ses mains relâchèrent le drap, bougèrent de façon désordonnée dans le vide avant de rencontrer une résistance, rencontrer de la peau. Elles griffèrent, écorchèrent et luttèrent pour vivre encore un moment.

Puis ce fut le noir.

GRINI, PRÈS D'OSLO, 1944

— C'est l'heure du réveil ! La voix du gardien retentit à travers le bâtiment. Rassemblement dans la cour dans cinq minutes pour inspection !

Axel ouvrit péniblement un œil, puis l'autre. Pendant une seconde il fut totalement désorienté. Il faisait sombre dans la baraque, c'était si tôt le matin que pratiquement aucune lumière de l'extérieur n'y pénétrait. Mais c'était quand même mieux que la cellule qu'il avait occupée les premiers mois. Il préférait la promiscuité et la puanteur de ce vilain logement aux longues journées solitaires. Il avait entendu dire que Grini abritait trois mille cinq cents prisonniers. Cela ne l'étonnait pas. Où qu'il regarde, il y avait des gens, tous avec la même expression résignée qu'il avait probablement lui aussi.

Axel se redressa sur la couchette et se frotta les yeux. L'ordre de rassemblement arrivait plusieurs fois par jour, selon le bon vouloir des gardiens, et gare à celui qui traînait la patte. Mais aujourd'hui il eut du mal à sortir du lit. Il avait rêvé de Fjällbacka. Rêvé qu'il était monté sur le mont Vedde, qu'il regardait la baie et voyait les bateaux de pêche rentrer chargés de harengs. Il avait presque entendu les cris stridents des mouettes quand elles tournaient autour des mâts des bateaux. En réalité un son très laid, mais qui d'une étrange manière faisait partie de l'âme de la ville. Dans son rêve, il avait pu sentir le souffle chaud et délicieux de l'été. Et l'odeur de varech que le vent amenait parfois jusqu'en haut du rocher et qu'il aspirait avidement par le nez.

Mais la réalité était trop crue et froide pour qu'il puisse s'accrocher au rêve. Il sentit le tissu rêche de la couverture contre sa peau quand il la retira et bascula ses jambes par-dessus le bord du lit bancal. La faim le tenaillait. Bien sûr qu'on leur donnait à manger, mais beaucoup trop peu et bien trop rarement.

— Allez, on sort maintenant, dit le plus jeune des gardiens qui faisait le tour des prisonniers. Il s'arrêta devant Axel. Il fait froid aujourd'hui, dit-il gentiment.

Axel évita son regard. C'était le même garçon à qui il avait posé des questions sur la prison en arrivant, il avait eu l'impression qu'il était plus aimable que les autres. Et il avait eu raison. Il n'avait jamais vu ce jeune homme maltraiter quelqu'un ou l'humilier, comme le faisaient la plupart des autres gardiens. Mais la prison avait tracé une frontière nette entre eux. Prisonnier et gardien. Ils étaient deux êtres totalement distincts. Leurs vies étaient si différentes qu'Axel avait du mal à regarder les gardiens quand ils arrivaient dans son champ de vision. Les habits qu'il portait étaient le premier signe qu'il appartenait à une catégorie subalterne de l'humanité. Les autres prisonniers lui avaient appris que le port de l'uniforme de la garde royale avait été introduit en 1941 après l'évasion d'un prisonnier. Il se demanda comment on pouvait avoir la force d'essayer de s'enfuir. Pour sa part il était épuisé, vidé de toute énergie, après trop de travail, trop peu de nourriture, trop peu de sommeil et trop d'inquiétude pour ses proches à la maison. Et beaucoup trop de misère.

— Accélère, dit le jeune gardien en le poussant un peu.

Axel obéit et hâta le pas. Les conséquences pouvaient être très fâcheuses si on était en retard pour le rassemblement du matin.

En descendant l'escalier qui menait dans la cour, il trébucha subitement. Il sentit son pied glisser sur la marche, tomba en avant sur le jeune gardien qui marchait juste devant lui. Il remua les bras pour retrouver son équilibre mais, au lieu de rencontrer de l'air, ses doigts touchèrent l'uniforme et le corps du gardien. Avec un bruit sourd, Axel vint heurter son dos, et ses poumons se vidèrent totalement quand sa cage thoracique accusa le coup. Il y eut d'abord un silence total. Puis il sentit des bras le remettre brutalement sur pied.

— Il t'a attaqué, dit le gardien plus vieux qui le tenait solidement par le col.

Il s'appelait Jensen, c'était un des geôliers les plus cruels.

— Je ne crois pas…, dit le jeune homme lentement en se levant et en brossant la terre de son uniforme.

— Il t'a attaqué, je te dis !

Jensen était écarlate. Il saisissait chaque occasion qui se présentait pour causer des ennuis à ceux sur qui il avait le pouvoir. Quand il traversait le camp, la foule s'écartait comme la mer Rouge s'était écartée devant Moïse.

— Non, il…

— J'ai vu qu'il t'a attaqué ! cria-t-il et il fit un pas en avant, l'air menaçant. Tu dois le corriger, ou tu préfères que je m'en charge ?

— Mais il…

Les yeux du jeune gardien, qui n'était qu'un garçon, allèrent désespérément d'Axel à l'autre geôlier.

Axel le regarda avec indifférence. Cela faisait long-temps qu'il avait cessé de réagir, de sentir. Ce qui devait arriver arrivait. Si on résistait aux événements, on ne survivait pas.

— Bon, si c'est comme ça, je vais…

Le gardien âgé s'approcha d'Axel et leva son fusil.

— Non ! Je vais le faire ! C'est mon boulot…, dit le jeune homme d'une voix pâle avant de s'interposer.

Il regarda Axel droit dans les yeux, on aurait presque dit qu'il demandait pardon. Puis il leva la main et le gifla.

— C'est ça que tu appelles une punition ? cria Jensen.

Un petit groupe s'était attroupé autour d'eux et quelques gardiens riaient d'excitation. Tout ce qui venait interrompre la monotonie de la prison était bienvenu.

— Frappe plus fort ! hurla Jensen et son visage devint encore plus rouge.

Le jeune gardien le fixa encore une fois mais Axel refusa de croiser son regard. Alors il prit son élan et envoya son poing fermé sur son menton. Sa tête partit en arrière, mais il tenait encore sur ses pieds.

— Plus fort !

Plusieurs gardiens scandaient à l'unisson, et des gouttes de sueur perlaient sur le front du jeune. Il ne cherchait plus le regard d'Axel. Ses yeux s'étaient couverts d'une pellicule luisante, il se pencha et ramassa le fusil par terre, puis il le leva pour frapper.

Axel tourna le visage, par pur réflexe, et le coup atterrit violemment sur son oreille gauche. Il eut l'impression que quelque chose cassait. Le coup suivant lui arriva droit en face. Puis il ne se souvint plus de rien. Une douleur insoutenable avait pris le dessus.

Aucune plaque sur la porte ne signalait que le local était occupé par les Amis de la Suède. Il n'y avait qu'un bout de papier sur la boîte aux lettres qui disait "Pas de publicité, SVP", et qui indiquait le nom "Svensson". Martin et Paula avaient obtenu l'adresse par leurs collègues d'Uddevalla, qui gardaient un œil sur les agissements de l'organisation.

Ils n'avaient pas téléphoné pour annoncer leur arrivée, se disant qu'il y aurait forcément quelqu'un aux heures de bureau. Martin appuya sur la sonnette. Un signal strident se fit entendre, sans effet immédiat. Il levait le doigt pour appuyer une seconde fois lorsqu'on ouvrit la porte.

— Oui ?

Un homme d'une trentaine d'années les interrogea du regard et une ride lui barra le front lorsqu'il vit leurs uniformes. Elle se creusa encore davantage quand il aperçut Paula. Pendant quelques secondes, il l'examina en silence, de pied en cap, d'une manière qui donna envie à la jeune femme d'envoyer fermement son genou bien placé entre ses jambes.

— Aha. En quoi puis-je être utile à l'Etat ? demanda-t-il avec sarcasme.

— On aimerait échanger quelques mots avec un représentant des Amis de la Suède. C'est bien ici ?

— Tout à fait, entrez.

L'homme, qui était blond, grand et volumineux comme les gens qui fréquentent les salles de sport à outrance, recula et les laissa entrer.

— Martin Molin, et voici Paula Morales. Nous sommes de la police de Tanumshede.

— Eh bien, vous venez de loin, dit l'homme en les précédant dans le petit bureau. Je m'appelle Peter Lindgren.

Il prit place derrière le bureau et leur fit signe de s'asseoir.

Martin mémorisa le nom et se dit qu'il faudrait faire une recherche dans les fichiers dès son retour au commissariat. Quelque chose lui dit qu'il y trouverait pas mal d'informations utiles sur l'homme assis en face de lui.

— Bon, qu'est-ce qui vous amène ? demanda Peter en se renversant dans le fauteuil et en croisant les mains sur ses genoux.

— Nous enquêtons sur le meurtre d'un homme nommé Erik Frankel. Vous connaissez ?

Paula se força à paraître calme. Les hommes de ce type avaient quelque chose qui lui donnait envie de vomir. Mais, comble d'ironie, c'était probablement exactement ce que ressentait Peter Lindgren quand il voyait une femme de son genre.

— Je devrais ? dit Peter en regardant Martin plutôt que Paula.

— Oui, vous devriez, dit Martin. Vous avez eu un certain… contact avec lui. Des menaces plus précisément. Je dois comprendre que vous n'êtes pas au courant ?

— Non, je ne reconnais pas ce nom. Vous avez des preuves de ces… menaces ? dit Peter avec un sourire.

Martin eut l'impression de subir une inspection détaillée. Après une petite hésitation, il dit :

— Ne vous occupez pas de ce que nous avons ou n'avons pas pour le moment. Nous savons que vous avez menacé Erik Frankel. Et nous savons aussi qu'un membre de votre organisation, Frans Ringholm, connaissait Frankel et qu'il l'a mis en garde.

— Je ne prendrais pas Frans trop au sérieux, dit Peter, et une lueur dangereuse scintilla dans ses yeux. Il jouit d'un grand prestige au sein de notre organisation, mais il commence à se faire vieux, et… nous sommes une nouvelle génération, prêts à reprendre le flambeau. Les temps ont changé, les conditions ne sont plus les mêmes. Les gens comme Frans ne comprennent pas toujours la nouvelle donne.

— Alors que les gens comme vous la comprennent ? dit Martin.

Peter écarta les mains.

— Il faut savoir quand on doit suivre les règles et quand on doit les enfreindre. Tout revient en fin de compte à faire ce qui sert la bonne cause à long terme.

— Et la bonne cause, c'est… ? dit Paula.

Elle se rendit compte que son ton était fielleux, et un regard d'avertissement de la part de Martin confirma qu'il l'avait entendu aussi.

— Une société meilleure, dit Peter calmement. Ceux qui gouvernent ce pays ne l'ont pas bien géré. Ils ont permis à… des forces étrangères de prendre trop de place. Ils ont fait en sorte que l'esprit suédois, l'esprit pur, soit éclipsé.

Il défia Paula du regard, qui avalait sans cesse sa salive pour s'obliger à la boucler. Ce n'était ni le bon endroit, ni le bon moment. Et elle était tout à fait consciente qu'il cherchait à la provoquer.

— Mais nous sentons que le vent a tourné maintenant. De plus en plus, les gens se rendent compte que nous courons à la catastrophe en continuant ainsi, en laissant ceux qui sont au pouvoir démolir ce que nos ancêtres ont bâti. Nous pouvons offrir une société meilleure.

— Et en quoi – je veux dire d'un point de vue théorique – un vieux professeur d'histoire à la retraite constituerait-il une menace contre une… société meilleure ?

Peter croisa de nouveau ses mains sur ses genoux avant de répondre.

— D'un point de vue théorique… Il ne constituerait naturellement pas une grande menace d'un point de vue théorique. Mais il a contribué à répandre une image erronée, une image que les vainqueurs de la guerre se sont efforcés de mettre en avant. Et cela ne pourrait évidemment pas être toléré. D'un point de vue théorique, j'entends.

Martin voulut répliquer, mais Peter l'interrompit. Il n'avait apparemment pas encore terminé.

— Toutes les images, tous les récits parlant de camps de concentration et de mort ne sont que des fabrications, des mensonges exagérés martelés comme des vérités. Et savez-vous pourquoi ? Pour laminer le message initial, le véritable message. Ce sont les vainqueurs de la guerre qui écrivent l'histoire et ils ont décidé de noyer la réalité dans du sang, de déformer l'image donnée au monde, pour que personne n'ose se lever et demander si c'est le bon côté qui a gagné. Erik Frankel faisait partie de ce camouflage, de cette propagande. C'est pourquoi quelqu'un comme lui… d'un point de vue théorique… serait un obstacle à la société que nous voulons créer.

— Mais à votre connaissance, l'organisation n'a donc jamais exprimé de menaces contre lui ?

Martin le contempla. Il connaissait d'avance la réponse.

— Non, jamais. Nous travaillons selon les règles de la démocratie. Bulletins de vote. Profession de foi. Prendre le pouvoir par la voix du peuple.

Il regarda Paula qui serra les poings. Elle pouvait encore voir les soldats venus enlever son père. Ils avaient eu la même expression dans les yeux.

— Bon, alors on ne va pas vous déranger davantage, dit Martin en se levant. La police d'Uddevalla nous a fourni les noms des autres membres du bureau et nous allons bien entendu leur parler aussi.

— Bien entendu, dit Peter. Mais personne n'aura autre chose à dire. Et en ce qui concerne Frans… eh bien, je n'écouterais pas trop un homme âgé qui vit dans le passé.

Erica avait du mal à se concentrer sur son livre. Sa mère venait sans cesse s'immiscer dans ses pensées. Elle attrapa la liasse d'articles de journaux et prit celui avec la photographie. C'était si frustrant. Regarder les visages de ces personnes sans pouvoir obtenir de réponse. Elle approcha la photo tout près de son visage. Etudia en détail chacun des personnages, l'un après l'autre. D'abord Erik Frankel. Il affichait une mine sérieuse face à l'objectif. Se tenait tout raide. Il avait quelque chose de triste et, sans savoir si elle avait raison ou pas, elle en tira la conclusion que c'était l'arrestation de son frère qui avait laissé des traces. Mais il avait affiché le même mélange de gravité et de tristesse quand elle l'avait vu au mois de juin au sujet de la médaille nazie.

Erica déplaça son regard sur la personne à côté d'Erik. Frans Ringholm. Il avait un physique agréable. Très agréable. Cheveux blonds qui bouclaient sur le col, sans doute plus longs que ses parents ne l'auraient voulu. Son sourire était franc et charmeur. Ses bras posés avec nonchalance sur les épaules de ses voisins qui ne semblaient pas spécialement apprécier.

Erica observa attentivement la personne à droite de Frans. Sa mère. Elsy Moström. Elle avait une expression plus douce qu'Erica ne lui avait jamais connue. Mais une certaine raideur autour de son sourire timide indiquait qu'elle n'aimait pas le bras placé sur son épaule. Elle était très jolie, Erica dut le reconnaître. Elle avait l'air gentille. La femme qu'elle avait connue et qui l'avait élevée était froide et inaccessible. Rien chez la fille de la photo ne présageait une telle aridité. Lentement, Erica passa son doigt sur le visage de sa mère. Comme tout aurait pu être différent si ç'avait été la mère qu'elle avait connue. Qu'était-il arrivé à cette fille, qu'est-ce qui avait effacé sa douceur ? Qu'est-ce qui avait changé sa timidité en indifférence ? Pourquoi ne pouvait-elle jamais se résoudre à serrer ses filles dans les bras tendres qu'on devinait sous les manches courtes de sa robe fleurie, à les serrer sur son cœur ?

Tristement, Erica déplaça son attention sur la personne suivante de la photo. Britta ne regardait pas l'appareil photo. Elle regardait Elsy. Ou Frans. Impossible de dire lequel. Erica prit la loupe sur son bureau et la passa devant le visage de Britta en plissant les yeux pour mieux voir. On ne pouvait pas savoir. Mais elle semblait en colère. Les coins de sa bouche tiraient vers le bas. Ses mâchoires paraissaient dures et serrées. Et le regard. Oui, Erica était presque sûre. Britta observait l'un d'eux, Elsy ou Frans, peut-être les deux.

Puis la dernière personne sur la photo. Le garçon avait à peu près le même âge que les autres. Blond lui aussi, comme Frans, mais ses cheveux étaient plus courts et plus bouclés. Il était grand, assez dégingandé, et son visage était pensif. Ni joyeux, ni triste. "Pensif" fut le seul mot qui vint à l'esprit d'Erica.

Elle relut l'article. Hans Olavsen était un résistant norvégien qui avait fui la Norvège à bord de l'*Elfrida* de Fjällbacka. Le capitaine du bateau, Elof Moström, lui avait offert le gîte et, selon l'auteur de l'article, il fêtait maintenant la fin de la guerre en compagnie de ses amis de Fjällbacka.

Songeuse, Erica reposa l'article. Il se dégageait de ces jeunes une sorte de dynamique qui paraissait… Non, elle était incapable de déterminer quoi. Alors que ses questions ne faisaient qu'augmenter à mesure qu'elle apprenait du nouveau, elle sentait intuitivement, comme une sorte de sixième sens, que la réponse se trouvait ici. Elle comprit qu'il lui faudrait se renseigner davantage sur cette photo, sur la relation entre les amis, et sur Hans Olavsen, le résistant norvégien. Il restait encore deux personnes à qui s'adresser : Axel Frankel et Britta Johansson. Britta semblait la plus à même de répondre. Erica avait besoin d'une explication à la colère dans son regard. Elle était assez réticente à l'idée de retourner chez la femme malade mais, si seulement elle avait l'occasion d'expliquer à son mari, il comprendrait peut-être. Peut-être la laisserait-il parler avec Britta à nouveau, à un moment où elle serait lucide. Demain, elle prendrait le taureau par les cornes et y retournerait.

Quelque chose lui disait que Britta détenait toutes les réponses.

FJÄLLBACKA 1944

Ça l'avait éreinté. La guerre. Toutes les traversées sur ces eaux devenues ennemies. Il avait toujours adoré la mer au large du Bohuslän. Adoré ses mouvements, son odeur, les vagues qui frappaient l'étrave. Mais depuis l'arrivée de la guerre, la mer et lui n'entretenaient plus la même relation d'amitié. La mer était hostile désormais. Elle dissimulait des menaces sous sa surface, des mines qui à tout moment pouvaient le faire exploser avec tout son équipage. Et les Allemands qui patrouillaient dans le secteur ne valaient pas mieux. On ne savait jamais ce qui pouvait leur passer par la tête. La mer était devenue imprévisible, d'une tout autre manière que celle à laquelle ils étaient habitués. Les tempêtes, les hauts-fonds, ils avaient appris à les gérer, ils y faisaient face avec l'expérience acquise par plusieurs générations. Et si la nature prenait le dessus, eh bien, on l'acceptait avec philosophie et sérénité.

Cette nouvelle imprévisibilité était bien pire. Et s'ils survivaient au voyage en mer, d'autres dangers les guettaient quand ils arrivaient à quai pour charger ou décharger les marchandises. L'incident au cours duquel ils avaient perdu Axel Frankel était là pour le lui rappeler. Il fixa l'horizon et, pendant quelques minutes, il s'autorisa à penser au garçon. Si courageux. Si invulnérable, en apparence. A présent, personne ne savait où il était. Les rumeurs prétendaient qu'il avait été transféré à Grini. Mais il ne savait pas s'il devait y croire ni s'il y était encore, pour peu que la rumeur dise vrai. On affirmait que les Allemands avaient commencé à envoyer certains prisonniers en Allemagne. Le garçon se trouvait peut-être là. Il n'était peut-être plus en vie. Une année s'était écoulée depuis que les Allemands l'avaient arrêté, et personne n'avait eu le moindre signe de vie de lui. Il fallait s'attendre au pire. Elof prit une profonde inspiration. Il croisait les parents d'Axel de temps en temps. M. et Mme Frankel. Le docteur et son épouse. Mais il n'avait pas le courage de croiser leur regard. S'il pouvait, il traversait la rue et hâtait le pas en baissant la tête. D'une étrange façon, il avait l'impression qu'il aurait pu en faire davantage. Il ne savait pas quoi. Mais quelque chose. Il aurait peut-être dû refuser de l'embarquer dès le début.

Son cœur saignait aussi quand il voyait le frère d'Axel. Le petit Erik si sérieux. Certes, il n'avait jamais été un gai luron, mais depuis la disparition de son frère il était devenu encore plus taciturne. Il avait eu l'intention d'en toucher un mot à Elsy. Lui dire qu'il n'aimait pas qu'elle fréquente ces garçons, Erik et Frans. Il n'avait rien contre Erik, il avait des yeux gentils, en revanche Frans lui déplaisait franchement. Une tête à claques, voilà l'expression qui lui venait à l'esprit pour le décrire. Mais ni l'un ni l'autre n'étaient des compagnons convenables pour Elsy. Ils venaient d'une autre classe sociale. Une catégorie de gens totalement différents. Hilma et lui auraient tout aussi bien pu être nés sur une autre planète que celle des Frankel et Ringholm. Leurs mondes n'étaient pas supposés se rencontrer. Rien de bon ne pourrait en ressortir. Il avait pu le tolérer quand leurs enfants étaient de petits morpions qui jouaient à chat perché et à cache-cache. Mais ils étaient plus grands maintenant. Ça ne pourrait rien donner de bon.

Hilma le lui avait dit plusieurs fois déjà. Lui avait demandé de parler à sa fille. Mais il n'avait pas encore eu le cœur de le faire. C'était suffisamment difficile avec la guerre. Avoir des camarades était peut-être le seul luxe que les jeunes pouvaient s'offrir, et qui était-il pour priver Elsy de ses amis ? Mais tôt ou tard il serait obligé de le faire. Il connaissait bien les garçons. Chat perché et cache-cache se transformeraient rapidement en étreintes clandestines, il le savait d'expérience. Lui aussi avait été jeune, même si ça paraissait terriblement lointain désormais. Bientôt il serait temps pour les deux mondes de se séparer. C'était ainsi, et ça devait rester ainsi. L'ordre des choses ne devait pas être modifié.

— Capitaine ! Vous feriez mieux de venir !

Elof fut tiré de ses réflexions et vit un de ses hommes lui faire signe de venir, ce qui le déconcerta un peu. Ils étaient en pleine mer et il leur restait encore plusieurs heures avant d'arriver au port de Fjällbacka.

— On en a un de trop ici, dit Calle Ingvarsson sèchement en montrant la cale.

Elof vérifia, tout surpris. Un jeune homme était blotti derrière un sac de chargement.

— J'ai entendu un bruit, c'est comme ça que je l'ai trouvé. Il toussait tellement que c'est un miracle si nous ne l'avons pas entendu jusque sur le pont, dit Calle en glissant une autre chique sous sa lèvre avec une vilaine grimace ; le tabac à chiquer en temps de guerre n'était qu'un substitut peu satisfaisant.

— Qui es-tu, et qu'est-ce que tu fais à bord de mon bateau ? dit Elof rudement.

Il se demanda s'il devait appeler l'un des hommes d'équipage en renfort.

— Je m'appelle Hans Olavsen, je suis monté à bord à Kristiansand, dit le jeune homme dans un norvégien franc et net. Il se releva et tendit la main pour dire bonjour, et après une brève hésitation Elof la prit. Le garçon le regarda droit dans les yeux : J'espérais pouvoir venir avec vous jusqu'en Suède. Les Allemands ont… disons que je ne peux plus rester sur le sol norvégien si je tiens à la vie.

Elof garda le silence un long moment, il réfléchit. Il n'aimait pas être trompé de cette manière. Mais quel autre moyen avait-il, ce garçon ? Est-ce qu'il aurait pu se présenter à lui devant tous les Allemands qui surveillaient le port pour demander poliment qu'il le prenne à bord jusqu'en Suède ?

— D'où tu viens ? finit-il par dire en examinant le garçon de haut en bas.

— D'Oslo.

— Et qu'est-ce que tu as fait qui t'empêche de rester en Norvège ?

— On ne parle pas volontiers de ce qu'on a été forcé de faire pendant la guerre, dit Hans et un voile sombre vint couvrir sa figure. Je ne suis plus d'aucune utilité pour la Résistance.

Elof se dit qu'il avait sûrement aidé des gens à passer la frontière. C'était un boulot dangereux et, si les Allemands commençaient à vous avoir à l'œil, mieux valait partir pendant que vous étiez encore vivant. Elof sentit sa réticence céder. Il pensa à Axel, qui avait fait le voyage en Norvège tant de fois, sans jamais penser aux conséquences pour lui-même, et qui avait effectivement eu à en payer le prix. Allait-il se montrer moins généreux que le fils du docteur ? Qui n'avait que dix-neuf ans ? Il prit sa décision séance tenante.

— Bon, tu resteras alors. Nous allons à Fjällbacka. Est-ce que tu as mangé ?

Hans secoua la tête et déglutit.

— Non. Pas depuis avant-hier. Le voyage depuis Oslo a été… difficile. On ne peut pas prendre la route directe.

Il baissa les yeux.

— Calle, donne-lui quelque chose à manger. Moi, je dois veiller à nous ramener entiers à la maison. Partout il y a ces foutues mines que les Allemands s'obstinent à semer dans le secteur.

Il secoua la tête et se dirigea vers l'escalier. En se retournant, il croisa les yeux du garçon. Quel âge pouvait-il avoir ? Dix-huit ans, pas plus. Pourtant, il lisait dans son regard beaucoup de choses qui n'auraient pas dû s'y trouver. Une jeunesse gâchée, une perte de l'innocence. La guerre avait certainement fait beaucoup de victimes. Pas seulement celles qui étaient mortes.

Gösta se sentait un peu coupable. S'il avait fait son boulot, Mattias ne serait pas à l'hôpital. Quoique. Il n'était pas sûr que ça ait changé quoi que ce soit. Mais il aurait pu apprendre que Per avait essayé de cambrioler la maison des Frankel au printemps, et les choses se seraient peut-être déroulées autrement. Quand Gösta prenait les empreintes digitales d'Adam, celui-ci avait laissé entendre que quelqu'un d'autre à l'école avait parlé des "trucs cool" qu'il y avait chez les Frankel. Sa phrase lui était restée en tête, elle le titillait et le narguait sans arrêt. Si seulement il avait été un peu plus attentif. Plus minutieux. Bref, s'il avait fait son boulot. Il poussa son soupir caractéristique que des années d'entraînement lui avaient permis de parfaire. Car il savait très bien ce qu'il devait faire maintenant. Il fallait qu'il répare du mieux qu'il pouvait le mal qui avait été fait.

Il se rendit dans le garage et prit la voiture de police restante. Martin et Paula avaient pris l'autre pour aller à Uddevalla. Quarante minutes plus tard, il se gara devant l'hôpital de Strömstad. La réceptionniste l'informa que l'état de Mattias s'était stabilisé et lui expliqua comment trouver sa chambre.

Il respira à fond avant d'ouvrir la porte. Il y aurait certainement des membres de la famille. Gösta n'aimait pas trop les rencontrer. Les sentiments venaient toujours s'y mêler, c'était difficile de se maintenir sur un plan professionnel. Pourtant il avait parfois étonné ses collègues, et lui-même, en se montrant très doué pour gérer le contact avec des personnes en souffrance. S'il en avait eu la force et l'énergie, il aurait pu utiliser ce talent dans son travail, en faire un atout. Il ne l'avait pas fait.

— Vous l'avez coincé ?

Un homme grand en costume-cravate se leva lorsque Gösta entra. Il avait tenu dans ses bras une femme en pleurs, qui de toute évidence était la mère du garçon dans le lit. Mais la ressemblance que Gösta crut noter venait probablement plus des souvenirs qu'il avait de Mattias et de leur première rencontre devant la maison des Frankel. Car le garçon dans le lit ne ressemblait à personne. Son visage n'était qu'une plaie rouge et gonflée avec des parties virant sur le bleu. Les lèvres avaient doublé de volume, et il ne voyait plus que d'un seul œil, et péniblement. L'autre était totalement fermé.

— Quand j'aurai mis les mains sur ce… salopard, maugréa le père de Mattias en serrant les poings.

Il avait les larmes aux yeux et Gösta sentit à nouveau qu'il aurait préféré être dispensé de ce truc avec la famille et leurs sentiments. Mais maintenant il était là. Autant s'en débarrasser au plus vite. Surtout qu'il se sentait de plus en plus coupable en regardant le visage massacré de Mattias.

— Laissez la police faire son travail, dit-il et il s'assit à côté d'eux.

Il dit son nom puis il regarda les parents de Mattias droit dans les yeux pour s'assurer qu'il avait leur attention.

— Nous avons interrogé Per Ringholm au commissariat. Il a avoué l'agression, et il y aura des suites. Lesquelles, je ne le sais pas en l'état actuel des choses, c'est au procureur de le déterminer.

— Vous l'avez mis sous les verrous, j'espère? dit la mère de Mattias d'une voix tremblante.

— Pas pour le moment. Le procureur ne décide que très rarement d'écrouer un mineur. Dans la pratique, c'est exceptionnel. On l'a donc laissé rentrer avec sa mère pendant que l'enquête suit son cours. Nous avons également contacté les services sociaux.

— Alors lui, il peut rentrer avec sa mère, tandis que mon fils se trouve ici et…

La voix du père de Mattias se brisa et son regard alla de Gösta à son fils, sans comprendre.

— Pour l'instant, oui. Mais il y aura des suites. Je vous le garantis. Pour le moment, j'aimerais échanger quelques mots avec votre fils, si vous le voulez bien, pour m'assurer que nous ne sommes pas passés à côté de quelque chose.

Les parents de Mattias se regardèrent, puis tous deux hochèrent la tête.

— D'accord, mais à condition qu'il le supporte. Il n'est pas tout le temps réveillé. Il est sous sédatifs.

— On le fera à son rythme, dit Gösta avant d'approcher la chaise du lit.

Il eut un peu de mal à comprendre les mots que Mattias bafouillait, mais il finit par tenir la confirmation du déroulement des événements. Ça collait parfaitement avec le récit de Per. Quand il eut terminé ses questions, il se tourna à nouveau vers les parents de Mattias.

— Est-ce que vous êtes d'accord pour que je prenne ses empreintes digitales?

Nouvel échange de regards entre les parents. Et de nouveau ce fut le père qui prit la parole.

— Oui, je n'y vois pas d'inconvénient. Si c'est nécessaire pour…

Il ne termina pas sa phrase, se contentant de regarder son fils, les larmes aux yeux.

— Ça ne prendra qu'une minute, dit Gösta en sortant son équipement.

Un instant plus tard, de retour dans la voiture, il contemplait le coffret avec les empreintes de Mattias. Elles n'auraient peut-être aucune importance pour l'enquête. Mais il avait fait son travail. Finalement. Ce fut une piètre consolation.

— Dernière escale d'aujourd'hui, hein ? dit Martin quand ils descendirent de la voiture de police devant la rédaction de *Bohusläningen*.

— Oui, après il sera temps de rentrer, répondit Paula en regardant l'heure.

Elle avait gardé le silence pendant tout le trajet depuis le bureau des Amis de la Suède, et Martin l'avait laissée à ses réflexions. Il comprenait que ça devait être difficile pour elle d'être confrontée à ce genre de personnes. Ceux qui la jugeaient avant même d'avoir eu le temps de dire bonjour, et qui ne voyaient que la couleur de la peau. Il trouvait cela désagréable lui-même mais, avec son teint blanc, ses taches de rousseur et sa chevelure flamboyante, il n'était jamais exposé aux regards dont on gratifiait Paula. Certes, il avait eu à supporter quelques quolibets à l'école à cause de sa couleur de cheveux, mais c'était du passé maintenant, et ce n'était pas pareil.

— On cherche Kjell Ringholm, dit Paula en s'appuyant sur le comptoir dans le hall d'accueil.

— Un instant, je vais le prévenir.

La réceptionniste prit le téléphone et annonça à Kjell Ringholm qu'il avait de la visite.

— Il va venir vous chercher, asseyez-vous en attendant.

— Merci.

Ils s'installèrent dans les fauteuils qui encadraient une table basse. Au bout de quelques minutes arriva un homme légèrement rondelet, aux cheveux châtains et avec une grosse barbe. Paula se dit qu'il ressemblait terriblement à Björn. Ou à Benny*. Elle n'arrivait jamais à les distinguer.

— Kjell Ringholm, dit-il en leur donnant à chacun une poignée de main ferme, presque douloureuse. Martin ne put s'empêcher de faire une grimace. Venez, on va s'installer dans mon bureau. Il les précéda à travers la rédaction. Je vous en prie, asseyez-vous. Je croyais connaître tous les policiers d'Uddevalla, pourtant je ne vous ai jamais vus auparavant. Vous travaillez pour qui ?

Kjell s'assit derrière sa table de travail qui était inondée de papiers.

— Nous ne sommes pas de la police d'Uddevalla. Nous venons de Tanumshede.

— Ah bon ? Kjell eut l'air surpris. Paula crut cependant apercevoir autre chose pendant une seconde. Que puis-je faire pour vous alors ?

— Tout d'abord, nous voudrions vous dire qu'aujourd'hui nous avons interpellé votre fils pour l'agression d'un camarade d'école, dit Martin.

* Allusion à Björn Ulvaeus et Benny Andersson, les chanteurs du groupe Abba.

L'homme derrière le bureau se redressa immédiatement.

— Comment ? Vous avez arrêté Per ? Qui a-t-il… ?
Comment va… ?

Il se mit à bafouiller lorsque les mots jaillirent de
sa bouche, et Paula attendit tranquillement qu'il fasse
une pause qui leur permettrait de répondre.

— Il s'est attaqué à un garçon qui s'appelle Mattias
Larsson, dans la cour de l'école. Mattias a été trans-
porté à l'hôpital de Strömstad, le dernier rapport en
date dit que son état est stable, mais qu'il a été griè-
vement blessé.

— Qu'est-ce qu'il… ? Kjell semblait avoir du mal
à assimiler ce qu'ils disaient. Mais pourquoi personne
ne m'a appelé ? A vous entendre, on dirait que ça ne
fait que quelques heures que ça s'est passé ?

— Per a voulu qu'on appelle sa mère. Elle est venue
au commissariat et elle a assisté à son interrogatoire.
Ensuite il est reparti avec elle.

— Eh bien, ça, ce n'est pas l'idéal, vous vous en
êtes sans doute rendu compte, dit Kjell et il regarda
attentivement Paula et Martin.

— Oui, durant l'interrogatoire, nous avons compris
qu'il y avait certains… problèmes, si bien que nous avons
demandé aux services sociaux de prendre la relève.

— J'aurais sans doute dû m'y attaquer plus tôt, soupira Kjell. Mais il y a toujours des trucs qui viennent
s'interposer… Je ne sais pas…

Il y eut un petit silence. Il fixait une photo posée sur
le bureau, une femme blonde et deux enfants d'une
dizaine d'années.

— Que va-t-il se passer maintenant ?

— Le procureur va se charger de l'affaire, et il déci-
dera des suites à donner. Mais c'est sérieux…

— Je sais, je comprends. Croyez-moi, je ne le prends pas à la légère. Je comprends parfaitement la gravité. Je voudrais simplement savoir un peu plus concrètement ce que vous pensez…

Il regarda la photo de nouveau, puis il tourna les yeux vers les deux policiers. Ce fut Paula qui répondit :

— Difficile à dire. Probablement un centre de rééducation pour mineurs.

— Oui, d'une certaine façon, c'est sans doute le mieux. Ça fait longtemps que Per est… difficile, et cette histoire va peut-être lui faire comprendre le sérieux des choses. Mais ça n'a pas été facile pour lui. Je n'ai pas été aussi présent que j'aurais dû, et sa mère… Vous avez sûrement compris ce qu'il en est. Mais elle n'a pas toujours été comme ça. C'est le divorce qui l'a… Le divorce l'a terriblement affectée.

Sa voix s'éteignit et son regard alla de nouveau chercher la photo.

— Il y a encore autre chose, dit Martin.

— Oui ?

— Pendant l'interrogatoire, nous avons appris que Per a essayé de cambrioler une maison au début de l'été, au mois de juin. Et que le propriétaire, Erik Frankel, l'a pris en flagrant délit. Si on a bien compris, vous êtes au courant de ces faits ?

Pendant une seconde, Kjell ne dit rien, puis il hocha lentement la tête.

— Oui, c'est exact. Erik Frankel m'a appelé après avoir enfermé Per à clé dans sa bibliothèque, et je m'y suis rendu. Kjell afficha un sourire en coin. C'était assez amusant, d'ailleurs, de voir Per enfermé dans un tel endroit. C'est sans doute le seul contact direct qu'il ait jamais eu avec des livres.

— Les cambriolages, ça n'a rien d'amusant, commenta Paula sèchement. Ça aurait pu mal se terminer.

— Oui, je sais, je suis désolé. C'était une plaisanterie douteuse, s'excusa Kjell. Mais aussi bien Erik que moi-même, nous nous sommes dit qu'un rappel à l'ordre serait suffisant. Erik ne pensait pas que Per serait prêt à recommencer de sitôt. C'est tout ce qu'il y a eu. Je suis venu chercher Per, je lui ai fait la leçon et ça s'est arrêté là…

Il haussa les épaules dans un geste de résignation.

— Mais apparemment vous avez parlé d'autre chose, Erik Frankel et vous. Per a entendu Erik dire qu'il avait des renseignements qui pourraient vous intéresser en votre qualité de journaliste, et vous vous êtes mis d'accord pour vous voir à un autre moment. Ça vous rappelle quelque chose?

Il y eut un grand silence. Puis Kjell secoua la tête.

— Non, je dois dire que je n'en garde aucun souvenir. Soit Per a inventé, soit il a mal compris. Ce qu'il m'a dit, c'est que je pouvais le contacter si j'avais besoin d'informations sur le nazisme.

Martin et Paula le regardèrent avec scepticisme. Ni l'un ni l'autre n'en crurent un mot. Il était évident qu'il mentait. Mais ils n'avaient aucun moyen de le prouver.

— Savez-vous si votre père et Erik étaient en contact? finit par demander Martin.

Les épaules de Kjell s'affaissèrent légèrement, comme s'il était soulagé de les voir abandonner le premier sujet.

— Pas à ma connaissance. Mais d'un autre côté je ne connais rien aux activités de mon père et je ne m'y intéresse pas. Sauf quand ça touche à mes articles.

— Ça ne vous gêne pas? dit Paula. De vous acharner comme ça sur votre père?

— Vous êtes pourtant bien placée pour comprendre combien il est important de lutter activement contre le racisme, dit Kjell. C'est comme un cancer de la société, et il nous faut le combattre par tous les moyens. Et s'il se trouve que mon père fait partie de ce cancer… alors… c'est son choix, dit Kjell en écartant les mains. Mon père et moi n'avons par ailleurs aucun lien en dehors du fait qu'il a mis ma mère enceinte. Durant toute mon enfance, je ne l'ai rencontré que dans les salles de visite des prisons et, dès que j'ai été en âge de penser par moi-même et de prendre des décisions, j'ai vu que c'était une personne dont je ne voulais pas dans ma vie.

— Alors il n'y a aucune relation entre vous ? Et Per, est-ce qu'il voit son grand-père ? dit Martin, plus par curiosité que pour l'importance éventuelle que cela pourrait avoir pour l'enquête.

— Je n'ai aucune relation avec lui. Malheureusement, mon père a réussi à faire gober un tas de bêtises à mon fils. Quand Per était petit, on pouvait veiller au grain et éviter tout contact entre eux, mais aujourd'hui qu'il est plus grand et à peu près libre de ses mouvements… eh bien, on n'a pas réussi à les empêcher de se voir.

— Bien, je pense que nous avons terminé. Pour l'instant, ajouta Martin en se levant.

Paula suivit son exemple. En quittant la pièce, Martin s'arrêta et se retourna.

— Vous êtes absolument sûr de ne pas détenir d'informations concernant Erik Frankel qui pourraient nous être utiles ?

Leurs yeux se croisèrent et pendant une brève seconde Kjell sembla hésiter. Puis il secoua énergiquement la tête et dit laconiquement :

— Non, rien. Absolument rien.

Cette fois non plus, ils ne le crurent pas.

Margareta était inquiète. Personne n'avait répondu au téléphone chez ses parents depuis la visite de son père chez elle la veille. C'était étrange, et alarmant. Ils la prévenaient toujours quand ils sortaient, mais ces temps-ci ça n'arrivait pas très souvent. Et elle leur passait toujours un coup de fil le soir pour bavarder un moment. C'était un rituel qu'ils avaient depuis de nombreuses années, et elle ne se rappelait pas une seule fois où ses parents n'avaient pas répondu. Mais chaque fois qu'elle composait le numéro que ses doigts connaissaient par cœur, le signal d'appel résonnait dans le vide, sans que personne soulève le combiné. Elle avait voulu passer chez eux dès la veille au soir, mais Owe, son mari, l'avait persuadée d'attendre le lendemain matin. Ils étaient sûrement allés se coucher tôt, voilà tout. Mais maintenant on était le lendemain, la matinée était bien avancée, et personne ne répondait. Margareta sentit l'inquiétude enfler, jusqu'à devenir une certitude que quelque chose était arrivé. C'était la seule explication qu'elle put trouver.

Elle se chaussa, enfila une veste et se dirigea résolument vers la maison de ses parents. C'était une promenade d'une dizaine de minutes et à chaque seconde elle pestait contre elle-même d'avoir écouté Owe et de ne pas y être allée la veille. Quelque chose n'allait pas, elle le sentait.

Quand elle fut à une centaine de mètres, elle aperçut quelqu'un devant la porte de ses parents. Elle plissa les yeux, mais ce ne fut qu'en arrivant qu'elle vit qui était là. L'écrivain Erica Falck.

— Je peux vous aider ? dit-elle gentiment, mais elle entendit l'inquiétude percer dans sa voix.

— Oui, je cherchais à voir Britta. Mais on dirait qu'il n'y a personne, dit la femme blonde d'un air embarrassé.

— Je n'ai pas arrêté de les appeler depuis hier sans qu'ils répondent, alors je viens vérifier que tout va bien. Venez avec moi, vous pourrez attendre à l'intérieur, dit Margareta en levant le bras pour tâter au-dessus d'un des chevrons qui soutenaient le petit auvent, et en tirer une clé.

Sa main trembla un peu lorsqu'elle ouvrit la porte.

— Entrez. Je vais aller jeter un coup d'œil, dit-elle.

Elle fut subitement très reconnaissante d'avoir de la compagnie. En fait, elle aurait sans doute dû appeler une de ses sœurs, ou les deux, avant de venir ici. Mais cela serait revenu à avouer qu'elle prenait la situation très au sérieux, et qu'elle était rongée par l'inquiétude.

Elle fit le tour du rez-de-chaussée. Tout était en ordre, comme d'habitude.

— Maman ? Papa ? appela-t-elle sans recevoir de réponse.

La peur commença à s'emparer d'elle pour de bon, et elle eut du mal à respirer. Elle aurait vraiment dû téléphoner à ses sœurs avant.

— Restez là, je vais monter voir.

Elle commença à monter l'escalier, sans se hâter, ses pas étaient lents et craintifs. Tout était si immobile, ce n'était pas normal. Mais en arrivant sur la dernière marche elle entendit un faible bruit. On aurait dit un sanglot. Presque comme les pleurs d'un petit enfant. Pendant un instant, elle resta sans bouger pour localiser le bruit et elle comprit rapidement qu'il provenait de la chambre de ses parents. Le cœur martelant dans sa poitrine, elle s'y précipita et ouvrit lentement la porte. Il lui fallut quelques secondes pour comprendre ce qu'elle voyait. Puis elle entendit, comme dans le lointain, sa propre voix crier à l'aide.

Ce fut Per qui ouvrit quand il sonna à la porte.

— Pépé ! s'exclama-t-il et il ressemblait à un chiot qui quémandait une caresse.

— Qu'est-ce que tu es encore allé faire ? dit Frans d'une voix sévère en s'introduisant dans le vestibule.

— Mais je… il… il racontait un tas de conneries. J'étais supposé dire amen, c'est ça ?

La voix de Per était offusquée. Il avait cru que son grand-père le comprendrait.

— D'ailleurs, ce n'était rien en comparaison de certaines choses que tu as faites, continua-t-il avec insolence, mais sans oser regarder Frans dans les yeux.

— C'est précisément pour ça que je sais de quoi je parle !

Frans le prit par les épaules et le secoua, forçant son petit-fils à le regarder.

— On va s'asseoir et parler, je réussirai peut-être à te faire entrer un peu de bon sens dans le crâne. Elle est où, ta mère ?

Des yeux, Frans chercha Carina, prêt à défendre son droit d'être là et de parler avec son petit-fils.

— En train de cuver son vin, je suppose, dit Per en partant en direction de la cuisine. Elle a commencé à picoler dès qu'on est rentrés hier, et elle se bourrait encore la gueule cette nuit quand je me suis couché. Mais là, ça fait un moment que je n'ai plus rien entendu.

— Je vais aller voir. Tu n'as qu'à lancer un café en attendant.

— Mais je ne sais pas comment on…, commença Per sur un ton geignard et récalcitrant.

— Alors il est grand temps d'apprendre, cracha Frans et il mit le cap sur la chambre de Carina. Carina ! lança-t-il en entrant.

Un ronflement sonore l'accueillit. Elle était sur le point de glisser du lit, un bras traînant par terre. Ça sentait la biture et le vomi.

— Quelle horreur, dit Frans à voix haute. Puis il inspira profondément et s'approcha d'elle, il posa une main sur son épaule et la secoua. Carina, il faut te réveiller maintenant.

Toujours pas de réaction. Il regarda la pièce. La salle de bains communiquait avec la chambre. Il y alla et commença à faire couler un bain. Pendant que la baignoire se remplissait, il la déshabilla d'une mine dégoûtée. Ce fut vite fait, elle ne portait qu'une culotte et un soutien-gorge. Il la porta dans la salle de bains enveloppée de la couverture et la laissa tout bonnement tomber dans l'eau.

— Putain ! s'ébroua son ex-belle-fille encore dans les vapes. Qu'est-ce que tu fous ?

Frans ne répondit pas. Il alla ouvrir le placard et choisit quelques vêtements propres qu'il posa sur le couvercle des toilettes à côté de la baignoire.

— Per prépare du café. Lave-toi, habille-toi et viens nous rejoindre dans la cuisine.

Un instant, elle eut l'air de vouloir protester. Puis elle hocha docilement la tête.

— Bon, alors tu as réussi le tour de force d'allumer la cafetière ? demanda-t-il à Per, qui était assis devant la table en train d'étudier ses ongles.

— Ça aura un goût de chiottes, mais ça sera au moins quelque chose.

Frans observa le breuvage noir d'encre qui avait commencé à couler dans la verseuse.

— Oui, en tout cas ça ne sera pas du jus de chaussette.

Longuement, ils restèrent en silence l'un en face de l'autre, son petit-fils et lui. C'était une drôle de sensation, de voir sa propre histoire dans quelqu'un d'autre. Car il voyait très nettement les traits de son père dans le garçon. Les traits du père qu'il regrettait encore de ne pas avoir tué. Peut-être que tout aurait été différent s'il l'avait fait. S'il s'était servi de toute la colère qui bouillonnait en lui et l'avait dirigée contre celui qui le méritait. Au lieu de cela, il l'avait laissée s'éparpiller tous azimuts, sans le moindre but. Elle était toujours là. Il le savait. Simplement, il ne la laissait pas exercer ses ravages librement comme lorsqu'il était jeune. Aujourd'hui, c'était lui qui contrôlait la rage, pas le contraire. C'était cela qu'il devait faire comprendre à son petit-fils. La rage en soi n'était pas une mauvaise chose. Mais il fallait veiller à être celui qui choisissait la bonne occasion de la relâcher. La rage devait être une flèche qu'on décochait en visant avec soin, pas une hache qu'on faisait tournoyer sauvagement autour de soi. Il avait déjà tenté cette voie-là. Tout ce qu'il y avait gagné, c'était une vie passée en grande partie derrière les barreaux et un fils qui ne supportait pas de le voir. Il n'avait personne d'autre. Ceux de l'organisation n'étaient pas des amis. Il n'avait jamais commis l'erreur de le croire ou d'essayer de faire en sorte de le devenir. Tous étaient beaucoup trop emplis de leur propre rage pour être en mesure de nouer ce type de liens entre eux. Ils partageaient un but. C'était tout.

Il regarda son petit-fils et il vit son père. Mais il se vit aussi. Et Kjell. Le fils dont il avait essayé de faire la

316

connaissance quand il venait le voir en prison et durant ses courtes périodes en liberté. Une entreprise vouée à l'échec. Et qui avait effectivement échoué. Pour être tout à fait honnête, il ne savait même pas s'il l'aimait. Il l'avait peut-être fait un jour. Peut-être y avait-il eu un frétillement dans son cœur en voyant Rakel arriver en prison avec leur fils. Il ne s'en souvenait plus.

Bizarrement, le seul amour qu'il pouvait se rappeler, assis là dans la cuisine avec Per, était celui qu'il avait éprouvé pour Elsy. Un amour vieux de soixante ans, et pourtant c'était celui qui s'était gravé dans sa mémoire. Elle et son petit-fils. Les seules personnes qui avaient jamais compté pour lui. Qui avaient réussi à faire naître des sentiments en lui. Autrement tout était mort. Son père avait tué le reste. Ça faisait longtemps que Frans n'y avait pas pensé. A son père. A tout le reste. Mais maintenant le passé avait commencé à se réveiller. Et il était temps de s'y pencher.

— Kjell sera fou s'il apprend que tu es venu ici.

Carina se tenait dans l'ouverture de la porte. Elle tanguait légèrement, mais elle était propre et habillée. Ses cheveux dégoulinaient, et elle avait posé une serviette sur ses épaules pour ne pas mouiller son pull.

— Ce que pense Kjell m'est égal, dit Frans sèchement.

Il se leva pour servir du café à Carina et à lui-même.

— Ce truc a l'air imbuvable, dit-elle en s'asseyant et en fixant la tasse remplie à ras bord d'un café bien noir.

— Tu le boiras, dit Frans et il se mit à ouvrir les placards et les tiroirs.

— Qu'est-ce que tu fous ? Tu n'as rien à faire dans mes placards !

Elle but une gorgée de café et fit la grimace. Il ne dit rien, commença simplement à en sortir des bouteilles,

les unes après les autres, et les vida méthodiquement dans l'évier.

— De quel droit tu te mêles de ça ! hurla-t-elle.

Per se leva.

— Toi, tu bouges pas, dit Frans en pointant un doigt sur lui. On va régler ce problème une fois pour toutes.

Son petit-fils obéit immédiatement et se laissa retomber sur la chaise.

Une heure plus tard, lorsque tout l'alcool avait été vidé, il ne restait que les vérités.

Kjell fixa l'écran. Sa mauvaise conscience le tarabustait continuellement. Depuis la visite des policiers la veille, il avait essayé de rassembler ses forces pour se rendre chez Per et Carina. Mais il n'y était pas parvenu. Il n'avait pas su par quel bout commencer. Il sentait qu'il était sur le point d'abandonner, et ça lui faisait peur. Des ennemis extérieurs ne lui posaient aucun problème, il pouvait les combattre à l'infini. Il pouvait s'attaquer aux puissants et aux néonazis, et engager le combat avec des moulins à vent géants s'il le fallait, sans ressentir la moindre fatigue. Mais quand il s'agissait de son ancienne famille, quand il s'agissait de Per et Carina, c'était comme si toutes ses forces l'abandonnaient. La mauvaise conscience les avait dévorées.

Il regarda la photo de Beata et des enfants. Bien sûr qu'il aimait Magda et Loke, et il ne voudrait pas être privé d'eux, mais en même temps c'était allé si vite, pas comme il l'avait voulu. Il s'était retrouvé dans une situation qui l'avait emporté, et il lui arrivait encore de se demander si cela n'avait pas causé plus de malheur que de bonheur. Un mauvais timing. Il s'était peut-être

318

trouvé dans une sorte de crise de la quarantaine, et Beata était arrivée exactement au mauvais moment. Au début il avait eu du mal à croire à sa chance. Qu'une fille jeune et belle comme elle s'intéresse à quelqu'un comme lui, qui devrait être un vieux à ses yeux. Mais c'était vrai. Et il n'avait pas su résister. Coucher avec elle, sentir son corps nu et ferme, voir son admiration se tourner vers lui comme un projecteur, c'était comme une ivresse. Il avait été incapable de penser, incapable de faire un pas en arrière ou de prendre des décisions rationnelles. Au lieu de cela, il s'était laissé emporter, s'était laissé enivrer. L'ironie de l'histoire était qu'il venait de ressentir les premiers signes de dégrisement lorsque la situation lui avait échappé. Il commençait à se lasser de ne jamais recevoir d'opposition réelle dans les discussions qu'ils avaient, elle ne connaissait rien aux atterrissages sur la lune ou aux révoltes en Hongrie. Il s'était même lassé de la sensation de sa peau lisse sous ses mains.

Il se souvenait encore de l'instant où tout s'était écroulé. Il s'en souvenait comme si c'était hier. Le rendez-vous dans le café. Ses grands yeux bleus lorsqu'elle lui annonçait, folle de joie, qu'il allait être papa, qu'ils attendaient un enfant. Que maintenant il serait obligé de tout dire à Carina, comme il le lui promettait depuis si longtemps.

Il avait réalisé qu'il avait commis une erreur. Il sentit encore le poids dans sa poitrine, la certitude que cette erreur ne pouvait plus être réparée. Un instant il avait envisagé de juste la laisser là, à la table. La quitter et rentrer à la maison s'allonger sur le canapé à côté de Carina et regarder les informations avec elle pendant que Per, tout juste cinq ans, dormait tranquillement dans son lit.

Mais son instinct mâle lui avait dit que cette alternative n'existait pas pour lui. Certaines maîtresses choisissaient de ne pas aller tout révéler à l'épouse. Et d'autres choisissaient de le faire. Il savait très bien à quelle catégorie Beata appartenait. S'il la brisait, elle piétinerait sa vie, détruirait son existence, sans la moindre hésitation. Quant à lui, il se retrouverait au milieu des débris.

Il le savait et il avait pris la voie de la lâcheté. Il n'avait pas supporté l'idée de se retrouver seul. De vivre dans un appartement minable de célibataire, de fixer les murs et se demander où sa vie était passée. Il avait choisi la seule voie possible. Celle de Beata. Elle avait gagné. Et il avait abandonné Carina et Per. Comme des déchets au bord de la route. Rejetés. Pas suffisants. Il avait humilié et démoli Carina. Et il avait perdu Per. C'était le prix qu'il avait dû payer pour sentir une peau jeune sous ses mains.

Peut-être aurait-il pu garder Per. S'il avait eu la force de surmonter la culpabilité qui pesait sur son cœur chaque fois qu'il pensait à ceux qu'il avait laissés. Mais il n'y était pas arrivé. Il s'était contenté de faire des apparitions sporadiques, avait fait preuve d'un semblant d'autorité, joué au papa à de rares occasions avec un résultat lamentable.

Aujourd'hui il ne connaissait plus son fils. Il était un étranger pour lui. Et il n'avait plus le courage de réessayer. Il était devenu comme son père. C'était cela, l'amère vérité. Il avait consacré une vie entière à haïr son père qui les avait éliminés, sa mère et lui, pour mener une nouvelle vie sans eux.

Et maintenant il réalisait qu'il avait fait exactement la même chose.

Kjell abattit violemment son poing sur la table, pour essayer de remplacer sa douleur intérieure par une douleur physique. Sans succès. Il ouvrit alors le tiroir du bas de son bureau pour contempler la seule chose à même d'éloigner ses pensées de ce sujet si cruel à évoquer.

Il fixa le dossier. Un instant, il avait été tenté de donner le matériau à la police, mais le professionnel qui sommeillait en lui avait tiré le frein à main au dernier moment. Ce n'était pas énorme, ce qu'Erik lui avait fourni. Quand il était venu le voir à son bureau, il avait tourné autour du pot, hésité sur ce qu'il voulait raconter, ne sachant pas jusqu'où il était prêt à aller. Pendant quelques secondes, on aurait pu croire qu'il allait faire demi-tour et partir, sans rien révéler.

Kjell ouvrit la chemise. Il aurait aimé avoir le temps d'interroger Erik davantage, lui demander ce qu'il voulait qu'il fasse, dans quelle direction il devait chercher. La seule chose qu'il avait, c'était ces quelques articles de journaux qu'Erik lui avait donnés, sans commentaire ni explications.

— Qu'est-ce que tu veux que j'en fasse ? avait dit Kjell.

— Ça, c'est ton boulot, avait répondu Erik. Je comprends que ça peut paraître bizarre. Mais je ne peux pas te fournir la réponse en entier. C'est au-dessus de mes forces. Mais je te fournis les outils, à toi de jouer ensuite.

Puis il était parti, laissant Kjell à son bureau avec un dossier contenant trois articles.

Kjell se gratta la barbe et ouvrit la chemise. Il avait déjà lu les documents plusieurs fois, mais sans jamais s'y pencher sérieusement. A vrai dire, il avait également douté de l'intérêt d'y consacrer du temps. Le vieux était assez assommant, pourquoi ne parlait-il pas clairement s'il détenait des informations aussi explosives qu'il le prétendait ? Mais à présent l'affaire se présentait sous un autre jour. Erik Frankel avait été assassiné. Et subitement le dossier se mit à brûler les doigts de Kjell.

Il était temps de se retrousser les manches et de se mettre au boulot. Il savait exactement par quel bout le prendre. Par le seul dénominateur commun des trois articles. Un résistant norvégien du nom de Hans Olavsen.

FJÄLLBACKA 1944

— Hilma !

Quelque chose dans le ton d'Elof poussa son épouse et sa fille à se précipiter à sa rencontre.

— Oh là là, comme tu cries, qu'est-ce qui se passe ? dit Hilma, mais elle s'arrêta net en voyant qu'Elof était accompagné. On a des invités ? dit-elle en s'essuyant nerveusement les mains sur son tablier. Et moi qui n'ai pas encore fini la vaisselle…

— Ne t'inquiète pas. Ce garçon ne se préoccupe pas de savoir dans quel état est notre maison. Il est venu avec nous sur le bateau aujourd'hui. Il a fui les Allemands.

Le garçon tendit la main vers Hilma et s'inclina lorsqu'elle la saisit.

— Hans Olavsen, dit-il dans un norvégien chantant, puis il tendit la main à Elsy, qui la serra et plia un peu les genoux.

— Il a fait un long et difficile chemin pour venir en Suède, alors nous allons peut-être lui trouver quelque chose à se mettre sous la dent, dit Elof.

Il enleva sa casquette et donna sa veste à Elsy, qui resta bêtement à la tenir dans ses bras.

— Allons ma fille, réveille-toi, je t'ai donné ma veste à suspendre.

Le ton était autoritaire, mais Elof ne put s'empêcher de caresser sa joue. Avec tous les dangers qu'il

323

y avait à chaque traversée, c'était toujours comme un cadeau de pouvoir rentrer à la maison et retrouver sa fille et sa femme. Il s'éclaircit la gorge, troublé d'avoir laissé paraître de tels témoignages de tendresse devant l'étranger, puis il fit un geste vers l'intérieur de la maison.

— Entre, entre. Je pense que Hilma va nous trouver quelque chose à manger, et à boire aussi, dit-il en s'installant sur une des simples chaises en bois devant la table de la cuisine.

— On n'a pas grand-chose à offrir, dit sa femme, les yeux baissés. Mais le peu qu'on a, on le partage volontiers.

— Je vous remercie du fond du cœur, dit le garçon et il s'assit en face d'Elof, tout en contemplant avidement le plat de tartines que Hilma posa sur la table.

— Allez, servez-vous maintenant, dit-elle.

Elle alla chercher la bouteille dans le placard pour verser aux hommes un petit verre de gnôle chacun. C'étaient des gouttes précieuses mais, pour une occasion comme celle-ci, elles étaient tout indiquées.

Ils mangèrent en silence. Lorsqu'il ne restait plus qu'une tartine, Elof repoussa le plat vers le Norvégien et l'invita du regard à se servir. Elsy les observa à la dérobée depuis la paillasse où elle aidait sa mère à faire la vaisselle. C'était follement excitant. Ici, dans leur cuisine, se trouvait quelqu'un qui avait fui les Allemands, qui avait fait tout ce chemin depuis la Norvège. Elle était impatiente de pouvoir le raconter aux autres. Une pensée la frappa et elle eut du mal à empêcher les mots de s'envoler. Mais son père avait manifestement pensé la même chose, parce qu'il posa la question au même moment.

— Voilà, il se trouve qu'il y a un jeune de chez nous que les Allemands ont arrêté. Cela fait plus d'un an maintenant, mais peut-être que toi…

Elof ouvrit ses mains en un geste résigné, ses yeux pleins d'espoir suspendus au jeune homme en face de lui.

— Vous savez, il est peu vraisemblable que je le connaisse. Les gens vont et viennent, ils sont si nombreux. Comment s'appelle-t-il?

— Axel Frankel, dit Elof en dévisageant le Norvégien.

La déception remplit son regard lorsque le garçon secoua la tête après un instant de réflexion.

— Non, je regrette. Nous ne l'avons pas croisé. Il me semble, en tout cas. Vous ne savez pas du tout ce qui lui est arrivé? Quelque chose qui nous donnerait quelques indices…?

— Malheureusement, dit Elof en secouant la tête à son tour. Les Allemands l'ont arrêté à Kristiansand, et depuis nous n'avons aucune nouvelle. Pour autant qu'on sache, il peut être…

— Non, père, ça ne se peut pas!

Elsy sentit les larmes lui monter aux yeux et, vexée, elle courut en haut de l'escalier se réfugier dans sa chambre. A-t-on idée de se ridiculiser de la sorte, et mère et père par la même occasion? Se mettre à chialer comme une môme devant un parfait étranger!

— Votre fille connaît cet… Axel? demanda le Norvégien d'un air navré en la regardant filer dans l'escalier.

— Elle est amie avec son frère. Ça a énormément affecté Erik. Oui, toute la famille d'Axel, évidemment, soupira Elof.

Les yeux du Norvégien se couvrirent d'un voile sombre.

— Eh oui, ils sont nombreux à avoir pâti de cette guerre, dit-il.

Elof se rendit compte qu'il revivait des choses que personne de son âge n'aurait dû vivre.

— Ta famille… ? demanda-t-il doucement.

Hilma, qui était en train d'essuyer une assiette devant la paillasse, arrêta son mouvement.

— Je ne sais pas où ils sont, finit par dire Hans en fixant la table. Quand la guerre sera finie, à condition qu'elle s'arrête un jour, j'essaierai de les retrouver. D'ici là, je ne peux pas retourner en Norvège.

Hilma croisa le regard d'Elof au-dessus de la tignasse blonde du garçon. Après une concertation silencieuse par regards interposés, ils furent d'accord. Elof se racla la gorge.

— Voilà, il se trouve qu'en été nous louons en général notre maison aux estivants et nous habitons dans la pièce au sous-sol. Mais le reste de l'année, cette pièce reste inoccupée. Tu pourrais peut-être… rester ici pour te reposer quelque temps, et réfléchir à ce que tu veux faire ensuite. Je pense que je pourrais te trouver un travail aussi. Peut-être pas à plein temps, mais au moins que ça te fasse un peu d'argent de poche. Je dois évidemment signaler au procureur du département que je t'ai débarqué mais, si je promets de te prendre en charge, je ne pense pas que ça posera de problèmes.

— Seulement si vous me laissez payer le logement avec l'argent que je gagnerai, dit Hans et il les regarda avec des yeux remplis de reconnaissance et le sentiment d'une dette envers eux.

De nouveau, Elof consulta Hilma du regard, puis il hocha la tête.

— Ça me paraît juste. Toute aide est la bienvenue par ces temps difficiles.

— Je vais préparer la chambre tout de suite, dit Hilma en enfilant son manteau.

— Je tiens vraiment à vous remercier. Vraiment, dit Hans dans son norvégien modulé et il inclina la tête, mais pas suffisamment vite pour qu'Elof ne voie pas les larmes dans ses yeux.

— Il n'y a pas de quoi, dit-il gauchement. Il n'y a pas de quoi.

— A l'aide !

Erica sursauta en entendant le cri venant de l'étage. Elle réagit immédiatement et grimpa l'escalier quatre à quatre.

— Qu'est-ce qui se passe ? dit-elle, mais elle s'arrêta net en voyant Margareta devant la porte d'une des chambres.

Elle fit quelques pas dans sa direction et chercha sa respiration quand un grand lit double apparut dans son champ de vision.

— Papa, dit Margareta dans un gémissement et elle retourna dans la chambre.

Erica hésita sur la marche à suivre, n'étant pas très sûre de ce qu'elle voyait.

— Papa…, répéta Margareta.

Herman était allongé sur le lit. Il regardait droit devant lui et ne réagit pas à son appel. A côté de lui se trouvait Britta. Son visage était blanc, ses traits figés, il n'y avait aucun doute, elle était morte. Herman était couché tout près d'elle, serrant dans ses bras le corps raidi.

— Je l'ai tuée, dit-il à voix basse.

Margareta arrêta presque de respirer.

— Qu'est-ce que tu dis, papa ? Bien sûr que non, tu n'as pas tué maman !

— Je l'ai tuée, répéta-t-il sur un ton monocorde en serrant plus fort sa femme morte.

Sa fille contourna le lit et s'assit sur le bord du côté où il était allongé. Doucement elle essaya de dégager ses bras convulsivement serrés, et après quelques tentatives elle y parvint. Elle passa sa main sur son front et lui parla à voix basse.

— Papa, ce n'est pas ta faute. Maman n'était pas bien. C'est sûrement son cœur qui a lâché. Ce n'est pas ta faute, il faut que tu le comprennes.

— C'est moi qui l'ai tuée, s'obstina-t-il à répéter en fixant une tache sur le mur.

Margareta se tourna vers Erica.

— S'il vous plaît, appelez une ambulance.

Erica hésita.

— J'appelle la police aussi ?

— Papa est sous le choc. Il ne sait pas ce qu'il dit. On n'a pas besoin de la police, dit Margareta d'un ton peu amène, puis elle se tourna à nouveau vers son père et prit sa main. Laisse-moi m'occuper de ça maintenant, papa. J'appelle Anna-Greta et Birgitta, on va t'aider. On est avec toi.

Herman ne répondit pas, il resta seulement allongé, dépourvu de volonté, sa main dans celle de sa fille, mais sans la serrer en retour.

Erica descendit au rez-de-chaussée et prit son téléphone portable. Elle réfléchit un long moment avant de composer un numéro.

— Salut Martin, c'est Erica. La femme de Patrik. Oui, j'ai un problème, là. Je suis chez quelqu'un qui s'appelle Britta Johansson, et elle est morte. Son mari dit qu'il l'a tuée. Ça ressemble à une mort naturelle, mais… Oui d'accord, j'attends ici. Tu appelles l'ambulance, ou je le fais ? D'accord.

Elle raccrocha en espérant ne pas avoir fait une bêtise. Bien sûr que tout indiquait que Margareta avait raison, que Britta était tout simplement morte dans son sommeil. Mais dans ce cas pourquoi Herman disait-il qu'il l'avait tuée ? Et de plus, c'était tout de même un étrange hasard qu'une autre personne du cercle de sa mère soit morte, deux mois seulement après Erik. Non, elle avait fait ce qu'il fallait.

Erica remonta à l'étage.

— J'ai appelé de l'aide, dit-elle. Y a-t-il autre chose que je peux… ?

— Préparez du café, s'il vous plaît, je vais essayer de faire descendre papa.

Doucement, Margareta tira Herman en position assise.

— Allez papa, on va descendre attendre que l'ambulance arrive.

Erica descendit dans la cuisine. Elle fouilla pour trouver ce dont elle avait besoin, puis lança un café. Quelques minutes plus tard, elle entendit des pas dans l'escalier et vit Margareta arriver en soutenant tendrement son père. Elle le guida jusqu'à une chaise où il se laissa tomber comme un sac de patates.

— J'espère qu'ils vont lui donner quelque chose, dit-elle avec préoccupation. Il a dû rester avec elle depuis hier. Je ne comprends pas pourquoi il ne nous a pas appelés…

— J'ai… Erica hésita, puis elle reprit : J'ai appelé la police aussi. Vous avez sûrement raison, mais je me sentais obligée de… Je ne pouvais pas…

Elle ne trouva pas le mot qu'il fallait et Margareta la dévisagea comme si elle avait perdu la tête.

— Vous avez appelé la police ? Vous pensez que mon père est sérieux ? Vous êtes complètement fêlée !

Il est en état de choc, il vient de trouver sa femme morte, et maintenant il va aussi avoir à répondre aux questions de la police ? Comment osez-vous ?

Elle fit un pas en direction d'Erica qui tenait la cafetière devant elle, mais la sonnerie de la porte d'entrée l'arrêta dans son élan.

— Ça doit être eux, je vais ouvrir, dit Erica, les yeux baissés, et elle posa la cafetière avant de se précipiter dans le vestibule.

Effectivement. En ouvrant la porte, ce fut Martin qu'elle vit en premier.

— Salut, Erica, dit-il d'un air sérieux.

— Salut, répondit-elle à voix basse et elle fit un pas de côté.

Et si elle se trompait ? Si elle allait exposer un homme brisé à un tourment inutile ? Mais il était trop tard maintenant pour faire marche arrière.

— Elle est là-haut dans la chambre, murmura-t-elle, puis elle leva le menton vers la cuisine. Son mari est dans la cuisine. Et sa fille. C'est elle qui… On dirait qu'elle est morte depuis un petit moment.

— D'accord, on va aller regarder ça, dit Martin.

Il fit entrer Paula et les ambulanciers, présenta rapidement Paula à Erica, puis il poursuivit dans la cuisine, où Margareta était en train de masser les épaules de son père.

— C'est de la folie, dit-elle en fixant Martin. Ma mère est morte dans son sommeil et mon père est en état de choc. C'est vraiment nécessaire, tout ça ?

Martin leva une main rassurante.

— Vous avez sûrement raison. Mais maintenant que nous sommes là, nous allons jeter un coup d'œil, ça sera vite fait. Et je vous présente mes sincères condoléances.

Il rencontra ses yeux avec fermeté et pour finir elle hocha la tête, de mauvaise grâce.

— Elle est dans la chambre. Est-ce que je peux appeler mes sœurs, et mon mari ?

— Bien entendu.

Erica hésita, puis elle suivit Martin et les ambulanciers dans l'escalier. Elle prit Martin à part et lui dit à voix basse :

— Je suis venue ici pour lui parler, entre autres d'Erik Frankel. C'est peut-être une coïncidence, mais tu ne trouves pas ça un peu étrange ?

Martin la regarda, en laissant la place au médecin.

— Il y aurait une forme de lien, tu veux dire ? Et comment ?

— Je ne sais pas. Mais je suis en train de faire des recherches sur ma mère, et elle était une amie d'enfance d'Erik Frankel et de Britta. Il y avait aussi un Frans Ringholm dans le groupe.

— Frans Ringholm ? dit Martin en tressaillant.

— Oui, tu le connais ?

— Oui… on l'a croisé dans le cadre de l'enquête pour le meurtre d'Erik, répondit-il pensivement tandis que les rouages se mettaient à tourner dans sa tête.

— N'est-ce pas assez étonnant alors que Britta meure aussi ? Deux mois après Erik Frankel ?

Martin eut l'air un peu sceptique.

— On n'a pas affaire à des personnes jeunes. Je veux dire, à leur âge, toutes sortes de choses peuvent arriver : des attaques cérébrales, des infarctus, le choix ne manque pas.

— Eh bien, je peux vous dire tout de suite qu'il ne s'agit pas d'un infarctus dans ce cas, ni d'une attaque cérébrale, déclara le médecin dans la chambre.

Martin et Erica tournèrent vivement la tête.

— C'est quoi alors ? demanda Martin.

Il entra dans la pièce et vint se placer derrière le médecin. Erica choisit de rester dans l'embrasure de la porte, mais elle tendit le cou pour mieux voir.

— Cette personne a été étouffée, dit le médecin. Il montra les yeux de Britta d'une main tout en soulevant une paupière de l'autre : Ses yeux présentent des pétéchies.

— Des pétéchies ?

— Ce sont de petits points rouges dans le blanc de l'œil, de minuscules hémorragies dues à une augmentation de la pression sanguine. Typiques lors d'une asphyxie ou d'une strangulation.

— Mais elle a peut-être été frappée par quelque chose qui l'a empêchée de respirer ? N'aurait-elle pas le même symptôme dans ce cas ? dit Erica.

— Si, c'est une possibilité, absolument, dit le médecin. Mais comme je peux d'ores et déjà apercevoir un duvet à l'entrée de son gosier, j'ose parier que c'est l'arme du crime. Il montra un oreiller blanc à côté de la tête de Britta. Mais les pétéchies indiquent qu'il y a eu une pression directe sur le cou aussi, comme si quelqu'un l'avait étranglée en même temps avec la main. Une chose est sûre cependant, je ne vais pas cocher la case "mort naturelle" avant que le médecin légiste m'apporte la preuve que je me trompe. Il convient à présent de considérer cette maison comme le lieu d'un crime.

Il se redressa et sortit précautionneusement de la pièce. Martin fit de même et sortit son téléphone pour appeler les techniciens qui seraient chargés d'examiner la chambre à la loupe.

Après avoir fait descendre tout le monde au rez-de-chaussée, il alla dans la cuisine et s'assit en face de Herman. Margareta le regarda et son front se barra d'une ride profonde lorsqu'elle vit que quelque chose clochait.

— Comment s'appelle votre père ? lui demanda Martin.

— Herman, répondit Margareta et la ride sur son front se creusa davantage.

— Herman, dit Martin. Pouvez-vous me raconter ce qui s'est passé ici ?

Pour commencer, il n'eut pas de réponse. La seule chose qu'on entendait, c'était les ambulanciers qui se parlaient à voix basse dans le salon. Puis Herman leva les yeux et dit distinctement :

— Je l'ai tuée.

Le vendredi arriva avec un temps magnifique. Mellberg en profita pour se dégourdir les jambes en promenant Ernst, et le chien sembla lui aussi apprécier la chaleur de l'été indien.

— Eh oui, Ernst, dit Mellberg en attendant le chien qui s'était arrêté pour lever la patte contre un buisson. Ce soir, ton petit papounet va aller se déhancher de nouveau.

Ernst lui jeta un regard consterné en inclinant la tête sur le côté pendant une seconde, puis il retourna à ses occupations primaires.

Mellberg se surprit en train de siffloter tandis qu'il pensait au cours du soir qui l'attendait, et à la sensation du corps de Rita contre le sien. Si ça continuait comme ça, il serait bientôt un vrai mordu de salsa, c'était sûr et certain.

Il se rembrunit lorsque les pensées aux rythmes fougueux laissèrent la place à celles concernant l'enquête.

Ou les enquêtes. Quelle poisse alors qu'on n'arrive pas à vivre tranquillement dans cette ville. Que les gens aient une telle propension à s'entretuer. Bon, l'un des cas semblait en tout cas assez simple à résoudre. Le mari avait avoué. Ils attendaient seulement le rapport du médecin légiste qui confirmerait que c'était un meurtre, et ils seraient débarrassés de cette affaire. Martin Molin n'arrêtait pas de marmonner que c'était étrange comme coïncidence, que quelqu'un en rapport avec Erik Frankel se fasse aussi tuer, mais il n'y prêtait pas trop attention. Bon sang, s'il avait bien compris, ils avaient été amis dans leur enfance. Il y avait soixante ans de cela. Autrement dit une éternité, ça ne pouvait pas avoir quoi que ce soit à faire avec cette enquête. Non, c'était une idée insensée. Il avait malgré tout autorisé Molin à faire quelques vérifications, examiner des listes d'appels téléphoniques et ce genre de choses, pour voir s'il y avait un lien. Il ne trouverait sûrement rien. Mais au moins ça lui clouerait le bec.

Soudain Mellberg se rendit compte que ses pieds l'avaient mené chez Rita, alors qu'il était plongé dans ses réflexions. Ernst se planta devant la porte de l'immeuble en remuant énergiquement la queue. Mellberg regarda l'heure. Onze heures. Juste le bon moment pour un petit café, si elle était là. Il hésita un instant, puis sonna à l'interphone. Personne.

— Hé, salut !

Une voix derrière lui le fit sursauter. C'était Johanna qui arrivait. Elle marchait difficilement en se dandinant, une main plaquée dans le bas du dos.

— C'est incroyable que ça soit si difficile de faire une petite promenade de rien du tout, dit-elle avec frustration et elle se pencha en arrière pour s'étirer le dos, tout en faisant une petite grimace. Ça me rend folle de rester à la maison et d'attendre, mais mon corps n'est pas sur la même longueur d'onde que ma tête.

Elle soupira et passa la main sur son gros ventre.

— Je suppose que tu cherches Rita? ajouta-t-elle en le regardant avec un sourire taquin.

— Euh, oui, je…, dit Mellberg et il se sentit embarrassé tout à coup. On… c'est-à-dire Ernst et moi, on faisait notre petit tour et j'imagine qu'Ernst voulait venir pour voir… euh… Señorita, alors on…

— Rita n'est pas là, dit Johanna, toujours avec le même sourire taquin, s'amusant manifestement de son embarras. Elle est chez une copine. Mais si tu veux monter boire un café quand même, je veux dire si Ernst est d'accord pour monter même si Señorita n'est pas là – elle lui fit un clin d'œil –, alors je serai ravie d'avoir de la compagnie. J'ai le cafard à rester tout le temps toute seule.

— Oui… bien sûr, répondit Mellberg et il la suivit dans la cage d'escalier.

Arrivée dans l'appartement, Johanna se laissa lourdement tomber sur une chaise dans la cuisine.

— Je vais mettre en route le café, laisse-moi juste souffler un peu.

— Reste assise, lui dit Mellberg. J'ai vu où vous rangez les choses ici la dernière fois, alors je peux m'en occuper. Il vaut mieux que tu te reposes.

Elle le regarda, toute surprise, ouvrir les placards et les tiroirs, mais elle fut reconnaissante de pouvoir rester sur sa chaise.

— Ça doit peser, ce truc, dit Mellberg en versant de l'eau dans la cafetière et il lorgna son ventre.

— Peser, tu es loin du compte, crois-moi. Quand on est enceinte, d'abord on a le cœur au bord des lèvres pendant trois, quatre mois, on doit veiller à être près des toilettes tout le temps au cas où on devrait vomir. Ensuite viennent quelques mois à peu près corrects, c'est vrai, par moments c'est même très sympa. Puis c'est comme si du jour au lendemain on était transformée en Barbapapa. Enfin… en Barbamaman plutôt.

— Oui, et ensuite…

— Ne termine pas cette phrase, tu seras gentil, dit Johanna d'un ton sévère en le menaçant de l'index. Je n'ai même pas osé y penser encore. Si je commence à me dire qu'il n'y a qu'un chemin de sortie pour ce bébé, c'est la panique. Et si tu dis "Oui mais les femmes ont mis des enfants au monde depuis toujours et elles ont survécu, et de surcroît en ont eu d'autres, alors ça ne peut pas être si terrible que ça", tu m'obligeras à te filer une rouste.

Mellberg leva les mains en signe d'apaisement.

— Tu parles à quelqu'un qui n'a jamais vu une maternité…

Il servit le café et s'assit à côté d'elle.

— En tout cas, ça doit être agréable de pouvoir manger pour deux, dit-il en rigolant quand elle engloutit son troisième petit gâteau.

— Oui, c'est un avantage que j'exploite au maximum, rit Johanna et elle tendit le bras pour en prendre encore un. Mais on dirait que tu as adopté la même philosophie, alors que tu n'as pas l'excuse d'être enceinte.

Elle pointa un doigt sur le bon bidon de Mellberg.

— Celui-là, la salsa va me le faire disparaître en un temps record, dit-il en se tapant sur le ventre.

— Je devrais venir vous regarder un de ces jours, sourit Johanna.

Mellberg, qui n'en avait pas l'habitude, était fasciné de sentir que quelqu'un semblait apprécier sa compagnie. Et il finit par se dire qu'à sa grande surprise, lui aussi se sentait bien en compagnie de la belle-fille de Rita. Après avoir respiré à fond, il osa poser la question qui le tracassait depuis le jour où il avait compris la situation.

— Comment… ? Le papa… ? Qui… ?

Il réalisa que ses propos n'étaient pas d'une grande clarté, mais Johanna comprit ce qu'il voulait dire. Pendant quelques secondes, elle le regarda assez froidement et sembla peser le pour et le contre. Répondre où ne pas répondre. Puis son visage s'adoucit, elle semblait avoir décidé que sa question ne relevait que de la pure curiosité.

— Dans une clinique. Au Danemark. Nous n'avons jamais rencontré le papa. Tu vois, je ne suis pas allée draguer dans les bars, si c'est ça que tu pensais.

— Non… je n'ai jamais pensé ça, dit Mellberg mais il fut obligé de reconnaître intérieurement que l'idée l'avait effleuré.

Il regarda l'heure. Il fallait qu'il retourne au poste. Ce serait bientôt la pause-déjeuner, et il était hors de question qu'il la loupe. Il se leva et déposa les tasses dans l'évier, puis il hésita un instant. Il finit par sortir son portefeuille de sa poche arrière et en tira une carte de visite qu'il tendit à Johanna.

— Si jamais… Si jamais il y avait le moindre problème, quelque chose qui arrivait. Oui, bon, je suppose que Paula et Rita sont en état d'alerte permanente… mais, je veux dire, si jamais…

Ebahie, Johanna prit la carte, et Mellberg se dépêcha de sortir de la cuisine. Il ne comprenait pas lui-même cette lubie de donner sa carte à Johanna. Ça avait peut-être quelque chose à voir avec le fait qu'il pouvait encore sentir les coups de pied du bébé contre sa paume depuis qu'il avait posé la main sur son ventre.

— Ernst, viens ici, dit-il rudement et il fit sortir le chien.

Puis il referma la porte derrière lui, sans même un au revoir.

Martin fixa les listes d'appels téléphoniques d'Erik Frankel. Elles ne prouvaient pas que son intuition avait été bonne, mais elles ne prouvaient pas non plus le contraire. Peu de temps avant la mort d'Erik, deux appels en provenance du téléphone de Britta et Herman avaient été enregistrés. Et encore un autre il y avait seulement deux jours ; Britta ou Herman avaient apparemment appelé Axel. De plus, un appel à Frans Ringholm y figurait.

Martin regarda par la fenêtre, repoussa le fauteuil et posa ses jambes sur le bureau. Il avait passé la matinée à parcourir tous les papiers, les photos et autres documents qu'ils avaient recueillis au cours de l'enquête sur la mort d'Erik Frankel. Il était fermement déterminé à ne pas abandonner avant d'avoir trouvé un lien possible entre les deux meurtres. Pour l'instant, rien. A part ceci. Les appels téléphoniques.

Agacé, il balança les listes sur le bureau. Il avait l'impression d'être dans une impasse. Il savait très bien que, si Mellberg lui avait permis d'examiner les circonstances entourant la mort de Britta, c'était uniquement pour le faire taire. Comme tous les autres, il semblait persuadé que le mari était le coupable. Mais ils n'avaient pas encore pu interroger Herman. D'après les médecins, il était en état de choc sévère et il était hospitalisé. Si bien qu'ils devaient prendre leur mal en patience jusqu'à ce que les médecins le déclarent suffisamment rétabli pour subir un interrogatoire.

C'était un foutu bourbier tout ça, et il ne savait pas par où continuer. Il fixa la chemise avec les documents de l'enquête, comme pour les conjurer de parler, puis il eut une idée. Evidemment. Pourquoi n'y avait-il pas pensé plus tôt ?

Vingt-cinq minutes plus tard, il s'arrêta devant la maison de Patrik et Erica. Patrik était prévenu de sa venue, et il ouvrit à la première sonnerie, avec Maja sur le bras. Elle commença immédiatement à agiter les bras quand elle vit Martin.

— Salut beauté, dit-il avec un petit signe de la main.

Elle répondit en lui tendant ses bras et, comme ensuite elle refusait de le lâcher, il se retrouva dans le canapé du séjour avec Maja sur les genoux. Patrik était assis dans le fauteuil, penché sur tous les papiers et photos, et il se frottait pensivement le menton.

— Erica n'est pas là ? demanda Martin en regardant autour de lui.

— Euh, quoi ? dit Patrik, un peu confus. Elle est partie à la bibliothèque pour une paire d'heures. Elle fait des recherches pour son nouveau livre.

— Ah bon, dit Martin, puis il se concentra sur Maja qu'il fallait occuper pour que Patrik puisse lire tranquillement.

— Alors tu crois qu'Erica a raison ? finit par dire Patrik en levant les yeux. Toi aussi, tu penses qu'il y a un lien entre les meurtres d'Erik Frankel et de Britta Johansson ?

Martin réfléchit un instant avant de hocher la tête.

— Oui, je le pense. Je n'ai rien de concret pour l'étayer encore mais, si tu me demandes ce que je crois, la réponse est que je suis persuadé que le lien existe.

— Oui, autrement la coïncidence serait vraiment trop étrange, dit Patrik en allongeant ses jambes devant lui.

Vous avez demandé à Axel Frankel et Frans Ringholm quel était le sujet des appels de Britta et Herman ?

— Non, pas encore. Je voulais d'abord faire le point avec toi, vérifier que ce n'est pas simplement moi qui suis en train de dérailler. Après tout, je continue à chercher alors que nous avons déjà quelqu'un qui est passé aux aveux.

— Son mari, oui…, dit Patrik pensivement. La question est de savoir pourquoi il dit qu'il l'a tuée, si ce n'est pas lui qui l'a fait.

— Qu'est-ce que j'en sais ? Pour protéger quelqu'un peut-être ?

— Hum…

Patrik réfléchit à haute voix tout en continuant à fureter parmi les papiers sur la table.

— Et l'enquête Frankel ? Vous avez avancé ?

— Ben, non, pas vraiment, dit Martin découragé tout en faisant sauter Maja sur ses genoux. Paula est en train de regarder de plus près les Amis de la Suède, et on a parlé avec les voisins, mais personne ne se rappelle avoir vu quoi que ce soit d'inhabituel. C'est vrai que la maison des frères Frankel est assez isolée, il n'y avait pas grand-chose à espérer de ce côté-là. Sinon, tout est là.

Il montra tous les documents qui étaient étalés comme un éventail devant Patrik.

— Et les finances d'Erik ? Patrik feuilleta parmi les papiers puis il tira une feuille de dessous. Rien qui vous a paru étrange ?

— Non, pas vraiment. Plutôt ce qu'on trouve partout. Des factures, de petits retraits en espèces, enfin, tu vois le genre.

— Pas de transferts de grosses sommes ou ce genre de choses ? demanda Patrik tout en étudiant intensément les colonnes de chiffres.

— Non, la seule chose qui pourrait éventuellement trancher est un virement mensuel. La banque dit qu'Erik fait ce virement régulièrement depuis cinquante ans.

Patrik tiqua et regarda Martin.

— Cinquante ans ? A qui virait-il de l'argent ?

— A une personne à Göteborg, apparemment. Le nom se trouve quelque part dans le dossier, dit Martin. Ce n'était jamais de grosses sommes. Certes, elles ont augmenté avec le temps, les dernières étaient de deux mille couronnes et ça ne semble pas être quelque chose de… Je veux dire, ça ne peut pas être du chantage, parce que qui continuerait de payer pendant cinquante ans… ?

Martin entendit combien ses arguments sonnaient creux et il eut envie de se donner des claques. Il aurait dû vérifier ces virements. Bon, mieux valait tard que jamais.

— Je vais appeler et demander de quoi il s'agit, dit Martin.

Il déplaça Maja sur l'autre genou. La jambe qu'elle avait occupée était en train de s'engourdir.

Patrik observa un petit silence, puis il dit :

— Je vais te dire une chose. Je sens que j'ai besoin de bouger. Il ouvrit le dossier et sortit le papier. Il s'appelle Wilhelm Fridén, le destinataire du virement. Je pourrais y aller demain et lui parler personnellement. J'ai l'adresse ici. Il agita le bout de papier. Je suppose qu'elle est bonne ?

— Oui, c'est l'adresse que m'a donnée la banque.

— Bien. Alors on fait comme ça, j'y fais un saut demain. Ça peut être un sujet sensible, ce ne serait pas une bonne idée de le faire par téléphone.

— D'accord, si tu veux et si tu peux, ça m'arrange. Mais qu'est-ce que tu feras de… ? demanda Martin en montrant Maja.

— La puce viendra avec moi, dit Patrik et il éclata d'un sourire à l'adresse de sa fille. Comme ça, on ira voir tante Lotta aussi, et les cousins, pas vrai, ma puce ? C'est sympa de voir les cousins.

Maja gargouilla pour confirmer et elle frappa dans ses mains.

— Tu peux me le laisser pendant quelques jours ? dit Patrik en désignant le dossier.

Martin réfléchit. Il avait des copies de pratiquement tout, alors ça ne devrait pas poser de problèmes.

— Bien sûr, garde-le. Et préviens-moi s'il y a autre chose que tu veux voir de plus près. De notre côté on va demander à Frans et à Axel pourquoi Britta et Herman les ont appelés.

— Attends un peu pour parler avec Axel des virements dans ce cas, ce serait bien que j'aie d'abord un peu plus de données.

— D'accord.

— Ne te décourage pas, dit Patrik en raccompagnant Martin à la porte avec Maja. Tu sais comment ça marche. Tôt ou tard le petit morceau qui bloque tout tombe à sa place.

— Oui, je sais, dit Martin, mais il ne semblait pas entièrement convaincu. Je trouve simplement que le timing tombe vraiment mal, que tu sois en congé maintenant. On aurait eu besoin de toi.

Il sourit pour modérer ses paroles.

— Crois-moi, tu vas t'y retrouver un jour ou un autre, toi aussi. Et quand tu seras embourbé dans le marécage des couches, moi je serai de retour au poste en plein boom.

Il fit un clin d'œil à Martin avant de refermer la porte derrière lui.

— Et demain, qui c'est qui va partir à Göteborg ? C'est toi et moi ! dit-il à Maja en faisant quelques pas de danse avec elle dans les bras. Maintenant il va juste falloir vendre l'affaire à maman.

Maja hocha la tête.

Paula se sentit infiniment fatiguée. Fatiguée et écœurée. Ça faisait plusieurs heures qu'elle surfait sur le Web pour obtenir des informations sur les organisations néonazies suédoises et avant tout sur les Amis de la Suède. Pour l'instant, il semblait probable qu'ils soient derrière la mort d'Erik Frankel, mais la police n'avait rien de concret pour étayer cette thèse. Ils n'avaient pas trouvé de lettres de menace, seulement des allusions dans les lettres de Frans Ringholm, disant que les Amis de la Suède n'appréciaient pas son activité et qu'il ne pourrait plus lui garantir une protection contre ces forces. Il n'y avait pas non plus de preuves techniques qui pouvaient lier l'un d'eux au lieu du crime. Tous les membres du bureau avaient de leur plein gré, et en ricanant, laissé leurs empreintes digitales aux policiers d'Uddevalla. Et le labo central avait rapidement constaté qu'aucune ne correspondait à celles qui avaient été relevées dans la bibliothèque d'Erik et Axel. Les alibis les avaient laissés tout aussi démunis. Personne n'avait d'alibi en béton, mais la plupart en présentaient un qui pouvait faire l'affaire pour le moment. Plusieurs avaient aussi certifié que Frans avait participé à un voyage au Danemark dans un organisme parallèle pendant les jours qui les intéressaient, lui fournissant ainsi un alibi. Un autre problème était la taille de l'organisation. Paula n'avait pas pensé qu'elle soit aussi grande, et ils ne pouvaient pas vérifier l'alibi et prendre les empreintes digitales de tous ceux qui avaient un lien avec les Amis de la Suède. C'est pourquoi ils avaient décidé de se limiter pour l'instant à la direction. Mais jusque-là le résultat était zéro.

Frustrée, elle continuait à cliquer. D'où venaient tous ces gens ? D'où sortait toute leur haine ? Elle pouvait concevoir une animosité dirigée contre des individus en particulier, des personnes qui avaient fait du tort à quelqu'un. Mais haïr des gens sans discernement parce qu'ils venaient d'un autre pays, ou pour la couleur de leur peau ? Non, elle n'arrivait pas à le comprendre.

Personnellement, elle haïssait les bourreaux qui avaient tué son père. Elle les haïssait au point qu'elle pourrait les tuer sans hésiter si elle en avait l'occasion, s'ils étaient encore en vie. Mais sa haine s'arrêtait là, alors qu'elle aurait très bien pu grandir et s'étendre. Elle avait refusé d'y céder. Au lieu de cela, elle l'avait limitée aux hommes qui avaient fait feu sur son père. Si elle ne l'avait pas limitée, elle aurait fini par détester son pays d'origine. Et comment pourrait-elle faire ça ? Comment pourrait-elle vivre en détestant le pays où elle était née, où elle avait fait ses premiers pas, où elle avait eu ses premiers amis, été assise sur les genoux de sa grand-mère, entendu des chansons le soir à la veillée et dansé lors des fêtes ? Comment pourrait-elle haïr tout cela ?

Mais ces gens… Elle fit défiler le document et lut les colonnes disant que les hommes et les femmes comme elle devaient être exterminés, ou au moins chassés vers leurs pays d'origine. Et il y avait des photos. Beaucoup de l'Allemagne nazie, bien entendu. Les photos en noir et blanc qu'elle avait vues tant de fois déjà, des monceaux de corps nus et décharnés jetés comme des déchets dans les camps de concentration. Auschwitz, Buchenwald, Dachau… tous ces noms aux sonorités familières et terrifiantes, pour toujours associés au mal absolu. Mais ici, dans ces pages, ils étaient célébrés et honorés. Ou reniés. Car il y avait ces phalanges aussi. Peter Lindgren en faisait partie. Il soutenait que ça n'avait jamais eu lieu. Que six millions de juifs n'avaient pas été tués, chassés, tourmentés, torturés, gazés dans les camps d'extermination pendant la Seconde Guerre mondiale. Comment pouvait-on nier une telle chose, alors qu'il en restait tant de traces, tant de témoins ? Comment fonctionnaient les cerveaux tordus de ces gens ?

Elle sursauta quand on frappa à la porte. Martin pointa sa tête par l'ouverture de la porte.

— Salut, qu'est-ce que tu fais ?

— Je vérifie tout ce que je trouve sur les Amis de la Suède, soupira-t-elle. Mais il y a de quoi avoir froid dans le dos quand on commence à farfouiller là-dedans. Savais-tu qu'il y a environ vingt organisations néonazies en Suède ? Et que les Démocrates suédois* ont obtenu deux cent quatre-vingt-un mandats dans cent quarante-quatre communes ? Où va-t-on dans ce foutu pays ?

— Je n'en sais rien, mais on est vraiment en droit de se le demander.

— En tout cas, c'est à vomir, dit Paula en balançant son stylo sur le bureau. Il finit son chemin par terre.

— On dirait que tu as besoin de faire une pause. On pourrait peut-être aller voir Axel encore une fois.

* Parti politique nationaliste fondé en 1988. Il est parfois comparé au Front national en France ou au British National Party au Royaume-Uni.

— Tu veux lui parler de quelque chose en particulier ?

Paula était curieuse, elle se leva tout de suite et suivit Martin dans le garage.

— Non, je pensais juste que ce serait bien de le revoir, après tout il était la personne la plus proche d'Erik, celle qui savait le plus de choses sur lui. Mais il y a surtout un truc que je voudrais vérifier… Il hésita. Je sais que je suis le seul à penser qu'il y a un lien avec le meurtre de Britta Johansson, mais toujours est-il que Britta ou son mari a téléphoné à Axel l'autre jour, tu vois, ça ne date pas. Et au mois de juin deux autres appels ont été passés, mais il est impossible de dire s'ils étaient destinés à Erik ou à Axel. Je viens de regarder les listes d'appels des Frankel, et en juin un appel pour Britta ou Herman est enregistré. Avant les deux appels en provenance de leur ligne.

— Ça vaut le coup d'être vérifié en tout cas, dit Paula en attachant sa ceinture de sécurité. Pourvu que je sois débarrassée des nazillons un moment, je suis prête à envisager les thèses les plus farfelues.

Martin hocha la tête et sortit du garage. Il comprenait parfaitement Paula. Mais quelque chose lui dit que ce n'était pas si farfelu que ça.

Elle avait passé la semaine dans une sorte d'état de choc, et ce ne fut que le vendredi qu'Anna sentit qu'elle commençait à assimiler la nouvelle. Dan l'avait pris beaucoup mieux qu'elle. Une fois la première émotion calmée, il n'avait cessé de fredonner tout bas. Il avait balayé toutes les objections d'Anna d'un joyeux "Bah, ça ira. C'est génial, en fait ! Un bébé ensemble, c'est carrément géant !"

Mais Anna n'arrivait pas encore à le voir comme "géant". Elle se surprenait en train de se caresser le ventre, d'essayer d'imaginer le tout petit bout là-dedans. Pour l'instant quelque chose d'impossible à identifier, un embryon microscopique qui dans quelques mois seulement deviendrait un enfant. Bien qu'elle l'ait vécu deux fois déjà, c'était toujours aussi miraculeux. Peut-être encore plus cette fois. Car elle se souvenait à peine de ses deux premières grossesses. Elles avaient disparu dans un brouillard où dominait la peur des coups. Toute son énergie passait à protéger son ventre, protéger les vies, contre Lucas.

Cette fois, rien de tel n'était nécessaire. Et paradoxalement cela l'effrayait. Cette fois, elle pouvait se réjouir. Elle avait le droit de se réjouir. Devait se réjouir. Car elle aimait Dan. Elle était en sécurité avec lui, savait qu'il ne lui viendrait jamais à l'esprit de lui faire du mal, à elle ou à quelqu'un d'autre. Comment cela pouvait-il être effrayant ? C'est à essayer de comprendre et gérer cela qu'elle avait occupé ces derniers jours.

— Tu dis quoi ? Un garçon ou une fille ? Tu as ressenti quelque chose dans un sens ou un autre ?

Dan s'était faufilé derrière elle, l'avait entourée de ses bras et caressait son ventre encore tout plat. Anna rit et essaya de touiller la sauce dans la casserole malgré les bras de Dan qui la gênaient.

— Ecoute, je suis enceinte de sept semaines. Tu ne trouves pas que c'est un peu tôt pour commencer à sentir le sexe de l'enfant ? Et pourquoi, d'ailleurs ? Anna se retourna, un peu alarmée. J'espère que tu ne comptes pas trop sur un fils, tu sais que c'est le papa qui détermine le sexe et, comme tu as déjà eu trois filles, la vraisemblance statistique…

— Chut… En riant, Dan posa son index sur les lèvres d'Anna : Que ce soit un garçon ou une fille, je serai tout aussi heureux. Si c'est un garçon, génial. Si c'est une petite nana, super. Et par ailleurs… Son visage se fit sérieux. Je considère que j'ai déjà un fils. Adrian. J'espère que tu le sais. Je croyais que tu le savais. Quand je vous ai demandé de venir vivre ici avec moi, je ne parlais pas seulement de la maison. Je parlais de ça.

Il posa son poing sur la poitrine à l'emplacement du cœur, et Anna dut ravaler ses larmes. Elle ne réussit pas entièrement, sa lèvre inférieure se mit à trembler de façon embarrassante, une larme franchit le bord des cils et roula sur sa joue. Dan l'essuya puis il prit son visage entre ses mains. Il la fixa droit dans les yeux. Verrouilla son regard.

— Si c'est une petite fille, eh bien, Adrian et moi, on n'aura qu'à se liguer contre toutes les nanas ici. Mais ne doute jamais de moi. Quand je vous vois, toi, Emma et Adrian, je vois un ensemble. Et je vous aime tous les trois. Et je t'aime toi aussi là-dedans, tu m'entends, cria-t-il en direction du ventre.

— Je ne pense pas que les oreilles se développent avant la vingtième semaine, dit Anna en riant.

— Fais gaffe, mes enfants se développent très, très tôt, fit Dan avec un clin d'œil.

— Hum, oui n'est-ce pas, dit Anna, sans pouvoir s'empêcher de rire encore.

Ils s'embrassèrent encore un moment, puis ils sursautèrent lorsque la porte d'entrée s'ouvrit avant de claquer aussitôt.

— C'est qui ? dit Dan en se dirigeant vers le vestibule.

— C'est moi, fit une voix boudeuse.

Belinda les regarda en dessous.

— Comment tu as fait pour venir jusqu'ici ? dit Dan avec un œil mauvais.

— Qu'est-ce que tu crois ? De la même façon que je suis partie. Avec le bus.

— Tu me parles sur un autre ton, ou alors tu ne me parles pas du tout, dit Dan, les mâchoires serrées.

— Euh… alors je choisis… Belinda approcha son index de sa joue et fit semblant de réfléchir : Ah oui, je sais. Je choisis DE NE PAS TE PARLER DU TOUT !

Puis elle se précipita dans sa chambre en haut de l'escalier, claqua violemment la porte et alluma sa chaîne à fond. Le sol se mit à vibrer sous leurs pieds.

Dan s'assit lourdement sur la première marche d'escalier, attira Anna près de lui et commença à parler au ventre qui se trouvait juste à hauteur de sa bouche.

— J'espère que tu t'es bouché les oreilles là-dedans. Parce que ton papa sera franchement trop vieux pour ça quand tu auras atteint l'âge de Belinda.

Anna lui caressa la tête avec compassion. Au-dessus d'eux, la musique hurlait.

FJÄLLBACKA 1944

— Il avait des nouvelles d'Axel?

Erik eut du mal à dissimuler son excitation. Ils s'étaient rassemblés tous les quatre à l'endroit habituel à Rabekullen juste au-dessus du cimetière. Ils avaient tous été curieux d'entendre ce qu'Elsy avait à raconter, car la nouvelle s'était répandue comme une traînée de poudre à travers le bourg : Elof avait ramené un résistant norvégien qui fuyait les Allemands.

Elsy secoua la tête.

— Non, père lui a demandé, mais apparemment il ne le connaissait pas.

Déçu, Erik fixa le granit et donna un coup de pied dans un amas de lichen gris.

— Peut-être qu'il ne le connaissait pas de nom. Si on le lui décrivait, il saurait peut-être quelque chose, dit Erik avec un nouvel espoir dans ses yeux.

Hier, mère avait pour la première fois dit tout haut ce que tout le monde craignait. Elle avait pleuré, plus désespérément que jamais, et annoncé que dimanche ils feraient mieux d'allumer un cierge dans l'église pour Axel, parce qu'il n'était probablement plus de ce monde. Père s'était fâché et l'avait réprimandée, mais Erik avait vu la résignation dans ses yeux. Père non plus ne croyait plus qu'Axel était vivant.

— Oui, allons lui parler, dit Britta avec enthousiasme et elle se leva et brossa sa jupe.

Elle tâta ses cheveux pour vérifier que ses nattes étaient en ordre, et dut subir un commentaire moqueur de la part de Frans.

— C'est pour veiller aux intérêts d'Erik que tu soignes tant ta mise, Britta? Je ne savais pas que tu t'intéressais aux Norvégiens. Les Suédois ne te suffisent donc pas?

Il rit et Britta devint écarlate de colère.

— Tais-toi Frans, tu es ridicule. Evidemment qu'Erik m'importe. Et il m'importe aussi de connaître le sort d'Axel. Et par ailleurs il n'y a pas de mal à avoir l'air présentable.

— Alors il te faut faire plus d'efforts, dit Frans crûment avant de tirer sur la jupe de Britta.

Son visage devint encore plus rouge et elle parut sur le point d'éclater en sanglots lorsque Elsy dit d'une voix tranchante :

— Ça suffit, Frans. Tu dis tellement de bêtises parfois !

Il devint blême et la regarda fixement. Il se leva brusquement et partit en courant, les yeux noirs.

Erik tripota quelques cailloux et, sans la regarder, dit à voix basse à Elsy :

— Fais attention à ce que tu dis à Frans. Il y a quelque chose en lui… Quelque chose qui bouillonne. Je le sens.

Surprise, Elsy le dévisagea en se demandant d'où sortait cet étrange commentaire. Mais d'instinct, elle sut qu'il avait raison. Elle connaissait Frans depuis qu'ils étaient tout petits et de toute évidence quelque chose poussait en lui, quelque chose d'incontrôlable, d'indomptable.

— Bah, tu es ridicule, dit Britta avec mépris. Il est réglo, Frans. On s'est juste… taquinés un peu.

— Tu es aveugle parce que tu es amoureuse de lui, constata Erik.

Britta lui donna une tape sur l'épaule.

— Aïe, pourquoi tu fais ça ? dit-il.

— Parce que tu dis trop d'idioties. Bon, tu viens parler de ton frère au Norvégien, oui ou non ?

Britta s'en alla et Erik échangea un regard avec Elsy.

— Il était dans sa chambre quand je suis partie. Ça ne devrait pas poser de problème de bavarder un peu avec lui.

Un petit moment plus tard, Elsy frappa discrètement à la porte du sous-sol. Hans eut l'air un peu gêné quand il ouvrit et découvrit la petite troupe.

— Oui ?

Elsy consulta les autres du regard avant de prendre la parole. Du coin de l'œil, elle vit un Frans désinvolte arriver vers eux, les mains nonchalamment glissées dans ses poches. Il semblait s'être calmé.

— On voudrait savoir si on peut entrer. Pour parler un peu avec toi.

— Bien sûr, dit le Norvégien avant de s'écarter.

Britta lui fit un clin d'œil coquet en passant et les garçons se serrèrent la main. Il n'y avait pas beaucoup de meubles dans la pièce étroite. Britta et Elsy s'assirent sur les deux seules chaises, Hans sur le lit impeccablement fait, Frans et Erik par terre.

— C'est au sujet de mon frère, dit Erik en regardant Hans par en dessous. Une lueur d'espoir brillait dans ses yeux par intermittence. Mon frère a aidé les tiens pendant toute la guerre. Il partait avec le bateau du père d'Elsy, le même que celui qui t'a amené ici, et emportait des choses dans un sens comme dans l'autre.

Mais il y a un an, les Allemands l'ont arrêté dans le port de Kristiansand et… Il cilla. Et nous n'avons aucune nouvelle de lui depuis.

— Le père d'Elsy m'en a parlé, dit Hans en croisant le regard d'Erik. Mais je suis désolé, je ne connais pas ce nom. Et je n'ai aucun souvenir d'avoir entendu parler d'un Suédois arrêté à Kristiansand. Nous sommes nombreux dans la Résistance. Et il y en a eu beaucoup, des Suédois qui nous ont aidés, par ailleurs.

— Tu ne le connais pas de nom, mais peut-être que tu le reconnaîtrais si tu le voyais ?

La voix d'Erik était empressée, il serrait les poings sur ses genoux.

— Il y a peu de chances, mais tu peux toujours essayer. Décris-le.

Erik le décrivit du mieux qu'il put. Ce n'était pas difficile. Car même s'il n'avait pas vu son frère depuis un an, l'image qu'il en avait était toujours aussi précise. Cependant, beaucoup de gens ressemblaient à Axel et il était difficile de trouver des traits particuliers qui le distinguaient d'autres jeunes Suédois de son âge.

Hans écouta, puis il secoua fermement la tête.

— Non, ça ne me rappelle rien du tout. Je suis vraiment désolé.

Déçu, Erik s'affaissa. Ils gardèrent le silence un moment. Puis Frans dit, les yeux brillants :

— Alors, raconte ce que tu as vécu pendant la guerre. Tu as dû vivre un tas d'aventures excitantes !

— Oh, il n'y a pas grand-chose qui mérite qu'on en parle, dit Hans à contrecœur.

Britta était d'un autre avis. Ses yeux étaient suspendus à ses lèvres. Après quelques protestations, le Norvégien céda et commença à raconter la vie en Norvège. L'avancée des Allemands, la souffrance du peuple, les missions qu'ils avaient accomplies pour faire reculer les Allemands. Les quatre jeunes gens écoutèrent, bouche bée. C'était passionnant. Certes, ils voyaient les yeux de Hans habités par la tristesse, et ils comprenaient qu'il avait vu beaucoup de misère. Mais quand même. On ne pouvait pas nier que c'était passionnant.

— En tout cas, je trouve que tu es terriblement courageux, dit Britta en rougissant. La plupart des garçons n'oseraient jamais, il n'y a que des gens comme Axel et toi qui sont suffisamment courageux pour se battre pour des idées.

— Tu veux dire que nous n'oserions pas ? cracha Frans. Son irritation était aiguisée par le fait que Britta accordait au Norvégien les regards admiratifs qui d'habitude lui étaient réservés. Nous sommes tout aussi courageux, Erik et moi, et quand nous aurons l'âge d'Axel… D'ailleurs, quel âge as-tu ? demanda-t-il à Hans.

— Je viens d'avoir dix-sept ans.

Tout cet intérêt pour sa personne semblait mettre Hans mal à l'aise. Il chercha le regard d'Elsy. Elle n'avait toujours pas parlé, elle n'avait fait qu'écouter, mais comprit immédiatement le signal.

— Je pense que nous devrions laisser Hans se reposer maintenant, il est éprouvé par tout ce qu'il a vécu, dit-elle doucement en dardant les yeux sur ses amis.

A regret, ils se levèrent et prirent congé en sortant à reculons. Elsy fut la dernière et elle se retourna juste avant de refermer la porte.

— Merci, dit Hans en lui adressant un faible sourire. Cela dit, j'ai été content d'avoir de la compagnie, je veux bien que vous reveniez. Mais là je suis un peu…

— Je comprends très bien, dit Elsy avec un sourire. On reviendra une autre fois, et on aura sûrement l'occasion de te montrer le bourg aussi. Allez, repose-toi maintenant.

Elle referma la porte. Bizarrement l'image de Hans resta accrochée sur sa rétine et refusa de s'en aller.

Erica n'était pas à la bibliothèque comme Patrik le croyait. Elle avait bien eu l'intention d'y aller. Mais au moment de se garer, elle avait eu une idée. Il y avait une autre personne qui avait été proche de sa mère. Et qui avait été son amie depuis bien plus de soixante ans. En fait la seule amie de sa mère durant leur jeunesse, à Anna et elle-même. Pourquoi n'y avait-elle pas pensé plus tôt ? Kristina s'était tellement imposée en tant que belle-mère qu'Erica avait fini par oublier qu'elle avait aussi été l'amie de sa mère.

Elle redémarra résolument la voiture et prit la direction de Tanumshede. C'était la première fois qu'elle rendait une visite impromptue à Kristina, et elle lorgna son téléphone portable, se demandant si elle ne devrait pas appeler d'abord. Et puis non ! Si Kristina pouvait se pointer chez eux sans prévenir, elle pouvait très bien faire la même chose.

L'irritation la tenaillait encore en arrivant, et pour se défouler elle appuya brièvement sur la sonnette avant d'ouvrir la porte et d'entrer.

— Ohé ! lança-t-elle.

— Oui ?

La voix de Kristina venait de la cuisine, elle ne paraissait pas très rassurée. L'instant d'après, elle arriva dans l'entrée.

— Erica? dit-elle toute surprise en dévisageant sa belle-fille. C'est toi qui viens me voir? Maja est avec toi?

Elle chercha du regard autour d'Erica, sans voir sa petite-fille nulle part.

— Non, elle est à la maison avec Patrik, dit Erica.

Elle enleva ses chaussures et les rangea soigneusement sur l'étagère.

— Eh bien, entre, dit Kristina, un peu déconcertée. Je nous prépare un café.

Erica la suivit dans la cuisine en jetant un regard étonné à sa belle-mère. Elle ne la reconnaissait presque pas. Elle n'avait jamais vu Kristina autrement qu'impeccablement habillée et généreusement maquillée. Et quand elle venait chez eux, elle débordait toujours d'énergie, parlait sans interruption et n'arrêtait pas de bouger. Cette femme était complètement différente. Kristina se baladait en chemise de nuit délavée, bien que la matinée soit assez avancée, et son visage était totalement dépourvu de maquillage. Ça la rendait beaucoup plus âgée, avec des sillons très nets sur la peau. Elle n'avait pas non plus arrangé ses cheveux, complètement aplatis par l'oreiller.

— Ne me regarde pas, dit Kristina, comme si elle entendait les pensées d'Erica, et elle passa une main confuse dans sa chevelure. Tu comprends, j'ai toujours l'impression que ça ne sert pas à grand-chose de s'habiller et de se préparer si on n'a rien de spécial à faire, ni d'endroit où aller.

— Mais à t'entendre, on a toujours l'impression que tu n'as pas une minute à toi, dit Erica en s'installant à table.

Kristina ne répondit pas immédiatement, elle se contenta de sortir deux tasses et de placer un paquet de biscuits sur la table.

— Ce n'est pas facile de partir à la retraite quand on a travaillé toute sa vie, finit-elle par dire en versant le café. Et tout le monde est pris par ses propres affaires. Il y a sans doute des choses que je pourrais faire, mais je n'ai pas eu le courage de m'y mettre…

Elle tendit le bras pour prendre un biscuit en évitant de regarder Erica.

— Mais pourquoi nous dis-tu que tu es tellement bousculée tout le temps ?

— Vous les jeunes, vous avez votre vie. Je ne veux pas que vous ayez l'impression qu'il faut vous occuper de moi. Dieu sait que je ne veux pas être un fardeau. Et je le sens bien quand je suis chez vous que ce n'est pas toujours très bien vu, alors je me suis dit que c'était mieux si… Elle se tut et Erica la regarda, éberluée. Kristina leva les yeux de la table et poursuivit : Il faut que tu saches que je ne vis que pour les moments que je peux passer avec vous et Maja. Lotta a sa vie à Göteborg, ce n'est pas très facile pour elle de venir ici, ni pour moi d'ailleurs d'aller les voir, vu comme c'est petit chez eux. Et comme je l'ai dit, je sens parfois que je ne suis pas toujours la bienvenue chez vous…

Elle détourna les yeux de nouveau, et Erica eut honte.

— Oui, je reconnais que la faute m'incombe certainement en grande partie, dit-elle doucement. Mais tu es toujours la bienvenue. Et Maja et toi, vous vous amusez si bien ensemble. La seule chose qu'on demande, c'est que notre vie privée soit respectée. C'est chez nous, et tu es toujours invitée. Donc, nous, moi, on apprécie des choses comme appeler avant pour savoir si ça nous convient que tu viennes, comme attendre qu'on vienne t'ouvrir et, pour l'amour du ciel, ne pas nous dire comment gérer notre maison et notre enfant.

Si tu arrives à respecter ces règles, tu es la bienvenue chez nous, et Patrik serait sûrement content de se décharger un peu sur toi pendant son congé paternité.

— Ça, je l'imagine volontiers, dit Kristina avec un petit rire qui atteignit ses yeux. Comment il s'en sort ?

— Ça a été un peu hésitant les premiers jours, dit Erica. Elle raconta les promenades de Maja sur les lieux d'un crime et au commissariat. Mais je crois qu'on est d'accord maintenant sur le règlement.

— Ah, les hommes… Je me souviens de Lars la première fois qu'il est resté seul à la maison avec Lotta. Elle devait avoir un an à peu près, je sortais faire quelques courses pour la première fois depuis sa naissance. Il n'a pas fallu vingt minutes pour que le gérant du magasin vienne me chercher. Lars l'avait appelé pour dire que c'était le chaos à la maison et qu'il fallait que je rentre. Alors j'ai abandonné toutes mes courses sur place et je me suis précipitée à la maison, et il n'avait pas exagéré. Pour être le chaos, c'était le chaos !

— Qu'est-ce qu'il se passait ? dit Erica en ouvrant de grands yeux.

— Ecoute bien. Il ne savait pas où étaient rangées les couches, il a cru que mes serviettes hygiéniques étaient les couches de Lotta ! Il n'avait pas trouvé de façon logique de les mettre et, quand j'ai franchi la porte, il était en train d'essayer de l'attacher avec du Gaffer.

— Non ! dit Erica en se joignant au rire de Kristina.

— Bon, avec le temps il a appris. Lars a été un bon père pour Patrik et Lotta tout au long de leur enfance. Mais c'était une autre époque.

— En parlant d'autre époque, dit Erica en saisissant l'occasion d'aborder le sujet qui l'amenait. Je suis en train d'essayer de me renseigner un peu sur maman, sa jeunesse, tout ça. J'ai trouvé quelques vieilleries dans le grenier, entre autres des journaux intimes et, bon… ça m'a fait gamberger un peu.

— Des journaux intimes ? dit Kristina en fixant Erica. Qu'est-ce que tu as trouvé dedans ?

Son ton était tranchant et Erica regarda sa belle-mère avec surprise.

— Rien d'intéressant, malheureusement. Surtout des réflexions d'adolescente. Mais ce qui est marrant, c'est que ça parle beaucoup des amis qu'elle avait à l'époque. Erik Frankel, Britta Johansson et Frans Ringholm. Et maintenant deux d'entre eux, Erik et Britta, ont été assassinés en l'espace de deux mois. Il se peut que ce soit un hasard, mais c'est quand même un peu étrange.

Kristina la regarda fixement.

— Britta est morte ? dit-elle, le ton de sa voix indiquant qu'elle avait du mal à y croire.

— Oui, tu ne l'as pas appris ? Le téléphone arabe n'a pas fonctionné jusqu'ici ? Sa fille l'a retrouvée morte il y a deux jours, il semblerait qu'elle ait été étouffée. Son mari dit qu'il l'a tuée.

— Alors ils sont morts tous les deux, Erik et Britta ? dit Kristina. Les pensées tourbillonnaient derrière son front.

— Tu les as connus ?

— Non. Kristina secoua la tête. Je ne les connaissais que par ce qu'Elsy m'en avait dit.

— Et qu'est-ce qu'elle t'avait dit ? demanda Erica en se penchant par-dessus la table. A vrai dire, c'est pour ça que je suis venue. Tu as été l'amie de maman pendant si longtemps. Je me suis dit que, si quelqu'un savait quelque chose sur elle, ce serait toi. Alors, qu'a-t-elle dit sur ces années-là ? Et pourquoi a-t-elle cessé d'écrire son journal si brutalement en 1944 ? Peut-être qu'il en existe d'autres quelque part ? Est-ce que maman l'a jamais mentionné ? Dans le dernier journal, elle parle d'un résistant norvégien qui était arrivé chez eux, un Hans Olavsen. J'ai trouvé un vieil article de journal qui laisse entendre que les quatre le voyaient pas mal. Qu'est-il devenu ?

Les questions jaillirent si vite qu'Erica en fut elle-même étonnée. Kristina gardait le silence. Son visage était fermé.

— Je ne peux pas répondre à tes questions, Erica, dit-elle à voix basse. Je ne le peux pas. La seule chose que je peux te dire, c'est ce qu'est devenu Hans Olavsen. Elsy m'a confié qu'il était retourné en Norvège, peu après la fin de la guerre. Ensuite elle ne l'a plus jamais revu.

— Ils étaient… Erica hésita, ne sachant trop comment formuler sa phrase : Elle l'aimait ?

Kristina resta longtemps sans rien dire. Elle tripotait le dessin de la toile cirée et semblait peser sa réponse sur une balance d'orfèvre. Pour finir, elle rencontra les yeux d'Erica.

— Oui, dit-elle. Elle l'aimait.

C'était une belle journée. Il n'avait pas pensé à ce genre de choses depuis très longtemps. Que certains jours pouvaient être meilleurs que d'autres. Mais celui-ci l'était en tout cas. A mi-chemin entre été et automne. Un vent doux et agréable. La lumière avait perdu l'intensité de l'été et commencé à adopter les couleurs chaudes de l'automne. Une très belle journée.

362

Il alla se mettre devant les fenêtres du bow-window et regarda dehors. Les mains croisées dans le dos. Mais il ne vit pas les arbres de l'autre côté du terrain. Ni l'herbe du gazon qui avait un peu trop poussé et commençait à s'incliner devant l'automne. Non, il vit Britta. La jolie et lumineuse Britta qu'il avait toujours considérée comme une gamine, à l'époque de la guerre. Une amie d'Erik, une fille mignonne mais vaniteuse. Elle ne l'intéressait pas. Elle était trop jeune. Il était trop occupé par ce qui devait être fait, par ce qu'il pouvait faire. Elle représentait quelque chose de très secondaire dans son monde.

Mais à présent, il pensait à elle. Comment elle était quand il l'avait vue l'autre jour. Soixante ans s'étaient écoulés. Elle était toujours belle. Toujours un tantinet vaniteuse. Mais les années l'avaient transformée. Avaient fait d'elle quelqu'un d'autre. Axel se demanda si lui-même avait changé à ce point. Peut-être. Peut-être pas. Peut-être les années de captivité aux mains des Allemands l'avaient-elles transformé assez pour une vie, si bien qu'il ne lui restait plus de forces pour changer davantage. Tout ce qu'il avait vu. Toutes les horreurs dont il avait été témoin. Cela avait peut-être changé quelque chose au plus profond de lui, irrémédiablement.

Axel vit d'autres visages devant lui. Ceux des êtres humains qu'ils avaient pourchassés, qu'il avait contribué à faire arrêter. Non pas au moyen de poursuites palpitantes comme au cinéma, mais par un travail méthodique, de la discipline et une bonne administration. En restant dans son bureau à remonter infatigablement cinq décennies de pistes sur papier. En remettant en cause des identités, des paiements, des voyages et des lieux de refuge possibles. Ils les avaient capturés l'un après l'autre. Ils avaient veillé à ce qu'ils soient sanctionnés pour leurs fautes passées. Il ne rattraperait jamais le temps. Il le savait. Il y en avait encore tant en liberté, et qui s'approchaient de la mort. Et qui au lieu de mourir en captivité, dans l'humiliation, mouraient tranquillement de vieillesse, sans jamais avoir eu à répondre de leurs actes. C'était cela qui le poussait. Qui faisait qu'il ne se reposait jamais, qu'il était constamment à l'affût, qu'il allait de réunion en réunion et parcourait sans fin des archives. Tant qu'il en resterait un seul en liberté qu'il pourrait contribuer à faire arrêter, il se sentait incapable de prendre du repos.

Ses yeux se voilèrent. Il savait que ça avait viré à l'obsession. Il avait laissé son travail tout engloutir. C'était devenu une bouée de sauvetage à laquelle s'accrocher quand il doutait de lui-même et de son humanité. Tant qu'il était à la chasse, il n'avait pas besoin de se remettre en question. Tant qu'il travaillait au service du bien, il amortissait lentement mais sûrement la culpabilité. Ce n'était qu'en restant en perpétuel mouvement qu'il pouvait se débarrasser de toutes les pensées douloureuses.

Il se retourna. On sonnait à la porte. Il eut du mal à s'arracher à tous les visages qui passaient devant ses yeux dans un scintillement. Puis il cilla pour les faire disparaître et alla ouvrir.

— Ah, c'est vous, dit-il en apercevant Paula et Martin.

La lassitude prit le dessus pendant une seconde. Parfois il avait l'impression que cela ne se terminerait jamais.

— Est-ce qu'on peut entrer vous parler un instant ? demanda Martin aimablement.

— Bien sûr, entrez, dit Axel et il leur montra le chemin de la véranda comme la première fois. Du nouveau ? J'ai entendu pour Britta. C'est effroyable. Je les ai rencontrés, elle et Herman, il y a quelques jours seulement, et j'ai vraiment du mal à imaginer qu'il…

— Oui, c'est vraiment tragique, dit Paula. Mais nous essayons de ne pas tirer de conclusions trop hâtives.

— Mais si j'ai bien compris, Herman est passé aux aveux ?

— Oui… effectivement. Mais avant d'avoir pu l'interroger, nous…, dit Martin en écartant les mains. C'est d'ailleurs la raison pour laquelle nous voulons vous parler.

— Absolument, mais je ne comprends pas en quoi je vais pouvoir vous aider.

— Nous avons examiné les relevés téléphoniques de Britta et Herman, et votre numéro y figure à trois reprises.

— Je peux vous renseigner sur un des appels. Herman m'a appelé il y a deux, trois jours et m'a demandé de passer voir Britta. A vrai dire, nous n'avons pas eu de contacts depuis de très nombreuses années, et j'ai été un peu surpris. Mais il m'a dit qu'elle était atteinte de la maladie d'Alzheimer, et j'ai compris qu'il avait tout simplement envie de rencontrer quelqu'un du passé, il devait se dire que cela pourrait aider.

— C'est donc pour ça que vous y êtes allé, dit Paula en l'observant de près. Parce que Britta voulait rencontrer quelqu'un du passé ?

— Oui, en tout cas c'est ce que Herman m'a dit. Certes, on n'était pas très proches à l'époque non plus, en réalité elle était l'amie de mon frère Erik, mais je m'étais dit que ça ne pouvait pas faire de mal. A mon âge, c'est toujours agréable d'évoquer de vieux souvenirs.

— Que s'est-il passé pendant votre visite chez eux ? demanda Martin et il se pencha imperceptiblement en avant.

— Pendant un petit moment, elle était passablement lucide, et on a bavardé du bon vieux temps. Mais ensuite elle a disparu dans sa confusion, et alors ça n'avait plus beaucoup de sens que je reste, je me suis excusé et je suis parti. Quelle terrible tragédie ! C'est une maladie cruelle.

— Et les appels de début juin ? Martin consulta ses notes. D'abord un provenant de votre téléphone le 2 juin, puis un de chez Britta et Herman le 3, suivi d'un autre le 4 ?

Axel secoua la tête.

— J'ignore tout de ces appels. Ils ont dû parler à Erik. Mais je suppose que le sujet était le même. Et c'était plus naturel pour Britta de vouloir revoir Erik, si elle commençait à replonger dans le passé. C'était eux qui étaient amis, comme je viens de le dire.

— Mais le premier appel provient de chez vous, insista Martin. Savez-vous pourquoi Erik les aurait appelés ?

— Comme je vous l'ai déjà dit, mon frère et moi vivions certes sous le même toit, mais on ne se mêlait pas des occupations de l'autre. Je n'ai aucune idée de la raison qui aurait poussé Erik à contacter Britta. Il voulait peut-être aussi renouer le contact. En prenant de l'âge, on devient un peu bizarre sur ce plan. Ce qui remonte très loin dans le temps se rapproche de vous et prend plus d'importance.

En le disant, Axel réalisa combien cela était vrai. En son for intérieur il vit des personnes ricanantes se précipiter vers lui. Il serra fort les accoudoirs. Ce n'était pas le moment de leur permettre de le rattraper.

— Alors vous pensez que c'est lui qui voulait qu'ils se revoient au nom d'une vieille amitié? dit Martin avec scepticisme.

Axel relâcha les accoudoirs.

— Je viens de le dire. Je n'en ai pas la moindre idée. Mais il me semble que c'est l'explication la plus logique.

Martin échangea un regard avec Paula. Apparemment ils n'obtiendraient rien de plus. Pourtant il avait le sentiment agaçant de n'apercevoir que de toutes petites bribes d'une histoire bien plus grande.

Après leur départ, Axel retourna devant la fenêtre. Dans sa tête, les visages du passé reprirent leur farandole.

— Ça s'est bien passé à la bibliothèque?

Le visage de Patrik s'illumina quand il vit Erica arriver. Maja faisait sa sieste et il était en train de débarrasser leur déjeuner.

— Euh… je ne suis pas allée à la bibliothèque, dit-elle avec une drôle d'expression.

— Où tu es allée alors?

— Chez Kristina, dit Erica brièvement en venant le rejoindre dans la cuisine.

— Quelle Kristina? Tu veux dire maman? dit Patrik, sidéré. Pourquoi tu es allée chez elle? Viens là, il faut que je vérifie si tu n'as pas de fièvre.

Il posa une main sur son front, mais Erica se dégagea rapidement.

— Ben quoi, qu'est-ce que ça a de si bizarre? Après tout, c'est ma belle-mère. C'est normal que j'aille la voir.

— Oui, bien sûr, rigola Patrik. Allez, accouche maintenant, qu'est-ce que tu lui voulais ?

Erica lui parla de l'illumination qu'elle avait eue devant la bibliothèque, quand elle s'était rendu compte qu'il y avait une autre personne qui avait connu Elsy quand elle était jeune. Elle raconta l'étrange réaction de Kristina, et sa révélation : Elsy avait eu une relation amoureuse avec le Norvégien qui fuyait les Allemands.

— Mais ensuite elle n'a plus rien voulu dire. Ou alors elle ne savait rien de plus. Tout indique en tout cas que Hans Olavsen a abandonné maman. Il a quitté Fjällbacka et Elsy aurait raconté à Kristina qu'il était retourné en Norvège.

— Et maintenant qu'est-ce que tu vas faire de tout ça ?

— Je vais essayer de le retrouver, évidemment, dit Erica en quittant la cuisine pour le salon. D'ailleurs je trouve qu'on devrait inviter Kristina dimanche. Pour qu'elle puisse voir Maja un peu.

— Bon, là, plus de doute, tu dois avoir plus de quarante ! rit Patrik. Mais d'accord, je vais l'appeler et voir si elle veut venir prendre le café dimanche. On verra bien si elle est dispo, en général elle ne sait pas où donner de la tête.

— Mmmmm, fit Erica sur un drôle de ton.

Patrik secoua la tête. Ah, les femmes ! Il ne les comprendrait décidément jamais. Mais c'était peut-être justement ça, le principe.

— C'est quoi, ça ? cria Erica depuis le salon.

Patrik alla la rejoindre pour voir de quoi elle parlait. Elle était en train de regarder le dossier sur la table, et pendant une seconde Patrik eut envie de se donner des baffes pour ne pas l'avoir mis en lieu sûr avant l'arrivée de sa femme. Il la connaissait trop bien pour savoir que c'était fichu maintenant, jamais il ne pourrait le lui soustraire.

— C'est tout le matériel d'investigation concernant le meurtre d'Erik Frankel, dit-il en la menaçant de l'index. Et il est hors de question que tu révèles quoi que ce soit de ce que tu vas y lire. D'accord ?

— Oui, oui, dit Erica distraitement en le balayant comme s'il était une mouche agaçante.

Puis elle s'installa dans le canapé et commença à feuilleter les documents et les photos. Une heure plus tard, elle avait parcouru tout le dossier et elle reprit tout depuis le début. Patrik était venu la voir deux, trois fois, mais il avait abandonné toute tentative d'entrer en contact avec elle et s'était installé avec le journal du matin qu'il n'avait pas encore eu le temps de lire.

— Vous n'avez pas beaucoup de pistes matérielles, dit Erica en passant ses doigts sur les lignes du rapport des techniciens.

— Non, tu as raison, c'est très maigre, dit Patrik. Dans la bibliothèque, on n'a pas relevé d'autres empreintes digitales que celles d'Erik, d'Axel et des garçons qui l'ont trouvé. Rien n'a disparu, et les empreintes de pas ont aussi pu être attribuées à ces mêmes personnes. L'arme du crime se trouvait sous le bureau, c'était une arme qui était déjà sur les lieux pour ainsi dire.

— Pas un meurtre avec préméditation autrement dit, plutôt un acte inconsidéré, dit Erica d'un air pensif.

— Oui, à moins de savoir par avance que le buste en pierre se trouvait là, sur le rebord de la fenêtre. Patrik fut subitement frappé par une pensée qui lui avait déjà traversé l'esprit quelques jours auparavant. Dis-moi, c'était quel jour que tu es allée chez Erik Frankel avec la médaille ?

— Pourquoi?

— Je ne sais pas. Ça n'a peut-être aucune importance. Mais ça peut être utile de le savoir.

— C'était le jour avant qu'on aille au zoo de Nordens Ark avec Maja, dit Erica en continuant à feuilleter les documents. On y est allés le 3 juin, non? Dans ce cas, j'étais chez Erik le 2.

— Est-ce que tu as eu le moindre renseignement sur cette médaille? Il a dit quelque chose ce jour-là?

— Tu imagines bien que je t'en aurais parlé. Non, il a simplement dit qu'il voulait faire une vérification plus approfondie avant de me donner des précisions.

— Donc tu ne sais toujours pas ce que c'est comme insigne?

— Non, dit Erica d'un air pensif. Mais c'est définitivement quelque chose dont je devrais m'occuper. Demain j'essaierai de voir vers qui je pourrais me tourner.

Elle se pencha de nouveau sur le dossier et étudia minutieusement les photos du lieu du crime.

Elle prit la première et plissa les yeux pour mieux voir.

— Mince alors, impossible de…, marmonna-t-elle et elle se leva pour grimper à l'étage.

Elle ne tarda pas à redescendre en brandissant une loupe.

— Qu'est-ce que tu fais? dit Patrik en observant sa femme par-dessus le journal.

— Eh bien, je ne sais pas trop. Ce n'est peut-être rien, mais… On dirait qu'il y a quelque chose de gribouillé sur le bloc-notes là, sur le bureau. Mais j'ai du mal à voir…

Elle se pencha davantage sur la photo et plaça la loupe pile au-dessus de la petite tache blanche.

— Il me semble que c'est écrit… Elle plissa encore les yeux. Je crois que c'est écrit *"Ignoto militi"*.

— Aha, et c'est censé vouloir dire quoi, ça ?

— Je ne sais pas. Quelque chose de militaire, je suppose. Mais ce n'est sans doute rien. Un simple gribouillis, c'est tout, dit-elle, déçue.

— Ecoute-moi… Patrik baissa son journal et inclina la tête : J'ai discuté un peu avec Martin quand il est venu déposer le dossier. Et il m'a demandé un service.

Pour être tout à fait exact, c'était lui-même qui avait proposé son aide, mais ça, il n'était pas obligé de le dire à Erica. Il se racla la gorge et poursuivit :

— Il m'a demandé d'aller à Göteborg rencontrer une personne à qui Erik Frankel a fait des virements mensuels réguliers pendant cinquante ans.

— Cinquante ans ? dit Erica en levant les sourcils. Il a payé quelqu'un pendant cinquante ans ? C'est quoi à ton avis ? Du chantage ?

Elle eut du mal à cacher qu'elle trouvait ça excitant.

— On l'ignore. Ça ne signifie peut-être rien, mais… Toujours est-il que Martin m'a demandé si j'étais d'accord pour aller vérifier.

— Super, je viens avec toi, dit Erica avec enthousiasme.

Patrik la dévisagea. Ce n'était pas exactement la réaction à laquelle il s'était attendu.

— Euh, oui, ça pourrait…, dit-il tout en se demandant s'il avait une bonne raison de ne pas emmener sa femme, il ne s'agissait que d'une affaire de routine, la vérification d'un virement, et il ne voyait pas ce qui pourrait poser problème. Oui, tu n'as qu'à venir. On fera un tour chez Lotta ensuite, comme ça Maja verra ses cousins.

— Génial, dit Erica, qui aimait bien la sœur de

Patrik. Et je trouverai peut-être quelqu'un à Göteborg pour la médaille.

— Ça devrait pouvoir se faire. Passe des coups de fil cet après-midi pour voir si tu peux dégoter un spécialiste de ce genre de choses. Profites-en pendant que Maja dort.

Erica reprit la loupe et examina de nouveau le petit bloc-notes sur le bureau d'Erik. *Ignoto militi*. Quelque chose bougea dans son inconscient.

Cette fois, il ne fallut qu'une demi-heure pour que le tempo s'imprime.

— C'est bien, Bertil, le félicita Rita et elle serra un peu plus sa main. Tu commences à assimiler le rythme, je le sens.

— Oui, la danse, c'est dans mes cordes, dit Mellberg avec modestie.

— Je vois ça, répondit-elle avec un clin d'œil. J'ai appris que vous aviez pris un café ensemble aujourd'hui, Johanna et toi.

Elle lui sourit en le regardant dans les yeux. C'était encore une chose qui lui plaisait avec Rita. Il n'avait jamais été très grand, mais avec elle, si petite, il avait l'impression de mesurer un bon mètre quatre-vingt-dix.

— Oui, je passais par hasard devant chez vous…, dit-il, un peu embarrassé. Et alors Johanna est arrivée et m'a demandé si je voulais monter pour une tasse.

— Ah oui, tu passais par hasard, rigola Rita pendant qu'ils continuaient à se balancer au rythme de la salsa. Quel dommage que je n'aie pas été là. Mais vous avez passé un bon moment, d'après ce que dit Johanna.

— Oui, c'est une chouette fille, dit Mellberg et il ressentit à nouveau les coups de pied du fœtus contre sa paume. Vraiment chouette.

— Ça n'a pas toujours été très facile pour elles, soupira Rita. Et je suppose que j'avais moi-même quelques difficultés pour m'habituer au début. Mais je crois que je l'avais senti bien avant que Paula me présente Johanna. Ça fait bientôt dix ans qu'elles sont ensemble, et je n'aimerais pas voir Paula vivre avec quelqu'un d'autre, je peux le dire sincèrement. Elles sont faites l'une pour l'autre, et c'est tout ce qui compte.

— Mais ça a dû être plus facile à Stockholm ? Pour être acceptées, je veux dire, avança prudemment Mellberg et il poussa un juron quand il marcha sur le pied de Rita. Là-bas, c'est plus fréquent, non ? Quand on regarde la télé, on a parfois l'impression que presque tout le monde à Stockholm penche de ce côté-là.

— Peut-être pas, tout de même. Cela dit, c'est vrai qu'on appréhendait un peu de déménager ici. Mais j'ai été agréablement surprise. Je ne pense pas que les filles aient rencontré de problème jusque-là. Mais d'un autre côté, les gens n'ont peut-être pas pigé. On verra bien. Qu'est-ce que tu veux qu'elles fassent ? Qu'elles cessent de vivre ? Qu'elles renoncent à s'installer là où elles le veulent ? Non, parfois il faut oser affronter l'inconnu.

Tout à coup, elle eut l'air triste, son regard alla se perdre dans le lointain, par-dessus l'épaule de Mellberg. Il crut comprendre à quoi elle pensait.

— C'était difficile ? De fuir ? dit-il précautionneusement.

Il réalisa à sa grande surprise qu'il avait réellement envie de connaître la réponse. D'habitude, il évitait de poser des questions sensibles ou alors il les posait parce que c'était ce qu'on attendait de lui et ensuite il n'écoutait pas la réponse. Mais à présent il avait vraiment envie de savoir.

— C'était à la fois difficile et facile, dit Rita et dans ses yeux sombres il lut qu'elle avait vécu des choses qu'il ne pourrait même pas imaginer. C'était facile de quitter mon pays tel qu'il était devenu. Mais difficile de quitter le pays tel que je l'avais connu auparavant.

Un instant elle perdit le rythme et resta immobile, ses mains toujours dans celles de Mellberg. Puis une étincelle passa dans ses yeux et elle dégagea ses mains et les frappa énergiquement.

— Allez, il est temps d'apprendre le pas suivant, c'est-à-dire de pivoter. Bertil, tu m'aideras à faire la démonstration.

Elle lui montra lentement les pas qu'il devait faire pour pouvoir la faire pivoter sous son bras. Ce n'était pas franchement simple et il réussit à s'emmêler les pinceaux. Mais Rita ne perdit pas patience, elle fit la démonstration encore et encore jusqu'à ce que Bertil et les autres couples aient pigé le truc.

— Je pense que ça va très bien se passer, tout ça, dit-elle en le regardant.

Il se demanda si elle parlait uniquement de la danse. Ou d'autre chose. Il espérait que c'était autre chose.

La nuit commençait à tomber dehors. Les draps du lit d'hôpital bruissaient légèrement quand il bougeait, si bien qu'il essaya de rester immobile. Il préférait être entouré de silence. Il ne pouvait rien contre les bruits extérieurs, les voix, les gens qui marchaient, les plateaux qu'on entrechoquait. Mais dans la chambre, il pouvait veiller à ce qu'il y ait le plus de quiétude possible. Que le silence ne soit pas dérangé par le froissement des draps.

Herman regarda par la fenêtre. Son reflet commençait à apparaître sur le carreau au fur et à mesure que l'obscurité se densifiait, et il se dit que le personnage dans le lit avait l'air bien pitoyable. Un bonhomme gris et ratatiné en pyjama d'hôpital blanc, aux cheveux fins et aux joues ridées. C'était comme si c'était Britta qui lui avait donné sa consistance. Qui lui avait donné une valeur qui le remplissait, le prolongeait. C'était comme si elle avait donné un sens à sa vie, elle et personne d'autre. Et maintenant, par sa faute, elle n'était plus.

Les filles étaient venues le voir aujourd'hui. Elles l'avaient touché, l'avaient pris dans leurs bras, l'avaient regardé avec leurs yeux inquiets et lui avaient parlé avec leurs voix préoccupées. Mais il n'avait pas pu se résoudre à les regarder. Il avait peur qu'elles voient la culpabilité dans ses yeux. Qu'elles voient ce qu'il avait fait. Ce qu'il avait causé.

Ils avaient porté le secret si longtemps, Britta et lui. Ils l'avaient partagé, enfoui, expié. C'était en tout cas ce qu'il croyait. Mais lorsque la maladie était venue et que les digues avaient commencé à céder, il avait compris, dans un instant de lucidité, que rien ne pouvait jamais être expié. Tôt ou tard, le temps et le destin vous rattrapaient. On ne pouvait pas se cacher. Pas courir. Dans leur naïveté, ils avaient cru qu'il suffisait de vivre une vie bonne, d'être des personnes généreuses. D'aimer ses enfants et de faire d'eux des adultes aptes à transmettre cet amour à leur tour. Et pour finir, ils s'étaient figuré que le bien qu'ils avaient créé aurait le pouvoir d'occulter le mal.

Il avait tué Britta. Pourquoi ne le comprenaient-ils pas ? Il savait qu'ils voulaient lui parler, lui demander des choses, poser des questions. Si seulement ils pouvaient accepter les choses telles qu'elles étaient.

Il avait tué Britta. Et maintenant il ne lui restait rien.

— Tu sais qui c'est ? Tu sais pourquoi Erik lui a fait ces virements pendant toutes ces années ? demanda Erica quand ils commencèrent à approcher de Göteborg.

Maja avait été un ange sur le siège arrière. Ils étaient partis tôt, avant huit heures et demie, si bien qu'il n'était que dix heures quand ils entrèrent dans la ville.

— Non, les seules données que nous avons sont celles que tu as devant toi, dit Patrik en indiquant le papier dans la pochette plastique sur les genoux d'Erica.

— Wilhelm Fridén, 38, Vasagatan, Göteborg. Né le 3 octobre 1924. Erica lisait à haute voix.

— Oui, tu disposes là de tout ce que nous savons. J'ai parlé rapidement avec Martin hier soir et il n'avait pas trouvé de liens avec Fjällbacka, ni aucune inculpation. Rien. On avance à tâtons. A quelle heure as-tu rendez-vous avec le type pour la médaille ?

— A midi, dans sa boutique d'antiquités, dit Erica et elle tâta la médaille bien à l'abri dans sa poche, enroulée dans un linge.

— Tu restes dans la voiture avec Maja, ou tu préfères faire un tour pendant que je parle avec Wilhelm Fridén ? demanda Patrik en se garant dans Vasagatan.

— Comment ça ? Je viens avec toi, qu'est-ce que tu crois ? dit Erica, offusquée.

— Mais ce n'est pas possible… Maja…, dit Patrik maladroitement.

Il comprit tout de suite où cette discussion allait le mener. Et où elle allait se terminer.

— Si elle peut venir sur les lieux d'un crime et au poste de police, elle peut très certainement venir chez un bonhomme de quatre-vingts piges, dit-elle et son ton indiqua clairement qu'il était inutile d'argumenter.

— Bon, soupira-t-il.

Il savait s'avouer vaincu. Ils sonnèrent à la porte au deuxième étage du vieil immeuble 1900 et un homme d'une soixantaine d'années vint l'ouvrir. Il les regarda, intrigué.

— Oui ? En quoi puis-je vous être utile ?

Patrik montra sa plaque.

— Je m'appelle Patrik Hedström, je suis du commissariat de Tanumshede. J'ai quelques questions concernant Wilhelm Fridén.

— Qui ? fit une faible voix féminine dans l'appartement.

L'homme se retourna et lança :

— C'est un policier qui veut poser des questions sur papa !

Il se tourna de nouveau vers Patrik.

— J'ai le plus grand mal à imaginer pourquoi la police s'intéresse à papa mais, je vous en prie, entrez donc.

Il s'effaça pour les laisser passer, et il leva les sourcils quand Erica entra avec Maja sur le bras.

— Je vois qu'on commence tôt dans la police de nos jours, s'amusa-t-il.

Patrik afficha un sourire gêné.

— Voici ma femme, Erica Falck, et ma fille Maja. Elles… eh bien, ma femme a des raisons de s'intéresser personnellement à une affaire sur laquelle nous enquêtons et…

Il s'interrompit. Il était impossible de justifier qu'un policier emmène sa femme et son bébé en mission.

— Pardon, je ne me suis pas présenté. Je m'appelle Göran Fridén, c'est donc mon père que vous voulez voir.

Patrik l'observa avec curiosité. L'homme était de taille moyenne, ses cheveux étaient gris et légèrement bouclés, et ses yeux bleus et amicaux.

— Votre père est-il là? dit Patrik alors qu'ils suivaient Göran Fridén dans un long couloir.

— Je suis désolé, mais vous arrivez trop tard pour poser des questions à mon père. Il est décédé il y a deux semaines.

— Oh!

Patrik fut désorienté. Ce n'était pas la réponse qu'il attendait. Il avait été certain que, malgré son grand âge, l'homme était toujours en vie, puisque son décès ne figurait pas à l'état civil. Certainement parce qu'il était trop récent; il fallait toujours un peu de temps pour corriger ce genre de données. Il ressentit une immense déception. Son intuition lui disait que cette piste était importante, est-ce qu'elle allait se refroidir tout de suite?

— Si vous voulez, vous pouvez parler à ma mère, dit Göran avec un geste en direction du salon. Je ne sais pas de quoi il s'agit mais, une fois que vous nous aurez renseignés, elle pourra peut-être vous aider?

Une petite dame frêle aux cheveux blancs comme la neige se leva du canapé. Malgré son âge, elle était jolie à croquer. Elle tendit la main pour les accueillir.

— Märta Fridén. Elle les regarda avec curiosité, et éclata d'un grand sourire en apercevant Maja. Oh, salut toi! Comme elle est adorable! Elle s'appelle comment?

— Maja, dit Erica fièrement.

Elle se prit immédiatement d'affection pour Märta Fridén.

— Salut Maja, dit Märta et elle s'avança pour lui faire une petite caresse sur la joue.

Maja était ravie d'être l'objet de tant d'attentions, puis elle se mit à gigoter comme une folle quand elle vit une vieille poupée dans un coin du canapé.

— Non, Maja, fit Erica sévèrement en essayant de retenir sa fille.

— Non, laissez-la, elle peut la prendre, dit Märta en remuant la main. Il n'y a rien ici qui me tienne à cœur au point d'interdire à la petite d'y toucher. Depuis la mort de Wilhelm, je commence à me rendre compte qu'on n'emportera rien dans la tombe.

Ses yeux se remplirent de tristesse et son fils vint l'entourer de son bras.

— Assieds-toi maman, je m'occupe du café. Comme ça, vous pouvez parler tranquillement.

Märta le suivit du regard quand il quitta la pièce.

— C'est un bon garçon. J'essaie de ne pas peser sur ses épaules, il faut laisser les enfants vivre leur vie. Mais parfois il est trop gentil pour son propre bien. Wilhelm était tellement fier de lui, dit-elle, puis elle sembla s'égarer dans les souvenirs avant de se tourner de nouveau vers Patrik : Bon, qu'est-ce que la police voulait à mon Wilhelm, alors ?

Patrik se racla la gorge. Il sentit qu'il arrivait sur un terrain miné. Il allait peut-être mettre au jour un tas de choses que cette petite dame sympathique aurait préféré ignorer. Mais il n'avait pas le choix. Il dit en tâtonnant :

— Voilà, nous sommes en train d'enquêter sur un meurtre, à Fjällbacka, c'est plus au nord. Je suis du commissariat de Tanumshede, Fjällbacka fait partie de l'agglomération de Tanum.

— Oh mon Dieu, un meurtre ! s'exclama Märta en plissant le front.

— Oui, c'est un nommé Erik Frankel qui a été tué, dit Patrik et il fit une pause pour voir s'il y avait une réaction.

Mais d'après ce qu'il put en juger, Märta ne sembla pas reconnaître le nom. Ce qu'elle confirma.

— Erik Frankel? Non, ce nom ne me dit rien. Comment est-ce qu'il vous a menés à Wilhelm?

— Eh bien, il se trouve que... Il se trouve que, pendant presque cinquante ans, cet Erik Frankel a effectué un virement mensuel sur le compte bancaire d'un certain Wilhelm Fridén. Votre mari. Et nous nous demandons évidemment pourquoi et quel était le lien entre eux.

— Wilhelm aurait reçu de l'argent... d'un homme de Fjällbacka qui s'appelait Erik Frankel? dit Märta et elle eut l'air sincèrement sidérée.

— Alors, de quoi s'agit-il? demanda Göran qui arriva en portant un plateau avec le café et des tasses.

— L'agent de police dit qu'un certain Erik Frankel, qui a été retrouvé assassiné, a payé une somme d'argent à ton père tous les mois pendant cinquante ans, répondit sa mère.

— Quoi? dit Göran, tout éberlué. Il s'assit à côté de sa mère. A papa? Mais pourquoi?

— C'est ce que nous aimerions savoir, dit Patrik. Nous espérions que Wilhelm lui-même nous fournirait la réponse.

— Boupée, dit Maja, ravie, en tendant la vieille poupée à Märta.

— Oui, c'est une poupée, dit Märta. Je l'avais quand j'étais petite.

Maja serra tendrement la poupée sur sa poitrine et la câlina. Märta eut du mal à détacher ses yeux d'elle.

— Quelle enfant ravissante, dit-elle.

Erica hocha la tête avec enthousiasme.

— De quel montant étaient ces virements ? demanda Göran.

— Il ne s'agit pas de sommes colossales. Deux mille couronnes par mois ces dernières années. Mais elles ont augmenté progressivement au fil des années, elles semblent avoir suivi l'inflation. Alors, même si la somme a changé, la valeur approximative a été constante.

— Mais pourquoi papa ne nous en a-t-il jamais parlé ?

Göran regarda sa mère qui secoua lentement la tête.

— Je l'ignore, mon garçon. Mais Wilhelm et moi, on ne parlait jamais d'argent. C'est lui qui gérait les finances et moi la maison, notre génération fonctionne comme ça. Nous avions réparti les tâches ainsi. Si je n'avais pas Göran aujourd'hui, je serais totalement perdue devant tout ce qui touche aux factures et aux emprunts et ce genre de choses.

Elle posa sa main sur celle de son fils et il la lui serra en retour.

— Tu sais bien que c'est avec plaisir que je t'aide, maman.

— Vous avez peut-être des documents touchant à votre situation économique que nous pourrions examiner ? demanda Patrik.

Il était découragé. Il avait espéré obtenir des réponses à toutes les questions concernant cet étrange virement mensuel, et maintenant il avait plutôt l'impression de s'être précipité dans une impasse.

— Nous ne conservons pas de documents ici, tout se trouve chez l'avocat, s'excusa Göran. Mais je peux lui demander de faire des copies et de me les envoyer.

— Ce serait bien, je vous remercie, dit Patrik et il sentit l'espoir renaître un peu – peut-être qu'il serait quand même possible d'approfondir ce mystère, après tout.

— Pardon, j'oublie de vous servir le café, dit Göran.

— Ne vous dérangez pas, on doit partir de toute façon, dit Patrik en regardant l'heure.

— Je suis désolée de ne pas avoir pu vous aider davantage, sourit doucement Märta en inclinant la tête.

— Ne vous inquiétez pas, c'est comme ça. Et puis je voudrais aussi vous présenter mes condoléances. J'espère ne pas vous avoir importunée avec toutes ces questions juste après que… C'est que nous ne savions pas…

— Ce n'est rien, dit-elle en balayant ses excuses de la main. Je connaissais mon Wilhelm par cœur et, quelle que soit la raison de ce virement, je peux vous garantir que ce n'est rien d'illégal ou d'amoral. Alors, vous pouvez poser toutes les questions que vous voulez et, comme Göran vient de le dire, on va faire en sorte que vous puissiez consulter nos comptes. Je suis simplement désolée de ne pas avoir pu vous être plus utile.

Tout le monde se leva et se rendit dans le vestibule. Maja suivit, tenant toujours la poupée serrée dans ses bras.

— Maja ma puce, il faut que tu rendes la poupée maintenant.

Erica se prépara en vue de la crise inévitable qui se profilait.

— Laissez donc la petite garder la poupée, dit Märta en caressant les cheveux de Maja. Je vous l'ai dit, je ne l'emporterai pas dans la tombe, et je suis trop vieille pour jouer à la poupée.

— Mais vous êtes sûre ? bégaya Erica. C'est une poupée ancienne, c'est sûrement un vieux souvenir et…

— Les souvenirs, on les conserve ici, dit Märta en se tapotant le front. Pas dans les objets. Rien ne pourrait me faire plus plaisir que de savoir que quelqu'un jouera de nouveau avec Greta. Elle s'ennuyait terriblement ici, dans le canapé d'une petite vieille.

— Merci. Je ne sais pas comment vous remercier, dit Erica et à son grand dépit elle fut tellement émue qu'elle dut ciller pour chasser les larmes.

— Il n'y a vraiment pas de quoi.

Märta caressa encore une fois la tête de Maja, puis elle et son fils les raccompagnèrent à la porte.

Avant que la porte se referme, ils virent Göran qui prenait tendrement sa mère par les épaules et posait un baiser sur ses cheveux blancs.

Martin errait comme une âme en peine chez lui. Pia était au travail et, seul ainsi dans l'appartement, l'affaire ne le laissait pas en paix. C'était comme si le congé de Patrik avait multiplié par dix sa propre responsabilité par rapport à l'enquête, et il n'y était pas préparé. D'une certaine manière, il vivait comme une faiblesse d'avoir été obligé de solliciter l'aide de Patrik. Mais il avait une telle confiance en son jugement, bien plus qu'en lui-même. Parfois il se demandait si un jour il parviendrait à se sentir rassuré dans son métier. Il y avait toujours cette hésitation qui le guettait, l'hésitation qu'il trimballait depuis l'école de police. Etait-il réellement fait pour ce travail ? Etait-il capable de s'en acquitter honorablement ?

Il ruminait tout en arpentant les pièces. Il comprenait très bien pourquoi les doutes concernant son métier s'étaient amplifiés de cette façon. Il se trouvait face au plus grand défi de sa vie, et il n'était pas sûr d'être prêt. Si jamais il n'était pas à la hauteur ? Si jamais il n'arrivait pas à épauler Pia ? Si jamais il ne répondait pas à ce qu'on attend d'un père ? Si jamais, si jamais… Les pensées tournoyèrent de plus en plus vite dans sa tête et il finit par comprendre qu'il devait entreprendre quelque chose pour ne pas devenir fou.

Il attrapa sa veste, s'installa derrière le volant et prit la route du sud. Pour commencer, il ne savait pas trop où il allait mais, en approchant de Grebbestad, son esprit s'éclaircit. C'était le coup de fil pour Frans Ringholm passé de chez Britta et Herman qui le travaillait depuis la veille. Ils croisaient sans cesse les mêmes personnes dans les deux enquêtes. Elles paraissaient se dérouler en parallèle, mais Martin sentait qu'en réalité elles se recoupaient. Pourquoi Herman et Britta avaient-ils appelé Frans en juin ? Avant la mort d'Erik ? Un appel était enregistré, le 4 juin. Il n'avait pas duré longtemps. Deux minutes et trente-trois secondes, d'après le relevé. Qu'est-ce qu'ils lui avaient voulu ? Les choses étaient-elles aussi simples qu'Axel les présentait ? La maladie de Britta lui avait-elle vraiment donné envie de renouer de vieilles amitiés ? Avec des gens que, selon toutes les apparences, elle n'avait pas fréquentés depuis soixante ans ? D'accord, le cerveau humain pouvait parfois vous jouer de drôles de tours, mais… Non, il y avait quelque chose à lire entre les lignes. Quelque chose qui lui échappait. Et il n'avait pas l'intention d'abandonner avant d'avoir trouvé ce que c'était.

Frans sortait de chez lui quand Martin le croisa sur le palier.

— En quoi puis-je vous être utile aujourd'hui ? dit-il poliment.

— J'ai simplement quelques questions à vous poser pour compléter le tableau.

— Je m'apprêtais à faire ma promenade quotidienne. Si vous voulez me parler, vous pouvez m'accompagner. Ma promenade est sacrée, personne ne me la fera manquer. C'est comme ça que je me maintiens en forme.

Il commença à marcher en direction de la mer et Martin le suivit.

— Ça ne vous dérange pas, alors, d'être vu en compagnie de la police? dit Martin avec un sourire de guingois.

— J'ai passé tant de temps avec des matons que je suis habitué à votre compagnie. Les yeux de Frans scintillèrent gaiement. Bon, qu'est-ce que vous voulez alors? dit-il avant que son enjouement disparaisse.

Le vieux tenait un bon tempo et Martin dut presque courir pour le suivre.

— Je ne sais pas si vous êtes au courant, mais nous avons un autre meurtre sur les bras à Fjällbacka.

Frans ralentit une seconde, puis il reprit son rythme.

— Non, je l'ignorais. Qui?

— Britta Johansson, répondit Martin et il étudia Frans de près.

— Britta? dit Frans en tournant la tête vers Martin. Mais comment? Qui?

— Son mari dit que c'est lui. Mais j'ai des doutes…

Frans tressaillit.

— Herman? Mais pourquoi? J'ai du mal à croire que…

— Vous connaissez Herman? dit Martin, essayant de ne pas révéler l'importance de sa question.

— Non, pas vraiment, dit Frans en secouant la tête. Je ne l'ai rencontré qu'à une seule occasion. Il m'a appelé au mois de juin, il a dit que Britta était malade et qu'elle avait exprimé le souhait de me voir.

— Vous n'avez pas trouvé ça bizarre ? Je veux dire, ça faisait soixante ans que vous ne vous étiez pas vus ?

La voix de Martin montra nettement son scepticisme devant la réponse de Frans.

— Si, évidemment que j'ai trouvé ça un peu bizarre. Mais Herman m'a expliqué qu'elle était atteinte d'alzheimer, et apparemment ce n'est pas rare qu'on se replonge dans de vieux souvenirs et qu'on évoque des périodes et des gens qui ont compté. Et effectivement on s'est connus pendant toute notre jeunesse, avec la bande on se voyait tout le temps.

— Et la bande, c'était…

— C'était Britta, Erik, Elsy Moström et moi.

— Dont deux sont morts à présent, assassinés en l'espace de deux mois, dit Martin. Vous ne trouvez pas que c'est une coïncidence étrange ?

Frans fixa l'horizon.

— Quand on atteint mon âge, on a vécu suffisamment de coïncidences étranges pour savoir qu'elles se produisent assez souvent. De plus, vous venez de dire que son mari a reconnu le meurtre. Vous voulez dire que c'est lui qui a tué Erik aussi ? dit Frans en regardant Martin droit dans les yeux.

— Pour l'instant, il est trop tôt pour dire quoi que ce soit. Mais avouez qu'il y a de quoi se poser des questions, quand deux personnes sur quatre de votre bande sont tuées en un laps de temps si bref.

— Comme je viens de vous le dire, les coïncidences étranges n'ont rien d'étrange. Ce n'est que le hasard. Et le destin.

— C'est une remarque pleine de philosophie venant d'un homme qui a passé la plus grande partie de sa vie en prison. C'était le hasard ou le destin, alors ?

Le ton de Martin était un rien grinçant et il dut se

rappeler de tenir ses sentiments personnels à distance de cette affaire. Mais il avait vu à quel point Frans Ringholm et ce qu'il représentait avaient pesé sur Paula cette dernière semaine, et il eut du mal à dissimuler son aversion.

— Le hasard et le destin n'y sont pour rien. J'étais adulte et capable de prendre mes propres décisions quand j'ai emprunté cette voie-là. Et bien sûr, maintenant avec le recul, je peux dire que je n'aurais pas dû faire ci, ou pas faire ça… que j'aurais plutôt dû prendre cet autre chemin. Ou celui-là… Ou celui-là encore… Frans s'arrêta et se tourna vers Martin : Mais nous ne disposons pas de cet avantage quand nous menons notre vie, n'est-ce pas ? L'avantage d'avoir la réponse sous la main, dit-il et il se remit à marcher. J'ai vécu la vie que j'ai vécue. Et j'en ai payé le prix.

— Et vos opinions ? Vous les avez choisies aussi ?

Martin découvrit qu'il était réellement curieux d'entendre la réponse. Il ne comprenait rien à ces gens. Ceux qui disqualifiaient une partie de l'humanité. Il ne comprenait pas comment ils arrivaient à se justifier. Et tout en les détestant de toute son âme, il était curieux aussi de leur fonctionnement, un peu comme un petit enfant qui démonte une radio pour comprendre comment elle fonctionne.

Frans garda longtemps le silence. Il comprenait manifestement que la question de Martin était sérieuse et il réfléchissait à la manière d'y répondre.

— J'ai le courage de mes opinions. Je vois que notre société ne tourne pas rond. J'ai mon avis sur ce qui cloche. Et je considère comme mon devoir d'essayer de contribuer à corriger le défaut.

— Mais imputer la faute à des peuples entiers…

Martin secoua la tête. Il ne comprenait pas ce raisonnement.

— Vous commettez l'erreur de considérer les gens comme des individus, dit Frans sèchement. L'homme n'a jamais été un individu. Nous sommes une partie d'un groupe. Une partie d'un collectif. De tout temps, ces groupes se sont fait la guerre, se sont battus pour leur place dans la hiérarchie, dans le système du monde. On peut souhaiter qu'il n'en soit pas ainsi. Mais il en est ainsi. Et même si je n'use pas de violence pour m'assurer d'avoir ma place dans le monde, je suis quelqu'un qui survit. Celui qui à la fin se tiendra comme vainqueur dans le système du monde. Et ce sont toujours les vainqueurs qui écrivent l'histoire.

Quand il eut fini de parler, il tourna les yeux vers Martin, qui frissonnait malgré la sueur qui coulait à flots après cette promenade rapide. Se trouver ainsi confronté au fanatisme était proprement terrifiant. Aucune logique au monde ne pourrait convaincre Frans et ses semblables qu'ils regardaient le monde avec des lunettes mal adaptées, et cela le glaça de terreur. La seule solution était de ne leur céder en rien, de les réduire au silence, de les décimer. Martin avait toujours cru qu'il suffisait de raisonner un homme pour parvenir à le faire changer. Mais en voyant dans les yeux de Frans une telle rage, une telle haine, il comprit que ce serait impossible.

FJÄLLBACKA 1944

— Ça, c'est bon, dit Vilgot et il se resservit de maquereau frit. C'est excellent, Bodil.

Elle ne répondit pas, inclina simplement la tête de soulagement. Elle éprouvait toujours une sensation de répit quand son mari se montrait de bonne humeur et satisfait d'elle.

— Eh oui, mon garçon, il faut y penser. Le jour où tu te marieras, tu dois d'abord vérifier que la fille est aussi douée à la cuisine qu'au lit !

Vilgot rit à gorge déployée, on voyait tout ce qu'il avait dans la bouche, et il pointa sa fourchette sur Frans.

— Vilgot ! dit Bodil mais elle n'osa pas prendre le ton de la protestation.

— Bah, autant qu'il apprenne tout de suite, le gamin, dit-il et il se resservit une bonne louchée de purée de pommes de terre. D'ailleurs, tu peux être fier de ton père aujourd'hui. On vient de m'apprendre que la société du juif, tu sais, Rosenberg, a fait faillite grâce à moi, parce que je lui ai piqué presque tous ses contrats cette année. Qu'est-ce que tu en dis ? Ça se fête ! C'est comme ça qu'il faut les prendre. Faut les mettre à genoux l'un après l'autre, économiquement et avec le fouet !

Il rit tellement que son gros ventre se trémoussait. Le beurre de cuisson du poisson avait coulé sur son menton qui luisait de graisse.

— Il aura du mal à gagner sa vie maintenant, dit Bodil sans réfléchir, mais elle réalisa son erreur à l'instant où elle parlait.

— Quelle est ta pensée, ma chère ? dit Vilgot avec une douceur trompeuse en posant ses couverts sur la table. Si tu as de la pitié pour un homme comme lui, j'aimerais bien t'entendre développer davantage ta remarque.

— Non, ce n'est rien, dit-elle en baissant les yeux.

Elle espéra qu'elle s'en tirerait avec ce signe de capitulation. Mais la lueur s'était déjà allumée dans les yeux de Vilgot et toute son attention était focalisée sur sa femme.

— Non, non, ça m'intéresse d'entendre ce que tu as à dire. Allez, continue.

Frans observa ses parents à tour de rôle tandis qu'un poids s'installait dans son ventre. Il vit que sa mère tremblait légèrement sous le regard de Vilgot. Et il vit les yeux de son père se couvrir d'une pellicule brillante, un éclat qu'il avait déjà vu maintes fois auparavant. Il envisagea de demander à pouvoir quitter la table, puis il comprit qu'il était déjà trop tard.

La nervosité fissura la voix de Bodil, qui dut avaler plusieurs fois sa salive avant de dire :

— Eh bien, je pensais surtout à sa famille. Que ça peut être difficile de trouver un gagne-pain par les temps qui courent.

— Nous parlons d'un juif, Bodil.

On aurait dit qu'il lui faisait la morale, il parlait lentement, comme à un enfant. Et ce fut justement ce ton qui éveilla quelque chose dans le cœur de sa femme. Elle leva la tête et dit avec un soupçon de défi :

— Les juifs aussi sont des humains. Il faut qu'ils donnent à manger à leurs enfants, tout comme nous.

Frans sentit le poids dans son ventre prendre des proportions gigantesques. Il voulut crier à sa mère de se taire, de ne pas parler ainsi devant père. Ça allait mal se terminer. Qu'est-ce qui lui avait pris ? Comment pouvait-elle lui dire des choses pareilles ? Et défendre un juif ? Comment cela pouvait-il valoir le prix qu'elle allait forcément payer ? Subitement il ressentit une haine irrationnelle envers sa mère. Comment pouvait-elle être si stupide ? Elle savait pourtant que ça ne servait à rien de défier père. Face à lui, c'était toujours mieux d'incliner la nuque, d'obéir et de ne pas protester. Ça permettait de souffler un peu. Mais cette femme idiote ! Elle avait montré justement ce qu'on ne devait jamais montrer devant Vilgot Ringholm. Une petite étincelle de révolte. Une petite étincelle de remise en question. Frans tremblait devant le baril de poudre auquel l'étincelle allait maintenant mettre le feu.

La pièce fut plongée dans le silence. Vilgot la dévisageait, il semblait ne pas saisir ce qu'elle venait de dire. Une veine palpitait sur son cou. Frans vit qu'il serrait les poings. Il eut envie de partir en courant. S'enfuir de table et continuer à courir jusqu'à ce qu'il n'en puisse plus. Au lieu de ça, c'était comme s'il était collé à la chaise, incapable de bouger.

Puis ça explosa. Le poing serré de Vilgot partit et atteignit Bodil sur le menton, la renversant en arrière. La chaise bascula et elle atterrit par terre. Elle gémit sous la douleur, un son que Frans put sentir jusque dans ses os, mais, au lieu d'éveiller sa pitié, il ne fit qu'augmenter sa rage. Pourquoi n'avait-elle pas pu se taire ? Pourquoi le forçait-elle à être témoin de ça ?

— Alors tu es une partisane des juifs, toi ? dit Vilgot en se levant. Hein ? C'est ça ?

Bodil avait réussi à se retourner, elle était à quatre pattes par terre et essayait de reprendre sa respiration.

Vilgot prit son élan et lui donna un coup de pied dans le ventre.

— HEIN! Tu vas me répondre! Est-ce que j'ai une partisane des juifs ici chez moi? Dans mon propre foyer! C'est ça?

Elle ne répondit pas, essaya seulement de s'éloigner en rampant. Vilgot la suivit et lui donna un autre coup de pied, au même endroit. Elle tressaillit et s'écroula, puis elle se remit à quatre pattes en tanguant et fit une nouvelle tentative pour partir.

— Une salope de chienne, voilà ce que tu es! Une putain de salope de chienne qui aime les youpins!

Vilgot crachait les mots et Frans vit une jouissance avide s'étendre sur le visage de son père. Il reprit son élan et son pied partit en avant, tandis qu'il continuait d'invectiver Bodil. Puis il regarda Frans. L'excitation brillait dans ses yeux, une expression que Frans ne connaissait que trop bien.

— Maintenant, mon garçon, maintenant tu vas apprendre comment on traite les chiennes. La seule langue qu'elles comprennent. Regarde-bien et prends-en de la graine!

Il respira lourdement lorsqu'il défit lentement sa ceinture et les boutons de son pantalon, le regard toujours fixé sur Frans. Puis il s'approcha de Bodil qui avait réussi à ramper sur un mètre. Il saisit ses cheveux d'une main ferme, tandis que de l'autre il remontait sa jupe.

— Non, non, ne… pense à… Frans…, supplia-t-elle.

Vilgot ne fit que rigoler en tirant sa tête en arrière, pendant qu'il la pénétrait avec un gémissement sonore.

La boule dans le ventre de Frans se fit plus dure. Une grosse masse froide de haine. Et quand sa mère tourna la tête et croisa son regard, à quatre pattes par terre pendant que son père la labourait, il sut que la seule chose qu'il pouvait faire pour survivre était d'entretenir cette haine.

Kjell passa la matinée du samedi au bureau. Beata était partie chez ses beaux-parents avec les enfants, et il tenait là une occasion magnifique de faire quelques recherches sur Hans Olavsen. Jusque-là, il avait fait chou blanc. Il y avait beaucoup trop de Norvégiens avec ce nom-là à cette époque-là et, s'il ne trouvait pas quelque chose lui permettant d'en éliminer quelques-uns, la tâche serait impossible.

Il avait lu plusieurs fois les articles qu'Erik lui avait laissés sans rien en retirer de concret et sans comprendre ce qu'il était supposé y trouver. C'était cela qui le troublait le plus. Si Erik Frankel souhaitait qu'il apprenne quelque chose, pourquoi ne lui avait-il pas dit clairement de quoi il s'agissait ? Pourquoi ces procédés mystérieux avec les articles ? Kjell soupira. Hans Olavsen avait été résistant pendant la Seconde Guerre mondiale, c'était la seule information qu'il avait, et la question était de savoir comment l'utiliser. Un instant il envisagea d'en parler avec son père, de lui demander s'il savait quelque chose sur le Norvégien. Puis il écarta l'idée. Plutôt rester cent heures dans des archives que demander de l'aide à son père.

Les archives. Pourquoi pas ? Existait-il en Norvège un registre des résistants norvégiens ? Il devait y avoir pas mal de textes sur le sujet, et quelqu'un avait probablement fait des recherches et essayé de cartographier le mouvement de résistance. Ça se passait toujours comme ça.

Il alluma son ordinateur et essaya des mots-clés dans différentes combinaisons jusqu'à ce qu'il finisse par trouver. Un Eskil Halvorsen avait écrit un certain nombre de livres sur la Norvège durant la Seconde Guerre mondiale, particulièrement focalisés sur le mouvement de résistance. C'était l'homme qu'il lui fallait. Kjell ouvrit l'annuaire téléphonique norvégien sur le Net et trouva rapidement Eskil Halvorsen. Il prit son téléphone et composa le numéro, ne se souciant guère du fait qu'il dérangeait l'homme un samedi matin. Un journaliste ne pouvait pas s'embarrasser de tels scrupules.

Après une attente qui lui sembla interminable, on lui répondit enfin. Kjell présenta sa requête, expliquant qu'il essayait de localiser un ancien résistant norvégien du nom de Hans Olavsen qui s'était enfui en Suède la dernière année de la guerre.

— Ce n'est donc pas un nom que vous reconnaissez d'emblée ? dit Kjell en dessinant des cercles sur le carnet à côté de lui. Il avait presque espéré avoir une touche tout de suite. Oui, je comprends que nous parlons de milliers de personnes qui étaient actives dans le mouvement, mais pensez-vous qu'il y ait une possibilité pour que…

L'homme lui fournit un long exposé sur l'organisation du mouvement de résistance et il nota fébrilement en écoutant. C'était indéniablement un sujet intéressant, surtout que le néonazisme était l'une de ses spécialités, mais il ne devait pas perdre de vue son objectif principal.

— Existe-t-il des archives quelque part avec les noms des résistants ? D'accord, des données documentées, donc… Est-ce que vous accepteriez de me donner un coup de main et de voir s'il y a quelque chose sur ce Hans Olavsen? où il se trouve aujourd'hui? Je vous en remercie infiniment. Il est arrivé en Suède en 1944, à Fjällbacka, si ça peut vous aider dans vos recherches.

Kjell raccrocha, tout content. Il n'avait certes pas obtenu de renseignement immédiat comme il l'avait espéré, mais il sentit que, si quelqu'un pouvait dégoter des précisions sur Hans Olavsen, c'était bien l'homme à qui il venait de parler.

Et il pouvait lui-même faire une chose en attendant. Il n'était pas impossible que la bibliothèque de Fjäll-backa renferme des informations sur le Norvégien. En tout cas, ça méritait un essai. Il regarda l'heure. S'il partait maintenant, il avait une chance d'arriver avant la fermeture. Il prit sa veste, arrêta l'ordinateur et quitta son bureau.

A des centaines de kilomètres de là, Eskil Halvor-sen avait déjà commencé à chercher des renseigne-ments sur le résistant Hans Olavsen.

Maja tenait la poupée d'une main ferme dans la voiture. Erica était encore émue par le geste de la vieille dame. Elle se réjouissait de l'affection mani-feste et immédiate qu'avait ressentie Maja en voyant la poupée.

— Elle est adorable, cette vieille dame, dit-elle à Patrik, qui se contenta de hocher la tête.

Il était concentré sur le pilotage de la voiture dans la circulation dense de Göteborg, avec des sens uniques partout et des tramways qui surgissaient de nulle part en klaxonnant.

— On se gare où ? dit-il en regardant autour de lui.

Erica aperçut une place libre et Patrik suivit ses indications.

— Je crois qu'il vaut mieux que j'y aille seule, dit-elle en sortant la poussette du coffre arrière. Je ne pense pas qu'un magasin d'antiquités soit le bon endroit pour notre petit touche-à-tout.

— Non, tu as raison, dit Patrik et il installa Maja dans la poussette. On va se balader, la puce et moi. Mais tu me raconteras tout après.

— Promis.

Erica fit un petit signe de la main à l'adresse de Maja puis se dirigea vers l'adresse qu'on lui avait donnée au téléphone. Le magasin était situé à Guldheden et elle le trouva sans problème. Une clochette tinta quand elle ouvrit la porte, et un homme petit et fluet à la barbiche blanche sortit de derrière un rideau.

— Je peux vous être utile ? dit-il poliment.

— Bonjour, je suis Erica Falck. On s'est parlé au téléphone.

Elle s'approcha et lui tendit la main.

— *Enchanté*, dit-il en français et à sa grande surprise il lui fit un baisemain.

Erica ne se rappelait pas la dernière fois qu'on lui avait fait cet honneur. Ni même si c'était déjà arrivé.

— C'est au sujet de la médaille, n'est-ce pas ? Venez par là, on ne va tout de même pas rester debout.

Il souleva le rideau et elle dut baisser la tête pour passer dans l'ouverture très basse, puis elle s'arrêta, interdite. Les murs étaient couverts d'icônes russes, il ne restait plus un millimètre de libre. Autrement, le petit réduit sombre ne laissait la place que pour une petite table et deux chaises.

— Ma passion, dit l'homme qui s'était présenté comme Åke Grundén au téléphone la veille. J'ai une des premières collections d'icônes russes en Suède, dit-il fièrement.

— Elles sont très belles, dit Erica et elle regarda autour d'elle avec curiosité.

— Bien plus que ça, ma chère, bien plus que ça, dit-il. Il rayonnait de fierté en contemplant sa collection. Elles portent une histoire et une tradition qui sont… magnifiques. Il s'interrompit et chaussa une paire de lunettes. Je deviens facilement barbant quand j'aborde ce sujet, alors il vaut mieux qu'on entame tout de suite ce pour quoi vous êtes venue. Je dois dire que ça a éveillé mon intérêt.

— Oui, j'ai compris que c'est une autre de vos spécialités, les médailles de la Seconde Guerre mondiale.

Il la regarda par-dessus ses lunettes.

— On devient facilement un peu fossile quand on a omis de s'entourer d'humains au profit de vieux objets. Je ne suis pas tout à fait certain d'avoir fait le bon choix, mais c'est facile de dire ça après coup.

Il sourit et Erica lui rendit son sourire. Il avait une ironie tranquille qui lui plaisait. Elle glissa la main dans sa poche et en retira précautionneusement la médaille enveloppée dans son tissu. Åke alluma une lampe sur la table tout en contemplant respectueusement Erica quand elle déplia le linge et sortit la médaille.

— Oh…, fit-il en la posant dans sa paume.

Il l'étudia attentivement, la tourna en tous sens sous la lumière puissante, et plissa les yeux pour en observer tous les détails.

— Où l'avez-vous trouvée? finit-il par dire en la regardant de nouveau par-dessus ses lunettes.

Erica lui parla de la malle de sa mère et lui raconta comment elle y avait découvert l'insigne.

— Et votre mère n'a aucun lien avec l'Allemagne, à votre connaissance ?

Elle secoua la tête.

— Non, aucun que je connaisse en tout cas. Mais ces derniers temps, j'ai lu pas mal de documents. Fjällbacka, où ma mère vivait et où elle a grandi, se trouve près de la frontière norvégienne et, pendant la guerre, beaucoup de gens cherchaient à aider les résistants norvégiens dans leur lutte contre les Allemands. Je sais notamment que mon grand-père permettait qu'on embarque à bord de son bateau de la contrebande à destination des Norvégiens. Vers la fin de la guerre, il a même ramené un résistant norvégien, qu'il a logé chez lui.

— Oui, il y avait pas mal de contacts entre les villes côtières et la Norvège occupée. Le Dalsland aussi avait beaucoup de rapports avec les Allemands et les Norvégiens pendant la guerre.

On aurait dit qu'il pensait à voix haute, tout en continuant à étudier la médaille.

— Moi, je ne peux pas vous dire comment elle a échoué chez votre mère. Mais je peux vous apprendre qu'on appelle cette décoration la croix de fer, elle était décernée pour des contributions particulièrement valeureuses pendant la guerre.

— Est-ce qu'il existe un registre de ceux qui l'ont reçue ? demanda Erica. Quoi qu'on en dise, les Allemands étaient de bons administrateurs, et il y a peut-être des archives…

— Non, un tel répertoire n'existe malheureusement pas. Cette médaille en particulier est appelée la croix de fer de première classe. Environ quatre cent cinquante mille en ont été distribuées pendant la guerre, si bien qu'il est impossible de découvrir qui a reçu celle-ci précisément.

Erica fut déçue. Elle avait espéré que la décoration lui fournirait davantage d'informations, et au lieu de ça elle se trouvait encore une fois dans une impasse.

— Bon, tant pis alors, dit-elle sans parvenir à dissimuler sa déception.

Elle se leva et serra la main d'Åke pour le remercier, et elle reçut un autre baiser sur le dos de la main.

— Je suis désolé, dit-il en la raccompagnant à la porte. J'aurais aimé pouvoir vous aider plus que ça…

— Ce n'est pas grave. Je trouverai d'autres moyens, parce que j'ai vraiment envie de découvrir pourquoi ma mère la détenait.

Mais lorsque la porte se referma, elle se sentit franchement découragée. Elle ne pourrait sans doute jamais résoudre ce mystère.

SACHSENHAUSEN 1945

Il avait vécu le transfert comme dans un brouillard. Il se rappelait surtout que son oreille lui avait fait mal et s'était infectée. On l'avait parqué dans le train pour l'Allemagne avec d'autres prisonniers de Grini, et la seule chose sur laquelle il se focalisait était sa tête qui n'allait pas tarder à exploser. Même lorsqu'il avait appris qu'ils seraient déportés en Allemagne, il n'avait réagi qu'avec une indifférence amorphe. En un certain sens, c'était comme une délivrance. Il savait très bien ce que cela voulait dire. L'Allemagne signifiait la mort. Ce n'était pas une certitude, personne n'était réellement au courant. Mais on chuchotait. Et on insinuait. Des rumeurs couraient que la mort les guettait là-bas. Ils savaient qu'on les appelait les prisonniers NN. *Nacht und Nebel*. Nuit et brouillard. Ils étaient supposés disparaître, mourir, sans procès, sans jugement. Seulement glisser dans la nuit et le brouillard. Ils avaient entendu toutes les histoires, s'étaient préparés à ce qui pourrait les attendre au terminus.

Mais rien de ce qu'ils avaient entendu n'aurait pu les préparer à la réalité. Ils étaient arrivés en enfer. Un enfer sans feu qui brûlait sous leurs pieds, et pourtant un enfer. Il était là depuis quelques semaines, et ce qu'Axel y avait vu le poursuivait dans les cauchemars qui ponctuaient son sommeil agité et le remplissaient d'angoisse tous les matins quand on les forçait à se lever à trois heures pour travailler sans interruption jusqu'à neuf heures du soir.

Ce n'était pas facile pour les prisonniers NN. On les considérait comme déjà morts et ils se retrouvaient tout en bas de la hiérarchie du camp. Pour qu'il n'y ait pas de doute sur leur appartenance, ils portaient un "N" rouge dans le dos. La couleur rouge indiquait qu'ils étaient des prisonniers politiques. Les prisonniers de droit commun avaient des symboles verts. Les rouges et les verts se livraient une lutte incessante pour la mainmise sur le camp. Seule consolation, les prisonniers nordiques se serraient les coudes. Ils étaient éparpillés dans tout le camp, mais le soir après le travail ils se retrouvaient et parlaient. Ceux qui pouvaient s'en passer coupaient un petit bout de leur ration de pain quotidienne. Ensuite on ramassait les morceaux et on les donnait aux prisonniers nordiques qui se trouvaient à l'infirmerie. Le mot d'ordre était que le plus grand nombre possible de Scandinaves devaient rentrer chez eux. Mais pour beaucoup d'entre eux cela n'avait servi à rien. Ils étaient nombreux à succomber, trop pour qu'Axel puisse tenir le compte.

Il contempla sa main. Il n'y avait plus que de la peau tendue sur des os. Affaibli, il s'appuya sur le manche de la pelle un bref instant pendant que le gardien le plus proche avait les yeux tournés. Dès qu'il regardait à nouveau dans sa direction, il essayait de se remettre à creuser. L'effort de chaque pelletée le faisait haleter. Axel se força à ne pas poser son regard sur le tas de cadavres destinés au charnier qu'ils creusaient. C'était une erreur qu'il n'avait commise que le premier jour. Dès qu'il fermait les yeux, il revoyait la scène. L'amoncellement d'hommes et de femmes. Des squelettes décharnés jetés en tas comme des déchets et qui allaient être enfouis dans une fosse, pêle-mêle. C'était plus facile de ne pas regarder. Il ne voyait l'entassement que du coin de l'œil, tandis qu'il essayait laborieusement de dégager suffisamment de terre pour ne pas s'attirer les foudres des gardiens.

A côté de lui, un prisonnier s'effondra. Aussi maigre, aussi sous-alimenté qu'Axel, il s'affaissa, à bout de forces, sans parvenir à se relever. Axel envisagea d'aller l'aider, mais ce genre de pensées ne trouvait plus d'accroche dans son cerveau, ne menait jamais à une action. Car désormais c'était une question de survie. Le peu d'énergie qu'ils avaient encore ne servait qu'à cela. A chacun de se débrouiller, de survivre comme il pouvait. Il avait écouté les conseils des prisonniers politiques allemands. *Nie auffallen*, ne pas se distinguer, ne pas attirer l'attention sur soi. Non, il fallait discrètement essayer de se tenir au milieu de la foule et garder la tête baissée quand une dispute se préparait. C'est pourquoi Axel ne réagit pas en voyant le gardien approcher du prisonnier à terre, le prendre par le bras et le tirer vers la fosse, le traîner vers le centre où ils avaient fini de creuser et où elle était la plus profonde. Ensuite le gardien ressortit calmement de la fosse en abandonnant le prisonnier là. Inutile de gâcher une balle pour lui. Ces temps de guerre étaient rudes et ce serait du gaspillage de tirer sur quelqu'un qui en principe était déjà mort. On le recouvrirait tout simplement de cadavres. Et s'il n'était pas mort, il finirait par étouffer. Axel détourna le regard de l'homme au milieu de la fosse et continua à creuser dans son coin.

Il ne pensait plus à sa famille. S'il voulait survivre, il ne fallait pas laisser de place à ce genre de pensées.

Deux jours plus tard, Erica était toujours aussi découragée, elle avait espéré en apprendre beaucoup plus sur la médaille. Elle savait que Patrik ressentait la même chose après la tentative ratée de savoir à quoi correspondaient les virements. Mais ni l'un ni l'autre n'avaient abandonné. Patrik gardait encore un petit espoir que les documents de Wilhelm Fridén livrent leurs secrets et elle-même était fermement décidée à continuer à chercher l'origine de la médaille.

Elle s'était installée dans son cabinet de travail pour écrire un moment, mais elle n'arrivait pas à se concentrer sur son livre. Trop de choses tourbillonnaient dans sa tête. Elle attrapa le sachet de Dumle et jouit du goût de caramel lorsque le chocolat commença à fondre dans sa bouche. Il faudrait qu'elle y mette le holà bientôt. Mais il y avait eu tant d'événements dernièrement qu'il était difficile de se priver du plaisir d'un peu de sucreries. Elle s'y attellerait plus tard. Pour le mariage au printemps dernier, elle avait réussi à perdre du poids à force de volonté. Alors elle y arriverait encore. Mais un autre jour.

— Erica !

La voix de Patrik au rez-de-chaussée. Elle se leva et sortit sur le palier pour voir ce qu'il voulait.

— Karin vient d'appeler. Elle va se balader avec Ludde, je vais l'accompagner avec Maja.

— D'accord, dit Erica d'une voix un peu pâteuse parce qu'elle avait toujours le caramel dans la bouche.

Elle retourna devant l'ordinateur dans son bureau. Elle ne savait toujours pas quoi penser des promenades avec Karin. Certes, elle lui avait paru sympathique, et ça faisait un bail qu'ils avaient divorcé, Patrik et elle. Erica était persuadée que c'était une affaire totalement réglée depuis belle lurette en ce qui concernait Patrik. Mais quand même. C'était un peu bizarre de le laisser aller rejoindre son ex-femme. Après tout, il avait couché avec elle autrefois. Erica secoua la tête pour chasser les images qui se présentaient sur sa rétine et se consola avec un autre Dumle. Il fallait qu'elle se ressaisisse. Théoriquement, elle n'était pas jalouse.

Pour s'aérer la tête, elle alla surfer un peu sur Internet. Une idée lui vint et elle tapa un mot-clé dans la case de recherche, *"Ignoto militi"*, avant de cliquer sur "Rechercher". Elle eut tout de suite plusieurs résultats. Elle choisit le premier et lut l'article avec grand intérêt. A présent elle se rappelait pourquoi ces mots lui avaient paru si familiers. Un voyage scolaire à Paris il y avait une éternité avait mené toute la troupe d'élèves modérément motivés devant l'Arc de Triomphe. Et la tombe du soldat inconnu. *"Ignoto militi"* signifiait tout simplement "Au soldat inconnu".

Erica plissa le front en lisant sur l'écran. Ses pensées couraient dans sa tête et se transformèrent en questions. Etait-ce seulement par hasard qu'Erik Frankel avait griffonné cela sur son calepin ? Ou bien y avait-il une signification ? Et dans ce cas laquelle ? Elle continua à consulter le Net, mais ne trouva rien d'autre qui soit digne d'intérêt et ferma les fenêtres.

Avec un troisième Dumle dans la bouche, elle posa les jambes sur le bureau et réfléchit à ce qu'elle pourrait faire maintenant. Une idée surgit juste avant qu'elle avale le dernier reste du bonbon. Il y avait une personne qui pourrait savoir quelque chose. C'était sans garantie du résultat mais… Elle se précipita au rez-de-chaussée, attrapa les clés de la voiture et partit en direction d'Uddevalla.

Quarante-cinq minutes plus tard, assise derrière le volant de la voiture sur le parking, elle venait de réaliser qu'elle manquait d'un bon plan pour continuer. S'il avait été relativement facile de téléphoner et de demander dans quel service Herman était hospitalisé, elle ignorait totalement si elle serait admise dans sa chambre. Bon, elle trouverait toujours une solution. Elle improviserait. Par précaution, elle passa chez le fleuriste dans le hall d'entrée de l'hôpital et acheta un gros bouquet. Elle prit l'ascenseur et sortit au bon étage, puis elle se dirigea d'un pas décidé vers le service où Herman était admis. Personne ne sembla prêter attention à elle. Elle vérifia les numéros des chambres. Trente-cinq. Il ne lui restait qu'à espérer qu'il serait seul, que ses filles ne seraient pas là, car elles lui en feraient voir de toutes les couleurs.

Erica retint sa respiration et ouvrit la porte, puis elle souffla de soulagement. Il n'y avait pas d'autre visiteur. Elle entra et referma doucement la porte derrière elle. Herman occupait un des deux lits de la chambre, et l'autre malade semblait profondément endormi. Herman en revanche était éveillé, il fixait l'air devant lui, les bras étendus le long du corps sur le drap.

— Bonjour Herman, dit Erica gentiment et elle tira une chaise à côté de son lit. Je ne sais pas si tu te souviens de moi. J'étais venue voir Britta. Tu t'étais fâché contre moi.

Au début, elle pensa que Herman ne l'entendait pas, ou ne voulait pas l'entendre. Puis il déplaça lentement son regard sur elle.

— Je sais qui tu es. La fille d'Elsy.

— Exactement. La fille d'Elsy, sourit Erica.

— Tu étais à la maison… l'autre jour, dit-il et il la regarda sans ciller.

Erica ressentit une étrange tendresse pour lui. Elle le voyait encore, allongé à côté de sa femme décédée, la tenant convulsivement dans ses bras. Et maintenant il avait l'air si petit dans son lit, petit et frêle. Ce n'était plus le même homme qui l'avait engueulée parce qu'elle avait importuné sa femme.

— Oui, j'étais là. Avec Margareta, dit Erica.

Herman se contenta de hocher la tête. Ils observèrent un instant de silence. Puis Erica dit :

— Je suis en train d'essayer de me renseigner un peu sur ma mère. C'est comme ça que je suis tombée sur le nom de Britta. Et quand je parlais avec elle, j'ai eu la sensation qu'elle en savait plus que ce qu'elle voulait, ou pouvait, me raconter.

Herman sourit d'un drôle de sourire, mais il ne répondit pas. Erica prit son élan et poursuivit :

— Je trouve aussi que c'est une drôle de coïncidence que deux des trois personnes que ma mère voyait dans sa jeunesse soient mortes en si peu de temps…

Elle se tut en attendant sa réaction. Une larme roula sur la joue de Herman. Il leva la main et l'essuya.

— Je l'ai tuée, dit-il et de nouveau il regarda droit devant lui. Je l'ai tuée.

Erica entendit ses paroles et, d'après Patrik, rien ne prouvait le contraire. Mais elle savait que Martin était sceptique. Elle-même était sceptique, et la voix de Herman avait une intonation étrange, qu'elle eut du mal à interpréter.

— Est-ce que tu sais ce que Britta n'a pas voulu me dire ? Est-ce que c'est quelque chose qui s'est passé à l'époque, pendant la guerre ? Quelque chose qui concerne ma mère ? Je pense que j'ai le droit de savoir, insista-t-elle.

Elle espérait ne pas mettre trop de pression sur un homme manifestement fragilisé, mais elle avait tellement envie de connaître ce que dissimulait le passé de sa mère que son bon sens s'était légèrement émoussé. Ne recevant pas de réponse, elle continua :

— Quand j'étais avec Britta et qu'elle a commencé à s'embrouiller, elle chuchotait quelque chose à propos d'un soldat inconnu. Tu sais ce que c'est ? Elle croyait que j'étais Elsy. Pas la fille d'Elsy. Et elle parlait d'un soldat inconnu. Tu sais à quoi elle faisait allusion ?

Tout d'abord, elle n'arriva pas à identifier le bruit que proféra Herman. Puis elle réalisa qu'il riait. Une imitation infiniment triste d'un rire. Elle ne comprenait pas non plus ce qui était si drôle. Mais ça ne l'était peut-être pas non plus.

— Demande à Paul Heckel. Et à Friedrich Hück. Ils pourront répondre à tes questions.

Il rit de nouveau, de plus en plus fort. Ce rire faisait plus peur à Erica que ses larmes, mais elle demanda quand même :

— Qui sont-ils ? Je peux les trouver où ? Quel est leur rôle là-dedans ?

Elle eut envie de prendre Herman par les épaules et de le secouer pour qu'il réponde à ses questions, le secouer pour qu'il lui donne une explication claire et nette, mais à ce moment-là la porte s'ouvrit et un médecin se manifesta, les bras croisés sur la poitrine et la mine sévère.

— Qu'est-ce qui se passe ici?

— Excusez-moi, je me suis trompée de chambre. Et ce monsieur avait envie d'un peu de compagnie, dit-elle, puis elle se leva brusquement et quitta précipitamment la chambre.

Son cœur battait la chamade quand elle retrouva la voiture sur le parking. Elle avait obtenu deux noms. Deux noms qu'elle n'avait jamais entendus auparavant et qui ne lui disaient rien. Qu'est-ce que deux Allemands venaient faire dans tout ça? Est-ce que ça avait un rapport avec Hans Olavsen? Il avait effectivement combattu les Allemands avant de s'enfuir. Elle ne comprenait rien.

Tout le long du chemin de retour à Fjällbacka, les deux noms tournoyèrent dans sa tête. Paul Heckel et Friedrich Hück. C'était étrange. Elle était certaine de ne jamais les avoir entendus. Et pourtant ils lui semblaient vaguement familiers.

— Martin Molin.

Il répondit au téléphone à la première sonnerie et écouta attentivement pendant quelques minutes, glissant seulement de brèves questions par moments. Puis il attrapa son calepin, où il avait pris des notes pendant la communication, et alla voir Mellberg. Il le trouva dans une étrange position. Assis par terre, les jambes tendues devant lui, il essayait péniblement de toucher ses orteils. Sans trop de succès.

— Euh, excuse-moi. Je te dérange?

Martin s'arrêta net en ouvrant la porte. Ernst fut cependant content de le voir. Il vint l'accueillir en remuant frénétiquement la queue et se mit à lui lécher la main. Mellberg ne répondit pas, il plissa simplement le front et essaya de se relever. Mais il dut se rendre à l'évidence et tendit une main à Martin qui l'aida à se remettre debout.

— Un peu de stretching, c'est tout, marmonna-t-il et il alla rejoindre son fauteuil sur des jambes raides.

Martin réprima un sourire. Ça devenait de plus en plus savoureux, son truc.

— Bon, alors tu me veux quelque chose en particulier, ou tu voulais juste me déranger pour rien ? siffla Mellberg en ouvrant le tiroir d'en bas pour prendre une bouchée à la noix de coco.

Ernst huma l'air et se précipita en direction de l'odeur merveilleuse qu'il connaissait déjà bien, et il posa ses yeux humides et suppliants sur Mellberg. Celui-ci essaya de prendre un air sévère devant le chien, puis il céda et attrapa une autre bouchée qu'il lui lança. Elle disparut en moins de deux.

— Il commence à avoir le ventre bien rond, Ernst, dit Martin avec un regard soucieux sur le chien dont le bedon ressemblait de plus en plus à celui de son maître temporaire.

— Bah, il se porte très bien. Un peu de poids, ça donne de l'autorité, dit Mellberg d'un air satisfait en se tapotant le ventre.

Martin abandonna le sujet et s'installa face à son chef.

— Je viens d'avoir Pedersen au téléphone. J'ai aussi reçu le rapport de Torbjörn ce matin. Les premières données collent définitivement. Britta Johansson a été tuée. Etouffée avec l'oreiller qui se trouvait à côté d'elle dans le lit.

— Et comment il sait… ?

Martin l'interrompit avant qu'il ait fini sa phrase.

— Pedersen emploie comme toujours une langue un peu broussailleuse mais, pour le dire en suédois ordinaire, elle avait des particules provenant de l'oreiller dans la gorge. Elle les a probablement aspirées quand on a posé l'oreiller sur sa figure. Du coup, Pedersen a aussi recherché des traces de fibres dans la gorge, et il en a trouvé qui correspondent au coton de la taie. Il y avait des lésions sur le larynx, ce qui montre que l'assassin a aussi exercé une pression directement sur le cou. Probablement avec la main, ils ont cherché des empreintes digitales sur la peau, mais sans en trouver.

— Ça me semble clair et net alors. D'après ce que j'ai compris, elle était malade. Un peu zinzin, dit Mellberg en agitant son index devant sa tempe.

— Elle avait la maladie d'Alzheimer, dit Martin sèchement.

— Oui, oui, continue, fit Mellberg, balayant l'irritation de Martin. Mais tu ne peux pas prétendre autre chose, tout indique que c'est le vieux qui l'a fait. Il peut s'agir d'un acte d'euthanasie, dit-il, très content de son propre don de déduction, avant de se récompenser d'une autre bouchée à la noix de coco.

— Oui… bien sûr…, dit Martin à contrecœur tout en feuilletant son calepin. Mais il y a une empreinte digitale très distincte sur la taie d'oreiller, selon Torbjörn. C'est assez difficile en général de relever des empreintes digitales sur du tissu, mais cette taie comporte quelques boutons lisses qui servent à la fermer, et sur l'un d'eux il y a un pouce. Qui n'est pas celui de Herman, précisa Martin en appuyant sur les mots.

Mellberg plissa le front et prit un air préoccupé avant de s'illuminer.

— C'est sûrement l'une de ses filles. Vérifie-le pour confirmation. Ensuite tu appelles le médecin de l'hôpital. Tu lui dis qu'ils n'auront qu'à lui filer des électrochocs, au mari de Britta, ou n'importe quel traitement pour qu'il reprenne ses esprits, parce qu'avant la fin de la semaine il faut qu'on l'ait interrogé. Compris ?

Martin soupira en acquiesçant. Il n'aimait pas ça. Pas du tout. Mellberg avait sûrement raison. Rien n'indiquait une autre direction. Seulement l'empreinte d'un pouce. Et s'il était vraiment malchanceux, Mellberg aurait raison sur ce point. Mais en sortant de la pièce, il se retourna, s'appuya contre le chambranle en se frappant le front.

— Ah c'est vrai, j'ai oublié un truc ! Merde, je suis con. Pedersen a trouvé de grandes quantités d'ADN sous ses ongles, des restes de peau et du sang. Elle a probablement griffé la personne qui l'étouffait. Et pas qu'un peu, d'après Pedersen, vu qu'elle avait des ongles longs et qu'elle a raclé pas mal de peau. Le plus probable selon lui, c'est qu'elle a griffé son assassin sur les bras ou au visage.

— Est-ce que son mari présente des griffures ?

— Tu as raison, il semble tout indiqué d'aller faire une visite à Herman sur-le-champ, dit Martin.

— Absolument, répondit Mellberg sur un ton pressant. Emmène Paula, cria-t-il ensuite, mais Martin était déjà parti.

Il avait marché comme sur des œufs à la maison ces derniers jours. Avait eu du mal à croire que ça allait durer. Avant, sa mère n'avait pas su rester sobre une journée entière. Pas depuis le départ de son père. Il se rappelait à peine comment c'était à cette époque-là, mais les quelques vagues souvenirs qu'il en gardait étaient agréables.

Et bien qu'il s'y oppose de toutes ses forces, il commençait à nourrir un espoir. De plus en plus à chaque heure qui passait. Oui, à chaque minute. Elle avait l'air tendue et honteuse chaque fois qu'elle le croisait dans la maison. Mais elle était sobre. Il avait cherché partout sans trouver la moindre bouteille. Pas une seule. Et pourtant il connaissait chacune de ses cachettes. Il n'avait jamais compris pourquoi elle se donnait la peine de les cacher. Elle aurait tout aussi bien pu les laisser en vue sur le plan de travail de la cuisine.

— Tu veux que je prépare le dîner ? dit-elle à voix basse en lui lançant un regard prudent.

Ils se comportaient comme deux animaux qui se tournent autour, deux animaux qui viennent de se rencontrer pour la première fois et qui ne savent pas trop quelle tournure vont prendre les choses. C'était peut-être le cas. Ça faisait si longtemps qu'il ne l'avait pas vue totalement à jeun. Il ne savait pas qui elle était sans alcool dans le corps. Et elle ne savait pas qui il était. Comment aurait-elle fait pour l'apprendre, alors qu'elle se trouvait en permanence dans des brumes d'alcool qui filtraient tout ce qu'elle voyait, et tout ce qu'elle faisait ? Maintenant, ils étaient des étrangers l'un pour l'autre. Mais des étrangers curieux, intéressés et remplis d'un grand espoir.

— Tu as eu des nouvelles de Frans ? demanda-t-elle tout en commençant à sortir du réfrigérateur les ingrédients pour des spaghettis bolognaise.

Per ne sut pas trop quoi répondre. Durant toute son enfance et sa jeunesse, on lui avait asséné qu'il était formellement interdit de maintenir un contact avec son grand-père, et à présent c'est lui qui était intervenu pour sauver la situation, au moins temporairement.

Carina vit sa confusion et son hésitation à répondre.

— T'en fais pas pour Kjell. Laisse-le rouspéter, on s'en fiche. Pour moi, il n'y a pas de problème, tu peux parler avec Frans. A condition de…

Elle hésita, de peur de dire ce qu'il ne fallait pas dire, quelque chose qui détruirait le lien fragile qu'ils avaient réussi à tisser au cours de ces derniers jours. Mais elle prit son élan et poursuivit :

— Ça ne me dérange pas que tu restes en contact avec ton grand-père. Ça… eh bien, Frans a dit des choses qui devaient être dites. Qui m'ont fait comprendre que… Elle cessa de hacher les oignons et posa le couteau, et Per vit qu'elle luttait contre les larmes quand elle se tourna vers lui : Il m'a fait comprendre que les choses doivent changer. Et je lui en serai éternellement reconnaissante. Mais je veux que tu me promettes de ne pas voir les… les personnes qu'il fréquente… Elle le supplia du regard. Sa lèvre inférieure trembla légèrement. Et je ne peux rien garantir… J'espère que tu le comprends. C'est difficile. Chaque jour est difficile, chaque minute. Je peux seulement te garantir que je vais essayer. D'accord ?

De nouveau le regard honteux, suppliant.

Per sentit qu'une partie de la boule dure dans son ventre se mettait à fondre. La seule chose qu'il avait voulue pendant toutes ces années, surtout pendant les premières années après le départ de son père, c'était être petit. Au lieu de cela, il avait été obligé d'essuyer le vomi de sa mère, de vérifier qu'elle ne mette pas le feu à la maison en fumant au lit, de s'occuper des courses. De faire des choses qu'un petit garçon ne devrait jamais avoir à faire. Tout cela traversa son esprit. Mais ça n'avait plus d'importance. Car il n'entendait que la voix suppliante de sa maman. Il fit un pas en avant et se serra contre elle. Se blottit dans ses bras bien qu'il ait largement une tête de plus qu'elle. Et pour la première fois depuis dix ans il se permit de se sentir petit.

FJÄLLBACKA 1945

— C'est bon d'être en vacances, vous ne trouvez pas? roucoula Britta en caressant le bras de Hans.

Il ne fit que rire et se dégagea. Après avoir appris à les connaître, tous, durant ces derniers mois, il savait quand elle l'utilisait pour rendre Frans jaloux. Le regard amusé que lui lança Frans lui apprit que lui aussi avait percé Britta à jour. Mais on était bien obligé d'admirer sa persévérance ; elle ne cesserait sans doute jamais de languir après Frans. La faute lui en incombait en partie, puisque parfois il soufflait sur les braises et ranimait son béguin pour lui en lui accordant un peu d'attention pour ensuite la traiter avec sa froideur habituelle. Hans trouvait que le jeu auquel se livrait Frans avoisinait la cruauté, mais il ne voulait pas s'en mêler. Ce qui le dérangeait, en revanche, c'était qu'il avait découvert vers qui allait réellement l'intérêt de Frans. Il la regarda, assise pas très loin de lui, et il sentit un pincement au cœur quand elle s'adressa à Frans en souriant. Elsy avait un si joli sourire. Oui, pas seulement son sourire, mais ses yeux, son âme, ses bras menus dans sa robe à manches courtes, le petit creux qui se formait à gauche de sa bouche quand elle souriait. Tout, tout, chaque détail, l'intérieur et l'extérieur, était beau.

Elsy et sa famille avaient été généreux avec lui. Il payait un loyer plus que raisonnable, et Elof lui avait trouvé un travail sur un des bateaux. Ils l'invitaient à manger avec eux presque tous les soirs, et leur chaleur, leur sens du partage le comblaient. Les sentiments dont la guerre l'avait vidé revenaient tout doucement. Et Elsy… Il avait essayé de lutter contre ces pensées, essayé de combattre les images et les sentiments qui l'envahissaient le soir quand il était couché et qu'il pensait à elle. Il avait fini par admettre qu'il devait se rendre à l'évidence : il était totalement, irrémédiablement amoureux d'elle. Et la jalousie lui déchirait le cœur chaque fois qu'il voyait Frans la regarder avec les mêmes yeux qu'il avait probablement lui aussi. Puis il y avait Britta. Qui n'était pas assez futée pour comprendre ce qu'il en était, mais qui sentait d'instinct qu'elle n'était le centre d'intérêt ni de Frans ni de Hans. Il savait que cela la dévorait. C'était une fille égoïste et superficielle, et il avait du mal à comprendre que quelqu'un comme Elsy veuille bien la fréquenter. Mais tant qu'Elsy choisissait de l'avoir à proximité, il devait la supporter.

Celui qu'il préférait parmi ses quatre nouveaux amis, à part Elsy donc, c'était Erik. Il avait le côté sérieux du garçon qui a grandi trop vite et Hans se retrouvait en lui. Il aimait bien s'installer avec lui un peu à l'écart des autres pour parler. Ils discutaient de la guerre, de l'histoire, de la politique et de l'économie, et Erik avait réalisé qu'en Hans il avait trouvé l'âme sœur qui lui avait fait défaut. Certes, il ne possédait pas l'érudition d'Erik en ce qui concernait les chiffres et les faits, mais il avait une solide connaissance du monde et de l'histoire, et il savait comment les deux se complétaient. Si bien qu'ils parlaient pendant des heures. Elsy plaisantait parfois en disant qu'ils étaient comme deux petits vieux qui palabraient à l'infini, mais il voyait bien qu'elle était contente qu'ils soient si bien ensemble.

La seule chose qu'ils n'évoquaient jamais, c'était le frère d'Erik. Hans n'avait jamais abordé le sujet et, depuis la toute première fois, Erik ne l'avait plus mentionné.

— Je crois que le dîner sera bientôt prêt, dit Elsy en se levant et en brossant sa jupe.

Hans hocha la tête et se leva à son tour.

— Il vaut sans doute mieux que je t'accompagne, autrement ta mère ne sera pas à prendre avec des pincettes, dit-il en regardant Elsy, qui se contenta de lui sourire avec indulgence.

Elle commença à descendre la colline. Hans sentit qu'il rougissait. Il avait dix-sept ans, soit deux de plus qu'elle, mais elle réussissait toujours à le faire se sentir comme un écolier maladroit.

Il agita la main en direction des trois autres qui restaient là et descendit sur les talons d'Elsy. Elle regarda bien avant de traverser la route et ouvrit la grille du cimetière. C'était un raccourci pour rentrer.

— Quel beau temps ce soir, dit-il, et il entendit la nervosité dans sa voix.

Il s'en voulut et se rappela de cesser de se comporter comme un nigaud. Elsy marchait vite dans l'allée de gravier et il la suivit en courant presque. Quand il l'eut rattrapée, il adopta son rythme, les mains enfouies dans les poches de son pantalon. Elle n'avait pas répondu à son commentaire sur le temps, et il lui en était reconnaissant. C'était vraiment stupide comme réplique.

Subitement, il se sentit profondément heureux. Il marchait avec Elsy, il pouvait même se permettre quelques regards sur sa nuque et son profil, le vent était étonnamment tiède et les gravillons de l'allée crépitaient agréablement sous leurs pieds. C'était la première fois depuis très longtemps qu'il ressentait une telle chose. Un incroyable bonheur. Peut-être ne l'avait-il jamais ressenti aussi pur. Il y avait eu tant d'obstacles. Tant de choses avaient fait saigner son cœur d'humiliation, de haine et de peur. Il avait fait de son mieux pour ne pas penser au passé. Dès l'instant où il s'était glissé à bord du bateau d'Elof, il avait décidé de tout laisser derrière lui. De ne pas regarder en arrière.

Mais à présent les images refaisaient surface malgré tout. Il essaya de les repousser dans les trous où il les avait reléguées, mais elles forcèrent toutes les barrières jusque dans sa conscience. C'était peut-être le prix à payer pour l'instant de bonheur qu'il venait de vivre. Le bref instant doux-amer de bonheur. Mais ça ne l'aida pas beaucoup, quand les visions jaillirent en lui, le souvenir de tous ces visages, les odeurs, le vacarme. Paniqué, il se rendit compte qu'il fallait faire quelque chose. Sa gorge avait commencé à se nouer, sa respiration était courte. Il ne pouvait plus les retenir. Mais il ne pouvait pas non plus les accepter. Il devait faire quelque chose.

A cet instant, la main d'Elsy frôla la sienne. Le contact le fit sursauter. Il était doux et électrique. Il ne lui en fallut pas plus pour chasser les images interdites. Il s'arrêta net. Elsy était juste devant lui et, quand elle se retourna, la différence de niveau du sol ramena son visage à hauteur du sien.

— Qu'est-ce qu'il y a? demanda-t-elle d'un air soucieux et il ne sut pas ce qui lui prit.

Il fit un demi-pas vers elle, saisit son visage entre ses mains et l'embrassa doucement sur les lèvres. D'abord elle se figea, et il sentit la panique revenir. Puis elle se décontracta subitement, ses lèvres se détendirent sous les siennes et s'ouvrirent. Lentement, lentement, elle ouvrit la bouche et, terrorisé mais comblé, il y glissa doucement sa langue et chercha la sienne. Il comprit que personne ne l'avait jamais embrassée auparavant, mais instinctivement sa langue venait à la rencontre de la sienne, et il sentit ses genoux mollir. Les yeux fermés, il recula et il attendit quelques secondes avant de la regarder. Il vit ses yeux. Et le reflet de ses propres sentiments.

Quand ils rentrèrent ensuite, côte à côte, lentement, en silence, les images se tinrent tranquilles. Comme si elles n'avaient jamais existé.

Christian était totalement absorbé par son écran d'ordinateur lorsque Erica arriva. Elle était allée directement à la bibliothèque après son excursion à Uddevalla, aussi perplexe qu'en laissant Herman à l'hôpital. Elle avait toujours le sentiment que les noms lui étaient vaguement familiers. Elle les avait notés sur un bout de papier qu'elle tendit à Christian.

— Salut Christian, est-ce que tu pourrais m'aider à vérifier si vous avez quelque chose sur ces deux noms ? Paul Heckel et Friedrich Hück, dit-elle avec un regard plein d'espoir.

Il regarda son bout de papier, et elle nota qu'il avait l'air fatigué. Sans doute un rhume d'automne ou des tracas avec les enfants, pensa-t-elle, sans pouvoir s'empêcher de se faire du souci pour lui, malgré tout.

— Installe-toi, je vais lancer une recherche, répondit-il.

Elle s'assit et croisa mentalement les doigts jusqu'à en avoir des crampes, mais elle sentit son espoir s'éteindre devant l'absence de réaction de Christian quand il examina les résultats.

— Désolé. Je ne trouve rien, finit-il par dire et il secoua la tête en signe de regret. En tout cas pas dans nos répertoires et bases de données. Mais tu peux toujours essayer avec Internet, le seul hic, c'est que ces noms sont assez fréquents en Allemagne.

— Bon, dit Erica déçue. Alors il n'y a aucun rapport entre ces noms et la région ?

— Je crains que non.

— Ça aurait été trop facile, soupira Erica, puis son regard s'illumina. Est-ce que tu peux vérifier s'il y a autre chose sur une personne qui était mentionnée dans les articles que tu m'as sortis l'autre fois ? On n'avait pas spécialement fait de recherches sur lui, seulement sur maman et ses amis. C'est un résistant norvégien qui s'appelle Hans Olavsen, il était ici à Fjällbacka…

— Vers la fin de la guerre, oui, je sais, dit Christian laconiquement.

— Tu le connais ? dit Erica toute confondue.

— Non, mais c'est la deuxième demande que j'ai à son sujet en deux jours. Il a la cote, ce mec.

— Qui est venu s'informer sur lui ? demanda Erica en retenant sa respiration.

— Laisse-moi vérifier, répondit Christian et il recula son fauteuil vers un caisson à tiroirs. Il m'a laissé sa carte au cas où je trouverais autre chose sur le gars.

Il marmonna un peu en farfouillant dans le tiroir, mais il finit par trouver ce qu'il cherchait.

— Ah, la voici. Kjell Ringholm.

— Merci Christian, sourit Erica. Comme ça, je sais avec qui je vais avoir une petite conversation.

— Ça paraît sérieux.

— C'est plutôt que je suis curieuse de savoir pourquoi il s'intéresse à Hans Olavsen… Et tu as trouvé quelque chose quand Kjell Ringholm est venu ?

— Les mêmes informations que je t'ai données. Si bien que je n'ai rien de plus pour t'aider.

— Ouais, la moisson est assez maigre aujourd'hui, soupira Erica. Est-ce que je peux noter le numéro de la carte ?

— Je t'en prie, dit Christian en poussant la carte vers elle.

— Merci. Au fait, il avance, ton livre ? Tu es sûr que je ne peux pas t'aider ? *La Sirène*, c'est ça ?

— Oui, ça avance pas mal, dit-il sur un ton bizarre. Et effectivement il s'appellera *La Sirène*. Mais bon, il faut que tu m'excuses là, j'ai un peu à faire…

Il lui tourna le dos et commença à pianoter sur son clavier. Dépitée, Erica s'en alla. Jamais Christian n'avait eu ce genre de comportement. Mais elle avait d'autres préoccupations. Comme appeler Kjell Ringholm.

Ils s'étaient mis d'accord pour se retrouver sur l'île de Veddö. Là-bas, ils ne risquaient guère d'être vus à cette période de l'année et, si tel était le cas, ils n'étaient que deux petits vieux faisant une promenade.

— Si seulement il avait été possible de savoir ce que la vie nous réservait, dit Axel et il donna un coup de pied dans un caillou qui roula sur la plage.

En été, les baigneurs se partageaient l'espace avec un troupeau de vaches, et on pouvait tout aussi bien voir des enfants dans l'eau qu'une vache aux poils longs qui se rafraîchissait. Mais en cette saison, la plage était déserte et le vent se saisissait d'algues séchées qu'il leur envoyait. Par un accord tacite, ils ne parlèrent pas d'Erik. Ni de Britta. Aucun des deux ne savait réellement pourquoi ils avaient fixé ce rendez-vous. Ça ne servait à rien. Ça ne changerait rien. Pourtant le besoin était là. Comme une piqûre de moustique qu'il fallait gratter. Gratter ne ferait qu'empirer les choses, ils le savaient, mais ils avaient quand même cédé à la tentation.

— Je pense que c'est fait exprès, dit Frans en regardant la mer. Si on avait une boule de cristal qui nous montrait tout ce qu'on allait vivre dans sa vie, on n'aurait sans doute pas la force de se lever le matin. L'objectif est probablement qu'on reçoive la vie par portions. Qu'on reçoive les chagrins et les problèmes par morceaux juste assez gros pour pouvoir les avaler.

— Il arrive que les morceaux soient trop gros, dit Axel.

— Alors tu ne parles pas de nous deux. Nous avons beau paraître différents aux yeux des gens, nous sommes pareils, toi et moi. Tu le sais. Nous ne plions pas. Quelle que soit la taille du morceau qu'on nous donne.

Axel hocha la tête. Puis il regarda Frans.

— Tu regrettes quelque chose ?

Frans réfléchit longuement à la question, puis il dit lentement :

— Qu'y a-t-il à regretter ? Ce qui est fait est fait. Nous faisons tous nos choix. Tu as fait les tiens. Et moi les miens. Est-ce que je regrette quelque chose ? Non, à quoi ça servirait ?

Axel haussa les épaules.

— Le regret est un signe d'humanité, me semble-t-il. Sans le regret… que sommes-nous ?

— Mais la question est de savoir si le regret change quoi que ce soit. Et c'est pareil pour ce qui a occupé ta vie. La vengeance. Tu as passé ton existence à pourchasser des criminels, dans le seul but de te venger. Et ça a changé quoi ? Six millions de personnes sont quand même mortes dans les camps de concentration.

Vous dénichez une femme qui était garde-chiourme pendant la guerre, et qui aujourd'hui est femme au foyer aux Etats-Unis, mais ça ne change rien. Vous la traînez devant la justice pour des crimes qu'elle a commis il y a plus de soixante ans, mais qu'est-ce que ça change ?

Axel déglutit. La plupart du temps, il avait été totalement convaincu du bien-fondé de leurs actions. Mais Frans touchait un point sensible. Il posait la question qu'il s'était posée lui-même à quelques occasions, dans des moments de faiblesse.

— Ça donne la paix aux proches. Et c'est le signal qu'en tant qu'êtres humains, nous ne sommes pas prêts à accepter n'importe quoi.

— Des conneries, tout ça, dit Frans en enfonçant ses mains dans ses poches. Tu crois vraiment que ça intimide qui que ce soit, ou que ça envoie un quelconque signal, alors que le présent est si puissant, bien plus que le passé ? C'est dans la nature de l'homme de ne pas regarder les conséquences de ses actes, de ne pas apprendre de l'histoire. Et la paix ? Si on ne l'a pas connue au bout de soixante ans, on ne la connaîtra jamais. Il incombe à tout un chacun de se la procurer, on ne peut pas attendre une sorte de juste punition et croire qu'ensuite la paix se présentera toute seule.

— Ce sont des mots cyniques, dit Axel, et il glissa ses mains dans ses poches lui aussi. Le vent commençait à fraîchir et il frissonna légèrement.

— Je veux simplement que tu réalises que, derrière tous les agissements nobles auxquels tu as consacré ta vie, il y a un sentiment terriblement primitif, basique et humain : la vengeance. Je ne crois pas en la vengeance. Je crois que la seule chose sur laquelle nous devons nous concentrer, c'est d'agir pour changer le présent.

— Et c'est ça que tu as l'impression de faire? demanda Axel d'une voix tendue.

— Nous sommes chacun de notre côté de la barricade, toi et moi, Axel, dit Frans sèchement. Mais oui, c'est ça que j'ai l'impression de faire. Je change quelque chose. Je ne me venge pas. Je ne regrette pas. Je regarde en avant et j'adhère totalement à ce en quoi j'ai foi. C'est radicalement opposé à la direction que tu as prise, et nous n'allons jamais nous entendre. Nos chemins se sont séparés il y a soixante ans, et ils ne se croiseront plus jamais.

— Comment en est-on arrivés là? dit Axel à voix basse.

— C'est ce que j'essaie de te dire. Ça n'a aucune importance de le savoir. C'est comme ça maintenant. Et tout ce que nous pouvons essayer de faire, c'est changer les choses, et survivre. Pas regarder en arrière. Pas nous vautrer dans le regret ou des spéculations sur comment ça aurait pu être.

Frans s'arrêta et força Axel à rencontrer son regard.

— Ce qui est fait est fait. Le passé, c'est le passé. Il n'existe rien de tel que le regret.

— C'est en ça que tu te trompes, Frans, dit Axel en inclinant la tête. C'est en ça que tu te trompes complètement.

Ce fut avec la plus grande réticence que le médecin responsable de Herman accepta de les laisser parler quelques minutes avec lui, en présence de ses filles.

— Bonjour, Herman.

Martin tendit la main vers l'homme dans le lit. Herman la saisit, mais sans force.

— Nous nous sommes rencontrés chez vous, je ne sais pas si vous vous en souvenez. Voici ma collègue,

Paula Morales. Nous avons quelques questions à vous poser, si vous êtes d'accord.

Il parla d'une voix douce pendant qu'ils s'installaient à côté du lit. Martin ignorait qu'il occupait la même chaise qu'Erica un petit moment plus tôt.

— Il n'y a pas de problèmes, dit Herman.

Il paraissait plus lucide à présent. Ses filles étaient assises de l'autre côté du lit, et Margareta tenait son père par la main.

— Nous voudrions vous présenter nos sincères condoléances, dit Martin. J'ai compris que vous étiez mariés depuis très longtemps, Britta et vous ?

— Cinquante-cinq ans, dit Herman et, pour la première fois depuis leur arrivée, ils virent ses yeux s'animer un peu. Nous sommes restés mariés pendant cinquante-cinq ans, ma Britta et moi.

— Pourriez-vous nous dire comment ça s'est passé ? Quand elle est morte ? dit Paula en essayant de prendre le même ton doux que Martin.

Margareta et Anna-Greta leur jetèrent un regard inquiet et s'apprêtaient à protester, lorsque Herman les arrêta en agitant la main.

Martin avait déjà constaté que le visage de Herman ne présentait pas de plaies, et il essaya de regarder sous la chemise de nuit pour découvrir d'éventuelles griffures. Il n'en vit aucune et décida d'attendre qu'ils aient terminé avec les questions pour le vérifier.

— J'étais venu boire un café chez Margareta, dit Herman. Elles sont tellement mignonnes avec moi, les filles. Surtout depuis la maladie de Britta. Herman sourit à ses filles. On avait certaines choses à discuter. Je… j'avais décidé que ce serait mieux pour Britta de vivre dans un endroit où l'on pourrait bien s'occuper d'elle…

Sa voix était tourmentée. Margareta lui tapota la main.

— C'était la seule chose à faire, papa. Il n'y avait pas d'autre solution, tu le sais.

Herman ne sembla pas l'entendre, il poursuivit.

— Ensuite je suis rentré à la maison. Je m'inquiétais un peu parce que j'étais resté absent assez longtemps. Près de deux heures. En général, j'essaie de faire vite si je dois sortir, je ne pars qu'une heure au plus, pendant sa sieste. J'ai tellement peur que… j'avais tellement peur qu'elle se réveille, qu'elle mette le feu à la maison et qu'elle brûle avec.

Il tressaillit, mais respira à fond et continua :

— Je l'ai appelée dès que j'ai franchi la porte. Elle n'a pas répondu. J'ai pensé que, Dieu merci, elle dormait encore, et je suis monté dans la chambre. Et elle était là… Je trouvais ça bizarre, elle avait un oreiller sur la figure et elle était dans une position étrange. Alors je suis allé enlever l'oreiller. Et j'ai tout de suite vu qu'elle était partie. Ses yeux… ses yeux fixaient le plafond et elle était totalement immobile.

Ses larmes commencèrent à couler et Margareta les essuya avec douceur.

— Est-ce vraiment nécessaire ? implora-t-elle en dévisageant Martin et Paula. Papa est toujours sous le choc et…

— C'est bon, Margareta, dit Herman. C'est bon.

— D'accord, mais seulement quelques minutes de plus, papa. Ensuite je les mets à la porte, *manu militari* s'il le faut. Tu as besoin de te reposer.

— Elle a toujours été la plus belliqueuse des trois, dit Herman et un pâle sourire s'afficha sur son visage. Une véritable furie.

— Tais-toi, ce n'est pas la peine de me fâcher, dit

Margareta, mais elle eut l'air contente d'entendre qu'il avait la force de la taquiner.

— Alors vous dites qu'elle était morte quand vous êtes entré dans la chambre? dit Paula, surprise. Mais pourquoi avez-vous soutenu que vous l'aviez tuée?

— Parce que je l'ai tuée, dit Herman et son visage se referma. Mais je n'ai jamais dit que je l'avais assassinée. Quoique, ça revient un peu à ça.

Il regarda ses mains, incapable de croiser le regard des deux policiers ou de ses filles.

— Mais papa, on ne comprend pas.

Anna-Greta avait l'air effondrée, mais Herman refusa de répondre.

— Savez-vous alors qui l'a tuée? dit Martin.

Il comprenait instinctivement que Herman n'avait pas l'intention d'expliquer pourquoi il soutenait, avec une telle obstination, qu'il avait tué sa femme.

— Je n'ai plus la force d'en parler, dit Herman et il continua à fixer la couverture. Je n'ai plus la force.

— Vous entendez? Margareta se releva. Il a dit ce qu'il avait à dire. Le plus important, c'est que vous l'ayez entendu dire qu'il n'a pas assassiné maman. Le reste… c'est le chagrin qui parle.

Martin et Paula se levèrent.

— Merci de nous avoir accordé ces quelques minutes. Il y a une dernière chose que nous voudrions vous demander, dit Martin en se tournant vers Herman. Pour confirmer vos dires, pouvez-vous nous montrer vos bras? Britta a griffé celui qui l'a étouffé.

— Est-ce vraiment nécessaire! Puisqu'il dit que…

Margareta commença à élever la voix, mais Herman remonta tranquillement les manches de sa chemise d'hôpital et tendit les bras vers Martin, qui les examina minutieusement. Aucune griffure.

— Vous voyez, dit Margareta qui semblait prête à mettre Martin et Paula à la porte.

— Nous avons terminé. Merci de nous avoir reçus, Herman. Et encore une fois, toutes nos condoléances, dit Martin, puis il fit signe à Margareta et Anna-Greta de les suivre dans le couloir.

Il leur expliqua la situation, qu'ils avaient trouvé une empreinte digitale sur la taie. Pour pouvoir les écarter de l'enquête, il avait besoin de prendre les leurs, ce qui ne leur posa aucun problème. Birgitta arriva à point nommé pour laisser les siennes à son tour.

Une fois installés dans la voiture, Paula et Martin attendirent un instant avant de démarrer.

— Tu crois qu'il protège qui ? dit Paula en mettant la clé de contact sans toutefois la tourner.

— Je n'en sais rien. Mais j'ai eu la même impression que toi. Il sait qui a assassiné Britta, mais il protège cette personne. Et il s'estime aussi en quelque sorte responsable de sa mort.

— Si seulement il pouvait nous le dire, dit Paula.

— Oui, je ne comprends pas pourquoi il…, dit Martin en secouant la tête.

Ses doigts tambourinaient sur le tableau de bord.

— Mais tu crois ce qu'il dit ? demanda Paula alors qu'elle connaissait déjà la réponse.

— Oui, je le crois. Et le fait qu'il n'a pas de griffures prouve que j'ai raison. Mais j'ai le plus grand mal à comprendre pourquoi il protégerait celui qui a tué sa femme. Et pourquoi il s'estime responsable.

— Quoi qu'il en soit, on ne va pas résoudre ça maintenant, dit Paula en démarrant, puis elle quitta le parking. Mais on a les empreintes de ses filles, on va les envoyer au plus vite pour pouvoir les exclure. Et là, on pourra commencer à chercher qui a réellement laissé cette empreinte digitale sur la taie d'oreiller.

— Oui, je suppose que c'est tout ce qu'on peut faire pour le moment, soupira Martin et il regarda par la fenêtre de son côté.

Juste au nord de Torp, ils croisèrent la voiture d'Erica. Aucun des deux ne le remarqua.

FJÄLLBACKA 1945

Ce ne fut pas par hasard que Frans aperçut ce qui se passa. Il avait suivi Elsy du regard, il voulait la voir jusqu'à ce qu'elle disparaisse derrière la crête de la colline. C'est pourquoi il n'avait pas pu éviter d'être témoin du baiser. Ce fut comme si on lui avait planté un poignard dans le cœur. Son sang bouillonnait, pendant qu'un froid glacial se répandait dans ses membres. Ça faisait tellement mal qu'il croyait qu'il allait tomber raide mort sur place.

— Tiens donc…, dit Erik qui lui aussi venait d'apercevoir Hans et Elsy. Ça alors! rit-il en secouant la tête.

Le rire d'Erik fit exploser une lumière aveuglante dans la tête de Frans. Il avait besoin d'une soupape pour évacuer tout ce qui lui faisait si mal, et il se jeta sur Erik et commença à lui serrer le cou des deux mains.

— Ta gueule, ta gueule, ta GUEULE, espèce de connard de…

Il serra plus fort et vit Erik chercher sa respiration. C'était bon de voir la terreur dans ses yeux, ça diminuait la boule dure qu'il avait toujours dans le ventre et dont le baiser avait décuplé le volume d'un seul coup.

— Qu'est-ce que tu fais?

Britta hurla en voyant les garçons devant elle, Erik sur le dos et Frans à califourchon sur lui. Sans réfléchir, elle se précipita et commença à tirer sur la chemise de Frans, mais il lança son bras en arrière si violemment qu'elle tomba à la renverse.

— Arrête, arrête, Frans, cria-t-elle, et elle recula en se traînant par terre, les joues baignées de larmes.

Quelque chose dans son ton réveilla Frans. Il regarda Erik, dont le visage avait pris une teinte bizarre, et il desserra vivement la prise autour de son cou.

— Pardon, murmura-t-il en se passant la main sur les yeux. Pardon… je…

Erik se redressa et le dévisagea. Il se toucha le cou.

— Putain, c'était quoi, ça ? Qu'est-ce qui t'a pris ? Tu as failli m'étrangler, ma parole ! Tu es complètement fou ou quoi ?

Les lunettes d'Erik étaient de travers et il les ôta pour les remettre droites. Frans fixait toujours le vide devant lui.

— Il est amoureux d'Elsy, c'est évident, dit Britta amèrement tout en essuyant ses larmes qui coulaient toujours. Et il a dû croire qu'il avait sa chance. Mais tu es un crétin si tu crois ça, Frans ! Elle ne t'a jamais regardé ! Et maintenant elle se jette dans les bras du Norvégien. Alors que moi…

Elle éclata en sanglots et se sauva en bas de la colline. Frans contempla sa fuite d'un regard vide, alors qu'Erik était toujours hors de lui.

— Nom d'un chien, Frans. Tu es… C'est vrai ? Tu es amoureux d'Elsy ? Alors je comprends que tu te sois mis en pétard. Mais tu ne peux quand même pas…

Erik s'interrompit et secoua la tête. Frans ne lui répondit pas. Il en était incapable. Sa tête tout entière était emplie de l'image de Hans qui se penchait en avant et embrassait Elsy. Et d'elle qui lui rendait son baiser.

Erica ouvrait toujours grands les yeux quand elle voyait une voiture de police, et elle eut l'impression de voir Martin à l'intérieur de celle qu'elle croisa juste avant Torp, lorsque pour la deuxième fois le même jour elle se rendait à Uddevalla. Elle aurait bien aimé savoir d'où il venait.

Il n'y avait certes pas le feu, mais elle savait qu'elle ne serait pas tranquille pour écrire avant d'avoir exploité à fond les nouveaux renseignements dont elle disposait. Et elle se demandait vraiment pourquoi Kjell Ringholm, journaliste à *Bohusläningen*, montrait lui aussi de l'intérêt pour le résistant norvégien.

Un peu plus tard, tandis qu'elle patientait dans le hall d'accueil du journal, elle réfléchit aux différents motifs qu'il pouvait avoir, puis décida de ne pas spéculer et d'attendre de pouvoir le lui demander directement. On lui indiqua son bureau. Kjell l'examina avec curiosité lorsqu'elle entra et se présenta.

— Erica Falck ? L'auteur ? C'est ça ? dit-il en indiquant une chaise avec la main.

Elle suspendit sa veste sur le dossier et s'assit.

— Oui, c'est ça.

— Je n'ai pas lu vos livres, je l'avoue, mais il paraît qu'ils sont bons, dit-il poliment. Vous faites des recherches pour un nouveau roman, c'est pour ça que vous êtes venue me voir ? Je ne couvre pas d'affaires criminelles, et je ne sais pas vraiment en quoi je pourrais vous être utile. Je ne me trompe pas ? Vous écrivez bien sur des meurtres réels ?

— Ma venue n'a rien à voir avec mes livres. Il se trouve que, pour différentes raisons, j'ai commencé à faire des recherches sur le passé de ma mère. Elle était amie avec votre père.

Kjell plissa le front et se pencha en avant.

— A quelle époque ?

— Quand ils étaient enfants et adolescents, si j'ai bien compris. J'ai concentré mes recherches sur les années de guerre, ils avaient alors autour de quinze ans.

Kjell hocha la tête et attendit la suite.

— Ils étaient quatre jeunes, ils formaient une bande, ils ne se quittaient pas d'une semelle, apparemment. Outre votre père, il y avait une Britta Johansson et un Erik Frankel. Et comme vous le savez probablement, ces deux derniers ont été assassinés dans un laps de temps de deux mois. Assez étrange comme coïncidence, vous ne trouvez pas ?

Toujours pas de réponse de la part de Kjell, mais Erica vit son corps se tendre et une lueur s'allumer dans ses yeux.

— Et… Une autre personne s'est ensuite jointe au groupe. En 1944, un résistant norvégien est arrivé à Fjällbacka, un très jeune homme. Il s'était caché à bord du bateau de mon grand-père, qui lui a offert le gîte et le couvert. Il s'appelait Hans Olavsen. Mais ça, vous le savez déjà… N'est-ce pas ? J'ai compris que vous aussi, vous vous intéressez à lui, et je me demande tout simplement pourquoi.

— Je suis journaliste, je ne peux pas en parler, esquiva Kjell.

— Faux. Vous ne pouvez pas révéler vos sources, dit Erica calmement. Mais je ne comprends pas pourquoi on ne pourrait pas s'aider mutuellement dans cette affaire. Je suis assez douée pour dénicher des choses, moi aussi, et vous, c'est votre quotidien de journaliste. Nous sommes tous les deux intéressés par Hans Olavsen. Je survivrai si vous ne me dites pas pourquoi. Mais pourquoi ne pas échanger nos informations, celles qu'on a déjà et celles qu'on va éventuellement trouver, chacun de notre côté?

Elle se tut et attendit sa réponse. Kjell réfléchit, il semblait peser les éventuels avantages et inconvénients.

— D'accord, finit-il par dire et il tendit le bras pour sortir quelque chose du tiroir du haut. Je suppose qu'il n'y a aucune raison pour ne pas s'entraider. Et ma source est morte, alors je peux tout aussi bien tout vous raconter. Voici ce qu'il en est. Je suis entré en contact avec Erik Frankel par le biais d'une... affaire privée. Il se racla la gorge et poussa vers elle le dossier qu'il venait de sortir. Frankel m'a alors dit qu'il voulait me raconter quelque chose qui pourrait m'être utile et qui devait être divulgué.

— Ce sont les mots qu'il a employés? demanda Erica en prenant le dossier. Que c'était quelque chose qui devait être divulgué?

— Oui, si mes souvenirs sont exacts, dit Kjell. Il est venu me voir ici quelques jours plus tard. Il a apporté les articles qui sont dans le dossier et il me les a simplement donnés. Sans rien ajouter de plus. Je lui ai évidemment posé un tas de questions, mais il s'obstinait à dire que, si j'étais aussi doué qu'il l'avait entendu dire pour dégoter des renseignements, ce qu'il y avait dans le dossier suffirait.

Erica feuilleta les papiers dans la chemise en plastique. C'étaient les mêmes articles que Christian lui avait déjà fournis, ceux des archives qui mentionnaient Hans Olavsen et son séjour à Fjällbacka.

— Rien de plus que ça, alors? soupira-t-elle.

— J'ai ressenti la même chose que vous. S'il savait quelque chose, pourquoi ne pouvait-il pas tout simplement me le dire? Mais pour une raison que j'ignore, il était important pour lui que je le trouve par moi-même. C'est ce que j'ai essayé de faire, et je mentirais si je disais que mon intérêt n'est pas monté en flèche quand Erik Frankel a été retrouvé assassiné. Je me suis demandé si ça pouvait avoir un lien avec ça… Il indiqua le dossier sur les genoux d'Erica. Et j'ai évidemment appris le meurtre de Britta Johansson la semaine dernière. Mais j'ignorais tout du rapport entre eux… Oui, ça soulève indéniablement certaines questions.

— Vous avez trouvé quelque chose sur le Norvégien? dit Erica. Je n'en suis pas aussi loin encore dans mes investigations, tout ce que j'ai appris, c'est que ma mère et lui étaient amoureux, et qu'il semble avoir subitement quitté Fjällbacka en abandonnant ma mère du même coup. Ma prochaine étape, c'était d'essayer de le localiser, savoir ce qu'il est devenu, s'il est retourné en Norvège ou… Mais vous avez peut-être pris de l'avance sur moi?

Kjell secoua la tête pour indiquer une réponse mitigée. Il raconta sa conversation téléphonique avec Eskil Halvorsen, que celui-ci n'avait pas su identifier Hans Olavsen comme ça de but en blanc, mais qu'il avait promis de faire des recherches.

— Il a pu rester en Suède aussi, dit Erica pensivement. On devrait pouvoir le vérifier via les autorités suédoises dans ce cas, je peux m'en occuper. Mais s'il a disparu à l'étranger, on aura un problème.

Kjell prit le dossier qu'Erica lui tendit.

— C'est une idée qui se tient. En fait il n'y a aucune raison de croire qu'il est retourné en Norvège. Ils sont nombreux à être restés en Suède après la guerre.

— Vous avez envoyé sa photo à Eskil Halvorsen? dit Erica.

— Non. Mais vous avez raison, je devrais le faire. On ne sait jamais, le moindre truc peut avoir son importance. Je vais l'appeler après votre départ, je pourrais peut-être lui faxer l'une ou l'autre de ces photos. Celle-ci? C'est la plus nette, qu'est-ce que vous en pensez?

Il poussa vers Erica la photo de groupe qu'elle avait examinée minutieusement quelques jours auparavant.

— Oui, ça me semble très bien. On y voit toute la bande. Ça, c'est ma mère.

— Alors vous dites qu'ils se voyaient beaucoup à cette époque? dit Kjell d'un air pensif.

Il s'en voulut de ne pas avoir fait le lien entre la Britta de la photographie et celle qui avait été tuée. Mais il se consola en se disant que la plupart des gens auraient sans doute loupé cette connexion. Il était difficile de distinguer des ressemblances entre la jeune fille de quinze ans et la dame de soixante-quinze.

— Oui, d'après ce que j'ai compris, ils formaient un groupe très soudé, malgré les barrières qu'il devait y avoir. La différence de classe à Fjällbacka était très marquée, et Britta et ma mère appartenaient aux pauvres alors que les garçons, Erik Frankel et donc… votre père, appartenaient aux gens "distingués".

Erica dessina des guillemets dans l'air.

— Oui, terriblement distingués…, marmonna Kjell, et Erica devina tout ce qui se dissimulait sous ses paroles.

— Zut, j'aurais dû en parler avec Axel Frankel, dit Erica tout excitée. Il sait peut-être quelque chose sur Hans Olavsen. Même s'il était un peu plus âgé, il semble avoir été là, dans les coulisses, et il a peut-être…

Ses pensées et ses espoirs repartirent au galop, mais Kjell leva la main pour l'arrêter.

— Si j'étais vous, je n'y compterais pas trop. J'ai eu la même idée, mais heureusement j'ai entrepris quelques recherches d'abord sur Axel Frankel. Vous savez sans doute qu'il avait été arrêté par les Allemands pendant un voyage en Norvège?

— Je n'ai pas grand-chose là-dessus, dit Erica. Alors tout ce que vous avez pu trouver, ça m'intéresse…

— Donc, Axel a été arrêté par les Allemands alors qu'il s'apprêtait à livrer un document au mouvement de résistance. On l'a interné à la prison de Grini près d'Oslo où il est resté jusqu'au début de 1945, quand les Allemands ont déporté un grand nombre de prisonniers, dont Axel, en Allemagne, par bateau et par train. Axel Frankel s'est d'abord retrouvé dans un camp qui s'appelait Sachsenhausen. Beaucoup de prisonniers nordiques y étaient internés. Ensuite, vers la fin de la guerre, il a été transféré à Neuengamme.

Erica eut le souffle coupé.

— Je l'ignorais totalement… Axel Frankel a été interné dans des camps de concentration en Allemagne? Je ne savais même pas que c'était arrivé à des Norvégiens ou des Suédois.

Kjell hocha la tête.

— C'était surtout des prisonniers norvégiens qui s'y retrouvaient. Et quelques-uns venant d'autres pays qui s'étaient fait arrêter après des activités dans la Résistance. On les appelait les NN, *Nacht und Nebel*, Nuit et brouillard. Ce nom a son origine dans un décret pris par Hitler en 1942, ordonnant que les civils des pays occupés ne soient pas traduits en justice et condamnés dans leur patrie. Ils devaient être déportés en Allemagne pour ensuite disparaître dans "la nuit et le brouillard". Certains ont été condamnés à mort et exécutés, d'autres sont morts au travail. Toujours est-il qu'Axel ne se trouvait pas à Fjällbacka en même temps que Hans Olavsen.

— Mais on ne sait pas exactement quand le Norvégien a quitté Fjällbacka, dit Erica en plissant le front. En tout cas, je n'ai rien trouvé qui le mentionne. Je n'ai aucune idée de quand il a quitté ma mère.

— Mais moi, je sais quand il est parti, triompha Kjell et il commença à farfouiller parmi les papiers sur son bureau. En tout cas, approximativement, ajouta-t-il.

Il attrapa une feuille qu'il posa devant Erica, en montrant un passage au milieu de la page. Erica se pencha en avant et lut à haute voix :

— "L'amicale de Fjällbacka a organisé cette année avec un succès particulièrement éclatant…"

— Non, non, l'autre colonne !

— Aha, fit Erica et elle reprit : "Certains ont été déconcertés par le brusque départ du résistant norvégien qui avait trouvé refuge ici chez nous à Fjällbacka. Ils sont nombreux à déplorer de ne pas avoir pu lui faire leurs adieux ni le remercier pour son aide pendant cette guerre dont nous venons enfin de voir le terme…" Erica regarda la date en haut de la page, puis elle leva la tête : Le 19 juin 1945.

— Il a donc disparu peu après la fin de la guerre si j'ai correctement interprété les choses, dit Kjell, et il reprit l'article et le posa en haut de la pile.

— Mais pourquoi ? Erica inclina la tête en réfléchissant. Je crois quand même que ça peut valoir le coup d'aller voir Axel. Son frère a pu lui dire quelque chose. Je peux m'en charger. Et vous, vous ne pouvez pas voir avec votre père ?

Kjell observa un long silence. Pour finir, il dit :

— Bien sûr. Je vous tiens au courant si j'ai des nouvelles de Halvorsen. Et vous me direz immédiatement si vous trouvez quoi que ce soit. Compris ?

Il la menaça du doigt. Il n'était pas habitué à travailler en équipe, mais dans ce cas précis il vit des avantages manifestes dans le fait d'être aidé par Erica.

— Je vais vérifier auprès des autorités suédoises aussi, dit-elle en se levant. Et je promets, je vous appelle dès que j'apprends quelque chose. Elle commença à enfiler sa veste, puis s'arrêta. Au fait, Kjell, j'ai encore une petite chose. Je ne sais pas si c'est important mais…

— Dites-moi, tout a son importance à ce stade.

— J'ai parlé avec le mari de Britta. Herman. Je crois qu'il sait des choses… C'est en tout cas l'impression qu'il me donne. Je lui ai posé des questions sur Hans Olavsen, et il a eu une réaction archibizarre, puis il a dit que je devais demander à Paul Heckel et Friedrich Hück. J'ai essayé de les retrouver, mais sans résultat. Et pourtant…

— Oui ?

— Non, je ne sais pas. Je peux jurer que je n'ai jamais rencontré aucun des deux. Pourtant quelque chose me semble familier… mais je n'arrive pas à mettre le doigt dessus.

— Paul Heckel et Friedrich Hück, c'est ça ? OK, je vais vérifier de mon côté. Mais ça ne m'évoque absolument rien.

Kjell tapota la table avec son stylo, puis il nota les deux noms.

— On a du pain sur la planche, dit Erica.

Elle sourit en s'arrêtant devant la porte. C'était rassurant de savoir qu'ils étaient deux sur cette affaire.

— Oui, je suppose, dit Kjell mais il paraissait distrait.

— A plus tard, alors.

— Oui, c'est ça, répondit-il, puis il souleva le combiné du téléphone sans un regard pour elle.

Il avait hâte de tirer l'affaire au clair. Son nez de journaliste flairait qu'il y avait anguille sous roche.

— On repasse tout ça en revue encore une fois ?

Tout était calme au poste de police ce lundi après-midi.

— Bien sûr, dit Gösta. Il se leva à contrecœur. Paula aussi ? ajouta-t-il.

— Evidemment, dit Martin et il alla la chercher.

Mellberg était sorti promener Ernst et Annika était occupée à l'accueil, si bien qu'ils ne furent que trois à s'installer dans la cuisine, avec tous les documents de l'enquête devant eux.

— Erik Frankel, dit Martin, et il approcha son stylo d'une page vierge de son calepin.

— Il a été assassiné chez lui avec un objet qui se trouvait déjà sur place, dit Paula.

Martin nota fébrilement.

— Ça peut indiquer que ce n'était pas prémédité, glissa Gösta.

Martin hocha la tête.

— Il n'y a pas d'empreintes digitales sur le buste qui a servi d'arme du crime, mais il ne semble pas non plus avoir été essuyé, si bien que le meurtrier a dû porter des gants, et ça contredit la thèse de la non-préméditation, dit Paula.

Elle regarda les lettres que Martin formait dans son calepin.

— Tu arrives vraiment à déchiffrer ça ? dit-elle avec scepticisme.

Les mots ressemblaient à des hiéroglyphes. Ou à de la sténographie.

— Une fois que je l'ai mis au propre sur l'ordinateur, sourit Martin en continuant d'écrire. Sinon, je suis foutu.

— Erik Frankel est mort d'un coup unique à la tempe, dit Gösta en sortant les photos du lieu du crime. L'assassin a abandonné l'arme sur place.

— Oui, ça montre aussi que ce n'est probablement pas un meurtre prémédité ou commis de sang-froid, dit Paula en se levant pour leur servir un café.

— La seule menace potentielle qu'on ait pu identifier, c'est sa connaissance du nazisme et le conflit qui en a découlé avec l'organisation néonazie Les Amis de la Suède. De plus, il a un lien personnel avec l'organisation par le biais de son ami d'enfance, Frans Ringholm.

Martin attrapa les pochettes plastique contenant les cinq lettres et les étala sur la table. Paula les fixa comme si elle allait pouvoir les forcer à parler.

— Est-ce qu'on a quelque chose qui peut lier Frans au meurtre ? dit-elle.

— Trois de ses potes nazis affirment qu'il était au Danemark avec eux durant les jours en question. Ce n'est pas un alibi en béton, si toutefois ça existe, mais de notre côté on ne dispose pas de pièces à conviction concrètes. Les traces de pas qu'on a relevées sont celles des garçons qui ont trouvé le corps, autrement il n'y avait aucune trace, ni de chaussures, ni d'empreintes digitales, à part celles qui devaient s'y trouver.

— Alors ce café, il vient, ou tu comptes rester plantée là avec la cafetière à la main ? dit Gösta.

— Si tu dis s'il te plaît, je te sers, le taquina Paula et Gösta grogna un "s'il te plaît" de mauvais gré.

— Ensuite, on a la date, dit Martin et d'un hochement de la tête il remercia Paula de l'avoir servi. On a pu établir avec une certitude quasi absolue qu'il est mort entre le 15 et le 17 juin. Ce qui nous laisse une fourchette de deux jours. Après, comme son frère était en voyage et que personne n'attendait de ses nouvelles, le corps est resté là. La seule qui aurait pu s'inquiéter, c'est Viola, mais il avait rompu avec elle peu avant.

— Et personne n'a rien vu ? Gösta, tu as entendu tous les voisins proches ? Pas de voitures qu'ils n'ont pas reconnues ? Pas un seul suspect qui a traîné par là ?

— Il n'y a pas tant de voisins que ça dans le coin, marmonna Gösta.

— Je dois interpréter ça comme un non ?

— Oui. J'ai parlé avec tous les voisins, et personne n'a déclaré avoir vu quoi que ce soit.

— D'accord, alors on lâche cet aspect pour l'instant, soupira Martin. Et Britta Johansson ? C'est quand même bizarre comme circonstance, qu'elle semble avoir eu un rapport avec Erik Frankel. Et avec Frans Ringholm aussi, d'ailleurs. Un rapport qui remonte à loin, certes, mais on dispose de relevés d'appels téléphoniques qui démontrent qu'ils ont été en contact en juin. Frans et Erik ont tous les deux contacté Britta à cette époque-là. Martin fit une pause et les exhorta du regard. Pourquoi ont-ils choisi justement ce moment-là pour reprendre le contact après soixante ans ? Est-ce qu'on doit croire le mari quand il dit que c'est parce que l'état de Britta empirait, et qu'elle voulait évoquer le passé ?

— Personnellement, je prends ça pour des conneries, dit Paula en attrapant un paquet de biscuits fourrés. Elle l'ouvrit et en prit trois avant d'en offrir aux autres. Je n'en crois pas un mot. Je pense que, si on arrivait à découvrir pourquoi ils se sont contactés, on aurait une ouverture. Mais Frans se tait, et Axel s'en tient à son histoire, tout comme Herman.

— N'oublions pas qu'il y a les virements aussi, dit Gösta.

Avec une précision chirurgicale, il ouvrit en deux le biscuit double et lécha soigneusement le fourrage au chocolat avant de poursuivre :

— Dans le cadre de l'enquête Frankel, je veux dire.

Martin lui jeta un regard surpris. Il ignorait qu'il était au courant de cette partie de l'enquête, puisqu'il adoptait en général sa stratégie "je n'assimile que l'information qu'on me donne".

— Oui, Hedström nous a filé un petit coup de main samedi, dit Martin avant de sortir ses notes.

Patrik lui avait fait un rapport au téléphone après sa visite chez Wilhelm Fridén.

— Et qu'est-ce qu'il a appris ?

Gösta prit un autre biscuit et refit son manège. Il ôta précautionneusement l'anneau du dessus, lécha le chocolat et reposa ensuite les morceaux de gâteau.

— Mais Gösta, ça ne se fait pas ! Tu lèches le chocolat et tu laisses le reste ? dit Paula, indignée.

Pour toute réponse, Gösta en prit un autre. Paula enleva le paquet de biscuits et le posa sur la paillasse, hors de portée de Gösta.

— Ça n'a malheureusement pas donné grand-chose, dit Martin. Wilhelm Fridén est mort il y a quelques semaines et ni sa veuve ni son fils n'étaient au courant de ces virements. On ne peut évidemment pas savoir s'ils disent la vérité mais, d'après Patrik, ça paraissait véridique. En tout cas, le fils a promis de demander à l'avocat de nous transmettre tous les papiers de son père et, si on a de la chance, on y trouvera quelque chose.

— Et le frère? Il n'est pas au courant?

Gösta lorgnait avec envie le paquet de biscuits, il sembla même envisager de lever ses fesses et d'aller le chercher.

— On a appelé Axel pour lui demander, dit Paula avec un regard d'avertissement pour Gösta. Mais il ignore totalement de quoi il peut s'agir.

— Et on le croit?

Gösta mesura la distance entre sa chaise et la paillasse. Une attaque éclair, ça pourrait marcher.

— Je n'en sais rien. Il est difficile à cerner. Qu'est-ce que tu en as pensé, Paula?

Pendant que Martin se tournait vers Paula, qui se perdait dans ses réflexions, Gösta entrevit une occasion. Il sauta sur ses pieds et se jeta sur le paquet, mais la main gauche de Paula fusa avec la rapidité d'un reptile et l'intercepta.

— Ah non, pas de ça avec moi…

Elle lui fit un clin d'œil taquin, et il ne put s'empêcher de sourire en retour. Il commençait à apprécier leurs petites passes d'armes.

Paula se tourna vers Martin, le paquet de biscuits en sûreté sur ses genoux.

— Je suis d'accord avec toi. Il est difficile à cerner… Et donc je ne sais pas.

— Revenons à Britta, dit Martin.

Il écrivit BRITTA en majuscules dans son calepin en soulignant le nom.

— Ce que j'estime être notre meilleure piste, c'est l'ADN que Pedersen a trouvé sous ses ongles, très probablement celui du meurtrier. Qu'elle a dû griffer assez sérieusement au visage ou aux bras. On est allés parler brièvement avec Herman ce matin et il ne présentait aucune griffure. De plus, il a dit qu'elle était déjà morte quand il est rentré. Qu'elle était dans le lit avec l'oreiller sur le visage.

— Mais il soutient toujours qu'il est responsable de sa mort, glissa Paula.

Gösta plissa le front.

— Qu'est-ce qu'il veut dire alors ? Il protège quelqu'un ?

— Oui, c'est ce qu'on pense. Le visage de Paula s'adoucit, et elle avança le paquet vers Gösta. Tiens, éclate-toi.

— Ensuite on a l'empreinte digitale, dit Martin.

— Une seule empreinte sur un bouton de la taie d'oreiller. Pas de quoi pavoiser, dit Gösta d'un air sombre.

— Non, mais il n'y a pas que ça. Si elle vient de la même personne qui a laissé son ADN sous les ongles de Britta, je trouve que c'est porteur d'espoir, dit Martin.

— Quand est-ce qu'on l'aura, le profil ADN ? demanda Paula.

— Jeudi, c'est l'estimation que le labo m'a donnée, répondit Martin.

— OK. Ensuite on démarrera tous les prélèvements.

Paula s'étira les jambes. Parfois elle se demandait si les symptômes de grossesse de Johanna étaient contagieux. Jusque-là, elle avait ressenti des fourmillements dans les jambes, de petites contractions bizarres et un appétit d'ogre.

— On a des candidats ? demanda Gösta.

Il en était maintenant à son cinquième biscuit.

— Axel et Frans sont les premiers auxquels j'ai pensé.

— Et on va réellement attendre jusqu'à jeudi ? Il faut un moment avant d'avoir les résultats et, pour ce qui est des écorchures, elles guérissent, alors on pourrait tout aussi bien jeter un coup d'œil dès maintenant.

— C'est une bonne idée, Gösta, dit Martin, surpris. On le fera demain. Autre chose ? Quelque chose qu'on aurait oublié ou loupé ?

— Quoi, quoi, on a loupé quelque chose ? fit une voix depuis la porte.

Mellberg entra avec un Ernst légèrement essoufflé. Le chien flaira immédiatement le petit tas de biscuits abandonnés par Gösta et il accourut s'asseoir devant ses pieds. Sa sollicitation fut entendue et les biscuits disparurent en une fraction de seconde.

— On passe simplement quelques petits détails en revue, pour voir si on a loupé quelque chose, dit Martin en montrant les documents sur la table. On vient de décider de faire des prélèvements d'ADN à Axel et à Frans demain.

— Ah, oui, parfait, dit Mellberg avec impatience, craignant d'être mêlé au travail concret qui devait être fait. Continuez comme ça. C'est très bien.

Il appela Ernst qui le suivit dans le bureau en remuant la queue pour s'installer à sa place habituelle, sous la table de travail.

— Cette histoire de trouver quelqu'un pour adopter le clebs me semble être restée en carafe, dit Paula d'un air amusé.

— Je pense qu'on peut considérer Ernst comme adopté. Mais allez savoir qui a adopté qui, en réalité. De plus, la rumeur court que Mellberg est devenu un as de la salsa sur ses vieux jours, pouffa Gösta.

Martin chuchota :

— Oui, on l'a remarqué… Ce matin, quand je suis entré dans son bureau, il était assis par terre et faisait du stretching…

— Sans blague ? dit Gösta en ouvrant de grands yeux. Et ça marchait comment ?

— Pas terrible, rit Martin. Il essayait d'atteindre ses orteils, mais son ventre l'en empêchait. Juste pour te donner une idée.

— Ça va, vous, il se trouve que c'est ma mère qui donne les cours de salsa, dit Paula comme un avertissement.

Gösta et Martin furent stupéfaits.

— Et maman a invité Mellberg à déjeuner l'autre jour et… eh bien, il était carrément sympathique, termina-t-elle, leur en bouchant un coin.

— Mellberg suit des cours de salsa avec ta mère ? Et il est venu déjeuner chez vous ? Il va falloir commencer à l'appeler "papa" bientôt, s'esclaffa Martin et Gösta ne fut pas en reste.

— Allez vous faire voir, dit Paula, boudeuse. Elle se leva. On a terminé, non ?

Elle quitta précipitamment la cuisine. Martin et Gösta se regardèrent, l'air un peu dépités, puis éclatèrent de rire une nouvelle fois. C'était trop beau pour être vrai.

Ça avait été la guerre tout au long du week-end. Dan et Belinda n'avaient cessé de se disputer, et Anna avait l'impression que sa tête allait éclater. Plusieurs fois, elle avait dû les remettre à leur place et leur demander de penser à Adrian et Emma. Heureusement c'était un argument qu'ils entendaient tous les deux. Même si Belinda ne l'admettrait jamais ouvertement, Anna voyait bien qu'elle s'était prise d'affection pour ses enfants, et ça pardonnait une grande partie de son comportement d'adolescente récalcitrante. De plus, il lui semblait par moments que Dan ne comprenait pas très bien la situation de sa fille aînée, ni pourquoi elle réagissait comme elle le faisait. Les rapports entre eux semblaient bloqués dans une position qu'aucun des deux ne savait débloquer. Anna soupira en ramassant les jouets des enfants dans le salon, ils avaient réussi à les semer absolument partout.

Ces derniers jours, elle avait essayé d'assimiler le fait que Dan et elle allaient avoir un enfant ensemble. Les pensées tournoyaient dans sa tête et il lui fallait consacrer beaucoup d'énergie à repousser ses peurs. De plus, elle commençait à avoir des nausées, aussi fortes que pendant ses deux premières grossesses. Elle ne vomissait pas aussi souvent, mais elle se baladait avec une sorte de haut-le-cœur permanent dans le corps, un peu comme un mal de mer constant. Dan s'inquiétait pour elle, il voyait qu'elle avait perdu son appétit habituel et il était sur son dos, comme une mère poule angoissée, à essayer de la faire manger.

Elle s'assit dans le canapé et inclina la tête vers les genoux, tout en se concentrant sur sa respiration pour prendre le contrôle sur son mal au cœur. La dernière fois, quand elle attendait Adrian, ça avait duré jusqu'au sixième mois, et ç'avait été de très longs mois… A l'étage, elle entendit des voix agitées qui s'élevaient puis s'atténuaient, accompagnées de la musique tonitruante de Belinda. Elle n'en pouvait plus. Elle n'en pouvait tout simplement plus. Elle sentit la nausée prendre le dessus, et le réflexe vomitif lui fit monter de la bile dans la bouche. Elle se leva vivement et se précipita aux toilettes du rez-de-chaussée, s'agenouilla devant la cuvette et essaya de rendre. Mais rien ne vint. Seulement des déglutitions vides, qui ne soulageaient rien du tout.

Résignée, elle se releva, s'essuya la bouche avec une serviette et regarda son visage dans la glace. Ce qu'elle y vit lui fit peur. Elle était aussi blanche que la serviette dans sa main, et ses yeux étaient grands et peureux. Un peu la tête qu'elle avait eue durant ses années avec Lucas. Pourtant tout était différent désormais. Tellement mieux. Elle passa sa main sur son ventre encore plat. Tant d'espoir. Et tant de peur. Rassemblés en un seul petit point dans son ventre, dans son utérus. Tellement dépendant, tellement petit. Bien sûr qu'elle avait déjà songé à faire un enfant avec Dan. Mais pas maintenant, pas si vite. Plus tard peut-être, dans un futur éloigné et non déterminé. Quand les choses se seraient calmées et stabilisées. Il était cependant hors de question d'avoir recours à l'avortement, à présent que l'enfant était là. Le lien était déjà noué. Minuscule, fragile, et pourtant si fort entre elle et ce qui n'était pas encore visible à l'œil nu. Elle respira à fond et sortit de la salle de bains. Les voix sonores s'étaient déplacées au rez-de-chaussée, elles retentissaient maintenant dans le vestibule.

— Non mais je rêve, je vais juste chez Linda, je te dis, c'est quand même pas sorcier à comprendre ? Tu peux pas m'empêcher d'avoir des copines, quand même ! Ou alors c'est ça que tu essaies de faire, vieux con ?

Anna entendit Dan prendre son élan pour répondre, mais sa patience était à bout. Elle se précipita sur eux :

— Vous la fermez tous les deux ! Compris ? On dirait deux gamins. Ça suffit maintenant ! Elle leva l'index devant elle et ajouta, avant qu'ils aient pu l'interrompre : Dan, tu arrêtes de harceler Belinda comme ça, tu ne peux pas l'enfermer à clé ! Elle a dix-sept ans et elle a besoin de voir ses copains et copines !

Un grand sourire satisfait se dessina sur le visage de Belinda, mais Anna n'avait pas terminé.

— Et toi, Belinda, tu cesses de te comporter comme une gamine, il est temps de te conduire en adulte si tu veux être traitée comme telle ! Et je ne veux plus rien entendre sur le fait qu'on vit ici, les enfants et moi, parce que c'est comme ça, que tu le veuilles ou non, et nous sommes prêts à mieux te connaître si tu nous en laisses l'occasion ! Anna chercha son souffle et poursuivit sur un ton qui fit se redresser Dan et Belinda devant elle comme des soldats de plomb terrorisés : Et ne va pas croire qu'on va disparaître dans la nature si c'est ça ton plan, parce que ton père et moi, on attend un enfant, ce qui fait que mes enfants et toi et tes sœurs, vous serez liés par un demi-frère ou une demi-sœur. J'ai vraiment très envie qu'on s'entende toutes les deux, mais je ne peux pas y arriver toute seule, vous devez m'aider ! En tout cas, au printemps il y aura un bébé, que tu l'acceptes ou pas, et je n'ai pas l'intention d'en supporter davantage de ta part, sache-le !

Anna fondit en larmes. Les deux autres étaient comme figés. Puis Belinda se mit à sangloter, elle dévisagea Dan et Anna puis se précipita dehors en claquant la porte derrière elle.

— Super, Anna ! Est-ce que c'était vraiment nécessaire ? dit Dan d'une voix fatiguée.

Emma et Adrian avaient réagi eux aussi, ils observaient la scène d'un air perdu.

— Va te faire foutre, dit Anna et elle attrapa sa veste.

La porte d'entrée claqua une seconde fois.

— Salut, tu viens d'où ?

Patrik accueillit Erica à la porte avec une bise. Maja aussi voulut une bise de sa maman, elle arriva en courant sur des jambes instables, les bras tendus.

— J'ai eu deux conversations pour le moins intéressantes, dit Erica en suspendant sa veste avant de suivre Patrik dans le séjour.

— Ah oui, à quel sujet ? dit Patrik.

Il s'assit par terre et continua à faire ce qu'il faisait avec Maja avant l'arrivée d'Erica, en l'occurrence construire la tour de cubes la plus haute du monde.

— Je croyais que c'était Maja qui était censée jouer avec les cubes, dit Erica en riant.

Elle regarda d'un œil amusé son mari très concentré essayer de placer un cube rouge tout en haut de la tour qui était plus grande que Maja.

— Chuuut…, fit Patrik qui s'apprêtait à poser son cube au sommet de sa construction branlante.

— Maja, tu peux me donner le cube jaune, là ? chuchota Erica d'un air théâtral en montrant le cube d'en bas.

Maja s'illumina, elle avait très envie de rendre service à sa maman, et elle se pencha et tira sur le cube. La création soigneusement élaborée de Patrik s'écroula. Il resta avec le cube rouge dans la main.

— Sympa, merci, dit-il en fusillant Erica du regard. Est-ce que tu comprends seulement la dextérité qu'il faut pour construire une tour aussi haute, la précision millimétrée et la stabilité de la main que ça nécessite ?

— Aha, quelqu'un commence à saisir ce que j'ai voulu dire pendant un an en parlant de manque de stimulation, rigola Erica en plantant un baiser sur la bouche de son mari.

— Hum, oui, je vois ce que tu veux dire, grommela Patrik et il rendit son baiser à sa femme en glissant la pointe de la langue dans sa bouche.

Erica répondit à l'invitation et ce qui avait commencé comme un bisou prit une tournure plus avancée, jusqu'à ce que Maja lance un cube sur la tête de son papa, en visant très juste.

— Aïe ! s'écria Patrik en pointant un doigt vers Maja. C'est quoi ces façons ? Lancer des cubes à la tête de papa pour une fois qu'il peut peloter un peu sa femme.

— Patrik ! Erica lui asséna une tape sur l'épaule. Est-ce que c'est vraiment nécessaire d'apprendre le mot "peloter" à notre fille qui a un an…

— Si elle veut des petits frères ou petites sœurs, il faut qu'elle apprenne à supporter la vue de ses parents qui se pelotent, dit-il.

Erica vit qu'une lueur s'était allumée dans ses yeux. Elle se leva.

— Ce n'est pas encore le moment de fabriquer des petits frères ou des petites sœurs. Mais on peut s'entraîner un peu ce soir…

Elle lui adressa un clin d'œil et alla dans la cuisine. Ils avaient enfin réussi à rétablir pour de vrai cet aspect-là de leur vie commune. C'était incroyable, l'effet dévastateur sur la vie sexuelle qu'avait l'arrivée d'un bébé mais, après une année assez maigre sur ce front, il y avait eu une éclaircie. Après tous ces mois passés à la maison avec Maja, elle n'avait pas encore la force de penser à d'autres enfants. Elle avait besoin d'atterrir dans le monde des adultes d'abord, avant de pouvoir retourner dans le monde des bébés.

— Et c'est quoi, ces conversations intéressantes que tu as eues ? dit Patrik qui venait la rejoindre dans la cuisine.

Erica raconta ses deux excursions à Uddevalla, et ce qui en était ressorti.

— Donc, tu ne reconnais pas ces noms ?

— Si, c'est ça qui est étrange. Je ne me rappelle pas les avoir entendus, et pourtant quelque chose me semble… Je ne sais pas. Paul Heckel et Friedrich Hück. Ça me dit quelque chose.

— Et Kjell Ringholm et toi, vous allez joindre vos efforts pour essayer de localiser ce… Hans Olavsen ?

Patrik eut l'air sceptique et Erica comprit où il voulait en venir.

— Oui, je sais que c'est un coup de poker. J'ignore totalement le rôle qu'il a joué, mais quelque chose me souffle que c'est important. Je veux dire, même si ça n'a rien à voir avec les meurtres, tout indique qu'il a eu de l'importance pour ma mère. Je veux seulement me renseigner pour en savoir plus sur elle.

— Fais attention quand même, dit Patrik en mettant de l'eau à chauffer. Tu veux un thé ?

— Oui, je veux bien. Comment ça, faire attention ?

— Tu comprends, d'après ce que j'ai entendu, Kjell est un journaliste assez chevronné, alors fais attention de ne pas te faire exploiter.

— Je ne vois pas comment il ferait. D'accord, il peut prendre l'information que je lui donnerai sans rien donner en échange, je crois que c'est à peu près le seul danger que je cours. C'est un risque à prendre. Mais je ne pense pas qu'il fera ça. On s'est mis d'accord pour que je parle à Axel Frankel au sujet du Norvégien, et que je vérifie dans les registres suédois s'il y figure. Kjell va discuter avec son père. Mais ce n'est pas une tâche qu'il a acceptée avec enthousiasme.

— Non, ils ne semblent pas avoir une super bonne relation, ces deux-là, dit Patrik en versant l'eau bouillante sur les sachets de thé dans les tasses. J'ai lu certains des articles de Kjell dans lesquels il assassine franchement son père.

— Alors ils vont avoir une conversation intéressante, dit Erica d'un ton laconique en prenant la tasse que Patrik lui tendait.

Elle le regarda en sirotant son thé. Dans le séjour, Maja babillait avec un interlocuteur inconnu. Probablement sa poupée, qu'elle n'avait pas lâchée ces derniers jours.

— Qu'est-ce que ça te fait de ne pas être au commissariat avec tout ce qui se passe ? dit-elle.

— Je mentirais si je disais que c'est facile. Mais je sais pertinemment que c'est une chance de pouvoir rester avec Maja, et le boulot sera toujours là à mon retour. Oui, bon, ce n'est pas que je souhaite qu'il y ait d'autres enquêtes pour meurtre, mais… tu comprends ce que je veux dire.

— Et Karin, comment elle va ?

Erica essaya de prendre une voix aussi neutre que possible.

La réponse de Patrik tarda une seconde, puis il dit :

— Je ne sais pas. Elle semble tellement… triste. Je pense que les choses n'ont pas tourné comme elle l'avait imaginé, et maintenant elle se trouve dans une situation qui… non, je ne sais pas. J'ai un peu pitié d'elle.

— Elle regrette de t'avoir perdu?

Erica attendit impatiemment la réponse. Ils n'avaient jamais vraiment parlé de son mariage avec Karin et, les quelques fois où elle avait posé des questions, il s'était contenté de répondre brièvement.

— Non, je ne pense pas. Ou si… je ne sais pas. Je pense qu'elle regrette d'avoir agi comme elle l'a fait, et que je les aie surpris de cette façon-là. Il rit, et sa voix prit un ton amer lorsqu'il visualisa une scène qu'il croyait avoir laissée derrière lui. Mais va savoir… Si elle a fait ça, c'est en grande partie parce que nous n'étions pas bien ensemble.

— Mais tu penses qu'elle se souvient encore de ça? dit Erica. Parfois on a tendance à idéaliser les choses avec le recul.

— C'est sûr, mais je crois quand même qu'elle s'en souvient. Forcément, dit Patrik tout en paraissant assez dubitatif. Puis il sauta du coq à l'âne : Alors, qu'est-ce qu'il y a sur l'agenda de demain?

Erica nota le changement de sujet abrupt mais elle ne le releva pas.

— J'ai l'intention d'aller voir Axel. Et de commencer à passer quelques coups de fil au fisc et à l'état civil au sujet de Hans.

— Mais dis-moi, tu n'es pas censée écrire un livre aussi? rit Patrik.

— J'ai tout mon temps, surtout que j'ai déjà fait pratiquement toutes les recherches. Et j'aurai du mal à me concentrer sur le livre tant que je ne serai pas débarrassée de tout ça, alors laisse-moi faire…

— D'accord, d'accord. Tu es une grande fille, tu gères ton temps toi-même. Moi et la puce, on s'occupe de nous, et toi tu t'occupes de toi.

Il se leva et embrassa la tête d'Erica en passant.

— Je m'en vais construire un autre chef-d'œuvre. Une copie réduite du Taj Mahal peut-être, dit-il.

Erica rit en secouant la tête. Parfois elle se demandait si son mari avait toute la sienne. Réflexion faite, probablement pas.

Anna l'aperçut de loin. Un petit personnage solitaire tout au bout d'un ponton. Elle n'avait pas eu l'intention de partir à sa recherche. Mais dès qu'elle la vit en descendant la pente de Galärbacken, elle sut qu'elle devait la rejoindre.

Belinda ne l'entendit pas arriver. Elle était en train de fumer, un paquet de Gula Blend et une boîte d'allumettes à côté d'elle.

— Salut, dit Anna.

Belinda sursauta. Elle regarda la cigarette dans sa main et, pendant une seconde, elle sembla envisager de la cacher, puis elle l'approcha crânement de sa bouche et tira une longue bouffée.

— Tu m'en donnes une? dit Anna en s'asseyant à côté de la jeune fille.

— Tu fumes?

Belinda fut surprise mais lui tendit le paquet de cigarettes.

— J'ai fumé autrefois. Pendant cinq ans. Mais mon... premier mari... Il n'était pas d'accord.

C'était franchement au-dessous de la réalité. Un jour, Lucas l'avait surprise en train de fumer en cachette et il avait éteint la cigarette sur son bras. On pouvait toujours y distinguer une petite cicatrice.

— Tu ne le diras pas à papa? dit Belinda, revendicative, en agitant sa cigarette. Puis elle ajouta en baissant le ton : S'il te plaît.

— Si tu ne me dénonces pas, je ne te dénonce pas, dit Anna et elle ferma les yeux en tirant la première bouffée.

— Mais tu ne devrais pas fumer? Je veux dire… pour le bébé? dit Belinda qui tout d'un coup eut l'air d'une petite vieille indignée.

Anna rit.

— Ça sera la première et la dernière clope que je fumerai pendant cette grossesse, je te le promets.

Elles observèrent un moment de silence en soufflant des ronds de fumée au-dessus de l'eau. La chaleur de l'été avait complètement disparu, une fraîcheur humide était venue la remplacer. Mais il n'y avait pas de vent, et l'eau devant elles était lisse. Le port était pratiquement désert, en dehors de bateaux épars amarrés aux pontons, alors qu'en été ils s'alignaient même à couple.

— Ce n'est pas facile, n'est-ce pas? dit Anna en regardant le port.

— Quoi? dit Belinda boudeuse, ne sachant toujours pas quelle attitude adopter.

— D'être enfant. Et presque adulte.

— Qu'est-ce que tu en sais, toi?

— Oui, c'est vrai, je suis née adulte, rigola Anna.

Elle taquina Belinda du doigt et reçut en récompense un tout petit sourire qui disparut rapidement. Anna la laissa tranquille. La laissa déterminer le rythme. Elles ne dirent rien pendant plusieurs minutes avant qu'Anna voie du coin de l'œil que Belinda la regardait.

— Tu as beaucoup de nausées?

Anna hocha la tête.

— Comme un putois qui a le mal de mer.

— Pourquoi est-ce qu'un putois aurait le mal de mer?

— Pourquoi pas ? Tu as des preuves qu'un putois ne peut pas avoir le mal de mer ? Dans ce cas, j'aimerais bien les voir. Parce que c'est exactement comme ça que je me sens. Comme un putois qui a le mal de mer.

— Oh, tu fais l'idiote, dit Belinda mais elle ne put s'empêcher de rire.

— Oui mais, blague à part, je me sens assez en vrac.

— Maman était comme ça quand elle était enceinte de Lisen. J'étais suffisamment grande pour m'en souvenir. Elle était… oh pardon, je ne devrais peut-être pas parler de maman et papa…

Elle se tut, embarrassée, attrapa une autre cigarette et l'alluma en la protégeant avec ses mains.

— Tu sais, il n'y a pas de problème, tu peux parler de ta maman. Tant que tu veux. Je sais bien que Dan avait une vie avant moi, il vous a eues, vous trois, dans cette vie-là. Avec votre maman. Et crois-moi, tu n'as pas à avoir l'impression de trahir ton père seulement parce que tu aimes ta mère. Et je te promets, je ne le prends pas mal si tu parles de Pernilla. Absolument pas.

Anna posa sa main sur celle de Belinda, qui eut d'abord le réflexe de la retirer, mais qui finalement la laissa sur le ponton. Après quelques secondes, Anna leva de nouveau sa main et attrapa une cigarette, elle aussi. Tant pis, ça ferait deux tiges pendant cette grossesse. Mais ensuite ce serait fini. Terminé.

— Je m'y connais super bien en bébés, dit Belinda en croisant le regard d'Anna. J'aidais maman avec Lisen quand elle était petite.

— Dan me l'a dit, tu sais. Que lui et ta maman, ils étaient presque obligés de te forcer à aller jouer avec tes copines au lieu de t'occuper du bébé. Et que tu t'en sortais vraiment bien. Alors j'espère pouvoir compter sur un peu d'assistance au printemps. Je te laisserai te charger de toutes les couches pleines de caca.

Elle donna un petit coup de coude à Belinda, qui le lui rendit. Avec un sourire scintillant dans les yeux, elle dit :

— Je ne change que des couches de pipi. C'est un deal ?

Elle tendit la main et Anna la saisit.

— C'est un deal. Les couches de pipi sont à toi. Puis elle ajouta : On laissera les couches de caca à ton papa.

Leurs rires résonnèrent dans le port désertique.

Anna allait se souvenir de cet instant comme un des meilleurs de sa vie. L'instant où la glace se rompit.

Axel faisait sa valise quand elle arriva. Il l'accueillit à la porte avec une chemise sur un cintre dans chaque main. Une penderie de voyage était suspendue à une patère derrière lui dans le vestibule.

— Vous partez en voyage ? dit Erica.

Axel hocha la tête pendant qu'il glissait les chemises dans la penderie pour éviter qu'elles ne se froissent.

— Oui, je dois me remettre au travail. Je retourne à Paris vendredi.

— Mais vous pouvez partir sans savoir qui… ?

Elle laissa ses paroles s'éteindre sans terminer sa phrase.

— Je n'ai pas le choix, dit Axel entre les dents. Je prendrai évidemment le premier vol si la police a besoin de moi pour quoi que ce soit. Mais il faut que je retrouve mon travail, vraiment. Et… ce n'est pas très constructif de rester ici à ruminer.

Il se frotta les yeux d'un geste las, et Erica nota qu'il commençait à avoir l'air usé. C'était comme s'il avait pris plusieurs années depuis la dernière fois qu'elle l'avait vu.

— J'imagine que ça doit faire du bien de s'échapper un peu, dit-elle doucement. Elle hésita, puis continua : J'ai deux, trois questions, des choses dont je voudrais discuter avec vous. Vous avez quelques minutes ? Vous n'êtes pas trop fatigué ?

Axel hocha la tête avec résignation et fit un geste vers l'intérieur de la maison. Elle s'arrêta devant le canapé de la véranda, mais cette fois il lui montra le chemin d'une autre pièce.

— Comme c'est beau, dit-elle, le souffle coupé, en regardant autour d'elle.

C'était comme d'entrer dans un musée d'un autre temps. Tout dans la pièce respirait les années 1940 et, même si ça paraissait propre et rangé, un parfum ancien y planait pourtant.

— Eh bien, ni nos parents, ni Erik et moi n'avions de penchants pour la modernité. Mère et père n'ont jamais changé grand-chose dans cette maison, et Erik et moi non plus. Je trouve que cette époque-là a produit beaucoup de belles choses, alors je ne vois aucune raison de troquer les meubles contre des plus modernes, que par ailleurs je trouve très laids, dit-il en caressant pensivement une magnifique commode.

Ils s'assirent dans le canapé recouvert d'un tissu marron. Il n'était pas très confortable, on était obligé de garder une position bien droite.

— Tu voulais me demander quelque chose, dit Axel avec un mélange d'amabilité et d'impatience.

— Oui, effectivement.

Erica se sentit tout à coup gênée. C'était la deuxième fois qu'elle venait déranger Axel Frankel avec ses questions, alors qu'il avait tant de choses à faire. Mais comme l'autre fois, elle se dit que, maintenant qu'elle était là, autant terminer ce pour quoi elle était venue.

— Je fais des recherches sur ma mère, et par la même occasion sur ses amis : votre frère, Frans Ringholm et Britta Johansson.

Axel hocha la tête et se tourna les pouces en attendant la suite.

— Mais il y avait une autre personne qui faisait partie de leur groupe.

Axel ne répondait toujours pas.

— Vers la fin de la guerre, un résistant norvégien est arrivé avec le bateau de mon grand-père… Le même bateau sur lequel vous avez fréquemment voyagé, je le sais.

Il la regarda sans ciller, mais elle vit son corps se tendre quand elle mentionna les voyages qu'il avait entrepris en Norvège.

— C'était un homme bon, ton grand-père, dit Axel à voix basse après un moment. Ses mains s'immobilisèrent sur ses genoux. Un des meilleurs que j'aie jamais rencontrés.

Erica n'avait pas connu son grand-père et ça lui fit chaud au cœur d'entendre Axel parler de lui dans des termes aussi élogieux.

— Si j'ai bien compris, vous étiez emprisonné à l'époque où Hans Olavsen est arrivé à Fjällbacka. C'était en 1944 et, d'après ce que nous avons réussi à trouver, il est resté quelque temps après la fin de la guerre.

— Tu as dit "nous", l'interrompit Axel. Qui sont ces "nous" qui ont trouvé ça ?

Sa voix avait une intonation tendue. Erica hésita. Puis elle se contenta de dire :

— En disant "nous", je parlais de Christian à la bibliothèque de Fjällbacka qui m'a aidée. C'est tout.

Elle ne voulut pas mentionner Kjell, et Axel parut accepter son explication.

— Oui, j'étais emprisonné à cette époque, dit Axel.

Son corps se figea de nouveau. C'était comme si tous ses muscles se souvenaient soudainement de ce qu'ils avaient subi et qu'ils réagissaient en se contractant.

— Vous ne l'avez donc jamais rencontré ?

— Non, il était déjà parti quand je suis revenu.

— Vous êtes revenu quand à Fjällbacka ?

— En juin 1945. Avec les bus blancs.

— Les bus blancs ?

Erica n'avait qu'un souvenir très vague de ce qu'elle avait appris en histoire à l'école.

— C'était une action orchestrée par Folke Bernadotte*, précisa Axel. Il avait organisé le transport de prisonniers scandinaves des camps de concentration allemands. Les bus étaient blancs avec des croix rouges peintes sur les toits et sur les flancs pour éviter qu'on ne les prenne pour des cibles militaires.

— Mais quel risque y avait-il qu'on les prenne pour cible si c'était après la guerre ? dit Erica, légèrement confuse.

Axel sourit de son ignorance et commença de nouveau à se tourner les pouces.

— Les premiers bus sont venus chercher des prisonniers dès les mois de mars et avril 1945, après des négociations avec les Allemands. Ça leur a permis de faire rentrer quinze mille prisonniers. Puis,

---

* Le comte Folke Bernadotte af Wisborg, diplomate suédois, petit-fils d'Oscar II. Né en 1895 à Stockholm, il fut assassiné en 1948 à Jérusalem par un groupe terroriste sioniste.

après la fin de la guerre, encore dix mille ont été rapatriés en mai et en juin. J'étais parmi ceux-là. En juin 1945.

Il paraissait impassible en énumérant ainsi les faits mais, sous le ton distancié, Erica percevait l'écho de la terreur qu'il avait vécue.

— Mais Hans Olavsen a disparu de Fjällbacka en juin 1945. Il serait donc parti juste avant votre retour ?

— Il a dû s'agir de quelques jours seulement, fit Axel. Il faut me pardonner si ma mémoire est un peu trouble sur ce point. J'étais assez… mal en point quand je suis revenu.

— Oui, je comprends, dit Erica.

Elle baissa les yeux. C'était bizarre de parler avec un homme qui avait vu les camps de concentration allemands de l'intérieur.

— Votre frère a parlé de lui ? Vous ne vous rappelez rien ? Quelque chose ? Je n'ai rien pour l'étayer, mais j'ai eu le sentiment qu'Erik et ses amis voyaient très souvent Hans Olavsen au cours de l'année qu'il a passée à Fjällbacka.

Axel regarda par la fenêtre, il avait l'air d'essayer de se souvenir. Puis il inclina la tête et plissa légèrement le front.

— Il me semble qu'il s'est passé quelque chose entre le Norvégien et ta mère, sans vouloir t'offenser en te disant ça.

— Non, ça va. C'était il y a si longtemps, et on m'a déjà donné ces informations.

— Ah, alors ma mémoire n'est pas en si piteux état que je le crains parfois ! dit Axel en lui adressant un sourire plein de douceur. Oui, je suis assez certain qu'Erik m'a raconté qu'il y avait une sorte de romance entre Elsy et Hans.

— Comment a-t-elle réagi quand il est parti ? Vous vous rappelez comment elle était à cette époque ?

— Pas trop, malheureusement. Evidemment, elle n'était pas dans son état normal après ce qui était arrivé à son père. De plus, elle est partie elle-même très peu de temps après pour entrer dans une… école ménagère, si mes souvenirs sont exacts. Et ensuite on s'est perdus de vue. Quelques années plus tard, quand elle est revenue à Fjällbacka, je travaillais déjà à l'étranger, je n'étais pas ici très souvent. Et Erik et elle n'avaient pas spécialement de contacts non plus, me semble-t-il. Mais ça n'a rien d'inhabituel. On est amis pendant l'enfance et l'adolescence, et ensuite, quand arrive la vie d'adulte et le sérieux qui va avec, on prend des chemins différents.

Il regarda de nouveau par la fenêtre.

— Oui, je vois ce que vous voulez dire, dit Erica, déçue qu'Axel non plus ne détienne pas d'informations sur Hans. Elle tenta une dernière question : Et personne n'a jamais mentionné où il est allé ? Il n'a rien dit à Erik ?

Axel secoua la tête avec regret.

— Je suis terriblement désolé. J'aurais vraiment aimé pouvoir t'aider, mais je n'étais pas dans mon état normal en revenant, et ensuite j'ai eu d'autres préoccupations. Mais il devrait tout de même être possible de le trouver par l'intermédiaire des autorités, dit-il pour lui donner de l'espoir, et il se leva.

Erica saisit l'allusion et se leva à son tour.

— Oui, je pense que ça sera l'étape suivante. Si j'ai de la chance, le problème va se résoudre par ce biais-là. Il n'est peut-être pas allé très loin, qu'est-ce que j'en sais ?

— En tout cas, je te souhaite bonne chance, sincèrement, dit Axel en prenant sa main. Je sais très bien combien il est important de connaître le passé, pour nous permettre de vivre dans le présent. Crois-moi, je le sais.

Il tapota sa main, et Erica sourit de sa tentative de la consoler.

— A propos, est-ce que tu as appris autre chose sur la médaille ? dit-il avant d'ouvrir la porte.

— Non, malheureusement. J'ai parlé avec un expert en médailles nazies à Göteborg, mais elle est trop courante pour qu'on puisse dépister son origine.

— En tout cas, je suis vraiment désolé de ne pas pouvoir t'aider davantage.

— Aucun problème, c'était à tout hasard, dit-elle et elle fit un petit signe d'adieu avec la main.

Axel se tenait debout dans l'embrasure de la porte et la suivait du regard. Elle avait terriblement pitié de lui. Mais une chose qu'il avait dite lui avait donné une idée. Erica prit la direction du centre-ville d'un pas déterminé.

Kjell hésita avant de frapper. Devant la porte de son père, il se sentit à nouveau comme un petit garçon effrayé. Sa mémoire lui fit remonter le temps et le transporta devant les portails impressionnants des prisons. Il tenait fermement la main de sa mère, et dans son ventre il y avait autant de peur que de joie de rencontrer son père. Car au début il y avait de la joie. Frans lui manquait. Il voulait le voir. Il ne se souvenait que des bons moments, les courtes périodes où son père n'était pas derrière les barreaux. Frans avait joué à le lancer en l'air, l'avait emmené dans la forêt en lui donnant la main, lui avait parlé des champignons, des arbres et des buissons. Kjell avait l'impression que son père possédait toutes les connaissances qu'il fallait. Mais le soir dans sa chambre, il était obligé de serrer fort l'oreiller contre ses oreilles, pour ne pas entendre les disputes, les horribles disputes qui semblaient surgir de nulle part et ne jamais s'arrêter. Sa mère et son père reprenaient tout simplement le fil là où ils s'étaient arrêtés la dernière fois. Frans disparaissait en prison, il en ressortait et ils continuaient sur la même lancée, les mêmes querelles, les mêmes coups, encore et encore, jusqu'à ce que, de nouveau, les policiers viennent frapper à la porte et emmènent son père.

C'est pourquoi sa joie disparaissait peu à peu, chaque année qui passait. Pour finir il ne restait que la peur quand il se trouvait dans la salle des visites et qu'il voyait la tête pleine d'attente de son père. Ensuite la peur s'était transformée en haine. Dans un certain sens, ç'aurait été plus facile s'il n'avait pas gardé le souvenir des promenades en forêt. Car ce qui avait engendré la haine et l'avait entretenue, c'était la question qu'il se posait sans cesse quand il était enfant. Comment son père pouvait-il sans arrêt choisir de l'éliminer ? L'éliminer, lui ? Pour préférer un monde gris et froid d'où il revenait chaque fois un peu plus éteint.

Kjell frappa des coups durs à la porte, irrité de s'être laissé submerger par les souvenirs.

— Je sais que tu es là, ouvre ! cria-t-il en tendant l'oreille.

Il entendit la chaîne de sécurité et la clé qui tournait dans la serrure.

— Bien protégé contre tes potes, j'imagine, dit Kjell d'un ton rude.

Il se fraya un passage dans l'entrée.

— Qu'est-ce que tu veux, cette fois ? dit Frans.

Kjell se dit subitement que son père avait beaucoup vieilli. Il parut si frêle. Puis il écarta cette pensée. Le vieux était plus coriace que la plupart. Il les enterrerait sans doute tous.

— Je voudrais que tu me donnes quelques informations.

Il alla s'asseoir dans le canapé sans y avoir été invité et Frans s'assit dans le fauteuil en face. Il ne dit rien, il attendait que Kjell parle.

— Qu'est-ce que tu sais sur un homme qui s'appelle Hans Olavsen?

Frans sursauta, mais reprit rapidement le contrôle de lui-même. Il se laissa paresseusement aller dans le fauteuil et posa son bras sur l'accoudoir.

— Pourquoi? dit-il en regardant son fils dans les yeux.

— Ça ne te regarde pas.

— Et pourquoi est-ce que je t'aiderais si tu as une telle attitude?

Kjell se pencha en avant de sorte que son visage se trouve à seulement une dizaine de centimètres de celui de son père. Il le regarda longuement avant de dire froidement :

— Parce que tu me le dois. Tu me dois de saisir la moindre occasion de m'aider, si tu veux éliminer le risque que je danse sur ta tombe le jour de ta mort.

Pendant un instant, une lueur apparut dans les yeux de Frans. La lueur de quelque chose qu'il avait perdu. Peut-être des souvenirs de promenades en forêt et d'un petit garçon hissé vers le ciel par des bras puissants. Puis elle disparut. Il regarda son fils et dit calmement :

— Hans Olavsen était un résistant norvégien qui avait dix-sept ans quand il est arrivé à Fjällbacka. Je crois que c'était en 1944. Il est reparti un an plus tard. C'est tout ce que je sais.

— Te fous pas de moi, dit Kjell en se renversant dans le canapé. Je sais que vous vous voyiez beaucoup, toi, Elsy Moström, Britta Johansson et Erik Frankel. Maintenant deux d'entre eux ont été assassinés en l'espace de deux mois. Tu ne trouves pas ça un peu étrange ?

Frans ignora la question. Il dit :

— Qu'est-ce que le Norvégien vient faire là-dedans ?

— Je ne sais pas. Mais j'ai l'intention de le trouver, siffla Kjell entre ses dents pour essayer de tenir sa colère en respect. Alors qu'est-ce que tu sais d'autre sur lui ? Parle de l'époque où vous étiez amis, parle de son départ. Chaque détail dont tu te souviens.

Frans soupira et il eut l'air d'essayer de se déplacer dans le temps.

— Alors tu veux des détails… Voyons voir ce que je me rappelle. Il habitait chez les parents d'Elsy, il était venu à bord du bateau de son père.

— Je le sais déjà. Quoi d'autre ?

— Il avait trouvé du travail sur les cargos qui descendaient la côte mais, dès qu'il avait un moment de libre, il était avec nous. En réalité, nous avions deux ans de moins que lui, mais ça ne semblait pas le déranger, et nous étions contents d'être ensemble. Certains plus que d'autres, ajouta-t-il.

Soixante ans n'avaient pas effacé l'amertume qu'il avait ressentie à l'époque.

— Lui et Elsy ? dit Kjell sèchement.

— Comment tu sais ça ?

Il était étonné de ressentir encore un coup au cœur en pensant à eux deux. Le cœur avait incontestablement une meilleure mémoire que le cerveau.

— Je le sais, c'est tout. Continue.

— Donc. Lui et Elsy s'étaient trouvés et alors tu sais sans doute aussi que cela ne m'enchantait pas outre mesure.

— Je l'ignorais.

— C'était comme ça en tout cas. J'avais un faible pour Elsy, mais elle l'a choisi, lui. Le comble de l'ironie, c'est que Britta avait le béguin pour moi, mais elle ne m'intéressait pas. Certes, j'aurais sans doute pu coucher avec elle, mais quelque chose me disait toujours que ça m'apporterait plus de problèmes que de plaisir, et j'y ai renoncé.

— Un vrai comportement de gentleman, ironisa Kjell.

Frans se contenta de lever un sourcil.

— Et ensuite que s'est-il passé? Si Hans et Elsy s'aimaient tant, pourquoi est-il parti?

— J'imagine que c'est la plus vieille histoire du monde. Il lui avait promis monts et merveilles et, après la fin de la guerre, il disait qu'il partait en Norvège retrouver sa famille, et qu'il reviendrait ensuite. Mais…, dit Frans avec un sourire amer et un haussement d'épaules.

— Tu penses qu'il l'a trompée sur toute la ligne?

— Je ne sais pas, Kjell. Très sincèrement, je ne sais pas. Ça s'est passé il y a soixante ans et nous étions jeunes. Il était peut-être honnête en disant ça à Elsy, puis il a eu des engagements chez lui qui étaient plus importants. Ou alors il avait l'intention de partir depuis le début, à la première occasion. Tout ce que je sais, c'est qu'il nous a dit au revoir en précisant qu'il reviendrait dès qu'il aurait réglé certaines choses avec sa famille. Et il est parti. A vrai dire, j'ai à peine pensé à lui depuis ce jour-là. Je sais qu'Elsy a eu du chagrin pendant quelque temps, puis sa mère l'a inscrite dans une école et je ne sais pas ce qui s'est passé ensuite. J'avais déjà quitté Fjällbacka et… oui, tu sais très bien ce qu'il y a eu ensuite.

— Oui, dit Kjell avec amertume et il vit de nouveau le grand portail gris.

— Je ne comprends pas pourquoi ça t'intéresse tant. Il est arrivé et ensuite il a disparu. Et je ne pense pas que quelqu'un parmi nous ait été en contact avec lui depuis. Alors, pourquoi cette curiosité ?

— Je ne peux pas te le dire. Mais s'il y a quoi que ce soit, je ne m'arrêterai pas à mi-chemin, crois-moi.

Son ton était peu aimable et il défia son père des yeux.

— Je te crois, Kjell, je te crois, dit Frans d'une voix fatiguée.

Kjell regarda la main de son père sur l'accoudoir. La main d'un vieil homme. Fripée et maigre, avec de petites taches dues à l'âge, ratatinée. Si différente de la main qui avait tenu la sienne pendant les promenades en forêt. Cette main-là avait été forte, lisse et tellement chaude quand elle englobait la sienne, petite. Si rassurante.

— On dirait que ça va être une année à champignons, s'entendit-il dire.

Frans le dévisagea, sans en croire ses oreilles. Puis son visage s'adoucit et il répondit à voix basse :

— Tu as raison, Kjell. Je crois bien que tu as raison.

Il fit ses bagages avec une discipline militaire apprise au cours de toutes ses années de voyages. Rien ne devait être laissé au hasard. Un pantalon négligemment fourré dans la valise signifierait une séance laborieuse de repassage sur les planches minimales des chambres d'hôtel. Un bouchon de tube de dentifrice mal revissé demanderait une lessive en catastrophe. Si bien que tout fut minutieusement placé dans la grande valise.

Axel s'assit sur le lit. C'était la même chambre qu'il avait quand il était petit, mais ici il avait choisi de modifier un peu l'aménagement au fil des ans. Des maquettes d'avions et des magazines de bandes dessinées n'avaient pas trop leur place dans la chambre d'un homme adulte. Il se demanda s'il allait revenir un jour. Rester dans la maison ces dernières semaines avait été difficile. En même temps il avait senti qu'il le devait.

Il se leva et entra dans la chambre d'Erik, située quelques portes plus loin dans le long couloir de l'étage. Axel sourit en s'asseyant sur le lit de son frère. La pièce était remplie de livres. Evidemment. Les étagères en débordaient, et ils formaient des piles par terre. Beaucoup de livres portaient des post-it. Erik ne s'était jamais lassé de ses livres, de leurs faits, de leurs dates et de l'exactitude inébranlable qu'ils lui offraient. De cette façon, les choses étaient plus faciles pour lui. La réalité était écrite noir sur blanc. Pas de zones grises, pas de subterfuges politiques ni d'ambiguïtés morales qui étaient le lot quotidien dans le monde d'Axel. Seulement des faits concrets. La bataille d'Hastings en 1066. La mort de Napoléon en 1821. La capitulation de l'Allemagne le 8 mai 1945. Axel saisit un livre qui était resté sur le lit d'Erik, un gros pavé sur la reconstruction de l'Allemagne après la guerre, puis il le reposa. Il connaissait tout sur le sujet. Pendant soixante ans, sa vie avait tourné autour de la guerre et de ses conséquences. Mais elle avait peut-être surtout tourné autour de lui-même. Erik l'avait compris. Il avait démontré les manques dans la vie d'Axel, et dans la sienne. Il les avait pointés comme des faits indubitables, en apparence sans y mettre de sentiment. Mais Axel connaissait son frère. Il savait que derrière tous les faits Erik abritait plus de sensibilité que la plupart des gens.

Il sécha une larme qui coulait sur sa joue. Ici, dans la chambre d'Erik, les choses ne furent subitement pas aussi limpides qu'il l'aurait voulu. Toute la vie d'Axel reposait sur le refus des équivoques. Il s'était construit une vie autour de ce qui était bien et de ce qui était mal. S'était déclaré celui qui pouvait pointer le doigt et dire à quel camp appartenaient les gens. Pourtant, dans son petit monde tranquille de livres, Erik avait été celui qui connaissait tout sur le bien et le mal. Quelque part en lui, Axel l'avait toujours su. Il avait su que la lutte pour se sortir de la zone grise entre le bien et le mal affecterait plus son frère que lui-même.

Mais Erik avait lutté. Pendant soixante ans, il avait vu Axel aller et venir, il l'avait entendu parler de ses contributions au service du bien. L'avait vu se construire l'image de celui qui réparait les torts. En silence, Erik avait observé, écouté. L'avait regardé avec ses yeux doux derrière ses lunettes et l'avait laissé vivre dans son erreur. Et au fond de lui, Axel avait toujours su que c'était lui-même qu'il trompait, pas Erik.

Et maintenant il allait continuer à vivre dans ce mensonge. Il allait retourner au travail. A la chasse laborieuse qui devait se poursuivre. Il ne fallait pas réduire la cadence, car bientôt il serait trop tard, bientôt il n'y aurait plus personne en vie pour se souvenir, ni personne à châtier. Bientôt il n'y aurait que les livres d'histoire pour porter un témoignage de ce qui s'était passé.

Axel se leva et regarda la chambre encore une fois

avant de retourner dans la sienne. Il lui restait encore des bagages à faire.

Cela faisait longtemps qu'elle n'était pas allée sur la tombe de ses grands-parents maternels. La conversation qu'elle avait eue avec Axel le lui avait rappelé, et elle avait décidé de couper par le cimetière en rentrant. Erica ouvrit la grille et entendit le crépitement sous ses pieds quand elle s'engagea sur l'allée de gravier.

Elle passa d'abord devant la tombe de ses parents, à gauche de l'allée centrale. Elle s'accroupit et arracha quelques mauvaises herbes autour de la pierre tombale pour rendre le lieu net et propre. Elle se dit qu'il faudrait qu'elle revienne avec quelques fleurs. Elle fixa le nom de sa mère sur la pierre. Elsy Falck. Il y avait tant de choses qu'elle aurait voulu lui demander. S'il n'y avait pas eu l'accident de voiture quatre ans auparavant, elle aurait pu lui parler directement et elle n'aurait pas eu à avancer à tâtons pour apprendre qui elle était.

Enfant, elle avait endossé toute la culpabilité. Adulte aussi. Elle avait cru que c'était elle qui clochait, qu'elle ne convenait pas. Autrement, pourquoi sa mère ne la touchait-elle jamais ? Comment se faisait-il que sa mère ne dise jamais qu'elle l'aimait ? Longtemps elle avait eu le sentiment de ne pas être à la hauteur, de ne pas être assez bien. Certes, son père avait compensé. Tore, qui avait consacré tant de temps et d'amour à Anna et elle. Qui écoutait toujours, était toujours prêt à souffler sur un genou éraflé, et qui avait toujours les bras ouverts pour l'accueillir. Mais ce n'était pas suffisant. Pas alors que leur mère semblait à peine supporter de les regarder, et encore moins de les toucher.

C'est pourquoi l'image de sa mère jeune, qui prenait forme maintenant, la déconcertait tant. Cette fille tranquille, chaleureuse et douce, que tout le monde décrivait, comment avait-elle pu se transformer en une personne si froide, si distante, qui traitait même ses propres enfants comme des étrangers ?

Erica tendit la main et frôla le nom gravé sur la pierre.

— Qu'est-ce qui t'est arrivé, maman ? chuchota-t-elle et elle sentit sa gorge se nouer.

En se relevant un petit moment plus tard, elle était encore plus déterminée à poursuivre l'histoire de sa mère aussi loin qu'elle le pouvait. Il y avait quelque chose qui n'arrêtait pas de la narguer, quelque chose qui devait sortir à la lumière. Et quel qu'en soit le prix, elle le trouverait.

Erica jeta un dernier regard sur la stèle de ses parents, puis elle fit quelques mètres de plus jusqu'à la tombe de ses grands-parents. Elof et Hilma Moström. Elle ne les avait jamais connus. La tragédie qui avait emporté son grand-père avait eu lieu bien avant sa naissance, et sa grand-mère était décédée dix ans plus tard. Elsy n'avait jamais parlé d'eux. Mais Erica était contente de n'avoir entendu que des éloges à leur sujet durant ses recherches. C'était apparemment des gens aimables et appréciés. Elle s'accroupit de nouveau et regarda la pierre tombale comme si elle la conjurait de lui parler. Mais la pierre resta muette. Il n'y avait rien à voir. Pour trouver la vérité, il fallait qu'elle cherche ailleurs.

Elle prit la direction du foyer de l'église, pour rentrer par le raccourci. Avant d'attaquer la côte, ses yeux allèrent machinalement chercher la grande stèle à droite, grise et couverte de mousse, qui était placée un peu à l'écart, juste au pied du rocher qui délimitait le cimetière d'un côté. Elle amorça la montée, puis elle s'arrêta net. Elle recula jusqu'à se trouver en face de la grande pierre, son cœur battant à tout rompre. Des faits épars, des phrases sorties de leur contexte lui traversèrent l'esprit. Elle plissa les yeux pour s'assurer qu'elle ne se trompait pas, s'approcha de la stèle et suivit le texte avec le doigt, afin d'être sûre que son cerveau ne lui jouait pas un tour.

Puis toutes les données se mirent en place. Evidemment. Elle sut ce qui s'était passé, ou au moins en partie. Elle sortit son téléphone et composa le numéro de Patrik avec des doigts mal assurés. A son tour maintenant d'apporter sa contribution.

Ses filles venaient de lui rendre visite. Elles venaient tous les jours, ses filles bénies. Ça lui faisait chaud au cœur de les voir assises là, côte à côte. Si semblables et pourtant si différentes. Il voyait Britta en chacune d'elles. Anna-Greta avait son nez, Birgitta ses yeux et la petite dernière, Margareta, avait hérité des petites fossettes qui se dessinaient de part et d'autre de la bouche de Britta quand elle souriait.

Herman ferma les yeux pour barrer la route aux larmes. Il n'avait plus de forces pour pleurer. Mais il fut obligé de les rouvrir car, chaque fois qu'il baissait ses paupières, il voyait Britta, telle qu'elle était quand il avait enlevé l'oreiller de son visage. Il n'avait pas eu besoin de le faire pour savoir. Mais il l'avait fait quand même. Il avait voulu avoir la confirmation. Il avait voulu voir ce qu'il avait causé par un seul acte inconsidéré. Car bien sûr qu'il avait compris. A l'instant exact où il était entré dans la chambre et où il l'avait vue, immobile, l'oreiller sur le visage, il avait compris.

Quand il avait ôté l'oreiller et vu ses yeux figés, il était mort. A ce moment précis, lui aussi était mort. La seule chose qu'il avait su faire avait été de s'allonger à côté d'elle, tout près d'elle, et de la serrer dans ses bras. S'il avait pu décider, il serait encore allongé là-bas. Il aurait voulu continuer à l'étreindre pendant qu'elle refroidissait, et laisser les images gambader librement dans sa tête.

Herman fixa le plafond en accueillant les souvenirs. Des jours d'été quand ils allaient à la plage de Valö avec le bateau, les filles au milieu et Britta assise à l'avant, adossée au pare-brise, le visage tourné vers le soleil. Ses longues jambes étendues devant elle et ses cheveux blonds libres dans le dos. Il vit qu'elle ouvrait les yeux, tournait la tête vers lui et souriait de bonheur. Il lui faisait un petit signe de la main depuis la barre, la poitrine gonflée d'une sensation de richesse.

Puis son regard s'assombrit. Le souvenir de la première fois où elle lui avait parlé de l'innommable. Un après-midi morose quand les filles étaient à l'école. Elle lui avait dit de s'asseoir, elle avait quelque chose à lui dire. Son cœur avait presque cessé de battre, et sa première pensée honteuse avait été qu'elle voulait le quitter, qu'elle avait rencontré quelqu'un d'autre. C'est pourquoi il avait accueilli ce qu'elle disait presque avec soulagement. Il avait écouté. Elle avait parlé. Longuement. Et quand l'heure d'aller chercher les filles à l'école était venue, ils s'étaient mis d'accord pour ne plus en parler. Ce qui était arrivé ne pouvait pas être changé. Il ne l'avait pas regardée différemment après cela. Il ne lui avait pas parlé d'une autre manière, ses sentiments pour elle restaient les mêmes. Comment aurait-il pu faire autrement ? Comment aurait-il pu écarter les images des jours heureux qui s'écoulaient en une existence calme et les nuits merveilleuses qu'ils avaient partagées ? Ce qu'elle avait raconté ne pouvait pas se mesurer à cela. Loin de là. C'est pourquoi ils s'étaient mis d'accord pour ne plus jamais évoquer le sujet.

Mais la maladie avait changé la donne. Elle avait tout changé. Avait ravagé leur vie comme un ouragan et tout arraché avec les racines. Et il s'était laissé emporter. Il avait commis une erreur. Une seule erreur fatale. Il avait passé un coup de fil qu'il n'aurait jamais dû passer. Mais il était naïf. Il avait cru que l'heure était venue d'ouvrir les fenêtres et d'aérer pour éliminer l'odeur de pourriture. Cru qu'il suffirait de montrer combien Britta souffrait, combien elle était tourmentée par ce qui était dissimulé tout au fond de son cerveau, pour qu'il soit évident que l'heure était venue. Que c'était une erreur de lutter contre. Qu'il fallait laisser le passé ressurgir pour qu'ils aient la paix. Pour que Britta ait la paix. Bon sang, quelle naïveté ! Il aurait tout aussi bien pu placer lui-même l'oreiller sur son visage et appuyer. Il le savait. Et cette douleur était insupportable. Herman ferma les yeux pour essayer de lui faire barrage, et cette fois il n'eut pas à affronter les yeux morts de Britta derrière ses paupières. Au lieu de cela, il la vit dans le lit à la maternité. Pâle et fatiguée, mais heureuse. Avec Anna-Greta dans les bras. Elle leva la main et lui fit un signe. L'invita à les rejoindre.

Avec un dernier soupir, il lâcha prise et partit vers elles en souriant.

Patrik fixait le vide devant lui. Se pouvait-il qu'Erica ait raison ? Ça paraissait complètement farfelu, et pourtant… logique. Il soupira, bien conscient de la tâche difficile qui l'attendait.

— Viens, la puce, on va faire une petite excursion. Et on va récupérer maman en chemin, dit-il et il prit Maja sur le bras.

Peu après, il freina devant la grille du cimetière où Erica attendait en piaffant d'impatience. Patrik commençait à ressentir la même excitation et il dut faire un effort pour ne pas appuyer trop fort sur l'accélérateur quand ils prirent la direction de Tanumshede. En temps normal, il était un conducteur assez négligent, mais quand Maja était dans la voiture il faisait extrêmement attention.

— C'est moi qui parle, d'accord? dit Patrik quand il se fut garé devant le commissariat. Tu viens avec moi seulement parce que je n'ai pas envie d'argumenter avec toi là-dessus, et je sais d'ailleurs que j'aurais peu de chances de gagner. Mais il s'agit de mon chef et je suis celui qui a déjà fait ce genre de chose. Compris?

Erica hocha la tête à contrecœur, tout en sortant Maja de la voiture.

— Tu ne veux pas qu'on passe chez maman voir si elle peut la garder? J'ai cru comprendre que tu n'aimes pas qu'elle vienne au commissariat…, la taquina Patrik.

Il reçut un coup d'œil furieux en retour.

— Tu sais très bien que je veux que ceci soit fait le plus vite possible. Et elle ne semble pas avoir pâti de son dernier passage ici, dit-elle avec un clin d'œil.

— Tiens, qu'est-ce que vous faites là? dit Annika, surprise, et elle s'illumina lorsque Maja lui adressa un grand sourire de reconnaissance.

— Il faut qu'on parle avec Bertil, dit Patrik. Il est là?

— Oui, il est dans son bureau, répondit Annika en les faisant entrer.

Patrik mit tout de suite le cap sur le bureau de Mellberg, suivi d'Erica, qui portait Maja dans ses bras.

— Hedström ? Qu'est-ce que tu fous là ? Et tu as amené toute la famille ? maugréa Mellberg sans se lever pour dire bonjour.

— Il y a une chose dont on doit te parler, dit Patrik et il alla directement s'asseoir en face de Mellberg.

Maja venait d'apercevoir Ernst, son visage s'illumina.

— Il est habitué aux enfants ?

Erica hésitait à poser sa fille qui se débattait pour descendre.

— Comment veux-tu que je le sache ? fit Mellberg, puis il changea de ton. C'est le chien le plus gentil au monde. Il ne ferait pas de mal à une mouche.

Sa voix trahissait une certaine fierté. Amusé, Patrik leva un sourcil. Visiblement, quelqu'un s'était fait avoir en beauté.

Toujours un peu sur la réserve, Erica posa sa fille à côté d'Ernst, qui se mit à lui lécher la figure avec enthousiasme. Maja était ravie et effrayée à la fois.

— Bon, qu'est-ce que tu veux ? demanda Mellberg en dévisageant Patrik, non sans une certaine curiosité.

— Je veux que tu fasses une demande d'exhumation.

Mellberg toussa comme s'il avait avalé de travers, et il devint tout rouge pendant qu'il cherchait sa respiration.

— Une exhumation ! Tu es complètement fou, ma parole ! réussit-il finalement à articuler. C'est cette histoire de congé paternité qui t'est montée au cerveau, ou quoi ? Les exhumations, c'est extrêmement rare, est-ce que tu le sais ? Et nous ici, on en a déjà eu deux ces dernières années. Si j'en demande encore une, ils vont me déclarer cinglé et m'interner chez les fous ! Et d'ailleurs qui est-ce que tu veux sortir de la tombe cette fois ?

— Un résistant norvégien qui a disparu en 1945, dit Erica calmement, accroupie en train de gratter Ernst derrière l'oreille.

— Pardon ?

Mellberg la regarda bêtement. Il semblait se demander s'il avait bien entendu.

Patiemment, Erica raconta tout ce qu'elle avait trouvé sur les quatre camarades et le Norvégien qui était arrivé à Fjällbacka un an avant la fin de la guerre. Elle parla de sa disparition en juin 1945 sans laisser de traces et du fait qu'ils n'avaient pas encore réussi à le retrouver.

— Mais il est peut-être resté en Suède ? Ou il est retourné en Norvège ? Tu as vérifié avec les autorités sur place ? dit Mellberg d'un air sceptique.

Erica se releva et s'assit dans le deuxième fauteuil. Elle fixa Mellberg comme si par la force de sa volonté elle voulait l'exhorter à la prendre au sérieux. Puis elle raconta ce que Herman lui avait dit. Que Paul Heckel et Friedrich Hück pourraient permettre de savoir ce qu'était devenu Hans Olavsen. — Je trouvais ces noms vaguement familiers, mais je n'avais aucune idée d'où je les avais entendus. Jusqu'à aujourd'hui. Je suis allée au cimetière sur les tombes de mes parents et grands-parents. Et alors je l'ai vue.

— Qui ça ? demanda Mellberg, déconcerté.

— J'y viens, si tu me laisses continuer.

— Oui, oui, continue, dit Mellberg dont l'intérêt commençait malgré lui à s'éveiller.

— Il y a une tombe un peu particulière au cimetière de Fjällbacka. Elle date de la Première Guerre mondiale, dix soldats allemands y sont enterrés, sept qui sont identifiés et dont on connaît les noms, et trois qui sont inconnus.

— Tu as oublié de parler des griffonnages.

Patrik s'était résigné et avait laissé sa femme argumenter. Un homme digne de ce nom sait quand il faut céder la place.

— Ah oui, c'est un autre morceau du puzzle.

Erica parla des gribouillis qu'elle avait vus en examinant les photographies du lieu du crime, des mots qu'elle avait distingués, *Ignoto militi*.

— Comment ça se fait que tu aies eu accès à ces photos ? dit Mellberg avec un regard furieux en direction de Patrik.

— On réglera ça plus tard, dit Patrik, pour l'instant, contente-toi de l'écouter, s'il te plaît.

Mellberg grogna mais laissa tomber. Il dit à Erica de poursuivre.

— Il avait écrit ces mots sur un bloc-notes, plusieurs fois, et j'en ai vérifié le sens. Ça veut dire "Au soldat inconnu". Mellberg ne semblait toujours pas percuter, alors Erica poursuivit en faisant de grands gestes : Tout ça est resté dans un coin de ma tête. Nous avons un résistant norvégien qui disparaît en 1945, personne ne sait ce qu'il devient. Nous avons des griffonnages d'Erik au sujet du soldat inconnu. Britta divaguait à propos de "vieux os", puis nous avons les noms que Herman m'a fournis. Et là où je veux en venir, c'est que tout à l'heure, quand je passais devant cette tombe dans le cimetière de Fjällbacka, j'ai compris pourquoi ces noms me paraissaient familiers. Ils sont gravés sur la stèle.

Erica fit une pause pour chercher sa respiration. Mellberg la fixa, bouche bée.

— Donc, Paul Heckel et Friedrich Hück sont les noms de deux Allemands qui sont enterrés dans une tombe datant de la Première Guerre mondiale, au cimetière de Fjällbacka ?

— Oui.

Erica se demanda si elle devait continuer, mais Mellberg la devança.

— Alors ce que tu dis, c'est que…

Elle respira à fond et lança un regard à Patrik avant de continuer.

— Ce que je dis, c'est que tout porte à croire qu'il y a un cadavre supplémentaire dans la tombe. Je crois que le résistant norvégien Hans Olavsen y est enterré. Je ne sais pas comment, mais je pense que c'est la clé des meurtres d'Erik et de Britta.

Le silence était total. Personne ne parla, les seuls bruits dans le bureau de Mellberg étaient ceux de Maja et Ernst qui jouaient ensemble. Puis Patrik dit à voix basse :

— Je sais que ça paraît extravagant. Mais j'ai discuté avec Erica, et ce qu'elle dit a du sens. Je n'ai pas de preuves concrètes à apporter, mais il y a suffisamment d'indices. Et il y a aussi tout à parier qu'Erica a raison, que les deux meurtres ont un lien avec ça. Je ne sais pas comment, et je ne sais pas pourquoi. Mais la première chose à faire, c'est de vérifier s'il y a réellement un homme de trop dans la tombe et dans ce cas de trouver comment il est mort et comment il s'est retrouvé là.

Mellberg ne répondit pas. Il croisa les mains et réfléchit en silence. Puis il lâcha un gros soupir.

— Je suppose que je suis complètement fou. Mais je crois que vous pouvez avoir raison. Je ne garantis pas que je vais réussir, je viens de le dire, on détient une sorte de record ici, et le procureur va probablement sauter au plafond. Mais je peux essayer. C'est tout ce que je peux promettre.

— C'est tout ce qu'on demande, dit Erica, tout excitée, et elle eut l'air de vouloir se jeter au cou de Mellberg.

— Allons, on se calme. Je ne pense pas que ça va marcher. Mais je vais essayer. Et pour ça, il faut me ficher la paix.

— On s'en va, tout de suite, dit Patrik en se levant. Tiens-nous au courant dès que tu auras une réponse.

Mellberg ne répondit pas, il leur fit seulement signe de partir pendant qu'il prenait le combiné du téléphone pour entamer la campagne de persuasion sans doute la plus ardue de sa carrière.

FJÄLLBACKA 1945

Cela faisait six mois qu'il vivait chez eux, et trois mois qu'ils savaient qu'ils s'aimaient, lorsque la catastrophe frappa. Elsy était en train d'arroser les plantes de sa mère dans la véranda quand elle les vit monter l'escalier. A l'instant même où elle aperçut leurs visages sérieux, elle comprit. Sa mère faisait la vaisselle dans la cuisine, et elle voulut se précipiter et l'emmener ailleurs, au loin, avant qu'elle apprenne l'insupportable. Mais elle savait que ça ne servirait à rien. Au lieu de cela, elle alla sur des jambes engourdies ouvrir la porte aux trois hommes, tous des pêcheurs, et elle les fit entrer.

— Est-ce que Hilma est là ? dit le plus âgé, qu'elle savait être le capitaine.

Elle fit oui de la tête et leur montra le chemin. Ils la précédèrent dans la cuisine et, quand Hilma se retourna et les vit, elle laissa tomber l'assiette qui alla se briser en mille morceaux par terre.

— Non, non, oh mon Dieu, non ! dit-elle.

Elsy eut juste le temps de se précipiter et d'attraper sa mère avant qu'elle ne tombe. Elle la fit s'asseoir et la tint serrée dans ses bras, alors qu'elle avait l'impression que son cœur allait lui être arraché. Les trois pêcheurs se tenaient, embarrassés, devant la table en tripotant leurs bonnets, puis le capitaine finit par prendre la parole.

— C'était une mine, Hilma. On a tout vu depuis notre bateau, et on s'est dépêchés. Mais… il n'y avait rien à faire.

— Oh, mon Dieu, répéta Hilma en cherchant sa respiration. Et tous les autres…

Elsy s'émerveilla d'entendre sa mère s'inquiéter des autres à un instant comme celui-ci, mais ensuite elle pensa, elle aussi, à l'équipage de son père. Les hommes qu'elles connaissaient si bien et dont les familles allaient recevoir ce même message.

— Aucun n'a survécu, dit le capitaine en déglutissant. Il ne restait que des débris du bateau. On a cherché pendant un bon moment, mais on n'a trouvé que le jeune Oscarsson. Il était déjà mort quand on l'a hissé à bord.

Les larmes inondaient maintenant le visage de Hilma et elle se mordit les jointures des doigts pour ne pas crier. Elsy ravala ses pleurs et essaya d'être forte. Comment mère allait-elle survivre à ceci ? Comment allait-elle survivre elle-même ? Père, si bon, si gentil. Toujours prêt à dire un mot aimable et à donner un coup de main. Comment est-ce qu'elles allaient s'en sortir sans lui ?

Un coup discret frappé à la porte les interrompit, et l'un des messagers alla ouvrir. Hans entra dans la cuisine, le visage gris.

— J'ai vu… les hommes qui sont venus. J'ai pensé… Que… ?

Il baissa les yeux. Il avait peur de déranger, Elsy le comprit, mais elle lui était reconnaissante de sa venue.

— Le bateau de père a sauté sur une mine, dit-elle d'une voix épaisse. Personne ne s'en est sorti.

Hans tangua. Puis il se dirigea vers l'armoire où Elof conservait les boissons alcoolisées et se mit à verser de l'eau-de-vie dans six verres qu'il posa sur la table.

— Je pense qu'on a tous besoin d'un fortifiant, dit-il dans son norvégien chantant, qui tendait de plus en plus vers le suédois au fur et à mesure de son séjour chez eux.

Tous, sauf Hilma, furent heureux de l'initiative. Elsy prit doucement un verre et le plaça devant sa mère.

— Allez, prends ça, maman.

Hilma obéit à sa fille et leva le verre d'une main tremblante, puis elle avala l'alcool avec une grimace. Elsy envoya un regard de gratitude à l'adresse de Hans. C'était bon de ne pas se sentir seule en cet instant.

De nouveau, on frappa à la porte. Hans alla ouvrir. C'étaient les femmes qui arrivaient. Celles qui vivaient sous la menace de perdre leur mari en mer. Qui comprenaient ce que Hilma traversait, qui savaient qu'elle aurait besoin d'être entourée. Elles apportaient de la nourriture, des mains habiles et des mots de consolation disant que c'est Dieu qui décide. Et ça fit du bien. Pas beaucoup, mais elles savaient toutes qu'un jour elles auraient peut-être besoin du même réconfort et elles faisaient de leur mieux pour calmer la souffrance d'une sœur qui était frappée.

La douleur martelant son cœur, Elsy fit un pas en arrière et vit les femmes s'agglutiner autour de Hilma, tandis que les hommes qui étaient venus délivrer le message s'inclinaient tristement et partaient pour continuer leur sinistre mission.

La nuit venue, Hilma s'était endormie d'épuisement. Elsy était allongée dans son lit, fixant le plafond, incapable d'assimiler ce qui était arrivé. Elle se remémora le visage de son père. Il avait toujours été là pour elle. L'avait écoutée, lui avait parlé. Il tenait à elle comme à la prunelle de ses yeux. Elle l'avait toujours su. Pour lui, elle comptait plus que tout. Et elle savait qu'il avait compris que quelque chose se tramait entre elle et le garçon norvégien qu'il appréciait de plus en plus. Mais il les avait laissés tranquilles. Avait gardé un œil sur eux, tout en leur donnant son consentement silencieux. Il avait peut-être espéré qu'un jour Hans deviendrait son gendre. Elsy se dit qu'il n'aurait sûrement rien eu contre. Et Hans et elle les avaient respectés. Ils s'étaient contentés de baisers volés et d'étreintes furtives, ils n'avaient rien fait qui les aurait empêchés de regarder ses parents droit dans les yeux.

Mais à présent, allongée dans son lit et fixant le plafond, ça n'avait plus d'importance. La douleur était si grande qu'elle ne pouvait la supporter seule, et elle posa doucement ses pieds par terre. Il y avait encore quelque chose en elle qui hésitait, mais le mal lui déchirait la poitrine et la poussa à chercher le seul soulagement à sa disposition.

Elle se faufila en bas de l'escalier. Jeta un coup d'œil sur sa mère en passant devant sa chambre. Elle eut un coup au cœur en voyant combien elle était petite dans son lit. Mais au moins dormait-elle lourdement. Au moins obtenait-elle un moment de répit.

La porte d'entrée grinça un peu quand elle tourna la clé pour l'ouvrir. Elle sortit sur le perron en chemise de nuit et l'air froid de la nuit lui coupa le souffle. Elle sentit cruellement les marches glaciales de l'escalier en pierre sous ses pieds, mais elle descendit rapidement et se retrouva à s'interroger devant sa porte. Son hésitation ne dura cependant qu'un court moment. La souffrance la poussa à chercher du réconfort.

Il ouvrit tout de suite. Fit un pas de côté et la laissa entrer sans un mot. Elle se tint là, en chemise de nuit, le regard accroché au sien, muette. Les yeux de Hans posèrent une question silencieuse, et elle répondit en prenant sa main.

Pendant quelques brefs instants bénis cette nuit-là, elle put oublier la douleur qui lui déchirait le cœur.

Kjell se sentit étrangement bouleversé après la rencontre avec son père. Durant toutes ces années, il avait réussi à maintenir un statu quo, à entretenir la haine. Ça avait été si facile de ne voir que les aspects négatifs, de se concentrer sur toutes les erreurs que Frans avait commises tout au long de la jeunesse de Kjell. Mais les choses n'étaient peut-être pas que noires ou blanches. Il se secoua pour essayer de chasser cette idée. C'était tellement plus facile de ne pas voir d'entre-deux, juste le bien ou le mal. Mais aujourd'hui Frans avait paru si vieux et fragile. Et pour la première fois, Kjell comprenait que son père n'allait pas vivre éternellement, il ne serait pas toujours là comme un symbole de sa haine. Un jour, il partirait, et alors Kjell serait obligé de se regarder dans la glace. Au fond de lui il savait que, si sa haine brûlait aussi fort, c'était parce qu'il avait encore la possibilité de tendre la main, de faire le premier pas de réconciliation. Il ne voulait pas le faire. Il n'avait aucune envie de le faire. Mais la possibilité existait, et cela lui avait toujours conféré un sentiment de pouvoir. Mais le jour où son père aurait disparu, il serait trop tard. Alors ne resterait qu'une vie remplie de haine. Rien d'autre.

Sa main tremblait un peu quand il prit le téléphone pour passer quelques coups de fil. Certes, Erica avait dit qu'elle se chargeait de vérifier auprès des autorités, mais il n'avait pas l'habitude de se reposer sur quelqu'un d'autre. Autant vérifier lui-même. Mais une heure et cinq communications plus tard, tant en Suède qu'en Norvège, il fut obligé de constater que ses recherches n'avaient pas donné de résultat concret. Le fait de n'avoir qu'un nom et un âge approximatif ne facilitait pas les choses, mais il y avait d'autres moyens. Toutes les possibilités n'étaient pas encore épuisées, et il avait réussi à obtenir des données suffisamment fiables pour penser que le Norvégien avait effectivement quitté la Suède. Alors ne restait que l'hypothèse la plus probable, qu'il soit retourné dans son pays à la fin de la guerre, quand tout danger était écarté.

Il tendit la main pour prendre le dossier avec les articles et réalisa soudain qu'il avait oublié de faxer la photo de Hans Olavsen à Eskil Halvorsen. Il l'appela de nouveau et lui demanda un numéro de fax.

— Je n'ai malheureusement toujours rien trouvé, dit Halvorsen.

Kjell s'empressa de préciser que ce n'était pas la raison de son appel.

— C'est vrai, une photo pourrait m'aider. Tu peux la faxer à mon bureau à l'université, dit Halvorsen et il lui donna le numéro.

Kjell envoya une copie de l'article qui présentait la photo la plus nette de Hans Olavsen, puis il s'installa de nouveau devant son bureau. Il espérait qu'Erica, de son côté, trouverait quelque chose. Pour sa part, il se sentait enlisé.

Il était plongé dans ses réflexions lorsque le téléphone sonna.

— C'est pépé! cria Per en direction du salon et Carina arriva dans le vestibule.

— Je peux entrer un instant? demanda Frans.

Carina nota qu'il n'était pas le même et ça l'inquiéta. Elle n'avait jamais nourri de sentiments spécialement chaleureux à l'égard du père de Kjell, mais ce qu'il avait fait pour Per et elle lui avait assuré une place dans son cœur.

— Bien sûr, entre, dit-elle et elle le précéda dans la cuisine. Se rendant compte qu'il l'examinait de près, elle répondit à sa question muette : Pas une goutte depuis ton dernier passage. Per peut le certifier.

Per hocha la tête et s'assit en face de Frans. Le regard qu'il adressa à son grand-père frisait l'adoration.

— Ça y est, tu commences à avoir un peu de poils sur le caillou, plaisanta Frans en tapotant les cheveux ras de son petit-fils.

— Bah, dit Per gêné, puis il passa lui-même la main sur sa tête d'un air satisfait.

— C'est bien, dit Frans. C'est bien.

Carina lui lança un regard d'avertissement pendant qu'elle remplissait le filtre de café, et il hocha la tête pour lui signifier qu'il avait compris. Il n'allait pas discuter de ses opinions politiques avec Per.

Quand le café fut prêt et Carina assise à table avec eux, elle nota de nouveau combien il paraissait fatigué. Même si à son avis il utilisait mal ses forces, il avait toujours été l'archétype de la puissance pour elle. Aujourd'hui, il n'était que l'ombre de lui-même.

— J'ai ouvert un compte au nom de Per, finit par dire Frans, mais il ne les regardait toujours pas. Il y aura accès à ses vingt-cinq ans, et j'y ai déjà versé une certaine somme.

— D'où… ? commença Carina, mais Frans l'arrêta d'un geste de la main et continua :

— Pour des raisons que je ne vais pas aborder, l'argent ne se trouve pas dans une banque suédoise, mais sur un compte au Luxembourg.

Carina leva un sourcil mais elle n'était pas spécialement surprise. Kjell avait toujours soutenu que son père avait de l'argent caché quelque part, provenant des activités criminelles qui l'avaient tant de fois envoyé en prison.

— Mais pourquoi… maintenant ? demanda-t-elle en le regardant.

Au début Frans ne sembla pas vouloir répondre, puis il dit :

— Si quelque chose m'arrive, je tiens à ce que ce soit fait.

Carina se tut. Elle ne voulut pas en savoir davantage.

— Cool, dit Per et il regarda son grand-père avec admiration. Combien de thunes tu me donnes ?

— Mais Per !

Carina darda les yeux sur son fils, qui se contenta de hausser les épaules.

— Beaucoup d'argent, dit Frans sèchement sans préciser. Mais même si le compte est à ton nom, j'ai ajouté une clause conditionnelle. D'une part tu n'y auras accès que lorsque tu auras vingt-cinq ans, d'autre part j'ai spécifié que tu n'y auras accès que si ta mère t'estime suffisamment mûr pour gérer cet argent et qu'elle donne son autorisation. Et c'est valable aussi après tes vingt-cinq ans. Donc, si elle juge que tu n'es pas assez futé pour les utiliser à quelque chose de sensé, tu n'en auras pas un centime. Compris ?

Per marmonna quelque chose, mais il accepta les paroles de Frans sans protester.

Carina ne sut pas quelle attitude adopter. Quelque chose dans l'intonation de Frans, quelque chose dans sa voix l'alarma. Mais en même temps elle ressentit une énorme gratitude envers lui, pour Per. La provenance de l'argent, elle s'en fichait. Il ne manquait à personne depuis longtemps et, si ça pouvait aider Per dans l'avenir, elle n'allait certainement pas s'y opposer.

— Qu'est-ce que je fais pour Kjell ? dit-elle.

Frans leva la tête et la regarda fixement.

— Kjell ne doit rien savoir de ça, pas avant le jour où Per touchera l'argent. Promets-moi de ne rien lui dire ! Et toi non plus, Per ! Il se tourna vers son petit-fils et posa sur lui le même regard intense : C'est ma seule exigence. Que ton père ne le sache pas avant de se trouver devant le fait accompli.

— Oui, non, papa n'a pas besoin de l'apprendre, dit Per et il parut plutôt ravi de garder un secret face à son père.

Frans ajouta sur un ton un peu plus calme :

— Je sais que tu auras une sanction pénale sous une forme ou une autre pour ton entreprise stupide de l'autre semaine. Et maintenant tu m'écoutes bien.

Il obligea Per à croiser son regard.

— Tu accepteras ta peine, ils vont sans doute t'envoyer en centre de rééducation. Tu te tiens à l'écart des voyous, tu évites les combines de façon générale, tu purges ta peine sans poser de problèmes, et ensuite tu arrêtes les conneries. Tu m'entends ?

Il parlait lentement et distinctement et, chaque fois que Per avait l'air de vouloir laisser errer ses yeux, Frans le forçait à le regarder.

— Tu ne veux pas avoir une vie comme la mienne, crois-moi. Ma vie a été de la merde, du début à la fin.

La seule chose qui a eu de l'importance pour moi, ce sont toi et ton père, même si lui ne le croirait jamais. Mais c'est la vérité. Alors promets-moi de ne pas faire de conneries. Promets-le-moi !

— Oui, oui, dit Per en se tortillant, mais il écoutait manifestement et enregistrait les paroles.

Frans espérait que ce serait suffisant. Il savait d'expérience combien il était difficile de quitter une voie une fois qu'on s'y était engagé. Mais avec un peu de chance, il s'était fait entendre et son discours inciterait son petit-fils à emprunter un autre chemin. C'était tout ce qu'il pouvait faire pour l'instant. Il se leva.

— Voilà ce que j'avais à vous dire. Tout ce que tu as besoin de savoir pour avoir accès à l'argent se trouve ici.

Il posa un papier devant Carina.

— Tu ne veux pas rester un peu plus ? dit-elle et elle ressentit de nouveau une pointe d'inquiétude.

Frans secoua la tête.

— J'ai des choses à faire. Il se dirigea vers la porte avant de se retourner. Il hésita un instant, puis il dit : Prenez soin de vous.

Il agita la main en signe d'au revoir avant de sortir. Carina et Per restèrent dans la cuisine. Sans rien dire. Tous deux savaient reconnaître un adieu.

— Ça commence à devenir une sorte de tradition, constata Torbjörn Ruud sans états d'âme.

Il contemplait le travail macabre qui se déroulait, avec Patrik à ses côtés. Anna s'était proposée comme baby-sitter, si bien qu'Erica aussi était là. Elle assistait à l'exhumation sans réussir à dissimuler son excitation.

— Ça n'a pas dû être facile pour Mellberg d'obtenir l'autorisation, dit Patrik en faisant un éloge très inhabituel de son chef.

— D'après ce que j'ai entendu, le mec du ministère public a gueulé pendant dix bonnes minutes au téléphone, dit Torbjörn sans quitter du regard la tombe qu'on était en train d'ouvrir.

— Tu penses qu'il sera nécessaire de les déterrer tous ? demanda Patrik avec un frisson.

— Si vous avez raison, le gars que vous cherchez devrait se trouver en haut, dit Torbjörn en secouant la tête. J'ai du mal à croire que quelqu'un se serait donné la peine de l'enfouir sous les autres, ironisat-il. Il n'est probablement pas non plus dans un cercueil. Ses vêtements pourront nous indiquer si nous sommes sur la bonne piste.

— Quand est-ce qu'on peut compter sur un rapport préliminaire pour connaître la cause du décès ? dit Erica. Si on le trouve, ajouta-t-elle, mais elle était convaincue que l'exhumation allait lui donner raison.

— On m'a promis qu'on l'aurait après-demain, dit Patrik. J'ai eu Pedersen au téléphone ce matin, ils vont l'inscrire en tête de liste. Il pourra commencer le travail demain et nous fournir un résultat dès vendredi. Un résultat préliminaire, il insistait là-dessus. Mais j'imagine que nous saurons la cause du décès quoi qu'il en soit.

Il fut interrompu par un cri près de la tombe, et ils s'avancèrent.

— On a trouvé quelque chose, dit un des techniciens, et Torbjörn le rejoignit.

Ils discutèrent un moment à voix basse, puis Torbjörn revint près de Patrik et d'Erica, qui n'avaient pas osé s'approcher jusqu'au bord.

— On dirait qu'il y a un corps enterré assez près de la surface, un corps qui n'est pas dans un cercueil. On va y aller plus doucement à partir de maintenant pour ne pas détruire d'indices. Ça prendra un petit moment de le sortir de là. Il hésita : Mais tout indique que tu avais raison.

Erica poussa un soupir de soulagement. Elle vit Kjell Ringholm arriver vers eux et se faire arrêter par Martin et Gösta, qui étaient chargés de barrer la route aux curieux. Elle alla à sa rencontre.

— C'est bon, c'est moi qui l'ai informé de ce qui se passe ici.

— Pas de presse, et personne de l'extérieur, Mellberg a été très formel, marmonna Gösta et il posa sa main sur la poitrine de Kjell pour l'empêcher d'avancer.

— Ça va, dit Patrik qui venait de les rejoindre. J'en prends la responsabilité.

Il regarda sévèrement Erica pour lui signifier qu'elle était maintenant responsable des conséquences éventuelles. Elle lui fit un signe de la tête et emmena Kjell près de la tombe.

— Ils ont trouvé quelque chose ? dit-il et ses yeux scintillèrent d'excitation.

— On dirait. Je pense qu'on a trouvé Hans Olavsen, dit-elle et elle contempla les hommes qui étaient en train de dégager un paquet indéfinissable dans un trou d'à peine cinquante centimètres de profondeur.

— Il n'a donc jamais quitté Fjällbacka, dit Kjell dans un souffle, incapable lui aussi de quitter la scène des yeux.

— Effectivement. Mais on peut se demander comment il s'est retrouvé là.

— Erik et Britta savaient en tout cas qu'il y était.

— Oui, et ils ont tous les deux été assassinés.

Erica secoua la tête comme pour aider tous les détails à se remettre à leur place.

— Mais ça fait soixante ans qu'il repose ici. Pourquoi maintenant ? Qu'est-ce qui l'a subitement rendu si important ? dit Kjell pensivement.

— Tu n'as rien pu tirer de ton père ?

— Rien. Et je ne saurais dire si c'est parce qu'il ne sait rien ou parce qu'il ne veut rien révéler.

— Tu penses qu'il a pu… ?

Erica n'osa pas terminer sa phrase, mais Kjell comprit ce qu'elle voulait dire.

— Je pense que mon père est capable de n'importe quoi, c'est la seule certitude que j'ai.

— De quoi vous parlez ? demanda Patrik.

— On discute de la possibilité que ce soit mon père qui ait commis les meurtres, dit Kjell calmement.

Patrik sursauta devant son franc-parler.

— Et vous êtes arrivés à une conclusion ? Nous avons aussi eu certains soupçons, mais apparemment ton père a un alibi pour le meurtre d'Erik.

— Je l'ignorais, dit Kjell. J'espère que vous avez vérifié et revérifié ses dires, parce que j'ai du mal à croire que ce soit une mission impossible pour un taulard invétéré comme lui de se fabriquer un alibi.

Patrik réalisa qu'il avait raison et nota mentalement de demander à Martin s'il avait examiné l'alibi de Frans sous toutes les coutures.

Torbjörn vint les voir et hocha la tête vers Kjell en le reconnaissant.

— Tiens donc, le troisième pouvoir a été autorisé à assister ?

— J'ai un intérêt personnel dans cette affaire, dit Kjell.

Torbjörn haussa les épaules. Si la police autorisait un journaliste à être présent, ce n'était pas son problème.

— Nous aurons fini d'ici une heure environ. Et je sais que Pedersen se tient prêt à attaquer tout de suite. On va s'occuper de sortir le gars de là, et on verra bien ce qu'il cache comme secrets.

Il leur tourna le dos et retourna près de la tombe.

— Oui, j'ai hâte de voir quels secrets il cache, dit Erica doucement en contemplant la tombe.

Patrik posa son bras autour de ses épaules.

FJÄLLBACKA 1945

Les mois suivant la mort de son père furent confus et douloureux. Sa mère continua à accomplir ses tâches quotidiennes, à remplir ses devoirs. Mais quelque chose manquait. Elof avait emporté avec lui une partie de Hilma, et Elsy ne la reconnaissait plus. D'une certaine façon, elle n'avait pas seulement perdu son père mais aussi sa mère. La seule chose qui la rassurait désormais, c'était les nuits qu'elle partageait avec Hans. Chaque soir elle se faufilait dans sa chambre et se glissait dans ses bras. Elle savait que ce n'était pas bien. Elle savait qu'elle pourrait être dépassée par les conséquences. Mais comment agir autrement ? Quand elle était allongée contre lui sous la couverture, sur son bras, quand elle sentait sa main qui caressait sa tête, le monde redevenait entier. Quand ils s'embrassaient et que se répandait en elle la chaleur intense qu'elle connaissait bien désormais mais qui la surprenait toujours, elle n'arrivait pas à comprendre pourquoi ce serait mal. Pourquoi ce serait mal d'aimer dans un monde qui à tout moment pouvait sauter sur une mine.

Hans avait été une bénédiction quotidienne pour sa mère et elle. L'argent était devenu un grand souci maintenant que son père était mort, et seules les journées supplémentaires que Hans prenait sur le bateau leur permettaient de tenir. Il leur donnait chaque sou qu'il gagnait. Parfois Elsy se demandait si sa mère ne savait pas qu'elle le rejoignait la nuit et fermait les yeux parce qu'elle n'avait pas les moyens de faire autrement.

Elsy se frotta le ventre. Elle entendit la respiration calme de Hans à côté d'elle dans le lit. Cela faisait plus d'une semaine qu'elle avait réalisé qu'elle était enceinte. C'était inévitable, mais elle n'avait pas voulu voir le risque. Malgré sa situation, un grand calme s'était installé en elle. Elle portait l'enfant de Hans. Cela changeait tout ce qu'elle savait sur la honte et les conséquences. Il n'y avait personne au monde en qui elle avait plus confiance que lui. Elle ne lui avait toujours rien dit mais, au fond d'elle, elle savait qu'elle ne craignait rien. Il s'en réjouirait. Ils étaient deux, et ensemble ils réussiraient bien à se débrouiller.

Elle ferma les yeux et laissa sa main reposer sur son ventre. Quelque part là-dedans se trouvait une petite chose créée par l'amour qui existait entre Hans et elle. Comment est-ce que cela pouvait être mal ? Comment leur enfant, à Hans et elle, pouvait-il être mal ?

Elsy s'endormit, la main sur le ventre et un petit sourire sur les lèvres.

L'exaltation était à son comble au commissariat depuis l'exhumation de la veille. Mellberg se pavanait évidemment et s'appropriait toute la gloire de la découverte, mais personne ne prêtait spécialement attention à lui.

Martin non plus ne parvint pas à dissimuler son excitation. Même les yeux de Gösta s'étaient animés lorsqu'ils surveillaient les cordons de sécurité au cimetière. Comme les autres, il avait commencé à élaborer différentes théories sur ce qui s'était passé. Ils n'avaient pas encore beaucoup de données, et ils ne savaient pas comment tout cela se tenait, mais ils sentaient très fortement que la trouvaille de la veille représentait une percée et que la solution n'était pas loin.

Un coup frappé à la porte tira Martin de ses réflexions.

— Je te dérange ? demanda Paula.

— Non, pas du tout, entre.

— Qu'est-ce que tu en penses ?

— Je ne sais pas encore. Mais j'ai hâte d'entendre le rapport de Pedersen.

— Tu crois qu'il a été tué ? dit Paula.

Ses yeux marron scintillaient de curiosité.

— Pourquoi cacher le corps sinon ?

Paula hocha la tête. Elle était déjà arrivée à la même conclusion.

— Mais la question est de savoir pourquoi c'est devenu important maintenant. Soixante ans plus tard. Je veux dire, il faut qu'on parte de l'idée que les meurtres de Britta et d'Erik sont reliés au meurtre "éventuel" de ce mec. Mais pourquoi maintenant ? Qu'est-ce qui l'a déclenché ?

— Je ne sais pas, soupira Martin. Il faut espérer que l'autopsie nous fournira des éléments concrets.

— Et si ce n'est pas le cas ? dit Paula en laissant libre cours à la pensée interdite qui de temps en temps avait aussi frappé Martin.

— Chaque chose en son temps, répondit-il à voix basse.

— Ah oui, tiens, dit Paula et elle changea de sujet. Avec tout ce remue-ménage, on a oublié de faire les prélèvements d'ADN. Le résultat des analyses devait arriver aujourd'hui, non ? Il ne servira à rien si on n'a rien pour comparer.

— Tu as raison, dit Martin et il se leva vivement. On va s'en occuper tout de suite.

— On commence par qui ? Axel ou Frans ? Parce que je suppose que ce sont ces deux-là qui nous intéressent en premier lieu ?

— On commence par Frans, dit Martin en enfilant sa veste.

Grebbestad était aussi désert que Fjällbacka après la saison estivale, ils ne virent que quelques rares autochtones en traversant la ville. Martin se gara dans le petit emplacement devant le restaurant *Telegrafen*, puis ils montèrent sonner chez Frans. Personne ne vint ouvrir.

— Merde, il n'est pas là, il faudra qu'on revienne plus tard. Et qu'on appelle avant, dit Martin.

Il se retourna pour regagner la voiture.

— Attends un peu, dit Paula et elle leva la main pour l'arrêter. C'est ouvert.

— Mais on ne peut…, protesta Martin, mais trop tard, sa collègue était déjà entrée dans l'appartement.

— Bonjour ! l'entendit-il appeler sans recevoir de réponse.

Il la suivit de mauvaise grâce. Ils traversèrent doucement le vestibule, jetèrent un regard dans la cuisine et dans le salon. Frans n'était pas là. Tout était silencieux.

— Viens, on va vérifier la chambre aussi, dit Paula mais Martin hésita. Allez, viens, dit-elle encore et il la suivit en soupirant.

La chambre aussi était vide, le lit soigneusement fait et il n'y avait pas de Frans en vue.

— Ohé ? appela Paula quand ils furent de retour dans le vestibule.

Silence. Ils s'approchèrent lentement de la seule pièce qu'ils n'avaient pas encore examinée et ouvrirent la porte.

Ils le virent tout de suite. La pièce était un petit cabinet de travail et Frans était tombé en avant sur le bureau, le pistolet toujours dans sa bouche, un trou béant à l'arrière de la tête. Martin devint blême, il tangua un instant et dut avaler plusieurs fois pour reprendre ses esprits. Paula en revanche eut l'air totalement impassible. Elle força Martin à regarder Frans bien qu'il eût préféré l'éviter et elle dit calmement :

— Regarde ses bras.

Des vagues de nausées l'inondèrent et il eut un goût acide dans la bouche quand il s'obligea à regarder les avant-bras de Frans. Il tressaillit. Il n'y avait aucun doute. Les bras de Frans présentaient de profondes griffures.

Un étrange mélange d'enjouement et d'attente régnait au commissariat de Tanumshede le vendredi. Ils n'attendaient plus que les résultats de l'analyse génétique et des empreintes digitales pour avoir la confirmation que Frans avait tué Britta. A présent, plus personne ne doutait du lien avec le meurtre d'Erik Frankel. Dans la journée, ils allaient aussi recevoir le rapport préliminaire concernant le cadavre dans la vieille tombe des soldats à Fjällbacka.

Ce fut Martin qui prit l'appel du médecin légiste et qui réceptionna le fax du protocole d'autopsie. Il convoqua ensuite tout le monde à une réunion dans la cuisine. Quand tous furent installés, il s'appuya contre la paillasse et éleva la voix pour qu'on l'entende bien.

— J'ai donc reçu un premier rapport de Pedersen, dit-il et il fit la sourde oreille aux marmonnements boudeurs de Mellberg qui aurait préféré répondre à cet appel. Comme nous ne disposons d'aucun ADN ni de moulages dentaires pour comparer, il est impossible d'identifier l'homme comme étant Hans Olavsen. L'âge concorde. Et l'époque de sa disparition aussi, mais rien ne peut être établi avec certitude après tant d'années.

— Il est mort comment? demanda Paula.

Elle tambourinait du pied par terre d'excitation. Martin fit une pause pour ménager ses effets, puis il dit :

— Pedersen m'a dit que le cadavre présente des lésions massives. Des coups portés avec un objet tranchant, des contusions provoquées par des coups de pied ou poing ou les deux. Quelqu'un en a vraiment voulu à Hans Olavsen et a laissé libre cours à sa rage. Vous pouvez lire les détails dans le rapport préliminaire que Pedersen a faxé.

— Alors la cause du décès, c'est… ? demanda Paula tout en continuant ses tambourinages.

— Il est difficile de dire si c'est une blessure en particulier qui l'a tué. Plusieurs des coups étaient apparemment mortels.

— Je parie que c'est Ringholm qui l'a fait. Que c'est pour ça qu'il a assassiné Erik et Britta, marmonna Gösta, exprimant ainsi la pensée de presque tous dans la pièce. Ça a toujours été un putain de forcené, ajouta-t-il avec un mouvement triste de la tête.

— On peut bosser à partir de cette hypothèse, dit Martin. Mais gardons-nous de tirer des conclusions hâtives. C'est vrai que les bras de Frans présentent les griffures dont Pedersen parlait, mais on n'a toujours pas reçu les résultats des prélèvements qu'on lui a faits hier. On n'a pas encore établi que l'ADN de Frans correspond aux fragments de peau sous les ongles de Britta, ni que c'est son empreinte digitale qui figure sur le bouton de la taie d'oreiller. Avant que tout ça soit confirmé, nous continuerons le travail.

Martin fut étonné de s'entendre parler aussi calmement, comme un vrai pro. On aurait dit Patrik quand il faisait ses topos. Il ne put s'empêcher de jeter un regard furtif à Mellberg pour vérifier sa réaction. Semblait-il indigné de voir Martin endosser le rôle qui aurait dû lui revenir en sa qualité de chef ? Comme d'habitude, il paraissait satisfait de ne pas avoir à faire le sale boulot. En temps voulu, il se réveillerait et il s'arrogerait la gloire une fois le cas résolu.

— Alors, qu'est-ce qu'on fait maintenant ? demanda Paula en regardant Martin.

Elle lui adressa un rapide clin d'œil pour lui signifier qu'il s'en était bien tiré. Martin se sentit grandir

sous les félicitations, même si elles étaient non ver-
bales. Pendant si longtemps il avait été le petit dernier du commissariat, le bleu, et il n'avait jamais osé
se mettre en avant. Mais le congé paternité de Patrik
lui avait fourni l'occasion de montrer ce qu'il valait.

— Je pense qu'en ce qui concerne Frans, on va
attendre les résultats du labo central. Mais on va reprendre les investigations sur la mort de Frankel pour
voir si on peut y trouver un rapport avec Frans, à part
ce qu'on sait déjà. Tu peux t'en charger, Paula ?

Elle acquiesça. Martin se tourna vers Gösta.

— Gösta, essaie de voir si tu peux dénicher autre
chose sur Hans Olavsen. Son passé, son séjour à Fjällbacka et ainsi de suite. Parle avec Erica, je crois qu'elle
a fait pas mal de recherches là-dessus, et il paraît que
le fils de Frans a étudié cette piste aussi. Fais en sorte
qu'ils partagent leurs informations. Erica ne sera très
certainement pas difficile à convaincre, mais pour Kjell
il faudra peut-être insister davantage.

Gösta acquiesça de la tête, lui aussi, mais avec
beaucoup moins de zèle que Paula. Fouiller dans des
données vieilles de soixante ans n'allait être ni facile
ni amusant.

— Ouais, c'est bon, soupira-t-il, et il eut l'air de
quelqu'un qui vient d'apprendre qu'il va affronter
sept ans de malheur.

— Annika, tu nous fais signe dès qu'on a du nouveau du labo.

— Evidemment, dit Annika en posant le bloc-notes
où elle avait consigné tout ce qu'avait dit Martin.

— Bon, au boulot alors.

Martin sentit le sang affluer à son visage tant il
était satisfait d'avoir tenu sa première réunion de
travail.

Tout le monde se leva et quitta la pièce. Le sort mystérieux de Hans Olavsen avait pris possession de leur esprit.

Après avoir entendu le rapport de Martin au téléphone, Patrik monta à l'étage et alla frapper à la porte du bureau d'Erica.

— Entre !

— Désolé de te déranger, mais je pense que tu vas vouloir entendre ça.

Il s'assit dans le fauteuil et retraça ce que Martin venait de lui raconter sur les terribles blessures de Hans Olavsen, ou celui qu'ils croyaient être Hans Olavsen.

— Je m'attendais bien à apprendre qu'il avait été assassiné… Mais comme ça, non…, dit Erica, manifestement ébranlée.

— Oui, quelqu'un avait apparemment un compte à régler avec lui, constata Patrik.

Puis il vit qu'il avait interrompu Erica alors qu'elle était encore une fois en train de lire les journaux intimes de sa mère.

— Tu trouves d'autres choses dignes d'intérêt ? dit-il en montrant les cahiers.

— Non, malheureusement. Ils s'arrêtent quand Hans Olavsen arrive à Fjällbacka, juste au moment où ça commence à devenir intéressant.

— Et tu n'as aucune idée de la raison pour laquelle elle cesse d'écrire à ce moment précisément ?

— Non, d'ailleurs je ne suis pas certaine qu'elle ait cessé. J'ai l'impression que c'était une habitude bien ancrée chez elle d'écrire un peu tous les jours, alors pourquoi est-ce qu'elle se serait interrompue subitement ? Non, je pense qu'il existe d'autres carnets quelque part, mais où… ? dit-elle d'un air pensif en enroulant une mèche de cheveux autour de son index, un geste que Patrik avait appris à bien connaître.

— Eh bien, ils ne sont pas au grenier, vu comment tu as tout passé au peigne fin. Tu crois qu'ils pourraient se trouver à la cave ?

Erica réfléchit, puis elle secoua la tête.

— Non, j'ai pratiquement tout regardé quand on a fait le ménage avant d'emménager. J'ai du mal à imaginer qu'ils soient ici, et je ne vois pas d'autre endroit non plus.

— En tout cas, à partir de maintenant, tu n'es pas seule à chercher. D'une part, il y a Kjell qui t'aide, et je lui fais confiance pour dégoter toutes sortes de choses. D'autre part Martin m'a dit qu'ils vont continuer à travailler sur la piste, il a demandé à Gösta de venir te voir pour que tu lui racontes ce que tu sais.

— Oui, je partage volontiers mes informations, dit Erica, j'espère seulement que Kjell aura la même attitude.

— N'y compte pas trop, dit Patrik sèchement. Il est journaliste, il voit un sujet possible pour un article dans cette affaire.

— Je me demande toujours…, dit Erica en faisant tourner son fauteuil dans un sens puis dans l'autre. Je me demande toujours pourquoi Erik a donné ces articles à Kjell. Qu'est-ce qu'il savait sur le meurtre de Hans Olavsen qu'il voulait que Kjell découvre ? Et pourquoi ne lui a-t-il pas simplement raconté ? Pourquoi s'est-il comporté aussi mystérieusement ?

Patrik haussa les épaules.

— Je suppose qu'on ne le saura jamais. Mais d'après Martin ils pensent très sérieusement que la mort de Frans fournira la solution de toute l'affaire.

Ils sont pratiquement sûrs que c'est Frans qui a tué Hans Olavsen, et que les meurtres d'Erik et de Britta ont été commis pour camoufler ce premier meurtre.

— Oui, c'est vrai, tout l'indique, dit Erica. Mais il y a encore tant de choses qui… Il y a tant de choses que je ne comprends toujours pas. Par exemple, pourquoi maintenant ? Au bout de soixante ans ? S'il est resté tranquille dans sa tombe pendant soixante ans, pourquoi est-ce que tout ça est remonté à la surface aujourd'hui précisément ?

Elle se mordilla l'intérieur de la joue en réfléchissant.

— Aucune idée, dit Patrik. Ça a pu être n'importe quoi. Mais je pense qu'il nous faudra simplement accepter que certains faits sont tellement vieux que nous n'aurons jamais une vue d'ensemble.

— Oui, tu as sans doute raison, dit Erica avec une très nette note de déception. Elle prit le sachet posé sur son bureau : Tu veux un bonbon ?

— Oui, je veux bien.

Patrik en prit un, puis chacun savoura son bonbon en silence tout en méditant le mystère de la mort brutale de Hans Olavsen.

— Tu crois que c'est Frans ? Vraiment ? Et qu'il a tué Erik et Britta aussi ? finit par dire Erica en observant Patrik de près.

Il réfléchit un long moment à sa question, puis il dit en hésitant :

— Oui, je le crois. En tout cas, il n'y a pas grand-chose qui indique le contraire. Martin pense qu'ils vont recevoir les résultats d'analyse lundi, comme ça ils auront la confirmation qu'il a tué Britta, au moins. Et ils vont aussi finir par trouver des preuves qui le lient au meurtre d'Erik. Le meurtre de Hans est tellement ancien que je doute qu'on sache la vérité un jour. La seule chose…

Patrik plissa le font.

— Quoi ? Quelque chose te chiffonne ?

— Oui, cette histoire d'alibi. Frans a un alibi pour le meurtre d'Erik. Mais évidemment ses potes peuvent mentir. Martin et les autres vont s'en occuper. C'est la seule objection que j'ai.

— Et il n'y a pas de doute pour Frans ? C'était bien un suicide, je veux dire ?

— Il semble bien. C'était son propre revolver, il l'avait encore à la main et le canon était toujours dans sa bouche.

Erica fit une grimace en imaginant la scène. Patrik poursuivit.

— Il nous faut simplement la confirmation que ce sont ses empreintes digitales sur le revolver et qu'il a des traces de poudre sur la main.

— Mais vous n'avez pas trouvé de lettre ?

— Non, d'après Martin il n'y en avait pas. Mais les gens qui se suicident n'écrivent pas toujours des lettres.

Patrik se leva et jeta le papier du bonbon dans la corbeille à papier.

— Bon, maintenant je vais te laisser bosser en paix, ma petite chérie. Essaie d'avancer un peu l'écriture de ton livre, sinon tu auras ton éditeur sur le dos.

Il vint l'embrasser sur la bouche.

— Oui, je sais, soupira Erica. J'y ai déjà travaillé pas mal aujourd'hui. Et toi et Maja, qu'est-ce que vous allez faire ?

— Karin a appelé, dit Patrik, très à l'aise. Je pense qu'on ira se balader dès que Maja se réveillera.

— Tu te balades beaucoup avec Karin, dit Erica – elle s'étonna de paraître aussi sèche.

Patrik leva les yeux.

— Tu es jalouse ? De Karin ? Il rigola et revint l'embrasser. Il n'y a absolument aucune raison de l'être. Il rit encore, puis il devint sérieux. Mais si c'est un problème pour toi qu'on se voie avec les enfants, il faut me le dire.

Erica secoua la tête.

— Non, bien sûr que non. Je suis bête. Il n'y a pas tant de gens que ça que tu peux voir pendant ton congé, alors profite de la compagnie.

— Tu es sûre ? dit Patrik en l'observant intensément.

— Sûre. Va-t'en maintenant, il faut bien que quelqu'un ici travaille.

Il rit et quitta la pièce. Avant de refermer la porte, il vit Erica tendre la main et attraper un des cahiers bleus.

FJÄLLBACKA 1945

Incroyable ! La guerre qui avait semblé interminable était finie. Elle était assise sur le lit de Hans et lisait le journal tandis que son cerveau essayait de comprendre la signification des mots imprimés en lettres capitales. "LA PAIX !"

Elsy sentit les larmes venir et elle dut se moucher dans le tablier qu'elle portait encore après avoir aidé sa mère à faire la vaisselle.

— Je n'arrive pas à y croire, Hans, dit-elle et elle sentit qu'il serrait plus fort ses épaules.

Lui aussi fixait le journal et semblait incapable de croire ce qu'ils venaient de lire. Un instant, Elsy leva les yeux vers la porte, inquiète que quelqu'un les surprenne en tête-à-tête en plein jour. Ils avaient oublié de faire attention. Mais Hilma était allée chez les voisines, et il était peu probable que quelqu'un d'autre vienne les déranger. De toute façon, il était grandement temps de parler de Hans et elle. Ses jupes commençaient à la serrer à la taille, ce matin elle avait eu le plus grand mal à fermer le bouton du haut. Mais elle était confiante. Hans avait réagi exactement comme elle l'avait imaginé lorsqu'elle lui avait annoncé qu'elle était enceinte. Ses yeux avaient brillé et il l'avait embrassée en posant tendrement sa main sur son ventre. Puis il lui avait assuré qu'ils trouveraient une solution. Il avait un travail, il gagnait sa vie, et la mère d'Elsy l'aimait bien. C'est vrai qu'elle était jeune, mais au besoin ils en appelleraient au roi pour avoir l'autorisation de se marier. Ça s'arrangerait d'une façon ou d'une autre.

Chacune de ses paroles avait apaisé l'inquiétude qui la tourmentait, même si elle pensait bien le connaître. Il avait été si serein. Lui avait certifié que leur enfant serait le plus aimé sur cette terre et qu'ils trouveraient un moyen de régler les détails pratiques. Ce serait sans doute un peu houleux pendant quelque temps mais, s'ils restaient soudés, ça finirait par se calmer, et ils auraient la bénédiction de leurs familles et de Dieu.

Elsy appuya la tête contre son épaule. En cet instant, la vie était vraiment bonne. La nouvelle de la paix répandit dans sa poitrine une chaleur qui fit fondre toute la glace qui s'était formée à la mort de son père. Elle aurait tant voulu que son père connaisse cet instant. S'il avait eu quelques mois de plus… Elle chassa ces pensées. L'homme propose mais Dieu dispose, quelque part tout ça était sûrement voulu, c'était ainsi, même quand les choses paraissaient épouvantables. Elle avait confiance en Dieu et elle avait confiance en Hans, c'était un don qui lui permettait de regarder l'avenir sans crainte.

Il en allait autrement avec sa mère. Elsy s'inquiétait de plus en plus pour Hilma. Sans Elof, elle avait rétréci, s'était ratatinée, et il n'y avait plus de joie dans ses yeux. Quand la nouvelle de la paix arriva, ce fut la première fois depuis la mort d'Elof qu'Elsy vit l'amorce d'un sourire sur son visage. L'enfant qu'elle attendait pourrait peut-être rendre à sa mère un peu de sa joie de vivre, une fois le choc passé ? Elsy craignait bien évidemment que sa mère n'ait honte d'elle, mais

Hans et elle s'étaient mis d'accord pour le lui annoncer sans tarder, et ainsi arranger les choses avant l'arrivée du bébé.

Elsy ferma les yeux et sourit, la tête contre l'épaule de Hans et son odeur si familière dans le nez.

— J'aimerais vraiment rentrer voir ma famille, maintenant que la guerre est finie, dit Hans en lui caressant la tête. Je ne serai absent que quelques jours, tu n'as pas à t'en faire. Je ne t'abandonne pas.

— Il vaut mieux pour toi, dit Elsy avec un large sourire. Sinon je te pourchasserai jusqu'au bout du monde.

— Je n'en doute pas, rit-il. Puis il redevint sérieux : Il y a quelques petites choses que je dois régler, maintenant que je peux retourner en Norvège.

— Rien de grave, j'espère ? dit-elle. Elle leva la tête de son épaule et le regarda, inquiète : Tu as peur qu'il soit arrivé quelque chose aux tiens ?

Il resta silencieux un long moment avant de répondre.

— Je ne sais pas. Ça fait si longtemps qu'on ne s'est pas parlé. Mais je ne pars pas tout de suite. Dans une semaine, je pense, et je serai de retour avant que tu aies eu le temps de dire ouf.

— Ça me va, dit Elsy et elle se laissa aller de nouveau contre lui. Parce que je veux n'être jamais séparée de toi.

— Tu ne le seras pas non plus, dit-il en embrassant ses cheveux. Tu ne le seras jamais.

Hans ferma les yeux quand il l'attira plus près de lui. Entre eux, la première page du journal clamait "LA PAIX !".

C'était étrange. La semaine précédente, il avait réalisé pour la première fois de sa vie que son père n'était pas immortel. Puis le jeudi, la police avait sonné à sa porte pour lui annoncer qu'il était mort. Il avait été surpris par l'intensité de ses sentiments. Son cœur avait sauté un battement, et il avait pu sentir à nouveau sa main tenant celle de son père, une petite main dans une grande, et ensuite les mains se séparant lentement et s'éloignant l'une de l'autre. A cet instant il comprit que quelque chose de plus grand que la haine avait été là, tout le temps. L'espoir. C'était la seule chose qui avait su se maintenir sans s'étouffer, la seule chose qui avait pu coexister avec cette haine dévorante qu'il avait éprouvée pour son père. L'amour était mort depuis très longtemps. Mais l'espoir s'était dissimulé dans un tout petit recoin de son cœur, s'y était caché à son insu.

Après le départ des policiers, il avait senti l'espoir se lever, et avec lui une douleur qui lui brouilla la vue. Car quelque part le père avait manqué au petit garçon. Il avait espéré trouver un chemin pour contourner les murs qu'ils avaient dressés. A présent ce chemin était barré. Les murs resteraient là et tomberaient en poussière, sans aucune possibilité de réconciliation.

Pendant tout le week-end, son cerveau avait essayé d'assimiler le fait que son père était mort. Disparu.

De plus, mort de sa propre main. Et même s'il avait toujours gardé dans un coin de sa tête que ce pourrait être une façon de mettre fin à une vie qui par bien des aspects avait été si destructive, c'était quand même difficile à accepter.

Le dimanche, il était allé chez Carina et Per. Il les avait appelés dès le jeudi pour les avertir de ce qui s'était passé, mais il n'avait pu se résoudre à y aller que lorsque ses pensées et les images sur sa rétine s'étaient calmées. Il avait été extrêmement surpris en arrivant chez eux. L'atmosphère était si fondamentalement différente qu'au début il n'avait pas su définir ce que c'était. Puis il s'était exclamé, ébahi :

— Mais tu es à jeun !

Il ne voulait pas seulement dire pour une fois, sur le moment, car cela lui était déjà arrivé, à Carina, à quelques rares occasions au fil des années. Mais il avait instinctivement senti que quelque chose avait changé. Un calme et une détermination dans ses yeux avaient remplacé le regard blessé qu'elle avait depuis qu'il l'avait quittée. Per aussi était différent. Ils avaient parlé de ce qui allait advenir après son procès, et son fils l'avait surpris avec sa sérénité et ses propos. Il saurait faire face. Quand Per était retourné dans sa chambre, Kjell avait pris son courage à deux mains et demandé ce qui s'était passé. Carina lui avait parlé de la visite de son père. Lui avait dit que, d'une façon ou d'une autre, il avait réussi à faire ce que Kjell n'avait pas su faire en dix ans.

Cela n'avait fait qu'empirer les choses pour lui, en confirmant l'espoir qui à présent lui écorchait le cœur en vain. Car son père n'était plus là. Qu'y avait-il à espérer alors ?

Kjell alla se poster devant la fenêtre de son bureau et se livra en toute sincérité à un bref examen de conscience. Pour la première fois, il observa sa vie, et lui-même, avec le même regard impitoyable qu'il avait posé sur son père. Et ce qu'il vit lui fit peur. Bien sûr, aux yeux de la société sa trahison envers sa famille n'avait pas été aussi manifeste, aussi impardonnable. Mais avait-elle été moins grande ? Certainement pas. Il avait abandonné Carina et Per. Les avait laissés comme des sacs-poubelles au bord de la route. Et il n'avait pas pu s'empêcher non plus de trahir Beata aussi. Car il l'avait trahie avant même que leur liaison ne commence. Il ne l'avait jamais aimée. Seulement ce qu'elle représentait, dans un moment de faiblesse, quand il avait eu besoin de ce qu'elle incarnait. Non, il ne l'avait jamais aimée. Pour être vraiment honnête, elle ne lui avait jamais plu. Pas comme Carina. Pas comme quand il l'avait vue, assise sur le canapé, en robe jaune et avec un ruban jaune dans les cheveux. Et il avait trahi Magda et Loke. Car la honte d'avoir abandonné un enfant avait fermé toutes ses barrières et l'avait rendu incapable d'éprouver l'amour sincère, profond et total qu'il avait ressenti pour Per dès qu'il l'avait vu, nouveau-né, dans les bras de Carina. Il avait refusé cet amour-là aux enfants qu'il avait eus avec Beata, et il ne se croyait pas capable de le retrouver. C'était une trahison avec laquelle il devait vivre. Avec laquelle eux devaient vivre.

Sa main trembla quand il leva sa tasse de café. Il fit une grimace en se rendant compte que le café avait refroidi pendant qu'il ruminait, mais il en avait déjà pris une bonne goulée et se força à l'avaler.

Il entendit une voix à la porte.

— Tu as du courrier.

Kjell se retourna et lança un "merci" distrait. Il tendit la main, prit le courrier qui lui était adressé personnellement et y jeta un coup d'œil. De la pub, quelques factures. Et une lettre. Avec une écriture familière. Il commença à trembler de tout son corps et fut obligé de s'asseoir. Il la posa devant lui sur le bureau et resta un long moment à la regarder. Son nom et l'adresse de la rédaction, tracés d'une écriture sinueuse à l'ancienne. Les minutes passèrent pendant qu'il essayait d'envoyer des signaux du cerveau à sa main, de lui dire de prendre la lettre et de l'ouvrir. Mais c'était comme s'ils se brouillaient en route et provoquaient une paralysie totale.

Ils finirent tout de même par atteindre leur but et sa main décacheta lentement la lettre. Il y avait trois feuillets, écrits à la main, et il lui fallut parcourir quelques phrases avant d'arriver à déchiffrer l'écriture. Mais il y parvint. Kjell lisait. Quand il eut terminé, il reposa la lettre sur le bureau. Et pour la dernière fois il sentit la chaleur de la main de son père dans la sienne. Puis il prit sa veste et ses clés de voiture. Il glissa doucement la lettre dans sa poche.

Il n'y avait qu'une chose qu'il pouvait faire maintenant.

ALLEMAGNE 1945

On les avait groupés dans le camp de concentration de Neuengamme. La rumeur courait que la première mission des bus blancs avait été de transporter ailleurs un certain nombre de prisonniers, dont des Polonais, pour faire de la place aux captifs en provenance des pays nordiques. La rumeur disait aussi que cela avait coûté des vies humaines. Les captifs d'autres nationalités étaient dans un état bien pire que les Nordiques, qui avaient reçu des colis alimentaires par différents biais et avaient ainsi mieux supporté leur séjour dans les camps. On disait que beaucoup étaient morts ou avaient terriblement souffert pendant le transport. Mais même si la rumeur disait vrai, plus personne n'avait la force d'y prêter attention. La liberté était subitement à leur portée. Bernadotte avait négocié avec les Allemands, il avait obtenu l'autorisation d'envoyer des bus pour rapatrier les prisonniers nordiques.

Axel monta dans le bus sur des jambes instables. Pour sa part, il s'agissait du deuxième transport en quelques mois. De Sachsenhausen, ils avaient subitement été transférés à Neuengamme, et le souvenir de ce voyage terrifiant le réveillait souvent la nuit. Impuissants et apathiques, ils étaient restés enfermés dans des wagons de marchandises, à écouter les bombes tomber autour d'eux pendant que le train traversait l'Allemagne. Certaines frappaient tellement près qu'ils entendaient de la terre pleuvoir sur le toit des wagons. Mais aucune ne les avait atteints. Pour une raison ou une autre, il avait survécu à cela aussi. Et maintenant, quand sa volonté de vivre s'était presque éteinte, le message de la délivrance était arrivé. Des bus allaient les conduire en Suède, allaient les ramener chez eux.

Il put y monter par ses propres moyens, alors que d'autres durent être portés, tant ils étaient faibles. Ils étaient à l'étroit, et une grande misère remplissait le petit espace. Il se laissa glisser par terre, remonta les jambes et appuya sa tête contre les genoux. Il n'arrivait pas à y croire. Il allait rentrer chez lui. Chez ses parents. Et Erik. A Fjällbacka. Dans son esprit, il vit tout très nettement. Ce à quoi il s'était interdit de penser pendant si longtemps. Mais enfin, maintenant qu'il savait que c'était à sa portée, il osa laisser ses pensées et ses souvenirs l'envahir. En même temps, il savait que rien ne serait jamais pareil. Il ne serait jamais le même. Ce qu'il avait vu, ce qu'il avait vécu, l'avait changé pour toujours.

Il haïssait cette transformation. Haïssait ce qu'on l'avait obligé à faire et à voir. Et ce n'était pas terminé parce qu'il était monté dans un bus. Le voyage fut long et rempli de douleur, d'humeurs corporelles, de maladie et d'horreur. Deux hommes rendirent l'âme en route, dont celui contre qui il prenait appui durant les brefs instants de sommeil, pendant le trajet nocturne. Au matin quand Axel se réveilla et bougea, l'homme à côté de lui s'écroula. Il se contenta cependant de le pousser, puis il appela une des personnes qui surveillaient le transport et reprit sa place. Il ne s'agissait que d'un mort de plus. Il n'en était pas à un près.

Il constata qu'il se touchait souvent l'oreille. Elle bruissait parfois, mais en général elle était seulement emplie d'un silence vide. Tant de fois il avait revu la scène. Certes, il avait vécu des choses bien pires par la suite, mais c'était comme si la crosse du fusil qui s'abattait sur lui représentait la trahison ultime. Car le gardien et lui avaient fini par se parler comme deux êtres humains. Bien qu'ils ne soient pas du même bord, ils avaient trouvé un ton d'amabilité qui lui avait donné un sentiment de respect et de sécurité. Mais à l'instant où il avait vu le garçon lever son fusil pour frapper, à l'instant où il avait senti quelque chose se briser dans son oreille, il avait perdu toutes ses illusions sur la bonté innée de l'homme.

Assis là dans le bus sur le chemin du retour, entouré de malades, de blessés et de personnes en état de choc, il se promit solennellement de ne plus jamais prendre de repos avant d'avoir traîné les coupables devant la justice. Ils avaient franchi la limite de leur propre nature humaine et il était de son devoir de ne pas les laisser s'en tirer, pas un seul.

Axel se toucha l'oreille de nouveau et imagina sa maison natale. Bientôt, bientôt, il serait rentré.

Paula mâchouillait un crayon pendant qu'elle parcourait consciencieusement les documents devant elle. Encore une fois elle examinait toutes les données concernant le meurtre d'Erik Frankel. Il y avait forcément quelque chose quelque part. Un petit détail qu'ils avaient loupé, une petite information qui prouverait ce qu'ils soupçonnaient déjà, que Frans Ringholm l'avait tué, lui aussi. Elle savait qu'il était imprudent d'examiner des données d'investigation chaussé de ces lunettes-là – d'essayer de trouver des preuves qui allaient dans un sens voulu. Mais elle essaya de rester aussi ouverte que possible et chercha tout ce qui pouvait l'interpeller. Pour l'instant, elle avait fait chou blanc. Mais il restait encore beaucoup de documents à parcourir.

Elle avait du mal à se concentrer. La date prévue pour l'accouchement de Johanna approchait, et théoriquement ça pouvait se déclencher à tout moment. Elle ressentait un étrange mélange de peur et de joie devant ce qui les attendait. Un enfant. Une nouvelle responsabilité à endosser. Si elle en avait discuté avec Martin, elle aurait certainement reconnu chacune des pensées qui tournaient autour de l'événement à venir, mais elle avait gardé son inquiétude pour elle. Dans leur cas, l'inquiétude était bien plus grande que celle des futurs parents en général. Avaient-elles eu raison de réaliser leur rêve d'avoir un enfant ensemble ? Allaient-elles s'apercevoir que c'était un acte égoïste et que leur enfant aurait à en payer le prix ? Elles auraient peut-être dû rester à Stockholm pour que l'enfant y grandisse ? Ça aurait peut-être été plus facile qu'ici, où leur famille allait définitivement sortir du lot et attirer les regards. Mais quelque chose lui disait qu'elles avaient eu raison. Elle avait rencontré tant de gentillesse, et pour l'instant personne ne les avait regardées de travers. Mais ce serait peut-être différent quand l'enfant serait là. Comment savoir ?

Paula soupira et saisit un nouveau document. L'analyse technique de l'arme du crime : le buste en pierre qui avait eu sa place sur le rebord de la fenêtre mais qu'ils avaient trouvé sous le bureau, couvert de sang. Pas grand-chose à en tirer. Ils n'avaient pas d'empreintes digitales, pas de traces de corps étrangers, rien. Juste le sang d'Erik, ses cheveux et de la substance cérébrale. Elle rejeta la feuille de papier, prit les photos du lieu du crime et les étudia pour la énième fois. Elle était ébahie que la femme de Patrik ait noté les griffonnages sur le bloc-notes du bureau. *Ignoto militi*… Au soldat inconnu. Elle-même ne les avait pas remarqués et, même si ç'avait été le cas, elle n'aurait probablement pas cherché à savoir ce que ça voulait dire, elle dut le reconnaître. Non seulement Erica avait trouvé le sens de ces mots, elle avait aussi réussi à les ajouter au puzzle d'indices et de pistes, ce qui les avait menés à la tombe de Hans Olavsen.

Un des aspects les plus importants, cependant, était le temps. Ils ne pouvaient pas dire avec exactitude quand Erik Frankel avait été tué, ils avaient seulement pu établir que ça s'était passé entre le 15 et le 17 juin. Il faudrait peut-être creuser davantage autour de ça, se dit Paula et elle se mit résolument à noter toutes les dates dont elle disposait. Elle inscrivit sur une ligne chronologique des événements comme la visite d'Erica à Erik, l'arrivée d'Erik en état d'ivresse chez Viola, le voyage d'Axel à Paris et la venue avortée de la femme de ménage. Elle chercha parmi les documents une indication de l'endroit où se trouvait Frans durant ces jours, mais elle ne repéra que les déclarations des membres des Amis de la Suède, selon lesquelles il était au Danemark les jours en question. Quelle poisse. Ils auraient dû le serrer davantage sur ce point pour obtenir plus de détails. Mais il avait sûrement veillé à se procurer des pièces qui confirmaient son alibi. Il était suffisamment roué pour ça. Martin avait dit quelque chose à un moment donné, c'était quoi déjà ? Qu'en général, l'alibi en béton n'existe pas…

Paula se redressa subitement sur sa chaise. Une pensée l'avait frappée, qui prit de l'ampleur. Il y avait une chose qu'ils n'avaient pas vérifiée.

— Salut, c'est Karin. Dis-moi, est-ce que tu pourrais faire un saut chez moi pour voir un truc ? Leif est parti ce matin, et j'ai de l'eau dans la cave, un tuyau qui fuit.

— Je ne suis pas vraiment plombier, dit Patrik en hésitant. Mais je peux venir constater les dégâts, et on appellera quelqu'un ensuite.

— Super, dit-elle, soulagée. Tu peux toujours amener Maja, comme ça Ludde et elle joueront ensemble.

— Oui, Erica travaille, je ne peux pas faire autrement de toute façon, dit-il et il promit de venir tout de suite.

Il éprouva un sentiment un peu bizarre, il dut le reconnaître, lorsque, un quart d'heure plus tard, il s'arrêta devant la maison de Karin et Leif à Sumpan. Il allait maintenant découvrir le foyer où vivait son ex-femme avec l'homme dont les fesses blanches en action lui revenaient à l'esprit de loin en loin. Il les avait surpris en flagrant délit, ce n'était pas une expérience qu'on oubliait de sitôt.

Karin ouvrit la porte avec Ludde dans les bras avant même qu'il ait eu le temps de sonner.

— Entre, dit-elle en faisant un pas sur le côté.

— La patrouille de sauvetage est arrivée, plaisanta-t-il en posant Maja par terre.

Elle fut tout de suite prise en charge par Ludde qui l'entraîna dans sa chambre au bout du couloir.

— C'est par là.

Karin ouvrit une porte qui menait à la cave et elle le précéda dans l'escalier.

— On peut les laisser, c'est bon ? dit Patrik, inquiet, avec un coup d'œil sur la chambre d'enfant.

— Je pense qu'ils sauront s'occuper sans nous pendant quelques minutes, dit Karin et elle lui fit signe de la suivre.

Au pied de l'escalier, elle montra un tuyau au plafond. Patrik s'approcha pour l'inspecter, puis il la rassura :

— Je crois que c'est exagéré de dire que ça fuit. On dirait juste un peu de condensation.

Il montra quelques minuscules gouttes d'eau sur le tuyau.

— Oh, tant mieux. J'ai eu tellement peur quand j'ai vu que c'était mouillé, dit Karin en soufflant. En tout cas, c'est vraiment sympa de ta part d'être venu. Je t'offre un café ? Ou tu es pressé de rentrer ?

— Non, j'ai du temps. Un petit café serait bienvenu.

Un instant plus tard, ils étaient installés dans la cuisine devant un café et des biscuits.

— Tu ne t'attendais tout de même pas à des gâteaux maison, sourit Karin.

Patrik prit un cookie à l'avoine et secoua la tête en riant.

— Non, la pâtisserie n'a jamais été ton fort. La cuisine tout court non plus, d'ailleurs.

— Dis donc, toi, dit Karin en prenant un air offusqué. Ce n'était quand même pas si terrible que ça. En tout cas, il me semble que tu aimais bien mon rôti de viande hachée.

Patrik fit une vilaine grimace en agitant la main pour signifier "couci-couça".

— Je disais ça surtout parce que tu en étais fière. En réalité, je me demandais si je n'allais pas vendre la recette à la défense civile. Pour qu'ils aient des munitions pour leurs canons.

— Espèce de… ! rit-elle. Mais tu as sans doute raison. La cuisine n'est pas mon fort. Leif ne se gêne pas pour le dire. De toute façon, il ne trouve pas que j'en ai beaucoup, des points forts.

Sa voix se brisa et les larmes lui vinrent aux yeux. Spontanément, Patrik posa sa main sur la sienne.

— Ça va si mal que ça ?

Elle hocha la tête et sécha ses larmes avec une serviette.

— On va se séparer. Le week-end dernier, on a eu la dispute du siècle et on a compris que ça ne pouvait pas continuer. Si bien que, cette fois, il est parti pour de bon, et il ne reviendra pas.

— Je suis désolé, dit Patrik et il laissa sa main.

— Tu sais ce qui fait le plus mal ? Qu'en fait, il ne me manque pas. Que je réalise que tout ça n'était qu'une énorme erreur.

Sa voix se brisa et Patrik commença à s'inquiéter de la direction que cette conversation allait prendre.

— On était si bien ensemble, toi et moi. Tu ne trouves pas ? Si je n'avais pas fait cette connerie...

Elle sanglota, la serviette devant le visage, et serra fort la main de Patrik. Maintenant il ne pouvait plus la retirer, alors qu'il sentait que ça aurait été le plus approprié.

— Je sais que tu as refait ta vie. Je sais que tu as Erica. Mais nous deux, c'était quand même spécial ? Non ? N'y a-t-il vraiment pas de possibilité qu'on puisse... toi et moi, qu'on...

Elle n'eut pas le courage de poursuivre sa phrase, mais elle serra encore plus fort sa main, le suppliant.

Patrik ravala son indignation, puis il dit calmement :

— J'aime Erica. C'est la première chose que tu dois savoir. La deuxième, c'est que l'image que tu as de notre relation n'est qu'un fantasme, une construction que tu t'es faite maintenant que ça ne va plus avec Leif. On vivait bien, c'est vrai, mais ça n'avait rien d'exceptionnel. C'est pour ça qu'est arrivé ce qui est arrivé. Ce n'était qu'une question de temps. Patrik chercha son regard. Et tu le sais si tu réfléchis bien. On continuait à être mariés par commodité, pas par amour. Dans un certain sens, tu nous as rendu service, même si évidemment je n'ai jamais souhaité que ça se termine de cette manière. Mais en ce moment tu te leurres toi-même. Tu comprends ?

Karin éclata en sanglots de nouveau, en grande partie à cause de l'humiliation. Patrik le comprit et il vint s'asseoir à côté d'elle, l'entoura de ses bras et appuya sa tête contre son épaule tout en lui caressant les cheveux.

— Chuuut, dit-il. Allez... Ça ira...

— Comment… peux-tu… être… si… Alors… que… je… viens… de… me… ridiculiser…, bégaya-t-elle, toute honteuse.

Patrik continua simplement à passer sa main sur ses cheveux.

— Il n'y a pas de quoi avoir honte. Tu es dans tous tes états et tu ne penses pas rationnellement. Mais tu sais que j'ai raison. Il prit sa serviette et essuya les larmes sur ses joues striées de rouge. Tu veux que je parte, ou on termine le café ?

Elle hésita un instant, puis son corps tendu se décontracta.

— Si on peut laisser de côté le fait que je viens pratiquement de me jeter sur toi, dit-elle, je veux bien que tu restes encore un peu.

— Tant mieux, dit Patrik et il retourna s'asseoir sur sa chaise. J'ai une mémoire de poisson rouge, dans dix secondes je ne me souviendrai que de ces super-biscuits industriels, ajouta-t-il en prenant un autre cookie.

— Elle écrit sur quoi, Erica, en ce moment ? demanda Karin dans un essai désespéré de changer de sujet.

— Théoriquement, elle devrait travailler sur un nouveau livre, mais elle s'est un peu dispersée dans des recherches sur le passé de sa mère, dit Patrik qui saisit avec reconnaissance l'occasion de parler d'autre chose.

— Comment ça se fait qu'elle s'intéresse à ça ?

Karin montrait une curiosité sincère et Patrik lui raconta les trouvailles dans le coffre et comment Erica avait découvert des liens avec les meurtres dont toute la région parlait.

— Elle a trouvé des journaux intimes de sa mère, mais ils s'arrêtent en 1944, et ça la frustre énormément. Soit sa mère a arrêté d'écrire à ce moment-là, soit il y a tout un paquet de carnets bleus bien à l'abri quelque part ailleurs que chez nous, dit Patrik.

Karin tressaillit.

— Comment ils sont, ces carnets ?

— Bleus, minces, un peu de la taille des carnets d'école. Pourquoi ? demanda Patrik en plissant le front.

— Parce que je crois savoir où ils se trouvent, dit Karin lentement.

— Tu as de la visite, annonça Annika.

— Ah bon, qui ça ? demanda Martin, et sa curiosité fut satisfaite sur-le-champ lorsque Kjell Ringholm entra dans son bureau.

— Je ne suis pas ici en ma qualité de journaliste, dit Kjell en levant les mains en un geste de défense quand il vit Martin commencer à formuler une protestation à sa visite. Je suis ici en tant que fils de Frans Ringholm, précisa-t-il et il se laissa lourdement tomber sur la chaise.

— Toutes mes condoléances…

Martin ne sut pas comment poursuivre. Les rapports entre le père et le fils n'avaient été un secret pour personne.

Kjell balaya son trouble et glissa la main dans la poche de sa veste.

— J'ai reçu ça aujourd'hui.

Le ton était neutre, mais sa main tremblait quand il lança la lettre sur le bureau. Martin la prit et l'ouvrit après que Kjell lui eut signifié que c'était ça qu'il était censé faire. Il lut en silence les trois feuillets écrits à la main, en levant plusieurs fois les sourcils.

— Il s'accuse non seulement du meurtre de Britta Johansson, mais aussi de ceux de Hans Olavsen et d'Erik Frankel, dit Martin en regardant fixement Kjell.

— Oui, c'est ce qu'il y a écrit, dit Kjell en baissant les yeux. Mais j'imagine que vous avez déjà eu cette idée, ça ne doit pas être une grande surprise.

— Je mentirais en prétendant le contraire. Mais nous n'avons des preuves que pour le meurtre de Britta.

— Si bien que cette lettre devrait arriver à point nommé, dit Kjell.

— Et vous êtes sûr que… ?

— Que c'est l'écriture de mon père, oui, compléta Kjell. Oui, j'en suis absolument sûr. C'est mon père qui l'a écrite. Et je ne suis pas entièrement surpris, ajouta-t-il sur un ton amer. Même si je n'avais jamais cru que…

Martin relut la lettre encore une fois.

— Si on est pointilleux, il n'admet réellement que d'avoir tué Britta, ensuite il s'exprime de façon plus floue : *Je porte la responsabilité de la mort d'Erik, et aussi de celle de l'homme que vous avez trouvé dans une tombe qui n'aurait pas dû être la sienne.*

— Je ne vois pas où est la différence, dit Kjell en haussant les épaules. Il s'exprime de façon grandiloquente, c'est tout. Non, je n'ai pas le moindre doute sur le fait que c'est mon père qui…

Il ne poursuivit pas, termina seulement avec une profonde inspiration, comme pour tenir ses sentiments en échec.

Martin continua pensivement sa lecture :

— *Je croyais pouvoir tout arranger de la même manière que d'habitude, qu'un seul geste allait tout résoudre, tout dissimuler. Mais j'ai su, dès l'instant où j'ai soulevé l'oreiller de son visage, que ça n'avait rien résolu. Et j'ai compris qu'il ne restait qu'une solution. Que j'étais arrivé au bout du chemin. Que le passé avait fini par me rattraper.*

Martin regarda Kjell.

— Vous comprenez ce qu'il veut dire? Qu'est-ce qui devait être dissimulé? De quel passé veut-il parler?

— Je n'en ai aucune idée.

— J'aimerais garder ça quelque temps, dit Martin en agitant les feuillets de la lettre.

— Bien sûr, répondit Kjell d'une voix lasse. Gardez-les. De toute façon j'avais l'intention de les brûler.

— A propos, j'ai demandé à mon collègue Gösta d'avoir un petit entretien avec vous à l'occasion. Mais on peut peut-être l'avoir maintenant? dit Martin en glissant précautionneusement la lettre dans une pochette plastique.

— A quel sujet?

— Hans Olavsen. Si j'ai bien compris, vous avez entrepris des recherches sur lui?

— Quelle importance maintenant? Puisque mon père avoue dans sa lettre qu'il l'a tué?

— On peut l'interpréter comme ça, oui. Mais il y a encore beaucoup de points obscurs autour de lui et de sa mort, que nous aimerions élucider. Alors si vous avez quelque chose, n'importe quoi, à nous donner…

Martin écarta les mains et se renversa dans son fauteuil.

— Vous avez parlé avec Erica Falck? dit Kjell.

— On va le faire aussi. Mais puisque vous êtes ici…

— C'est-à-dire que je n'ai pas grand-chose à vous apprendre.

Kjell raconta le contact qu'il avait eu avec Eskil Halvorsen, qu'il n'avait pas encore reçu d'informations sur Hans Olavsen – et que rien n'indiquait qu'il en recevrait non plus.

— Vous ne pourriez pas lui passer un coup de fil maintenant, pour savoir où il en est? dit Martin en montrant le téléphone sur son bureau.

Kjell haussa les épaules et sortit un carnet de téléphone écorné de la poche de sa veste. Il feuilleta jusqu'à ce qu'il trouve un post-it jaune avec le nom d'Eskil Halvorsen.

— Ça m'étonnerait qu'il ait appris quoi que ce soit, mais d'accord, je vais l'appeler, soupira-t-il.

Il tira à lui le téléphone et composa le numéro en tenant le carnet devant lui. Le Norvégien ne répondit qu'au bout d'un certain nombre de sonneries.

— Bonjour, c'est Kjell Ringholm à l'appareil. Je suis désolé de te déranger de nouveau, je voulais juste savoir si… Ah bon, tu as reçu la photo jeudi, tant mieux. Tu as pu…

Il hochait la tête en écoutant ce que disait l'homme à l'autre bout du fil, et son expression se fit de plus en plus excitée. Martin se redressa sur sa chaise et le regarda attentivement.

— C'est donc à partir de la photo que tu… ? Mais ce n'était pas le bon nom ? Il s'appelle donc…

Kjell claqua des doigts pour faire comprendre à Martin qu'il avait besoin d'un papier et d'un stylo. Martin se jeta si brutalement sur le pot à stylos qu'il le renversa, mais Kjell réussit à en attraper un, puis il saisit un rapport dans le panier à courrier de Martin et se mit fébrilement à écrire au dos.

— Alors il n'était pas… Oui, je comprends bien, tout ça est terriblement intéressant. Pour nous aussi… crois-moi…

Martin était sur le point d'exploser de curiosité et il fixa Kjell du regard.

— OK, un grand merci à toi. Ça nous fait voir l'affaire sous un tout nouvel éclairage. Oui, merci beaucoup.

Kjell finit par raccrocher et il adressa un grand sourire à Martin.

— Je sais qui il est ! Putain, je sais qui il est !

— Erica !

La porte d'entrée claqua et Erica se demanda pourquoi Patrik criait si fort. Elle sortit sur le palier et regarda Patrik au rez-de-chaussée.

— Oui, quoi ? Il y a le feu ?

— Descends. J'ai quelque chose à te dire.

Il lui fit de grands gestes de la main et elle obéit.

— Assieds-toi, dit-il en se dirigeant vers le séjour.

— Alors là, tu me rends vraiment, vraiment curieuse, répondit-elle une fois qu'ils furent assis dans le canapé. Raconte maintenant !

Patrik respira à fond.

— Tu sais, tu m'avais dit que tu pensais qu'il existait d'autres journaux intimes quelque part ?

— Oui, dit Erica lentement et elle sentit des fourmillements dans le ventre.

— Voilà, j'ai fait un saut chez Karin tout à l'heure.

— Ah bon ?

Patrik balaya sa surprise de la main.

— Ecoute-moi. Je lui ai parlé des journaux intimes. Et elle pense savoir où il y en a d'autres !

— C'est une blague ? Comment peut-elle savoir ça ?

Patrik raconta et le visage d'Erica s'éclaircit.

— Mais oui, bien sûr. Mais pourquoi elle n'a rien dit ?

— Aucune idée, tu n'as qu'à aller le lui demander, dit Patrik et, avant qu'il ait eu le temps de terminer sa phrase, Erica était debout et se dirigeait vers la porte d'entrée.

— On vient avec toi, dit Patrik en prenant Maja qui jouait par terre.

— Magnez-vous alors, dit Erica.

Elle était déjà à moitié sortie, les clés de la voiture à la main.

Un petit moment plus tard, Kristina ouvrit sa porte.

— Tiens, quelle bonne surprise. Qu'est-ce que vous faites ici?

— On est juste venus faire un saut, dit Erica en échangeant un regard avec Patrik.

— Bonne idée, entrez, je vais préparer du café, dit Kristina, l'air un peu déconcertée.

Erica attendit le bon moment pour parler. Elle laissa sa belle-mère s'affairer avec le café et s'asseoir avant de dire en dissimulant mal son excitation :

— Tu sais, je t'avais dit que j'ai trouvé les journaux intimes de maman dans le grenier. Et que ces temps-ci je n'arrête pas de les lire pour essayer de savoir un peu plus qui était Elsy Moström.

— Oui, en effet, tu me l'as dit, répondit Kristina en évitant son regard.

— La dernière fois que je suis venue te voir, j'ai dit aussi que je trouvais bizarre qu'elle arrête d'écrire en 1944 et qu'il n'y en ait pas d'autres.

— Oui, dit Kristina en étudiant attentivement la nappe de la table.

— Aujourd'hui, quand Patrik est passé chez Karin, il lui a parlé de ces carnets. Et elle se souvient parfaitement d'avoir vu des carnets de ce genre chez toi. Erica fit une pause et observa sa belle-mère. D'après elle, tu lui avais demandé d'aller chercher une nappe dans l'armoire à linge, et elle se rappelle avoir vu tout au fond des carnets bleus marqués "Journal intime". Elle avait cru que c'était tes vieux journaux et n'avait pas fait de commentaire, mais tout à l'heure, quand Patrik lui a parlé de ceux de maman, alors… alors elle a fait le lien. Et ma question est, dit Erica calmement, pourquoi ne m'en as-tu rien dit ?

Kristina garda longtemps le silence en fixant la table. Patrik essaya de ne pas les regarder, il se concentra sur la brioche qu'il partageait avec Maja. Pour finir, Kristina se leva et quitta la pièce. Erica la suivit du regard, elle osait à peine respirer. Elle entendit la porte d'une armoire s'ouvrir puis se refermer, et un instant après Kristina revint dans la cuisine. Dans les mains, elle avait trois carnets bleus. Exactement comme ceux qu'Erica avait chez elle.

— J'ai promis à Elsy de les conserver. Elle ne voulait pas que toi et Anna les voyiez. Mais j'imagine que… Kristina hésita, puis elle les tendit. J'imagine qu'il y a un temps où les choses doivent être dites. Et j'ai l'impression que ce moment est venu. Je pense qu'Elsy aurait donné son consentement.

Erica prit les carnets et passa la main sur la couverture.

— Merci, dit-elle en regardant Kristina. Tu sais ce qu'ils contiennent ?

Kristina hésita, ignorant manifestement ce qu'elle devait répondre.

— Je ne les ai pas lus. Mais je suis au courant de certaines choses.

— Je vais les lire dans le salon, dit Erica et elle tremblait de tout son corps en allant s'installer sur le canapé.

Avec précaution, elle ouvrit le premier carnet. Puis elle se mit à lire. Ses yeux volèrent par-dessus les lignes, par-dessus l'écriture désormais si familière, pendant qu'elle prenait part au destin de sa mère et, par conséquent, au sien propre. Avec stupeur et consternation, elle lut l'histoire d'amour de sa mère avec Hans

Olavsen et la découverte qu'elle était enceinte. Au troisième carnet, elle en était au départ de Hans pour la Norvège. Et à ses promesses. Les doigts d'Erica tremblaient de plus en plus et elle pouvait sentir physiquement la panique que sa mère avait éprouvée quand elle parlait des jours et des semaines qui passaient sans qu'elle reçoive de ses nouvelles. Et quand Erica arriva aux dernières pages, elle se mit à pleurer, sans pouvoir s'arrêter. A travers les larmes, elle lisait ce que sa mère notait de sa belle écriture :

Aujourd'hui j'ai pris le train pour Borlänge. Maman ne m'a pas accompagnée à la gare. Il est de plus en plus difficile de cacher mon état. Et je ne veux pas lui infliger cette honte. C'est suffisamment difficile pour moi. Mais j'ai demandé à Dieu de me donner la force de supporter cette épreuve. La force d'abandonner celui que je n'ai pas encore rencontré mais que j'aime déjà d'un si grand amour…

BORLÄNGE 1945

Il n'était jamais revenu. Il lui avait dit au revoir avec des baisers, dit qu'il serait rapidement de retour et il était parti. Et elle avait attendu. D'abord parfaitement rassurée, ensuite avec une petite pointe d'inquiétude, qui avec le temps se transforma en une panique galopante. Car il ne revenait pas. Il n'avait pas tenu sa promesse. Il les avait abandonnés, elle et l'enfant. Pourtant, elle avait été si confiante. Elle n'avait jamais douté de sa promesse, pour elle il était évident qu'il l'aimait autant qu'elle l'aimait. Quelle naïveté ! Combien n'étaient-elles pas, les filles qui avaient été trompées ainsi, de tout temps ?

Elle avait été obligée de faire des aveux à sa mère, lorsqu'il était devenu impossible de dissimuler son état. La tête inclinée, sans pouvoir regarder Hilma dans les yeux, elle avait tout raconté. Qu'elle s'était fait avoir, qu'elle avait cru ses promesses et qu'elle portait maintenant son enfant. Au début, sa mère n'avait pas dit un mot. Un silence de mort s'était installé dans la cuisine, et c'était seulement à ce moment que la peur avait saisi le cœur d'Elsy pour de vrai. Car au fond d'elle-même, elle avait espéré que sa mère la prendrait dans ses bras, la bercerait et dirait : "Ma petite chérie, ça va aller. On trouvera une solution." La mère qu'elle avait eue avant la mort de son père l'aurait fait. Elle aurait eu la force de l'aimer malgré la honte. Mais sa mère n'était plus la même sans Elof. Une partie d'elle était morte avec lui, et la partie restante manquait de courage.

Sans un mot, elle avait fait une valise avec le strict nécessaire pour Elsy. Puis elle avait mis sa fille de seize ans, enceinte, dans le train pour Borlänge avec une lettre dans la poche. Elle l'avait envoyée à la campagne chez sa sœur, sans même avoir pu se résoudre à l'accompagner à la gare, lui disant seulement un bref au revoir dans le vestibule, avant de lui tourner le dos et de retourner dans la cuisine. Les gens de la bourgade entendraient une version différente : Elsy était partie pour intégrer une école ménagère.

Cinq mois s'étaient écoulés depuis. Ils n'avaient pas été faciles. Bien que son ventre et son corps grandissent de semaine en semaine, elle avait dû travailler aussi dur que n'importe qui à la ferme. Du matin au soir, elle avait trimé avec les tâches qu'on lui attribuait, tandis que le fardeau qui lui donnait maintenant des coups de pied dans le ventre faisait souffrir son dos. Elle aurait voulu haïr l'enfant. Mais elle ne pouvait pas. Il faisait partie d'elle, et de Hans. Comment pourrait-elle haïr quelque chose qui les unissait ?

Tout était organisé. On allait lui prendre l'enfant dès sa naissance pour le donner à l'adoption. C'était la seule solution, disait Edith, la sœur de Hilma. Anton, son mari, s'était occupé des détails pratiques, tout en marmonnant sans cesse que c'était une honte, avoir une épouse dont la nièce couchait avec le premier venu. Elle accepta ses remontrances sans protester et sans pouvoir lui fournir une autre explication. Il était difficile d'argumenter contre le fait que Hans n'était pas revenu. Bien qu'il l'eût promis.

Le travail commença tôt un matin. D'abord elle avait cru que c'était l'habituel mal au dos qui l'avait réveillée avant l'heure. Puis la douleur sourde avait augmenté, elle venait et partait, devenait plus intense. Après s'être tortillée dans le lit pendant deux heures, elle avait fini par comprendre ce qui se passait et avait laborieusement roulé hors du lit. Les mains appuyées dans le bas du dos, elle s'était faufilée dans la chambre d'Edith et Anton, et avait réveillé sa tante. Ensuite, ce fut le branle-bas de combat. On lui ordonna de retourner se coucher, et la fille aînée de la maison fut envoyée chercher la sage-femme. On mit de l'eau à chauffer, on sortit des serviettes et Elsy sentit la terreur l'envahir.

Après dix heures de travail, la douleur était intenable. La sage-femme était arrivée depuis plusieurs heures et l'avait examinée avec rudesse. Elle était brusque et peu aimable, marquant nettement ce qu'elle pensait des jeunes filles non mariées qui mettaient au monde des enfants. Elsy eut l'impression de se trouver en terrain ennemi. Chaque fois que la vague de douleur l'assaillait, elle s'agrippait au montant du lit et serrait les dents. C'était comme si on essayait de la couper en deux. Au début, elle avait pu se détendre un peu entre les vagues, quelques minutes pour respirer et reprendre des forces. Mais à présent les contractions étaient si rapprochées qu'il lui était impossible de se reposer. L'idée lui vint plus d'une fois : Cette fois je vais mourir.

Elle avait dû le dire à voix haute, elle le comprit à travers les brouillards de douleur quand la sage-femme la regarda avec mépris en disant :

— Assez de simagrées. Tu t'es mise dans cette situation toi-même, à toi maintenant de l'endurer sans te plaindre !

Elsy n'eut pas la force de protester. Elle saisit le montant du lit tellement fort que ses doigts blanchirent quand une nouvelle vague de douleur parcourut son ventre et irradia dans ses jambes. Jamais elle n'avait cru qu'une telle souffrance puisse être possible. Elle était partout. Pénétrait chaque fibre, chaque cellule de son corps. Et elle commençait à fatiguer. Elle luttait contre le supplice depuis si longtemps qu'elle voulut abandonner, se laisser tomber sur le dos dans le lit et laisser la douleur s'emparer d'elle et faire ce qu'elle voulait. Mais elle savait qu'elle ne pouvait pas se le permettre. C'était leur enfant, à Hans et elle, qui voulait sortir, et elle allait le mettre au monde, même si ce devait être la dernière chose qu'elle faisait dans cette vie.

Un nouveau type de douleur vint se mêler à celle qui lui était devenue familière à ce stade. Une douleur lourde, et la sage-femme hocha la tête à l'adresse de sa tante.

— Ce sera bientôt fini, dit-elle en appuyant sur le ventre d'Elsy. Il faudra que tu pousses de toutes tes forces quand je te le dirai, le bébé sera bientôt là.

Elsy ne répondit pas, mais elle comprit ce que disait la sage-femme et attendit ce qui allait venir. La sensation d'être obligée de pousser l'envahissait, et elle respira à fond.

— Allez, maintenant tu pousses de toutes tes forces.

C'était un ordre, et Elsy baissa le menton vers la poitrine et poussa. Elle n'eut pas l'impression qu'il se passait quoi que ce soit, mais la sage-femme lui fit un signe de la tête comme quoi c'était bien.

— Attends la prochaine contraction, dit-elle avec rudesse, et Elsy obéit.

Elle sentit de nouveau la pression monter, et quand ce fut insupportable elle reçut de nouveau l'ordre de pousser. Cette fois, ce fut comme si quelque chose se dégageait, c'était difficile à décrire, mais c'était comme si quelque chose cédait.

— La tête est sortie. Encore une contraction et…

Elsy ferma les yeux un instant, et elle vit Hans derrière ses paupières. Mais ce n'était pas le moment de pleurer.

— Maintenant ! dit la sage-femme, et avec ses dernières forces Elsy appuya le menton contre sa poitrine et poussa, les genoux remontés.

Quelque chose de mouillé et de glissant sortit d'elle. Exténuée, elle retomba contre le drap trempé de sueur. Le premier sentiment fut le soulagement. Soulagement à l'idée que toutes les heures de tourment étaient terminées. Elle était fatiguée d'une manière qu'elle n'avait jamais connue auparavant, chaque partie de son corps était totalement épuisée et elle n'eut pas la force de bouger d'un millimètre. Jusqu'à ce qu'elle entende le cri. Un cri aigu et furieux, qui la fit se dresser sur les coudes.

Elle sanglota en l'apercevant. Il était… parfait. Collant et plein de sang, et furieux d'affronter le froid, mais parfait. Elsy retomba contre les oreillers, quand elle réalisa que c'était la première et la dernière fois qu'elle le voyait. La sage-femme coupa le cordon ombilical et nettoya soigneusement le bébé avec un gant de toilette. Puis elle lui mit une petite chemise de bébé avec des broderies, qu'Edith avait sortie de ses placards. Personne ne s'occupa d'Elsy, mais elle n'arrivait pas à quitter des yeux les soins donnés à son bébé. Elle avait l'impression que son cœur allait éclater d'amour, elle mangeait le bébé des yeux. Ce ne fut que lorsque Edith fit le geste de le prendre et de quitter la pièce qu'elle retrouva la parole :

— Je veux le tenir !

— Ce n'est pas conseillé dans ces circonstances, dit la sage-femme avec colère et elle fit signe à Edith de s'éloigner.

Mais la tante hésita.

— S'il te plaît, laisse-moi le tenir. Juste une minute. Ensuite tu pourras le prendre.

La voix d'Elsy était suppliante, et Edith ne put y résister. Elle alla mettre le garçon dans les bras d'Elsy, et elle le tint tendrement tout en le regardant dans les yeux.

— Bonjour mon chéri, chuchota-t-elle et elle le berça tout doucement.

— Tu lui mets du sang partout sur sa chemise, dit la sage-femme d'un air agacé.

— J'en ai d'autres, coupa Edith avec un regard qui la fit taire.

Elsy ne se lassait pas de le regarder. Il était chaud et lourd dans ses bras, et, fascinée, elle regarda les petits doigts avec les minuscules ongles.

— C'est un beau garçon, dit Edith.

— Il ressemble à son père, dit Elsy, et elle sourit quand le bébé serra solidement son index.

— Maintenant il faut que tu le lâches. Il a besoin d'être nourri, dit la sage-femme et elle arracha le bébé des bras d'Elsy.

Son premier instinct fut de lutter, de ne pas le lâcher. Mais elle y résista. La sage-femme commença à lui enlever la chemise pleine de sang et à lui en enfiler une autre. Puis elle le donna à Edith, qui quitta la pièce avec un dernier regard pour Elsy.

Elsy sentit alors une cassure en elle. Au plus profond de son cœur, quelque chose se brisa, quand elle vit son fils pour la dernière fois. Elle savait qu'elle ne survivrait pas encore une fois à une telle douleur.

Couchée là dans son lit ensanglanté et trempé de sueur, le ventre et les bras vides, elle décida que plus jamais elle ne s'exposerait à une telle chose. Elle décida de ne plus jamais admettre quelqu'un dans son cœur. Plus jamais. Les joues baignées de larmes, elle se le promit, tandis que la sage-femme s'occupait du délivre.

— Martin !

— Paula !

Les deux appels furent simultanés. Manifestement, ils allaient chacun à la rencontre de l'autre. A présent, ils étaient plantés dans le corridor et se regardaient, les joues en feu. Martin fut le premier à retrouver ses esprits.

— Viens dans mon bureau, dit-il. Kjell Ringholm était là il y a une minute, et il faut que je te raconte un truc.

Il ferma la porte derrière elle et s'assit. Paula fit de même, mais elle avait tellement hâte de partager avec lui ce qu'elle venait de trouver qu'elle eut du mal à se tenir tranquille.

— Premièrement, Frans Ringholm a avoué le meurtre de Britta Johansson, et de plus il insinue que c'est lui qui a tué Erik Frankel et… Martin hésita. Et l'homme qu'on a trouvé dans la tombe.

— Comment ça ? Il a avoué à son fils avant de mourir ? dit Paula, déconcertée.

Martin poussa vers elle la pochette plastique contenant les feuillets de la lettre.

— Plutôt après. Kjell a reçu ça avec le courrier aujourd'hui. Lis-la et dis-moi ensuite spontanément ce que tu en penses.

Paula prit la lettre et commença à lire, très concentrée. Quand elle eut fini, elle la remit dans la pochette et dit, le front barré d'une ride soucieuse :

— Oui, il n'y a pas d'hésitation, il dit très clairement qu'il a tué Britta. Mais Erik et Hans Olavsen… Il parle de culpabilité, mais c'est une façon étrange de s'exprimer dans ce contexte, surtout quand il écrit si explicitement qu'il a assassiné Britta. Alors je ne sais pas… Je ne suis pas certaine qu'il veuille dire qu'il a littéralement tué les deux autres… Et de plus…

Elle se pencha en avant et fut sur le point d'exposer ce qu'elle avait trouvé de son côté, lorsque Martin l'interrompit :

— Attends, ce n'est pas tout. Kjell a regardé de plus près ce… Hans Olavsen. Il a essayé de le localiser, de savoir ce qu'il est devenu.

— Oui ? fit Paula avec impatience.

— Il a été en contact avec un professeur norvégien qui est une autorité en la matière et qui sait à peu près tout sur l'occupation allemande de la Norvège. Comme il possède beaucoup de matériel sur le mouvement de résistance norvégienne, Kjell s'était dit qu'il pourrait peut-être l'aider à retrouver Hans Olavsen.

— Oui…, dit Paula encore une fois, et elle commençait à s'irriter de la lenteur de Martin.

— Au début il n'a rien trouvé…

Paula poussa un soupir ostentatoire.

— Avant que Kjell lui faxe une photographie du "résistant" Hans Olavsen, dit Martin en dessinant des guillemets dans l'air.

— Et ?

L'intérêt de Paula était définitivement éveillé et, un instant, elle en oublia ses propres informations.

— Il se trouve que le mec n'était pas un résistant. C'était le fils d'un SS du nom de Reinhardt Wolf. Olavsen était le nom de jeune fille de sa mère, qu'il a pris quand il s'est enfui en Suède. Sa mère norvégienne s'était mariée avec un Allemand et, quand les Allemands ont occupé la Norvège, Wolf a eu un poste élevé dans la SS grâce à ses connaissances du norvégien, que sa femme lui avait appris. A la fin de la guerre, Wolf a été arrêté et emprisonné en Allemagne. On ne sait rien sur le sort de sa femme, mais le fils, Hans, a quitté la Norvège en 1944 sans jamais refaire surface. Et nous savons pourquoi. Il s'est enfui en Suède, a prétendu être un résistant et s'est retrouvé d'une façon ou d'une autre dans une tombe du cimetière de Fjällbacka.

— Incroyable. Mais en quoi cela peut-il aider notre enquête ?

— Je ne sais pas encore. Mais je sens que ça a sa part d'importance, dit Martin d'un air pensif. Puis il sourit. Bon, maintenant tu es au courant de mes grandes nouvelles. Et toi, qu'est-ce que tu avais à me raconter ?

Paula respira à fond, puis elle dévoila rapidement ce qu'elle avait découvert. Martin regarda sa collègue avec respect.

— Eh bien, ça jette indéniablement une autre lumière sur l'affaire, dit-il en se levant. Il faut qu'on procède à une perquisition immédiatement. Toi, tu vas chercher la voiture, pendant ce temps j'appelle le procureur pour obtenir son autorisation.

Paula n'eut pas besoin qu'on le lui dise deux fois. Elle bondit de sa chaise, le sang bourdonnant dans les oreilles. Ils étaient près maintenant. Elle le sentit. Ils étaient tout près.

Elle n'avait pas dit un mot depuis qu'ils étaient montés dans la voiture. Elle avait regardé fixement par la fenêtre, les carnets sur les genoux et les mots et la douleur de sa mère tournoyant dans son crâne. Patrik l'avait laissée tranquille, sachant très bien qu'elle lui en parlerait quand elle se sentirait prête. Il n'avait pas autant de détails qu'Erica, puisqu'il n'avait pas lu les journaux intimes, mais, pendant qu'Erica les lisait, Kristina lui avait parlé de l'enfant qu'Elsy avait dû abandonner.

Au début il en avait voulu à sa mère. Comment avait-elle pu taire une telle chose à Erica ? Et à Anna. Puis lentement il avait commencé à voir les choses de son point de vue. Elle avait promis à Elsy de ne rien dire. Elle avait tenu la promesse faite à une amie. Certes, elle affirmait qu'elle avait parfois envisagé de raconter à Erica et Anna qu'elles avaient un frère, mais en même temps elle avait eu peur des conséquences. Si bien qu'elle s'était finalement dit qu'il valait mieux s'en abstenir. Patrik eut envie de protester contre cette conclusion, mais il croyait Kristina quand elle lui assurait avoir fait ce qu'elle pensait être le mieux.

Maintenant que le secret était dévoilé, il avait lu sur le visage de sa mère qu'elle était soulagée. Patrik se demanda comment Erica allait se positionner face à ce qu'elle venait d'apprendre. En fait, il n'avait pas à se le demander. Il la connaissait suffisamment bien pour savoir qu'elle allait retourner chaque pierre sur son chemin pour retrouver son frère. Il tourna la tête et l'observa de profil. A la voir fixer ainsi le paysage d'un air absent, il sentit combien il l'aimait. C'était si facile de l'oublier. La vie et le quotidien suivaient leur cours, le boulot et les tâches ménagères et simplement… les jours qui passaient. Mais il y avait certains moments. Comme maintenant. Alors il sentait avec une intensité presque effrayante à quel point ils étaient unis. Et combien il aimait se réveiller chaque matin à côté d'elle.

En arrivant à la maison, Erica alla tout droit dans son bureau, toujours sans avoir prononcé un mot et avec la même expression absente. Patrik s'affaira un peu et coucha Maja pour sa sieste avant d'oser la déranger.

— Je peux entrer? demanda-t-il en frappant à sa porte.

Erica se retourna et hocha la tête, toujours un peu pâle, mais avec des yeux un peu plus animés désormais.

— Comment tu te sens?

— Pour être tout à fait honnête, je n'en sais rien, dit-elle en prenant une profonde inspiration. Remuée.

— Tu en veux à Kristina? De ne rien avoir raconté, je veux dire?

Erica réfléchit un instant puis elle secoua la tête.

— En fait, non. Maman lui a fait promettre, et je peux comprendre qu'elle ait eu peur de faire plus de mal que de bien si elle racontait.

— Tu vas le dire à Anna?

— Oui, évidemment. Elle a le droit de savoir, elle aussi. Mais je dois d'abord le digérer moi-même.

— Et tu as déjà commencé à farfouiller, j'imagine, dit Patrik en hochant la tête en direction de l'ordinateur allumé, sur lequel s'affichait une page Internet.

— Bien sûr, répondit Erica avec un petit sourire. J'ai vérifié un peu quels sont les chemins pour dépister des adoptions, je ne pense pas que ça soit un problème de le retrouver.

— Tu le ressens comment? dit Patrik. Ça doit être affreux. Tu ignores tout de lui, tu ne sais pas comment est sa vie.

— Oui, c'est assez terrible. Mais c'est encore pire de ne pas savoir. Je veux dire, j'ai un frère qui se balade quelque part. Et j'ai toujours voulu avoir un grand frère…, dit-elle avec un sourire de guingois.

— Ta mère n'a pas dû arrêter de penser à lui au fil des ans. Est-ce que ça change l'image que tu as d'elle ?

— Oui, évidemment. Je ne peux pas dire que je lui donne raison de nous avoir tenues à l'écart, Anna et moi, comme elle l'a fait. Mais… Elle cherche les mots appropriés. Mais je peux comprendre qu'elle n'ait pas osé laisser entrer quelqu'un à nouveau. Je veux dire, d'abord être abandonnée par le père de l'enfant, enfin, c'est ce qu'elle croyait. Et ensuite être forcée d'abandonner son enfant. Elle n'avait que seize ans ! Je ne peux même pas imaginer ce qu'elle a ressenti. De plus, juste après avoir perdu son père – et d'une certaine façon sa mère aussi, d'après ce qu'on peut comprendre. Non, je ne peux pas lui en vouloir. Je n'y arrive pas.

— Si seulement elle avait su que Hans ne l'avait pas abandonnée, dit Patrik en secouant la tête.

— Oui, c'est presque le plus cruel de l'histoire. Il n'avait jamais quitté Fjällbacka ! Il ne l'avait jamais quittée, elle. Il avait été tué. La voix d'Erica cassa. Pourquoi ? Pourquoi l'a-t-on tué ?

— Tu veux que j'appelle Martin pour voir s'ils ont appris autre chose ?

Ce n'était pas seulement pour Erica qu'il tenait à appeler. Lui aussi avait été très affecté par le sort du Norvégien, et savoir qu'il était le père du demi-frère d'Erica n'avait pas diminué son intérêt pour lui.

— Oui, s'il te plaît, fais-le, dit Erica avec enthousiasme.

— D'accord, j'appelle tout de suite, dit Patrik en se levant.

Un quart d'heure plus tard il remontait dans le bureau d'Erica, et elle vit tout de suite qu'il apportait du nouveau.

— Ils ont trouvé un mobile possible au meurtre de Hans Olavsen, dit-il.

— Oui ? dit Erica qui eut du mal à rester assise.

Patrik hésita une seconde avant de transmettre ce que Martin lui avait raconté.

— Hans Olavsen n'était pas un résistant. Il était le fils d'un officier SS haut placé et il travaillait lui-même pour les Allemands durant l'occupation de la Norvège.

Le silence se fit dans la pièce. Erica le dévisagea et pour une fois elle fut muette. Patrik poursuivit :

— Kjell Ringholm est venu au commissariat avec une lettre d'aveux que Frans a écrite avant de se suicider. Kjell l'a reçue au courrier aujourd'hui. Il reconnaît qu'il a tué Britta et il écrit qu'il porte aussi la responsabilité de la mort d'Erik et de Hans. Mais Martin était un peu flou à ce sujet. Je lui ai demandé s'il interprétait ça comme un aveu des meurtres d'Erik et Hans, mais il n'était pas prêt à le jurer.

— Qu'est-ce que ça veut dire alors ? Il porte la responsabilité ? Comment ça ? dit Erica quand elle eut retrouvé la parole. Et le fait que Hans n'était pas un résistant… Est-ce que maman le savait ? Comment… ?

Elle secoua la tête.

— Qu'est-ce que tu penses, toi qui as lu les journaux intimes ? Est-ce qu'elle le savait ? dit Patrik en se rasseyant.

Erica réfléchit, puis elle secoua la tête.

— Non, dit-elle fermement. Je ne crois pas que maman le savait. Non, certainement pas.

— La question est de savoir si Frans l'a appris d'une façon ou d'une autre. Mais pourquoi n'écrit-il pas explicitement qu'il les a assassinés, si c'est ça qu'il veut dire? Pourquoi dit-il qu'il en porte la responsabilité?

— Martin t'a dit comment ils comptent poursuivre?

— Non, il a seulement dit que Paula a peut-être trouvé une ouverture, qu'ils partaient la vérifier et qu'il me rappellerait dès qu'il en saurait plus. Il semblait assez en forme, ajouta Patrik et il sentit un coup au cœur. C'était une sensation difficile et inhabituelle de se trouver loin des événements.

— Je vois exactement à quoi tu penses, là, s'amusa Erica.

— Oui, il est évident que j'aurais aimé être au commissariat en ce moment, dit Patrik. Mais je ne changerais pour rien au monde, je pense que tu le sais.

— Je le sais, dit Erica. Et je te comprends. C'est tout à fait normal.

Comme une confirmation de ce qu'ils venaient de se dire, un cri sonore se fit entendre dans la chambre de Maja. Patrik se leva.

— Et voilà la cloche qui sonne.

— C'est l'heure de redescendre dans la mine, rigola Erica. Mais viens d'abord ici avec le petit tyran, que je lui fasse des bisous.

— A vos ordres, dit Patrik.

En sortant de la pièce, il entendit Erica chercher brusquement sa respiration.

— Patrik, je sais qui est mon frère, s'écria-t-elle. Elle se mit à rire, ses larmes commencèrent à couler et elle répéta : Je sais qui est mon frère.

Ils étaient déjà en voiture lorsque Martin reçut le message disant qu'ils avaient l'autorisation de faire la perquisition. Ils avaient compté là-dessus et avaient déjà pris la route. Aucun des deux ne parlait. Chacun était plongé dans ses réflexions et essayait de renouer les fils, de distinguer le dessin qui commençait à apparaître.

Personne ne répondit lorsqu'ils sonnèrent à la porte.

— On dirait qu'il n'y a personne, constata Paula.

— Comment on fait pour entrer alors? dit Martin en contemplant d'un air pensif la porte massive qui semblait difficile à forcer.

Paula sourit, tendit la main et tâtonna au-dessus d'un des chevrons qui surplombaient la porte d'entrée.

— Avec la clé, dit-elle en brandissant sa trouvaille.

— Que ferais-je sans toi? dit Martin du fond du cœur.

— Tu te fracturerais probablement l'épaule en essayant de défoncer la porte, dit-elle.

Ils entrèrent. Il régnait un silence sinistre, l'air était renfermé et chaud, et ils suspendirent leurs vestes dans l'entrée.

— On se partage les pièces? dit Paula.

— Je peux prendre le rez-de-chaussée, et tu prends l'étage.

— Qu'est-ce qu'on cherche?

Paula eut subitement l'air d'hésiter. Elle était certaine qu'ils étaient sur la bonne piste mais, maintenant qu'ils étaient là, elle n'était plus aussi sûre de trouver quelque chose qui le prouverait.

— Je ne sais pas trop. Martin semblait être frappé par la même hésitation. On n'a qu'à fouiller aussi minutieusement qu'on le peut, on verra bien ce qu'on trouvera.

— D'accord.

Paula hocha la tête et monta à l'étage. Une heure plus tard elle redescendit.

— Rien pour l'instant. Tu veux que je continue là-haut, ou on change pendant un moment ? A moins que tu n'aies trouvé quelque chose ?

— Non, pas encore, dit Martin en secouant la tête. Mais je pense que c'est une bonne idée de changer un peu. Cela dit… Il eut l'air pensif et montra une porte dans l'entrée. On pourrait peut-être vérifier la cave d'abord. On n'y est pas encore allés.

— Bonne idée, dit Paula en ouvrant la porte.

Il faisait un noir d'encre dans l'escalier, mais elle trouva un interrupteur juste à côté de la porte d'entrée, et alluma la lumière. Arrivée en bas, elle s'arrêta pendant quelques secondes pour que ses yeux s'habituent à la faible lumière.

— Ça fout les jetons, cet endroit, dit Martin qui la suivait de près.

Il parcourut les murs des yeux et ce qu'il vit le laissa bouche bée.

— Chuuut…, fit Paula et elle posa un doigt sur ses lèvres en plissant le front. Tu n'as rien entendu ?

— Non, dit Martin en dressant l'oreille. Non, je n'ai rien entendu.

— On aurait dit une portière de voiture. Tu es sûr que tu n'as rien entendu ?

— Oui. Ton imagination sans doute…

Il se tut lorsqu'ils entendirent un bruit de pas très net à l'étage supérieur.

— Mon imagination, tu parles. On ferait mieux de remonter, dit Paula et elle posa un pied sur la première marche.

Au même moment, la porte de la cave claqua et ils entendirent une clé qui tournait.

— Merde, c'est quoi…

Paula monta l'escalier quatre à quatre, lorsque la

lumière s'éteignit. Ils restèrent dans une obscurité totale.

— Saloperie de bordel de merde ! jura Paula, et Martin l'entendit tambouriner sur la porte. Ouvrez la porte ! C'est la police ! Ouvrez la porte et laissez-nous sortir !

Elle se tut pour respirer et reprendre son élan, lorsqu'ils entendirent très nettement cette fois une portière claquer et une voiture démarrer sur les chapeaux de roues.

— Merde, merde ! dit Paula en tâtonnant pour redescendre.

— Il faut qu'on appelle de l'aide, dit Martin en cherchant son téléphone, puis il se rappela qu'il l'avait laissé dans la poche de sa veste. Passe-moi ton téléphone, j'ai laissé le mien dans ma veste.

Paula resta silencieuse et il sentit l'inquiétude monter en lui.

— Ne me dis pas que toi aussi…

— Si, dit Paula d'une voix pitoyable. Le mien aussi est resté dans ma poche…

— Putain de merde ! dit Martin et il monta l'escalier à l'aveuglette pour tenter de défoncer la porte. Aïe ! hurla-t-il en se frottant l'épaule.

Vexé, il redescendit auprès de Paula.

— Qu'est-ce qu'on fait maintenant ? dit Paula sombrement. Puis elle chercha sa respiration. Johanna !

— C'est qui, Johanna ? demanda Martin, perplexe.

Paula garda le silence pendant quelques secondes, puis elle dit :

— Ma compagne. Elle va accoucher dans deux semaines. Mais on ne sait jamais… et je lui ai promis d'être toujours joignable au téléphone.

— Oh, ça devrait aller. La première fois, ça dépasse souvent la date prévue, dit Martin tout en essayant de digérer l'information hautement personnelle que venait de lui confier sa nouvelle collègue.

— Espérons-le, dit Paula. Sinon elle va réclamer ma tête. Heureusement qu'elle peut toujours joindre ma mère. Au pire…

— Ne pense pas comme ça. On n'est pas supposés rester ici très longtemps, et comme je viens de le dire, si c'est prévu pour dans deux semaines, vous ne craignez rien.

— Mais personne ne sait qu'on est ici, dit Paula et elle s'assit sur la première marche. Et pendant qu'on est ici, l'assassin s'échappe.

— Vois les choses du bon côté. Au moins, il n'y a pas de doute qu'on avait raison, dit Martin dans un essai d'alléger l'ambiance.

Paula ne daigna même pas répondre.

En haut, dans l'entrée, le téléphone de Paula se mit à sonner.

Mellberg hésita devant la porte. Tout avait semblé parfait pendant le cours de danse du vendredi soir, mais depuis il n'avait pas revu Rita, malgré des promenades répétées le long de son parcours habituel. Elle lui manquait. Il était étonné de le ressentir aussi fort, mais il ne pouvait plus fermer les yeux. Elle lui manquait, vraiment. Ernst semblait dans le même état d'esprit. Il était parti en tirant sur sa laisse en direction de l'immeuble de Rita, et Mellberg n'avait pas franchement contré ses tentatives d'y aller. Mais maintenant qu'il était là, il hésitait. D'une part il ne savait pas si elle était à la maison, d'autre part il se sentait terriblement timide, ce qui ne lui ressemblait pas, et il avait peur de paraître effronté. Mais il se débarrassa de ces considérations inhabituelles pour lui et appuya sur le bouton de l'interphone. Personne. Il était sur le point de repartir lorsqu'il entendit un crépitement et une voix fatiguée qui haletait dans le haut-parleur.

— Allô? dit-il en se retournant. C'est Bertil Mellberg.

D'abord il n'eut pas de réponse, puis vint un "Monte" à peine audible. Puis un gémissement. Il plissa le front. Etrange. Avec Ernst sur ses talons, il monta les deux étages jusqu'à l'appartement de Rita. La porte était entrouverte et il entra, un peu confondu.

— Il y a quelqu'un? appela-t-il pour voir, sans réponse.

Puis il entendit un autre gémissement et il aperçut quelqu'un par terre.

— J'ai… des contractions…, gémit Johanna qui s'était blottie en boule en haletant pour encaisser la douleur.

— Oh pétard, dit Mellberg et il sentit la sueur perler sur son front. Où est Rita? Je l'appelle! Et Paula, il faut qu'on chope Paula, et une ambulance…

Il bégaya en cherchant des yeux un téléphone dans l'entrée.

— J'ai… essayé… pas… pu… les… joindre…, geignit Johanna, mais elle dut attendre la fin de la contraction pour poursuivre sa phrase.

Elle se remit péniblement debout en s'appuyant sur la poignée de porte du placard et elle se tenait le ventre en fixant Bertil d'un regard catastrophé.

— Evidemment que j'ai essayé de les joindre, qu'est-ce que tu crois? Mais ça ne répond pas. Pourquoi est-ce que c'est si difficile de… Putain de merde…

Ses jurons furent interrompus par une nouvelle contraction et elle retomba à genoux en respirant comme un petit chien.

— Emmène-moi… L'hôpital, dit-elle et elle montra des clés de voiture posées sur la commode de l'entrée.

Mellberg les regarda comme si elles allaient se transformer en un serpent venimeux sous ses yeux, puis il vit comme au ralenti sa main se tendre pour les saisir. Sans savoir d'où lui venait cette capacité d'initiative, il traîna Johanna plus qu'il ne la porta jusqu'à la voiture, dans le parking, et la fit s'asseoir sur le siège arrière. Il laissa Ernst dans l'appartement, puis il roula à tombeau ouvert en direction de l'hôpital. La panique n'était pas loin lorsque les bruits émis par Johanna à l'arrière se firent de plus en plus soutenus, et les kilomètres pour rejoindre l'hôpital, plusieurs dizaines, lui paraissaient interminables. Finalement, il put s'arrêter dans un dérapage contrôlé devant l'entrée de la maternité. Il dut de nouveau traîner Johanna à la réception, les yeux écarquillés de peur.

— Elle est en train d'accoucher, dit Mellberg à la dame derrière la vitre qui, au vu de Johanna, eut l'air de penser que cette information était parfaitement superflue.

— Venez avec moi, commanda-t-elle et elle les conduisit dans une pièce attenante.

— Bon… je pense que je vais disposer alors, dit Mellberg nerveusement quand on donna l'ordre à Johanna d'ôter son pantalon.

Mais elle l'attrapa par le bras juste quand il était sur le point de prendre la porte et elle dit sourdement, alors qu'une nouvelle contraction arrivait :

— Tu… vas… nulle… part… Pas… rester… seule…

— Mais…, protesta Mellberg, puis il réalisa qu'il ne pouvait pas la laisser seule.

Avec un soupir, il s'installa et essaya de regarder ailleurs quand Johanna fut examinée de près.

— Sept centimètres, dit la sage-femme en regardant Mellberg, comme si elle supposait qu'il avait besoin de cette information.

Il hocha la tête, tout en se demandant ce que cela voulait dire. Etait-ce bien ? mal ? Il en fallait combien, de centimètres ? Et avec horreur il comprit qu'il allait sans doute le savoir, et bien d'autres choses encore, avant que cette expérience soit terminée.

Il sortit son portable et composa de nouveau le numéro de Paula. Mais il n'obtint que son répondeur. Pareil pour Rita. C'était quoi, ces gens ? Elles savaient que Johanna pourrait accoucher à tout moment, et elles coupaient leur téléphone ?

Mellberg se dit qu'il réussirait peut-être quand même à s'échapper en douce. Deux heures plus tard, il était toujours là. On les avait introduits dans la salle d'accouchement, et il était désormais résolument retenu par Johanna qui serrait sa main dans une poigne de fer. Malgré lui, il la plaignait. On lui avait expliqué que les sept centimètres allaient devenir dix, mais les trois derniers paraissaient prendre tout leur temps. Johanna était suspendue au masque à gaz hilarant, et Mellberg en aurait bien pris un peu, lui aussi.

— Je n'en peux plus, dit Johanna, les yeux embrumés par le protoxyde d'azote. Ses cheveux mouillés de sueur lui collaient au front, et Mellberg attrapa une serviette et le lui essuya. Merci, dit-elle et elle le dévisagea avec des yeux qui lui firent oublier toute velléité de s'échapper.

Il ne put s'empêcher de ressentir une fascination pour ce qui se déroulait devant lui. Certes, il savait déjà que c'était un processus douloureux de mettre un enfant au monde, mais il n'avait jamais réalisé qu'il fallait une contribution herculéenne, et pour la première fois de sa vie il ressentit un profond respect pour la gent féminine. Pour sa part, il n'en serait jamais arrivé à bout, ça, c'était sûr et certain.

— Essaie… Appelle encore…, dit Johanna et elle se mit à inspirer le gaz anesthésiant lorsque la machine qui était branchée au bidule sur son ventre indiqua l'imminence d'une nouvelle contraction.

Mellberg dégagea sa main et composa les deux numéros qu'il avait essayé de joindre ces deux dernières heures. Personne ne répondait, toujours pas, et avec regret il secoua la tête en direction de Johanna.

— Où peuvent… ? commença-t-elle, puis elle glissa dans la contraction et sa phrase se transforma en gémissement.

— Tu es sûre que tu ne veux pas de ce truc, la pédirale, c'est ça ? demanda Mellberg, inquiet, et il essuya de nouvelles perles de sueur sur le front de Johanna.

— Non… j'y suis presque… Peux tenir… Et ça s'appelle… une péridurale…

Elle geignit encore et son dos décrivit une large courbe. La sage-femme revint dans la salle et vérifia où elle en était, comme elle l'avait fait à intervalles réguliers depuis leur arrivée.

— Le col est entièrement dilaté maintenant, dit la sage-femme, satisfaite. Tu entends ça, Johanna ? Du bon boulot. Dix centimètres. Tu pourras bientôt commencer à pousser. Tu as super bien travaillé. Ton bébé sera bientôt là.

Mellberg prit la main de Johanna et la serra fort. Il avait une drôle de sensation dans le cœur, il aurait presque dit de la fierté. Il était fier de Johanna, qu'on félicitait pour son travail, fier de savoir qu'ils avaient fait cela ensemble, fier que le bébé de Johanna et Paula naisse bientôt.

— Ça prendra combien de temps maintenant ? demanda-t-il à la sage-femme.

Personne n'avait demandé quelle était sa relation avec Johanna, et il supposait que tout le monde le prenait pour le père de l'enfant, malgré son âge. Et il les laissait volontiers dans l'erreur.

— Ça dépend, mais je dirais que le bébé sera là dans une demi-heure tout au plus, répondit la sage-femme gentiment et elle adressa un sourire d'encouragement à Johanna, qui se reposa deux secondes entre les contractions.

Puis elle plissa de nouveau le visage et tendit son corps.

— C'est différent maintenant comme sensation, dit-elle en serrant les dents et elle attrapa de nouveau le masque.

— Ce sont les contractions les plus efficaces, dit la sage-femme. Attends d'en avoir une vraiment forte et, quand je te dirai de pousser, tu remonteras les genoux et tu inclineras le menton sur ta poitrine, et ensuite tu pousseras de toutes tes forces.

Johanna fit un oui épuisé de la tête et serra de nouveau la main de Mellberg. Il serra la sienne en retour, puis tous les deux regardèrent la sage-femme dans l'attente de nouveaux ordres.

Après quelques secondes, Johanna se mit à haleter, et elle interrogea la sage-femme des yeux.

— Attends, attends, attends… résiste… attends qu'elle soit vraiment forte… et MAINTENANT tu pousses.

Johanna obéit, elle appuya le menton sur sa poitrine, remonta les genoux et poussa à en devenir écarlate, jusqu'à ce que la contraction décline.

— Bien ! C'était très bien. Et une très bonne

contraction! On va attendre la suivante, et tu verras, ça sera terminé en moins de deux!

Elle eut raison. Deux contractions plus tard, le bébé était né et on le posa sur le ventre de Johanna. Mellberg était fasciné. En théorie, il savait évidemment comment ça se passait, mais tout de même… voir ça en vrai! Voir naître un enfant, qui agitait les bras et les jambes, qui criait et protestait, avant de commencer à chercher sur la poitrine de Johanna.

— Maintenant il faut qu'il trouve le sein, c'est ça qu'il cherche, ton petit garçon, dit la sage-femme et elle aida Johanna jusqu'à ce que ce nouveau petit être trouve le mamelon et commence à téter. Toutes mes félicitations, leur dit la sage-femme, et Mellberg sentit qu'il était radieux comme un soleil.

Jamais il n'avait vécu une chose pareille. Alors là, purée de chez purée, jamais.

Un instant plus tard, le bébé avait fini de téter, il avait été lavé et enveloppé dans une couverture. Johanna était assise dans le lit, un oreiller calé derrière le dos, et elle regardait son fils avec de l'adoration dans les yeux. Puis elle se tourna vers Mellberg et dit à voix basse:

— Merci. Je ne m'en serais pas sortie toute seule.

Mellberg se contenta de hocher la tête. Il avait une grosse boule dans la gorge qui l'empêchait de parler, et il avala plusieurs fois pour essayer de la chasser.

— Tu veux le tenir?

Encore une fois, Mellberg ne put que hocher la tête. Johanna plaça doucement son fils dans ses bras en veillant à ce qu'il lui tienne bien la tête. Quelle drôle de sensation de tenir ce petit corps chaud dans ses bras! Il regarda le petit visage et sentit la boule dans sa gorge enfler. Et quand il regarda droit dans les

yeux du bébé, une chose lui apparut comme évidente.
A partir de cet instant, il était follement et irrémédiablement amoureux.

FJÄLLBACKA 1945

Hans était heureux et il souriait tout seul. Il ne devrait peut-être pas. Mais c'était malgré lui. Bien sûr que ce serait difficile pour eux au début. Beaucoup de gens auraient des partis pris et des points de vue, ils parleraient certainement de péché devant Dieu et d'autres notions du même genre. Mais une fois les choses calmées, ils pourraient commencer à se construire une vie ensemble, Elsy, l'enfant et lui. Comment alors pourrait-il ressentir autre chose que de la joie ?

Le sourire sur ses lèvres s'éteignit quand il pensa à ce qui l'attendait. Ce n'était pas une mission facile. D'une certaine façon il voulait oublier le passé, rester ici et faire comme s'il n'avait jamais vécu d'autre vie. Faire comme si une nouvelle existence s'était ouverte à lui, une feuille blanche et lisse, le jour où il s'était faufilé sur le bateau du père d'Elsy.

Mais la guerre était finie maintenant. Et ça changeait tout. Il ne pouvait pas poursuivre sa vie sans retourner en Norvège d'abord. Surtout pour sa mère. Il devait s'assurer que tout allait bien pour elle, lui apprendre qu'il était vivant et qu'il avait trouvé un foyer.

Hans sortit sa valise et commença à y ranger des vêtements pour quelques jours de voyage. Une semaine. Il ne pensait pas rester absent plus longtemps. Il ne pouvait pas rester séparé d'Elsy plus longtemps que ça. Elle faisait maintenant partie de lui au point qu'il ne pouvait envisager d'être loin d'elle plus que nécessaire. Mais une fois ce voyage accompli, ils resteraient ensemble pour toujours. Ils se coucheraient ensemble tous les soirs et se réveilleraient dans les bras l'un de l'autre, sans honte et sans cachotteries. Il avait été sérieux en disant qu'ils en appelleraient au roi. Si l'autorisation arrivait à temps, ils pourraient se marier avant la naissance de l'enfant. Il se demanda si ce serait un garçon ou une fille. Il se fendit d'un nouveau sourire pendant qu'il pliait ses habits. Une petite fille, avec le doux sourire d'Elsy. Ou un petit garçon, avec ses cheveux blonds et bouclés. Peu importait. Il était tellement heureux qu'il acceptait avec gratitude ce qu'il plairait à Dieu de leur donner.

Un objet dur qui avait été enveloppé dans un bout de tissu tomba quand il sortit un pull du tiroir de la commode. Il tinta en heurtant le sol, et Hans se pencha vivement pour le ramasser. Il s'assit lourdement sur le lit, tout en contemplant l'objet dans sa main. C'était la croix de fer que son père avait reçue pour ses contributions pendant les premières années de la guerre. Hans fixa la médaille. Il l'avait volée à son père, l'avait emportée comme un rappel de ce qu'il fuyait en quittant la Norvège, et comme une assurance si les Allemands le rattrapaient avant qu'il ait réussi à rejoindre la Suède. Il aurait dû s'en débarrasser. Il le savait. Si quelqu'un fouillait ses affaires et la trouvait, son secret pourrait être mis au jour. Mais il en avait besoin. Pour se souvenir.

Il n'avait absolument aucun regret d'avoir rompu les liens avec son père. S'il pouvait décider, il n'aurait plus jamais rien à faire avec cet homme-là. Il représentait tout ce qui était mauvais, et Hans avait honte de ne pas avoir su lui résister à un moment de sa vie. Des images se présentèrent à lui. Des images cruelles et implacables d'actes accomplis par quelqu'un qui n'était plus lui. Une personne faible qui s'était pliée à la volonté du père, mais qui avait fini par réussir à se détacher. Il serra tellement fort l'insigne que ses bords lui entamèrent la peau. Il ne retournait pas en Norvège pour voir son père. Rattrapé par le destin, il avait sans doute déjà eu le châtiment qu'il méritait. Mais il devait voir sa mère. Elle s'inquiétait sûrement pour lui, ne sachant même pas s'il était mort ou vivant. Il fallait qu'il lui parle, qu'il lui montre qu'il allait bien et qu'il lui raconte pour Elsy et l'enfant. En temps voulu, ils pourraient peut-être même la persuader de venir vivre avec eux. Il ne pensait pas qu'Elsy serait contre. Une des choses qu'il aimait le plus chez elle était son cœur généreux. Elle s'entendrait bien avec sa mère, il en était sûr.

Hans se leva du lit et reposa la médaille dans le tiroir, après une certaine hésitation. Elle y resterait jusqu'à son retour, comme un rappel de ce qu'il ne redeviendrait jamais. Un rappel de ne jamais être faible et lâche. Pour Elsy et l'enfant, il était obligé d'être un homme désormais.

Il ferma la valise et regarda la pièce où il avait vécu tant de bonheur cette dernière année. Son train partait dans quelques heures. Il ne restait qu'une chose à faire avant de partir. Une personne avec qui il devait parler. Il sortit en refermant la porte derrière lui. Il eut subitement une sensation funeste. Une sensation que quelque chose tournerait mal. Puis il chassa cette impression et s'en alla. Dans une semaine il serait de retour.

Erica avait insisté pour aller à Göteborg sans Patrik, malgré son offre de l'accompagner. C'était une chose qu'elle devait faire toute seule.

Elle resta un moment devant la porte, avant de se résoudre à lever le doigt et appuyer sur la sonnette. Märta la regarda avec surprise en ouvrant, puis elle s'effaça pour la laisser entrer.

— Excusez-moi de vous déranger, dit Erica et elle sentit tout à coup sa gorge très sèche. J'aurais sans doute dû appeler avant, mais…

— Il n'y a pas de problème, dit Märta en lui souriant gentiment. A mon âge, on est toujours content d'avoir de la compagnie. Entrez donc.

Erica la suivit jusque dans le séjour. Elle réfléchit fébrilement à un moyen d'entamer son sujet, mais Märta la devança.

— Vous avez avancé dans vos enquêtes? demanda-t-elle. Je suis vraiment désolée de ne pas avoir pu vous aider l'autre fois mais, comme je le disais, je ne m'occupais pas du tout de nos finances.

— Je sais maintenant à quoi était destiné l'argent. Ou plutôt à qui, dit Erica.

Son cœur battait la chamade.

Märta lui lança un regard déconcerté, elle ne semblait pas comprendre ce qu'elle disait.

Lentement, les yeux fixés sur la vieille dame, Erica dit doucement :

— En novembre 1945, ma mère a donné naissance à un fils, qui a été adopté dès sa naissance. Elle a accouché chez la sœur de ma grand-mère, à Borlänge. Je pense que l'homme qui a été assassiné, Erik Frankel, faisait ces virements à votre mari pour le compte de l'enfant.

On aurait entendu une mouche voler dans la pièce. Puis Märta baissa les yeux. Erica vit ses mains trembler.

— J'avoue que j'ai eu cette pensée. Mais Wilhelm ne m'en a jamais parlé et… je pense que je n'avais pas envie de savoir. Il a toujours été notre fils et, même si ça paraît terriblement égoïste, je n'ai jamais pensé qu'il était né d'une autre femme. Il était notre fils. A Wilhelm et moi, et nous ne l'avons jamais moins aimé que si je l'avais mis au monde moi-même. On ne pouvait pas avoir d'enfants alors qu'on en avait tellement envie, et… oui, Göran est arrivé comme un don du ciel.

— Est-ce qu'il sait… ?

— Qu'il est adopté ? Oui, on ne lui a jamais rien caché. Mais je ne crois pas qu'il y a beaucoup pensé, à vrai dire. On était ses parents, sa famille. On en a parlé à quelques reprises, Wilhelm et moi, de ce qu'on ressentirait si un jour il voulait connaître ses parents… biologiques. Mais on disait toujours qu'il serait temps de s'en occuper le jour venu et, comme Göran n'a jamais manifesté le désir de les rencontrer, les choses en sont restées là.

— Je l'aime bien déjà, dit Erica spontanément et elle essaya de s'habituer à l'idée que l'homme qu'elle avait rencontré la dernière fois qu'elle était venue ici était son frère. Leur frère, à Anna et à elle, se corrigeat-elle.

— Il t'a bien aimée aussi, dit Märta et son visage s'éclaircit. Et je pense qu'au fond de moi, j'ai dû réagir au fait que vous vous ressembliez tant. Il y a quelque chose avec les yeux qui... je ne sais pas, mais vous avez certains traits en commun.

— Comment pensez-vous qu'il réagirait si...

Erica n'osa pas terminer sa phrase. Märta sourit et eut l'air de se détendre.

— Quand il était petit, il n'arrêtait pas de nous rebattre les oreilles pour avoir des frères et sœurs, alors je pense qu'une petite sœur serait accueillie à bras ouverts.

— Deux sœurs, dit Erica. J'ai une petite sœur qui s'appelle Anna.

— Deux sœurs, reprit Märta en écho et elle secoua la tête. Voyez-vous ça. La vie ne cessera jamais de m'étonner. Même à mon âge. Puis elle redevint sérieuse. Est-ce que tu voudrais bien me parler de ta mère... de sa mère ?

— Bien sûr.

Erica commença à parler d'Elsy, du fait qu'on l'avait obligée à abandonner son fils. Elle parla longtemps, pendant plus d'une heure, essayant de rendre justice à sa mère devant la femme qui avait élevé et aimé son fils.

Lorsque la porte d'entrée s'ouvrit et qu'une voix joyeuse retentit dans le vestibule, toutes les deux sursautèrent.

— Salut maman, tu as de la visite ?

Des pas se dirigèrent vers le séjour. Du regard, Erica interrogea Märta, qui hocha faiblement la tête pour donner son assentiment. Le temps des secrets était fini.

Quatre heures plus tard, ils commencèrent à désespérer. Ils se sentaient comme des taupes enfermées là dans la cave obscure, même si au bout d'un moment leurs yeux s'étaient accommodés et arrivaient à distinguer les contours de la pièce.

— Je n'avais pas tout à fait imaginé que ça se passerait comme ça, soupira Paula. Tu penses qu'ils vont émettre un avis de recherche bientôt ? plaisanta-t-elle platement, en soupirant encore une fois.

Martin n'avait pas pu s'empêcher de s'attaquer de nouveau à la porte et il se frottait l'épaule qui lui faisait franchement mal. Il aurait probablement un bleu impressionnant.

— Il doit être hors de notre portée maintenant, dit Paula et elle sentit la frustration monter en elle.

— C'est à craindre, dit Martin.

— C'est fou, tous les objets qu'il y a ici.

Paula plissa les yeux pour distinguer les formes de tout ce qui encombrait les étagères.

— La plupart doivent être à Erik, dit Martin. Si j'ai bien compris, c'était lui le collectionneur.

— Mais tous ces trucs de nazis, ils doivent valoir une fortune.

— Sans doute. Quand on passe la plus grande partie de sa vie à collectionner quelque chose, on finit par en avoir un bon paquet.

— Pourquoi il a fait ça, à ton avis ?

Paula fixa le noir devant elle et essaya de concentrer ses pensées sur ce qu'ils considéraient maintenant comme un fait établi. Pour être vraiment honnête, elle avait acquis la certitude à l'instant où elle avait réfléchi aux alibis. Elle avait eu l'idée lumineuse de vérifier s'il y avait d'autres vols en juin où le nom d'Axel Frankel figurait sur les listes de passagers. Quand ils avaient examiné son alibi, ils n'avaient pas vérifié s'il avait fait d'autres voyages. Et c'était écrit là, noir sur blanc. Un Axel Frankel avait fait le voyage aller et retour Paris-Göteborg le 16 juin.

— Je ne sais pas, répondit Martin. C'est ça que je ne comprends toujours pas. Les deux frères semblaient bien s'entendre, alors pourquoi Axel aurait-il tué Erik ? Qu'est-ce qui a pu provoquer une telle réaction ?

— Ça doit être lié au contact soudain entre Erik, Axel, Britta et Frans. Ça ne peut pas être une coïncidence. Et d'une façon ou d'une autre, c'est en relation avec le meurtre du Norvégien.

— Oui, ça, je suis arrivé à la même conclusion. Mais comment ? Et pourquoi ? Pourquoi maintenant ? C'est ça que je ne comprends pas.

— On le lui demandera. Si on arrive à sortir d'ici. Et si on arrive à le rattraper un jour. Il doit être en route pour l'autre bout du monde à l'heure qu'il est, dit Paula, découragée.

— Ils vont peut-être retrouver nos squelettes ici dans un an, plaisanta Martin, mais son humour ne fut pas spécialement apprécié.

— Oui, avec un peu de chance, les mômes du quartier vont tenter un nouveau cambriolage, dit Paula sèchement et elle se prit un coup de coude de la part de Martin.

— Mais oui !

Martin était tout excité, tandis que Paula se frottait le bas du dos.

— J'espère vraiment que c'est quelque chose qui en vaut la peine. Tu viens de me briser un rein…

— Tu ne te rappelles pas ce qu'a dit Per pendant son interrogatoire ?

— Je n'étais pas là, c'est Gösta et toi qui l'avez

interrogé, dit Paula qui commençait malgré tout à devenir intéressée.

— Eh bien, il a dit qu'il était entré par une fenêtre de la cave.

— Mais il n'y en a pas ici, autrement on aurait de la lumière.

Sceptique, Paula essaya de scruter les murs. Martin se leva et tâtonna devant lui pour atteindre le mur donnant sur l'extérieur.

— Pourtant, c'est ce qu'il a dit. Alors il y en a forcément une. Mais elle a pu être obstruée. Comme tu dis, tout ce qui se trouve ici doit valoir une fortune, Erik ne voulait peut-être pas que ses trésors soient exposés à la vue de tout le monde.

Paula se leva à son tour et suivit l'exemple de Martin. Elle entendit un "aïe" quand il se cogna au mur d'en face, suivi d'un "aha!" qui fit renaître son espoir. Un espoir qui se transforma en triomphe lorsque Martin arracha l'épais tissu suspendu devant la fenêtre et que la lumière se déversa subitement dans le local.

— Tu n'aurais pas pu y penser quelques heures plus tôt? dit Paula, renfrognée.

— Dis donc, toi, tu devrais plutôt te montrer reconnaissante, après tout je viens de nous délivrer de la captivité, dit Martin gaiement.

Il défit le crochet de la fenêtre et l'ouvrit, puis attrapa une chaise qu'il plaça juste sous la fenêtre.

— Les dames d'abord!

— Merci, marmonna Paula.

Elle monta sur la chaise et se faufila comme une anguille par la fenêtre. Martin la suivit de près et ils s'accordèrent une minute pour laisser leurs yeux s'habituer à l'impitoyable lumière du jour. Ensuite, ils foncèrent vers la porte d'entrée, qui de nouveau était fermée à clé, et cette fois il n'y avait pas de clé cachée sur le chevron. Cela voulait dire que leurs vestes étaient enfermées dans la maison, avec les téléphones et les clés de voiture. Martin s'apprêtait à partir au triple galop chez le voisin le plus proche lorsqu'il entendit un bruit de verre cassé. En se retournant, il constata que Paula venait de jeter une grosse pierre sur l'une des fenêtres du rez-de-chaussée.

— On est sortis par une fenêtre, je me suis dit qu'on pourrait entrer par une autre.

Elle ramassa un bout de branche et ôta les morceaux de verre restés fichés dans le cadre, puis elle exhorta Martin du regard.

— Alors ? Tu vas laisser encore beaucoup d'avance à Axel, ou tu as l'intention de m'aider à entrer ?

Martin n'hésita qu'une seconde, puis il aida sa collègue à passer par la fenêtre avant de prendre le même chemin. Maintenant il fallait rattraper le meurtrier d'Erik Frankel. Axel avait déjà une très grosse avance. Et les questions restées sans réponse étaient beaucoup trop nombreuses.

Arrivé à l'aéroport de Landvetter, il se posa et resta assis. L'adrénaline avait coulé dans ses veines quand il avait enfermé les policiers dans la cave, lancé ses valises dans la voiture et était parti, mais elle l'avait quitté maintenant, laissant place à un grand vide.

Axel était parfaitement immobile et regardait par les fenêtres les avions décoller les uns après les autres. Il aurait pu prendre n'importe lequel d'entre eux. Il avait de l'argent, et il avait des contacts. Il pouvait disparaître où il voulait, comme il voulait. Il avait été chasseur pendant si longtemps, il connaissait toutes les ficelles d'une proie qui cherche à se terrer. Mais il ne voulait pas. Il se retrouvait donc là. Il pouvait fuir. Mais il ne voulait pas. C'est pourquoi il s'était installé là, dans un no man's land, à regarder les avions atterrir et décoller. A attendre le destin qui allait l'attraper. A sa grande surprise, ce n'était pas aussi terrible qu'il l'avait cru. Peut-être était-ce ainsi que ses propres proies s'étaient senties le jour où quelqu'un était finalement venu frapper à leur porte et les avait appelées par leur véritable nom. Un étrange mélange de terreur et de soulagement.

Dans son cas, le prix à payer avait été trop élevé. Ça lui avait coûté Erik.

Si seulement la fille d'Elsy n'était pas venue avec cette médaille. Celle qui symbolisait tout ce qu'ils avaient essayé d'oublier, ce avec quoi ils avaient essayé de vivre. D'un seul coup, elle avait tout ranimé, et Erik avait pris cela comme un signe que l'heure était venue. Car il avait déjà parlé de réparer ce qu'ils pouvaient, ou au moins de répondre de leurs actes. Pas devant la loi. C'était trop tard depuis longtemps déjà. Personne ne pourrait plus les juger selon le code pénal. Mais sur un plan humain et moral. Devant leurs semblables, devant leurs prochains, ils allaient endosser la responsabilité de ce qu'ils avaient fait, c'étaient les paroles d'Erik. Ils méritaient la honte et la réprobation. Ils avaient réussi à échapper au jugement trop longtemps, avait-il affirmé avec beaucoup d'entêtement.

Mais Axel avait toujours réussi à le calmer, à le convaincre que cela ne servirait à rien. Que cela ne pouvait rien amener de bon. On ne pouvait pas changer ce qui s'était passé. C'était ainsi et, s'ils laissaient ça derrière eux, Axel pourrait consacrer son temps à réparer et à compenser. Pas précisément ce dont ils étaient coupables mais, par son travail, il était au service du bien en combattant le mal. Il ne pourrait plus le faire si Erik continuait à soutenir qu'ils devaient répondre de leurs vieux péchés. Ce qui était fait était fait, ça ne servirait à rien de sacrifier tout le bien qu'il avait accompli, et qu'il pourrait encore accomplir, pour ouvrir la porte à une pénitence qui ne changerait rien. Même la loi se montrait indifférente et placide devant leur crime.

Et Erik avait écouté. Il avait essayé de comprendre. Mais au fond de lui, Axel avait su que la culpabilité rongeait son frère, le grignotait de l'intérieur et qu'à la fin ne resterait que la honte. Axel avait essayé de donner une image du monde nuancée à son frère, alors qu'il aurait dû savoir, et il le savait, que cette vision ne résisterait pas à l'épreuve du temps. Car le monde d'Erik était noir et blanc, qu'on le veuille ou non. Le monde d'Erik était constitué de faits. Aucune équivoque. Le monde, c'était des dates et des noms, des événements et des lieux, alignés sur les pages des livres. C'était contre ça qu'Axel avait eu à lutter. Et pendant longtemps ça avait marché. Pendant soixante ans. Puis Erica Falck avait franchi leur porte avec un symbole du passé, en même temps que les murs que Britta avait érigés pour se défendre avaient commencé à se réduire en poussière par le biais d'une maladie qui altérait son cerveau.

Erik s'était mis à vaciller. Et Axel avait senti la panique grandir de jour en jour. Avec acharnement, il avait essayé de supplier et d'argumenter. Il n'était plus la même personne, on ne pouvait pas lui demander de rendre des comptes. Les gens ne le voyaient pas ainsi. Tout ce qu'il était, tout ce que tout le monde voyait en lui se désagrégerait comme du brouillard, et ensuite ne resterait que l'horreur. L'œuvre d'une vie s'écroulerait.

Puis il y avait ce jour-là dans le cabinet de travail. Erik l'avait appelé à Paris pour lui dire que le moment était venu. Seulement ça. Il paraissait ivre au téléphone, ce qui était extrêmement alarmant, car Erik avait toujours été modéré dans sa consommation d'alcool. Il avait pleuré et dit qu'il ne pouvait plus attendre, qu'il était allé faire ses adieux à Viola pour ne pas la laisser avec la honte quand la vérité serait dévoilée. Puis il avait murmuré qu'il avait déjà mis la machine en branle, et qu'il ne voulait plus attendre que quelqu'un d'autre lave leur linge sale en public et exhibe ce que lui-même n'osait pas avouer. A présent, fini la lâcheté, fini l'attente, avait-il bredouillé alors qu'Axel serrait le combiné du téléphone de sa main moite.

Axel avait attrapé le premier vol pour Göteborg, pour essayer de le raisonner, de lui faire comprendre. Il ferma les yeux et sentit son cœur saigner en repensant à la scène. Erik était derrière son bureau quand Axel s'était rué dans la pièce. Il était en train de griffonner distraitement sur un bloc-notes, lorsque de sa voix sèche et atone il prononçait les mots qu'Axel avait craints pendant six décennies. Erik s'était décidé. La culpabilité était en train de le ronger de l'intérieur et il n'était plus capable de résister. Il avait très clairement annoncé à Axel qu'il avait commencé à prendre des mesures pour qu'enfin ils assument leurs responsabilités.

Axel avait nourri l'espoir que ses paroles au téléphone ne seraient que des mots en l'air, que son frère aurait retrouvé la raison une fois redevenu sobre. Mais il s'était trompé. Erik s'en tenait à sa décision avec une volonté farouche.

Axel avait supplié. Il lui avait demandé de s'abstenir, de laisser en terre ce qui avait été enterré. Mais pour la première fois il avait senti que son frère était inébranlable. Cette fois, il ne réussirait pas à argumenter, à ajourner. Cette fois, Erik était décidé à laisser la vérité éclater. Il avait parlé de l'enfant aussi. Il avait raconté comment il avait fait des recherches pour savoir ce qu'était devenu l'enfant. Que c'était un garçon. Qu'il lui envoyait de l'argent tous les mois, depuis qu'il avait commencé à gagner sa vie. Comme une sorte de compensation de ce qu'ils lui avaient pris. Le père adoptif avait cru qu'il était le père et il avait accepté les virements sans poser de questions. Mais cela n'avait pas suffi. Cette pénitence-là n'avait pas calmé la douleur qui le déchirait, au contraire, elle avait rendu les conséquences de leurs actes encore plus tangibles. Il fallait que la véritable pénitence ait lieu, avait dit Erik en regardant son frère droit dans les yeux.

Axel avait vu toute sa vie défiler. Il s'était vu avec les yeux d'un spectateur. Comme les gens le voyaient. Une vie remplie d'admiration, de respect. D'un claquement des doigts, elle serait envolée. Puis il avait vu le camp devant lui. Le prisonnier qu'on poussait dans la tombe qu'ils creusaient. La faim, la puanteur, l'humiliation. La sensation de la crosse du fusil qui frappait son oreille et brisait quelque chose. L'homme qui était mort et qui s'appuyait contre lui dans le bus quand ils traversaient l'Europe pour rentrer en Suède. Il y était plongé à nouveau. Il avait entendu les bruits, senti les odeurs, ressenti la rage qui couvait en permanence dans sa poitrine, même quand il était totalement épuisé et uniquement concentré sur sa survie, un jour à la fois. Il n'avait plus vu son frère dans le fauteuil devant lui. Ce n'était plus Erik qu'il voyait, mais tous ceux qui l'avaient humilié et blessé, et qui ricanaient à présent, satisfaits que cette fois ce soit lui qu'on mène à l'échafaud. Il ne pouvait pas leur donner cette satisfaction. Tous les morts, et tous les vivants, étaient alignés là et ils se moquaient de lui. Il ne survivrait pas à ça. Or il devait survivre. C'était tout ce qui comptait.

Son oreille avait sifflé plus que d'habitude et il n'avait pas pu entendre ce que disait Erik, avait seulement vu sa bouche remuer. Mais ce n'était plus Erik. C'était le garçon blond de Grini qui lui avait parlé si gentiment, lui avait fait croire qu'il était son semblable, qui l'avait amené à le considérer comme le seul être humain dans un lieu inhumain. Celui qui, accrochant bien son regard, avait ensuite levé le fusil et l'avait abattu, la crosse la première, sur son oreille, sur son cœur.

Saisi de rage et de douleur, Axel avait pris ce qu'il avait sous la main. Il avait soulevé le lourd buste de pierre haut au-dessus de sa tête tandis qu'Erik continuait à parler et à griffonner sur son bloc-notes.

Puis il avait laissé le buste tomber. Il n'y avait même pas mis du sien. L'avait seulement laissé tomber de tout son poids sur la tête de son frère. Non, pas sur la tête d'Erik. Sur la tête du gardien. A moins que ce ne soit Erik quand même ? Tout avait été si confus. Il se trouvait chez lui dans la bibliothèque, mais les odeurs et les bruits étaient si vivants. La puanteur des cadavres, des pieds bottés qui marchaient au pas, des ordres en allemand qui pouvaient signifier encore un jour à vivre, ou alors la mort.

Axel pouvait encore entendre le bruit lorsque le lourd buste en pierre avait rencontré la peau et l'os. Puis ç'avait été fini. Erik avait poussé un seul gémissement puis il s'était affaissé, les yeux ouverts. Après le premier choc, quand il eut compris ce qu'il venait de faire, un calme étrange avait envahi Axel. Ce qui s'était passé était inévitable. Doucement, il avait posé le buste sous le bureau, avait retiré ses gants ensanglantés et les avait mis dans la poche de sa veste. Puis il avait baissé tous les stores, fermé la porte à clé, était remonté dans la voiture et était retourné à l'aéroport où il avait pris le premier vol pour Paris. Il avait essayé de tout refouler et s'était plongé dans son travail, jusqu'à ce que la police l'appelle.

Le retour à la maison avait été difficile. Il ne savait pas comment il arriverait à y mettre un pied. Mais deux policiers aimables étaient venus le chercher à l'aéroport et l'avaient raccompagné chez lui, et il s'était ressaisi et avait tout simplement fait ce qu'il devait faire. Et au fil des jours il avait conclu une sorte de paix avec l'esprit d'Erik dont il ressentait encore la présence dans la maison. Il savait que son frère lui avait pardonné. Mais il ne pourrait sans doute jamais pardonner ce qu'il avait fait à Britta. Certes, il n'avait pas lui-même porté la main sur elle, mais il avait su quelle serait la conséquence de sa conversation avec Frans. En lui disant que Britta avait l'intention de tout révéler, il savait très bien ce qu'il faisait. Il avait choisi ses mots et ses formulations avec soin. Dit ce qu'il fallait pour envoyer Frans telle une balle mortelle, avec une grande précision. Il savait que l'ambition politique de Frans, son désir d'un statut et de pouvoir agiraient. Dès leur entretien, il avait pu entendre la fureur qui avait toujours été le moteur de Frans. Si bien qu'il avait autant de responsabilité dans la mort de Britta que Frans. Et cela le tourmentait. Il se rappela encore comment Herman avait regardé sa femme, avec un amour qu'Axel n'avait jamais connu, ni de près ni de loin. Et il le leur avait enlevé.

Axel vit encore un avion décoller pour une destination inconnue. Il était arrivé au bout du chemin. Il n'y avait nulle part où il pouvait aller maintenant.

Ce fut un soulagement lorsque, après de nombreuses heures d'attente, il sentit une main sur son épaule et entendit quelqu'un prononcer son nom.

Paula embrassa la joue de Johanna et la tête de son fils. Elle n'arrivait toujours pas à intégrer le fait qu'elle avait tout loupé. Et que Mellberg avait été là.

— Je suis tellement, tellement désolée, répéta-t-elle pour la énième fois.

Johanna lui adressa un sourire fatigué.

— C'est vrai que je t'ai maudite quand je n'ai pas réussi à te joindre, mais je comprends bien que ce n'était pas ta faute si on t'a enfermée. Je suis contente que tu n'aies rien.

— Moi aussi. Je suis contente que tu sois contente, dit Paula en l'embrassant encore. Et il est… fantastique.

Elle regarda son fils dans les bras de Johanna, elle eut du mal à saisir qu'il était là. Qu'il était enfin là.

— Tiens, prends-le, dit Johanna et elle donna le bébé à Paula qui s'assit à côté du lit et le berça dans ses bras. Alors, qu'est-ce que tu dis, il y avait combien de chances pour que le portable de Rita rende l'âme aujourd'hui précisément?

— Ne m'en parle pas, maman est totalement anéantie, dit Paula tout en babillant avec son fils nouveau-né. Elle est persuadée que tu ne lui adresseras plus la parole.

— Ce n'était pas sa faute. Et j'ai fini par avoir de l'assistance, rit Johanna.

— Oui, mon Dieu, qui l'eût cru ? dit Paula qui était encore sous le choc de savoir que son chef avait fait office de coach pendant la naissance de son fils. Tu devrais l'entendre dans la salle d'attente avec maman. Il est en train de se vanter devant tout le monde en disant que c'est un "solide gaillard" et que tu étais tellement courageuse. Si maman n'était pas amoureuse avant, elle l'est définitivement maintenant qu'il a aidé son petit-fils à naître. Eh oui, mon Dieu…, fit Paula en secouant la tête.

— A un moment, j'ai cru qu'il allait se dégonfler et partir en courant, mais je dois reconnaître qu'il est plus tenace que je ne l'aurais pensé.

Comme s'il avait entendu qu'elles parlaient de lui, Bertil se montra à la porte avec Rita.

— Entrez, tous les deux, dit Johanna.

— On voulait voir comment vous allez, dit Rita en s'approchant de Paula et de son petit-fils.

— Bien sûr, ça fait une demi-heure depuis la dernière fois, la taquina Johanna.

— Il faut bien qu'on vérifie s'il a grandi. Et si sa barbe a poussé, dit Mellberg, tout sourire.

Rita le regarda avec une expression qu'il fallait bien interpréter comme de l'amour.

— Je peux le tenir encore un peu ? dit-il, incapable de se retenir davantage.

— Oui, je suppose que tu le mérites, dit Paula en lui tendant son fils.

Puis elle se laissa aller sur sa chaise et observa comment Mellberg regardait le petit, et comment Rita les regardait. Même si elle s'était dit que ce serait bien pour son fils d'avoir un modèle masculin dans la vie, elle n'avait jamais imaginé Bertil Mellberg dans ce rôle. Mais à présent que cette possibilité risquait de se présenter, elle n'était plus si sûre que ce soit une mauvaise chose.

FJÄLLBACKA 1945

Il s'était dit qu'Erik devait être chez lui. Ça paraissait important de lui parler avant de partir. Il avait confiance en Erik. Il y avait quelque chose d'authentique, de sincère derrière sa façade un peu aride. Il était loyal, et c'était là-dessus que Hans comptait avant tout. Car il ne pouvait pas exclure la possibilité qu'il lui arrive quelque chose. Il allait retourner en Norvège et, même si la guerre était finie, il ne pouvait pas savoir ce que le sort lui y réserverait. Il avait fait des choses, des choses impardonnables, et son père avait été l'un des pires symboles de la cruauté des Allemands dans le pays. Si bien qu'il devait être réaliste. Il devait être un homme et penser à toutes les éventualités, maintenant qu'il allait être père. Il ne pouvait pas laisser Elsy sans filet de sécurité, sans protecteur. Et à ses yeux, Erik était le seul qui pourrait remplir ce rôle. Il frappa à la porte.

Erik n'était pas seul à la maison. Hans soupira en voyant Britta et Frans dans la bibliothèque, ils écoutaient des disques sur le gramophone du père d'Erik.

— Maman et papa ne sont pas là jusqu'à demain, expliqua-t-il et il se réinstalla à sa place derrière le bureau.

Hans resta debout devant la porte.

— En fait, c'était toi que je voulais voir, lui dit-il.

— Vous avez des secrets tous les deux ? dit Frans pour les taquiner et il monta la jambe sur l'accoudoir de son fauteuil.

— C'est ça ? Vous avez des secrets ? reprit Britta en écho avec un sourire à l'adresse de Hans.

— J'aimerais juste te parler un instant, insista Hans.

Erik haussa les épaules et se leva.

— On peut aller dehors, dit-il.

Hans le suivit sur le perron et referma soigneusement la porte. Ils s'assirent sur la première marche.

— Je dois m'absenter pendant quelques jours, dit Hans en traçant des dessins dans le gravier avec sa chaussure.

— Tu vas où ? demanda Erik et il remonta ses lunettes qui s'entêtaient à glisser sur son nez.

— En Norvège. Je dois rentrer pour... régler quelques affaires.

— Ah bon, dit Erik.

Cela ne l'intéressait guère.

— Et j'ai un service à te demander.

— Je t'écoute, dit Erik en haussant de nouveau les épaules.

Ils entendaient la musique déversée par le gramophone à l'intérieur. Frans avait dû augmenter le volume. Hans hésita avant de dire :

— Elsy est enceinte.

Erik ne fit pas de commentaire. Il se contenta de remonter de nouveau ses lunettes.

— Elle est enceinte et je vais en appeler au roi pour pouvoir l'épouser. Mais je dois rentrer chez moi pour régler quelques petits trucs d'abord, et si... s'il m'arrive quelque chose – est-ce que tu me promets de veiller sur elle ?

Erik ne dit toujours rien, et Hans attendit impatiemment sa réponse. Il ne voulait pas partir sans la promesse d'une personne de confiance d'être là pour Elsy. Pour finir, Erik dit :

— Bien sûr que je veillerai sur Elsy. Même si je trouve que c'est bien malheureux que tu l'aies mise dans cette situation. Mais que veux-tu qu'il t'arrive ? Il plissa le front. Tu devrais être accueilli en héros chez toi. Personne ne peut tout de même te reprocher de t'être enfui quand c'était devenu trop dangereux ?

Hans ignora sa question, se leva et brossa le fond de son pantalon.

— Bien sûr qu'il n'arrivera rien. Mais on ne sait jamais et je voulais que tu sois au courant. Et maintenant tu as promis.

— Oui, oui, ne t'inquiète pas. Tu viens dire au revoir aux autres avant de partir ? Mon frère est rentré aussi. Il est arrivé hier, dit Erik avec un grand sourire.

— C'est une bonne nouvelle, dit Hans en serrant l'épaule d'Erik. Comment va-t-il ? J'ai entendu qu'il était en route, mais qu'il a beaucoup souffert.

— Oui. Le visage d'Erik s'assombrit. Il a beaucoup souffert. Et il est faible. Mais il est là ! s'exclama-t-il tout content. Alors viens lui dire bonjour, vous ne vous êtes jamais rencontrés encore.

Hans sourit et suivit Erik dans la maison.

Les premières minutes autour de la table de la cuisine furent un peu tendues. Puis la nervosité se calma et elles purent parler de façon décontractée avec leur frère. Anna était encore un peu ébranlée par la nouvelle, mais elle contemplait Göran avec fascination.

— Tu ne t'es jamais posé de questions sur tes parents? dit Erica tout en piochant un bonbon dans le bol où elle avait servi un assortiment de bonbons et de chocolats.

— Si, ça m'est arrivé, évidemment, dit Göran. D'un autre côté, maman et papa, je veux donc dire Wilhelm et Märta, m'ont toujours suffi. Mais tu as raison, de temps à autre j'y pensais sans doute, je me demandais pourquoi elle m'avait abandonné, ce genre de choses. Il hésita. J'ai compris qu'elle vivait un moment difficile.

— Oui, dit Erica en jetant un regard sur Anna.

Elle avait eu du mal à décider ce qu'elle allait raconter à sa sœur, qu'elle avait toujours eu tendance à surprotéger. Puis elle avait finalement réalisé qu'Anna avait survécu à des choses bien pires, et elle lui avait fourni toute l'information qu'elle détenait, y compris les journaux intimes. Anna avait pris la chose sans se troubler, et ils étaient maintenant réunis, chez Erica et Patrik. Deux sœurs et un frère. C'était une sensation bizarre, qui d'une étrange façon paraissait quand même évidente. Bon sang ne saurait mentir. Le proverbe disait peut-être vrai.

— Je suppose qu'il est trop tard pour commencer à me mêler de vos affaires, savoir qui sont vos petits amis et ce genre de trucs, rit Göran en montrant Patrik et Dan. J'ai l'impression que j'ai loupé cette étape.

— On peut dire ça, oui, sourit Erica en prenant un autre bonbon.

— J'ai entendu qu'ils ont fini par attraper l'assassin, c'était le frère, dit Göran et il devint sérieux.

— Oui, il attendait à l'aéroport, dit Patrik. Bizarre, il aurait pu s'enfuir sans problème, et on ne l'aurait sans doute jamais rattrapé. Mais d'après mes collègues, il a tout fait pour leur faciliter les choses.

— Mais pourquoi est-ce qu'il a tué son frère ? demanda Dan en posant son bras sur les épaules d'Anna.

— Ils sont encore en train de l'interroger, je ne sais pas trop, dit Patrik.

Il glissa un bout de chocolat à Maja qui jouait par terre avec la poupée que lui avait donnée la mère de Göran.

— En tout cas, je me demande bien pourquoi l'autre frère a versé tout cet argent à mon père pendant toutes ces années. Si j'ai bien compris, ce n'était pas lui, mon père, c'était un Norvégien. A moins que je ne me trompe ? dit Göran en regardant Erica.

— Non, tu as entièrement raison. D'après les journaux intimes de ma mère, ton père s'appelait Hans Olavsen, mais en réalité il s'appelait Hans Wolf. Erik et maman ne semblent jamais avoir eu de relations amoureuses. Ce qui fait que je ne sais pas trop… Erica se mordilla la lèvre inférieure. On comprendra sûrement quand Axel Frankel aura vidé tout ce qu'il a dans son sac.

— Sûrement, dit Patrik.

Dan s'éclaircit la gorge et tout le monde se tourna vers lui. Anna et lui échangèrent un regard et pour finir Anna dit :

— Eh bien… on a quelque chose à vous annoncer.

— C'est quoi ? dit Erica en mettant encore un Dumle dans la bouche.

— Voilà… Anna laissa traîner, puis les mots jaillirent en cascade : On attend un bébé. Pour le printemps.

— Nooon ! C'est super ! s'écria Erica et elle bondit de sa chaise pour aller serrer sa sœur dans ses bras. Elle serra Dan aussi avant de se rasseoir, les yeux étincelants. Et tu te sens comment ? Ça va ? Tu as des nausées ?

Ses questions crépitèrent comme des coups de feu.

— Oui, j'ai envie de vomir en permanence. Mais c'était pareil pour Adrian. Et il y a un autre truc aussi, j'ai tout le temps envie de sucres d'orge.

— Ha, ha, des sucres d'orge, on croit rêver, rigola Erica. Bon, je ferais mieux de me taire parce que, quand j'étais enceinte de Maja, je me bourrais sans arrêt de toffees…

Erica s'arrêta au milieu de sa phrase et regarda le tas de papiers de bonbons devant elle. Patrik avait la bouche grande ouverte, il l'avait vu, lui aussi. Fébrilement, elle chercha dans ses souvenirs. Quand devait-elle avoir ses règles ? Elle s'était tellement concentrée sur l'histoire de sa mère qu'elle n'avait même pas pensé à… Deux semaines de retard ! Elle aurait dû avoir ses règles depuis deux semaines ! Bêtement, elle fixa le tas de papiers de Dumle. Puis elle entendit Anna éclater de rire.

FJÄLLBACKA 1945

Axel entendit des voix au rez-de-chaussée, et il sortit péniblement de son lit. Le médecin qui l'avait examiné à son retour en Suède avait dit qu'il faudrait du temps avant qu'il soit complètement rétabli. Et son père avait dit la même chose hier quand il avait enfin pu rentrer chez lui. Un instant, ce fut comme si toute la terreur, toutes les horreurs qu'il avait vécues n'avaient jamais existé. Mais sa mère avait pleuré en le voyant. Elle avait pleuré en serrant son corps maigre et frêle dans ses bras. Ça avait fait mal. Car ce n'était pas que des larmes de joie, elle pleurait aussi le garçon qu'elle avait perdu. Il ne serait jamais le même. Axel si téméraire, si franc, n'existait plus. Ces années l'avaient éliminé. Il avait vu dans les yeux de sa mère que, tout en se réjouissant de ce nouvel Axel qui lui était revenu, elle regrettait le fils qu'elle ne retrouverait jamais.

Elle n'avait pas voulu accompagner son mari et passer la nuit chez leurs amis, comme c'était prévu depuis longtemps. Mais père avait compris qu'Axel avait besoin de se reposer et il avait insisté pour qu'ils partent quand même tous les deux.

— Ça y est, il est de retour, notre garçon, avait dit père. On aura tout notre temps pour le voir. Mais on va commencer par le laisser tranquille, il a besoin de reprendre des forces. Et Erik reste là pour lui tenir compagnie.

Elle avait fini par céder et ils étaient partis. Axel avait béni l'occasion de se retrouver seul, c'était déjà un gros travail de s'habituer au retour. De s'habituer à être Axel.

Il tourna l'oreille droite vers la porte et écouta. Il devait sans doute se faire à l'idée d'avoir irrémédiablement perdu l'ouïe de l'oreille gauche, lui avait dit le docteur. Ce n'était pas vraiment une nouvelle pour lui. Dès l'instant où le gardien avait levé le fusil et où la crosse s'était abattue sur son oreille, il avait su que quelque chose s'était brisé. L'oreille endommagée serait un rappel éternel et quotidien de ce qu'il avait vécu.

Il se traîna dans le couloir. Ses jambes étaient encore faibles et son père lui avait donné une canne pour s'appuyer. Elle avait appartenu à son grand-père, une canne épaisse, solide et garnie d'argent.

Il dut s'agripper à la rambarde pour descendre les marches, c'était laborieux, mais il était curieux de savoir qui était là. Bien qu'il ait aspiré à la solitude, il n'avait rien contre un peu de compagnie maintenant qu'il était bien reposé.

Frans et Britta occupaient chacun un fauteuil, c'était bizarre de les voir là, comme si rien ne s'était passé. Pour eux, la vie avait continué sur ses rails habituels. Ils n'avaient pas vu les piles de cadavres, ils n'avaient pas vu le camarade tressaillir puis s'effondrer, une balle dans le front. Un instant, il ressentit un sentiment d'injustice, puis il se dit qu'il avait choisi lui-même de s'exposer au danger et qu'il fallait assumer maintenant. Mais une bonne dose de colère continua à couver en lui.

— Axel ! Chouette, tu t'es levé ! dit Erik et il se redressa dans le fauteuil derrière le bureau.

Son visage s'éclaira en voyant son frère. C'était ce qui avait fait le plus chaud au cœur à Axel en rentrant. Voir de nouveau le visage de son frère.

— Eh oui, le vieillard a réussi à se lever avec sa canne, rit Axel et, pour plaisanter, il en menaça Frans et Britta.

— J'ai quelqu'un ici que je veux te présenter, dit Erik, tout excité. Il est norvégien, il était dans la Résistance mais il s'est enfui à bord du bateau d'Elof quand les Allemands ont commencé à s'intéresser à lui. Hans, voici mon frère Axel.

La voix d'Erik était gonflée de fierté.

Seulement maintenant, Axel remarqua la personne qui se tenait près du mur. Il avait le dos tourné vers la porte, et tout ce qu'il voyait, c'était un jeune homme mince aux cheveux blonds et bouclés. Axel eut le temps de faire un pas vers lui pour le saluer lorsqu'il se retourna.

Instantanément, le monde s'arrêta. Axel revit la crosse du fusil. Il vit le fusil se lever et venir frapper son oreille. Il sentit à nouveau la trahison, la déception après avoir fait confiance à quelqu'un qu'il avait placé parmi les bons. Il vit le garçon devant lui et il le reconnut immédiatement. Ses oreilles se mirent à bourdonner et le sang bouillonna dans ses veines. Avant de savoir ce qu'il faisait, Axel leva la canne et l'abattit sur le visage du jeune homme devant lui.

— Mais qu'est-ce que tu fais? s'écria Erik et il se précipita vers Hans qui était tombé et se tenait la tête, du sang suintant entre ses doigts.

Frans et Britta s'étaient levés, eux aussi, et fixèrent Axel de leurs yeux ahuris. Il pointa la canne sur Hans et, la voix vibrant de haine, il dit :

— Il vous a menti. Ce n'est pas un résistant norvégien. Il était gardien à Grini quand j'y étais. C'est lui qui m'a rendu sourd, il m'a frappé sur l'oreille avec son fusil.

On aurait entendu une mouche voler.

— C'est vrai, ce que dit mon frère ? dit Erik à voix basse et il s'accroupit à côté de Hans qui gémissait par terre. Tu nous as menti ? Tu étais avec les Allemands ?

— A Grini, ils ont dit qu'il était le fils d'un SS, fit Axel qui tremblait encore de tout son corps.

— Et c'est lui qui a mis Elsy enceinte, dit Erik et il regarda Hans, les yeux débordant de haine.

— Qu'est-ce que tu dis ? Frans était devenu tout blanc. Il a mis Elsy enceinte ?

— C'est ça qu'il est venu me confier. Et il a le toupet de me demander de prendre soin d'elle s'il lui arrivait quelque chose. Parce qu'il a des affaires à régler en Norvège.

De fureur, Erik ouvrit et ferma les poings en fixant Hans, qui essaya en vain de se relever.

— Oui, je vois le topo. Des affaires à régler. Pour se précipiter chez son père, plutôt, dit Axel et il leva la canne de nouveau.

De toutes ses forces il frappa Hans qui s'effondra encore en poussant un gémissement.

— Non, je voulais… ma mère…, bafouilla Hans en les suppliant du regard.

— Espèce de salaud, dit Frans entre les dents et il asséna un coup de pied dans le ventre de Hans.

— Comment as-tu pu ? Tu nous as raconté des bobards, alors que tu savais que mon frère…

Erik avait des larmes aux yeux et sa voix se brisa. Il recula de quelques pas et serra les bras autour de son corps.

— Ne savais pas… ton frère…

La voix de Hans était floue et il essaya de nouveau de se relever.

— Tu avais l'intention de te tirer, c'est ça ! cria Frans. D'abord la mettre enceinte, puis te casser. Tu me dégoûtes, espèce de porc ! N'importe quelle fille, mais pas Elsy ! Ça veut dire que c'est un petit Fridolin qu'elle attend !

Sa voix monta dans les aigus.

Britta le fixa, elle était au désespoir. C'était comme si elle réalisait maintenant seulement combien elle aimait Elsy. Elle s'affaissa en un tas sanglotant par terre, tout à sa douleur.

Frans l'observa pendant quelques secondes. Avant qu'aucun des autres n'ait eu le temps de réagir, il alla prendre le coupe-papier sur le bureau et le planta dans la poitrine de Hans.

Pendant quelques secondes, Erik et Britta restèrent comme paralysés par le choc, tandis que la vue du sang qui jaillit autour du couteau semblait déclencher quelque chose de bestial en Axel. Il concentra sa rage sur le paquet immobile par terre. Des coups de poing et de pied pleuvaient sur Hans tandis qu'Axel et Frans proféraient des grognements primitifs. Et lorsqu'ils eurent fini, épuisés et hors d'haleine, le garçon qui gisait à terre était méconnaissable. Ils se regardèrent. Effrayés, mais en quelque sorte heureux aussi. Avoir pu relâcher toute la haine, tout ce qu'ils avaient eu en eux, était une sensation libératrice et puissante, ils pouvaient le lire dans les yeux les uns des autres.

Ils prolongèrent la sensation, partagèrent l'instant, couverts du sang de Hans. Ils en avaient sur les mains, sur les vêtements et sur le visage. Il avait giclé largement autour d'eux, et une flaque sombre se formait lentement sous le corps. Erik en était éclaboussé, il serrait toujours ses bras autour de son torse qui tremblait violemment. Il fixa la forme immobile ensanglantée, et sa bouche était ouverte quand il se tourna vers son frère. Britta était assise par terre et regardait ses mains tachées de sang, elles aussi. Son regard était aussi absent que celui d'Erik. Personne ne parlait. C'était comme le silence sinistre après une tempête, tout est calme mais le silence porte encore les souvenirs du vacarme du vent.

Ce fut Frans qui finit par parler.

— Il faut qu'on nettoie tout ça, dit-il froidement et il toucha Hans avec son pied. Britta, tu restes ici faire le ménage. Erik, Axel et moi, on va s'employer à le dégager.

— Mais où ? dit Axel en essayant d'essuyer le sang de son visage avec la manche de son pull.

Frans réfléchit en silence un moment, puis il dit :

— Je sais comment faire. On va attendre la nuit pour le sortir. On le posera sur quelque chose pour limiter les taches de sang dans la maison. On fera le ménage ensemble ici en attendant, et on se lavera aussi.

— Mais..., commença Erik.

Il s'écroula par terre et fixa un point au-delà de Frans.

— Je connais le lieu parfait. On va le mettre avec les siens, dit Frans avec une pointe d'amusement dans la voix.

— Les siens ? fit Axel d'un ton creux.

Il regardait la canne dont le bout était couvert d'un mélange de sang et de cheveux.

— On va le mettre dans la tombe des Allemands. Au cimetière, dit Frans et son sourire se fit plus large encore. Il y a une sorte de justice poétique à ça.

— *Ignoto militi*, murmura Erik, assis par terre, le regard dans le vide. C'est l'inscription qu'il y a sur la tombe du soldat inconnu, précisa-t-il.

— Oui, tu vois, ça sera parfait, rit Frans.

Personne ne rit, mais personne ne protesta non plus contre la proposition de Frans. Avec des gestes tendus, ils se mirent au travail. Erik alla chercher un gros sac dans la cave et ils fourrèrent Hans dedans. Axel chercha des produits de nettoyage, et Frans et Britta entamèrent le laborieux lessivage de la bibliothèque. La tâche se révéla plus difficile que ce qu'ils avaient cru. Le sang était visqueux et avait tendance à s'étaler. Britta pleurait hystériquement en frottant, de temps en temps elle s'arrêtait et sanglotait, la brosse de chiendent à la main, et Frans lui sifflait de continuer. Il travaillait lui-même comme un forcené, la sueur coulait, mais dans ses yeux on ne voyait rien du voile choqué qui couvrait ceux des autres. Erik frottait machinalement, il avait cessé d'insister pour qu'ils informent la police de ce qui s'était passé. Il avait fini par comprendre que Frans avait raison, ils ne pouvaient pas exposer Axel au risque d'être arrêté et emprisonné, alors qu'il rentrait tout juste après avoir survécu à l'enfer des camps de concentration.

Au bout d'une heure d'acharnement, ils essuyèrent la sueur de leur front et Frans constata avec satisfaction qu'il n'y avait plus aucune trace dans la bibliothèque de ce qui s'y était déroulé.

— Il faudra emprunter des affaires dans le placard de nos parents pour vous, dit Erik sourdement et il alla leur chercher des habits.

En revenant, il s'arrêta et regarda son frère, affaissé dans un coin de la bibliothèque, le regard encore fixé sur les morceaux ensanglantés pleins de cheveux qui collaient à sa canne. Il n'avait pas prononcé un mot depuis que la fureur l'avait quitté, mais à présent il leva les yeux et dit à la cantonade :

— Comment on l'emmène au cimetière ? Ça ne serait pas mieux de l'enterrer dans la forêt ?

— Vous avez un triporteur, on n'a qu'à le prendre, dit Frans qui ne voulait pas abandonner son idée. Reprenez-vous. Si on l'enterre dans la forêt, un animal pourra le déterrer, mais personne n'ira imaginer qu'il y a quelqu'un d'autre enterré dans la tombe des Allemands. Je veux dire, il y a déjà des cadavres dedans. On le mettra sur le plateau du triporteur et on le couvrira avec quelque chose, personne ne se doutera de rien.

— J'ai creusé suffisamment de tombes comme ça…, dit Axel d'un air absent et il regarda de nouveau la canne.

— Frans et moi, on s'en occupe, dit Erik vivement. Tu resteras ici, Axel. Et Britta, tu rentreras chez toi, avant qu'ils commencent à s'inquiéter de ne pas te voir arriver pour le dîner.

Il parlait vite, les mots crépitèrent comme une mitraillette, et il ne quitta pas son frère des yeux.

— Personne ne se soucie de mes allées et venues, dit Frans sourdement. Alors ce n'est pas un problème pour moi de rester. On va attendre qu'il fasse vraiment nuit, vers dix heures, il n'y aura pas trop de monde dans les rues.

— Qu'est-ce qu'on fait pour Elsy ? dit Erik lentement, le regard rivé sur ses chaussures. Elle compte sur lui. Et maintenant qu'elle attend un enfant…

— Un petit Fritz, tu veux dire ! Elle n'a qu'à assumer les conséquences ! cracha Frans. Elsy ne doit rien savoir ! C'est compris ? On va la laisser croire qu'il est

596

parti et qu'il l'a abandonnée, ce qu'il aurait sans doute fait de toute façon ! Je n'ai certainement pas l'intention de gaspiller ma sympathie pour elle. C'est son problème, à elle de le régler. Des objections ?

Frans darda ses yeux sur les autres. Personne ne répondit.

— Bon ! Alors c'est réglé. Ça restera notre secret. Rentre chez toi maintenant, Britta, pour qu'ils ne se mettent pas à te chercher partout.

Britta sa leva et lissa de ses mains tremblantes sa robe ensanglantée. Sans un mot, elle prit la robe qu'Erik lui tendit et alla se laver et se changer. La dernière chose qu'elle vit avant de quitter les trois garçons dans la bibliothèque fut le regard d'Erik. Toute la colère qu'il y avait dans ses yeux quand le secret de Hans avait été dévoilé avait totalement disparu maintenant. Il n'y restait que la honte.

Quelques heures plus tard, Hans fut enterré dans la tombe où il allait reposer en paix pendant soixante ans.

FJÄLLBACKA 1975

Elsy posa doucement le dessin d'Erica dans le coffre. Tore était parti faire un tour en bateau avec les filles et la maison était à elle pendant quelques heures. Elle aimait bien monter au grenier dans ces moments-là. Prendre le temps de penser au passé et au présent.

Sa vie était devenue si différente de ce qu'elle avait imaginé. Elle prit les carnets bleus et passa distraitement le bout de ses doigts sur la couverture du premier. Elle avait été si jeune. Si naïve. Elle aurait pu s'épargner beaucoup de douleur si elle avait su alors ce qu'elle savait aujourd'hui. Qu'on ne pouvait pas se permettre de trop aimer. Le prix en était toujours trop élevé, c'est pourquoi elle payait encore pour cette unique fois, il y avait si longtemps, quand elle avait trop aimé. Mais elle avait tenu la promesse qu'elle s'était faite. Ne plus jamais aimer.

Bien sûr, parfois elle avait été tentée de s'abandonner, d'ouvrir son cœur de nouveau. Quand elle regardait ses deux filles blondes, leurs visages qui se tournaient vers elle. En elles, elle voyait une sorte de faim, une faim de quelque chose qu'elle était supposée leur donner. Surtout Erica. Elle avait davantage de besoins qu'Anna. Parfois elle surprenait sa fille aînée en train de la regarder avec toute l'envie insatisfaite que pouvait contenir un petit corps de fillette.

Et Elsy était alors tentée de rompre sa promesse, d'aller prendre sa fille dans ses bras et de sentir leurs deux cœurs battre en harmonie. Mais quelque chose l'en empêchait toujours. Au dernier moment, avant de se lever, avant de serrer sa fille dans ses bras, elle sentait toujours le petit corps chaud de son fils dans ses mains. Ses yeux tout neufs quand il la regardait, le portrait de Hans, son propre portrait. Un enfant de l'amour qu'elle avait cru élever avec lui. Au lieu de cela, elle avait dû accoucher seule, entourée d'étrangers, elle l'avait senti glisser hors de son corps, puis de ses bras quand on l'emmenait pour le donner à une autre mère dont elle ne connaissait rien.

Elsy plongea la main dans le coffre et prit la brassière. Les taches de sang, son sang, avaient pâli avec le temps et ressemblaient aujourd'hui davantage à de la rouille. Elle l'approcha de son nez, renifla pour essayer d'y déceler des traces de son odeur, l'odeur douce et chaude qui émanait de lui quand elle le tenait dans ses bras. Mais ça ne sentait que le renfermé, l'humidité. Avec le temps, l'odeur du coffre avait éliminé celle de son fils, elle ne la percevait plus.

Parfois elle s'était dit qu'elle pourrait faire des recherches pour le retrouver. Au moins afin de s'assurer que tout allait bien pour lui. Mais elle n'était jamais passée à l'acte.

Elle prit la médaille au fond du coffre et la soupesa dans sa main. Elle l'avait découverte en fouillant la chambre de Hans, avant de partir donner naissance à son enfant. Quand elle croyait encore qu'il y avait un espoir, qu'elle pourrait peut-être trouver parmi les affaires qu'il avait laissées une explication plausible. Pourquoi il n'était pas revenu. Mais la seule chose qu'il y avait, à part quelques vêtements, c'était la médaille. Elle ne savait pas quelle était sa signification, ne savait pas où il l'avait récupérée ni le rôle qu'elle avait joué dans sa vie. Mais elle avait senti qu'elle était importante et elle l'avait conservée. Doucement, elle l'entoura de la brassière et remit le petit paquet dans le coffre. Elle y reposa ses journaux intimes et les dessins qu'Erica lui avait donnés le matin même. Car c'était tout ce qu'elle était capable d'offrir à ses filles. Un instant d'amour quand elle était seule avec ses souvenirs. Alors elle pouvait se résoudre à penser à elles, non seulement avec la tête mais aussi avec le cœur. Mais dès qu'elles posaient sur elle leurs yeux affamés, son cœur se refermait, terrorisé.

Car celui qui n'aimait pas ne risquait pas non plus de perdre.

REMERCIEMENTS

Cette fois encore, Micke a été d'un grand soutien, c'est pourquoi il est le premier que je voudrais remercier.

Comme toujours, mon éditrice Karin Linge Nordh, avec sa chaleur et sa minutie, a peaufiné mon manuscrit pour l'améliorer et faire de moi un meilleur auteur. Tout le monde aux éditions Forum a continué à me rassurer et m'encourager. C'est un grand plaisir de travailler avec vous.

Bengt Nordin et Maria Enberg de la Nordin Agency, vous êtes des champions du monde. Vous réussissez toujours à paraître ravis comme des enfants et heureux pour moi quand vous avez de bonnes nouvelles à m'annoncer. Sans vous, ce travail serait encore plus solitaire.

J'ai aussi été bien assistée dans la vérification des faits. D'une part, les policiers du commissariat de Tanumshede sont toujours très serviables, je voudrais particulièrement remercier Petra Widén et Folke Åsberg. Martin Melin aussi a lu le manuscrit et a fourni des commentaires précieux sur les détails policiers. Comme un bonus, son père, Jan Melin, m'a éclairée sur les détails historiques des années 1940 et de la Suède pendant la guerre. Cette fois-ci encore, Jonas Lindgren à Rättsmedicin, l'unité médicolégale à Göteborg, a eu la gentillesse de répondre à mes questions.

Un grand merci à Anders Torevi qui a relu le manuscrit et corrigé quelques points concernant Fjällbacka. Après tout, cela fait un certain nombre d'années que je n'y habite plus. Ma mère, Gunnel Läckberg, m'a fourni des éléments sur la ville et elle a de plus été une baby-sitter irremplaçable. Cela est valable aussi pour Hans et Mona Eriksson. Comme toujours, Mona a lu mon manuscrit et exprimé ses opinions.

Je voudrais remercier Lasse Anrell de m'avoir autorisée à lui faire faire une brève apparition dans le livre. Il a promis de me donner des tuyaux sur les géraniums la prochaine fois qu'on se verra…

Comme d'habitude, j'ai trouvé le calme pour travailler au manoir de Gimo. On m'y accueille toujours les bras ouverts quand j'arrive avec mon ordinateur.

Puis, les nanas… Vous vous reconnaissez… Que serait la vie d'auteur sans vous ? Vide, solitaire et ennuyeuse… Et mes lecteurs, et les lecteurs du blog – un immense merci à vous tous qui continuez à vous engager, livre après livre.

Pour finir, je voudrais remercier Caroline, Johan, Maj-Britt et Ulf qui nous ont conseillés et guidés jusqu'au paradis où je me trouve en ce moment…

CAMILLA LÄCKBERG,
Koh Lanta, Thaïlande,
le 9 mars 2007.

Retrouvez les enquêtes d'Erica Falck
dans les collections Babel noir et Actes noirs

LA PRINCESSE DES GLACES
traduit du suédois par Lena Grumbach et Marc de Gouvenain

Dans une petite ville tranquille de la côte suédoise, deux suicides – une jeune femme, puis un clochard peintre – s'avèrent être des assassinats dont la police a bien du mal à cerner les causes.

LE TAILLEUR DE PIERRE
traduit du suédois par Lena Grumbach et Catherine Marcus

Un pêcheur trouve une petite fille noyée. Le problème est que Sara, sept ans, a dans les poumons de l'eau douce savonneuse. Quelqu'un l'a donc tuée et déshabillée avant de jeter son corps à la mer.

LE PRÉDICATEUR

traduit du suédois par Lena Grumbach et Catherine Marcus

Le descendant d'un prédicateur manipulateur des foules, catastrophé d'avoir perdu le don de soigner, entreprend de tuer pour bénéficier à nouveau de l'aide divine et retrouver son pouvoir.

L'OISEAU DE MAUVAIS AUGURE
traduit du suédois par Lena Grumbach et Catherine Marcus

Déjà pris de court entre l'installation d'une équipe de téléréalité qui chamboule la tranquillité de la ville et la préparation de son mariage imminent avec Erica Falck, le commissaire Patrik Hedström doit faire face à la multiplication d'étranges accidents de voiture.

LA SIRÈNE

traduit du suédois par Lena Grumbach

L'irrésistible enquêtrice au foyer, enceinte de jumeaux, ne peut s'empêcher d'aller fouiner dans le passé d'un écrivain à succès lorsque celui-ci commence à recevoir des lettres de menace anonymes qui semblent liées à la mystérieuse disparition d'un de ses amis…

LE GARDIEN DE PHARE
traduit du suédois par Lena Grumbach

Non contente de s'occuper de ses jumeaux en bas âge, Erica enquête sur l'île de Gräskär dans l'archipel de Fjällbacka. L'homme engagé pour gérer la réhabilitation de l'hôtel-restaurant de Tanumshede y a fait une visite juste avant d'être assassiné. Or, depuis toujours, l'île surnommée "l'île aux Esprits" fait l'objet de rumeurs sombres…

LA FAISEUSE D'ANGES
traduit du suédois par Lena Grumbach

Pâques 1974. Sur l'île de Valö, aux abords de Fjäll-backa, une famille a disparu sans laisser de traces à l'exception d'une fillette d'un an et demi, Ebba. Des années plus tard, Ebba revient sur l'île et s'installe dans la maison familiale avec son mari. Les vieux secrets de la propriété ne vont pas tarder à ressurgir.

BABEL NOIR

Catalogue

OUVRAGE RÉALISÉ
PAR L'ATELIER GRAPHIQUE ACTES SUD
REPRODUIT ET ACHEVÉ D'IMPRIMER
EN OCTOBRE 2014
PAR NORMANDIE ROTO IMPRESSION S.A.S.
À LONRAI
POUR LE COMPTE DES ÉDITIONS
ACTES SUD
LE MÉJAN
PLACE NINA-BERBEROVA
13200 ARLES

DÉPÔT LÉGAL
1re ÉDITION : NOVEMBRE 2014
No impr. : 1403771
(Imprimé en France)